10개년 과년도문제 실전 테스트

토목기사실기

2024

SI KCS

전용 홈페이지를 통한 365일 학습관리

NAVER 한솔아카데미 토목기사

3

김태선 · 박광진 · 홍성협 · 김창원 · 김상욱 · 이상도 공저

Book

과년도

Speed Master

시험대비 합격 솔루션

1단계 소책자로 항상 소지하여 학습효과 증대
2단계 10개년 과년도 문제 모범답안으로 작성
3단계 보고 또 보고 반복학습을 통해서 마스터
4단계 실전을 통해 채점기준 답안작성요령터득

한솔아카데미
www.bestbook.co.kr

전용 홈페이지를 통한

2024/365일 학습질의응답 관리

홈페이지 주요메뉴

http://www.inup.co.kr

❶ 수강신청
- 필기+실기 패키지
- 토목기사 필기과정
- 토목기사 실기과정
- 온라인강의 특징
- 교수진

❷ 학원강의
- 학원강의 안내
- 학원강의 특징
- 교수진

❸ 무료제공 동영상강의
- 입문특강
- 필기대비 무료강의
- 실기대비 무료강의
- 한솔TV특강

❹ 기출문제 학습자료
- 토목기사필기
- 토목산업기사필기
- 토목기사실기

❺ 교재안내
- 필기
- 실기

❻ 수험정보 EVENT
- 이벤트/특강
- 토목기사 진로
- 토목기사 합격가이드
- 수험정보

❼ 학습게시판 합격수기
- 학습 Q&A
- 공지사항
- 합격수기

❽ 나의강의실

2024년 대비
학습플랜

토목기사 실기
6단계 완전학습 커리큘럼

동영상 강좌

100% 저자 직강 유료강의 및
최근 3개년 기출문제 무료제공(3개월)

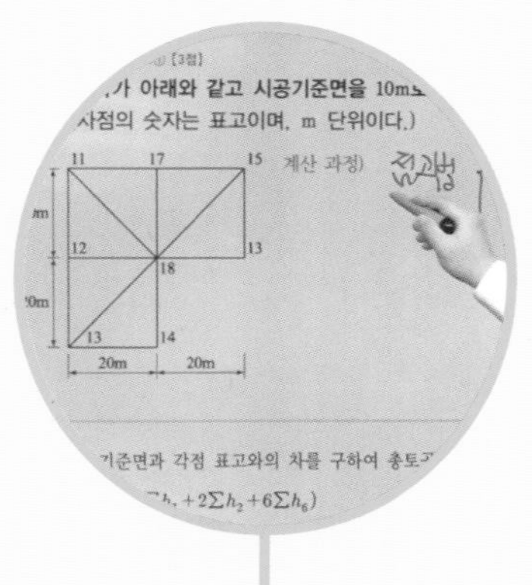

2단계 핵심 기출문제 마스터

핵심 기출문제를
반복학습

1 동영상 강좌

2 1단계 이론+핵심기출문제

3 2단계 핵심 기출문제 마스터

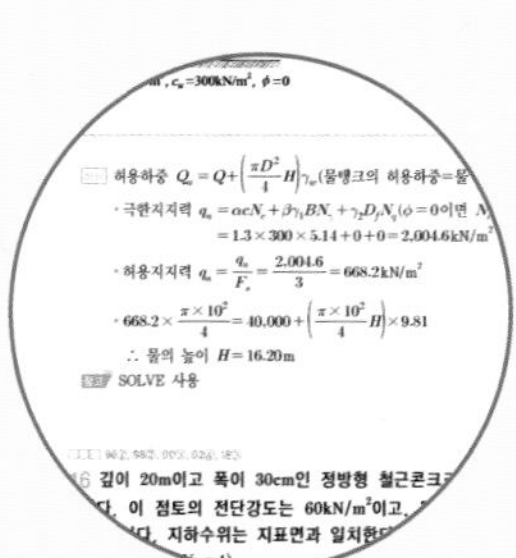

SOLVE기능

[계산기 f_x 570 ES]를 활용하여
SOLVE 사용법을 수록하였다.

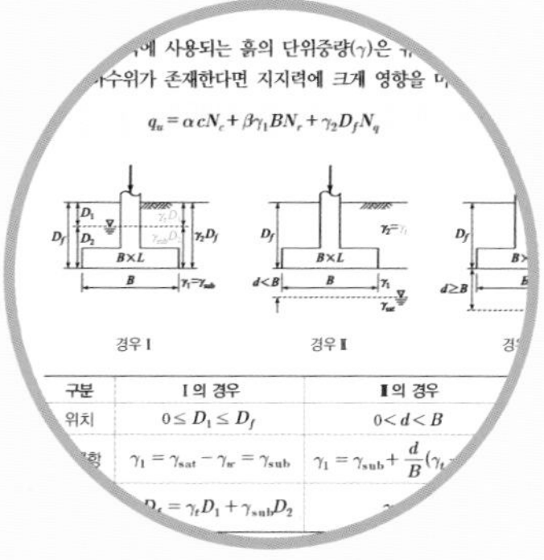

1단계 이론+핵심기출문제

기본적인 이론학습과 출제문제의
연계성을 통해 전체의 흐름을 파악

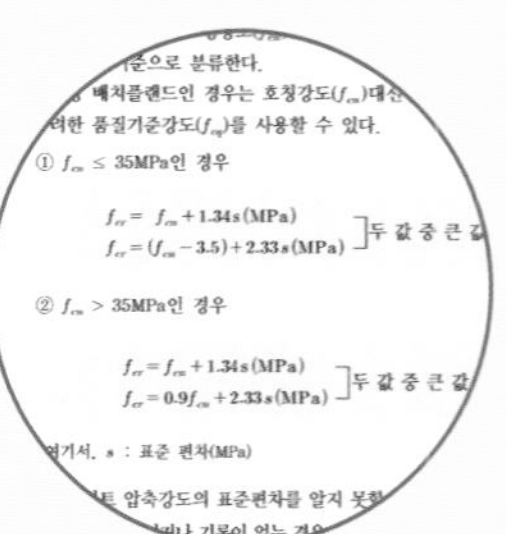

변경된 기준 반영

설계기준강도(f_{ck})에서
호칭강도(f_{cn})와 품질기준강도(f_{cq})로
변경내용 반영

한솔아카데미에서 제공하는

교재 학습플랜 길잡이

200% 학습법

3단계 10개년 과년도 마스터

10개년 과년도를 통해
전과목을 총체적으로 실전문제 마스터

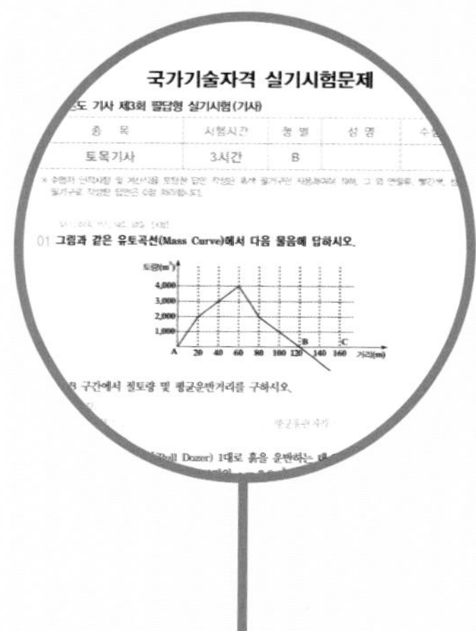

학습 Q&A

전용 홈페이지를 통한
365일 학습관리 시스템

4 3단계 10개년 과년도 마스터 **5** 4단계 과년도 예상문제 마스터 **6** 학습 Q&A

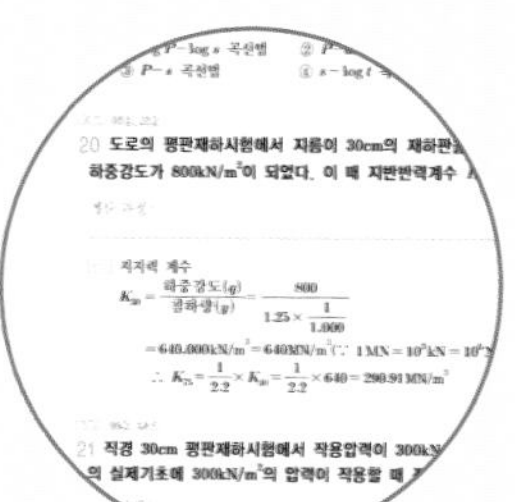

SI단위 적용

국제단위 변환규정
SI단위 적용

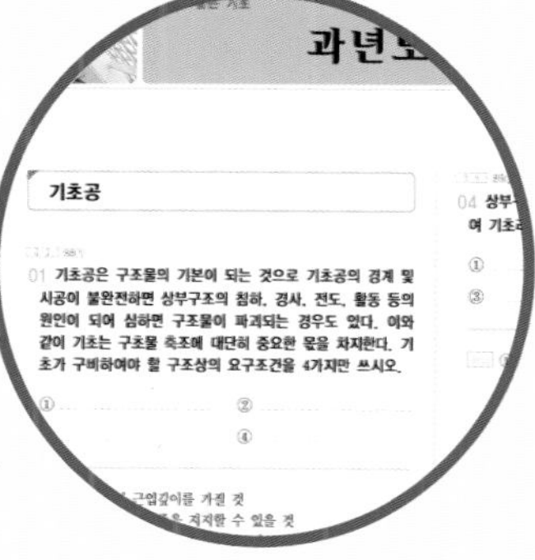

4단계 과년도 예상문제 마스터

1984년부터 1999년까지
출제된 문제 마스터

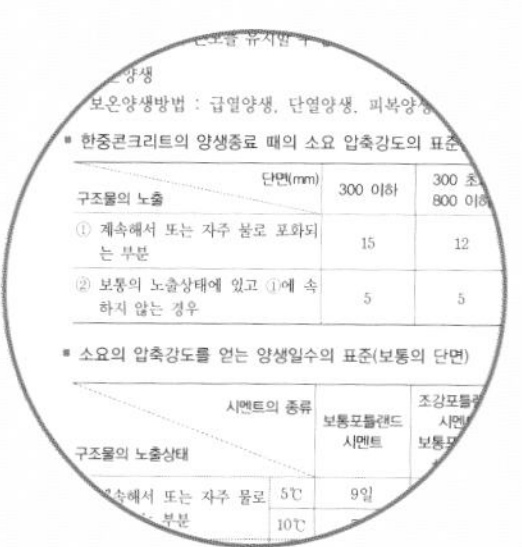

KCS 적용

콘크리트 표준시방서
KCS규정 적용

본 도서를 구매하신 분께 드리는 혜택

본 도서를 구매하신 후 홈페이지에 회원등록을 하시면 아래와 같은 학습 관리시스템을 이용하실 수 있습니다.

01

365일 질의응답

본 도서 학습시 궁금한 사항은 전용 홈페이지를 통해 질문하시면 담당 교수님으로부터 365일 답변을 받아 볼 수 있습니다.

전용홈페이지(www.inup.co.kr) – 토목기사 학습게시판

02

무료 동영상 강좌

교재구매 회원께는 아래의 동영상강의 3개월 무료수강을 제공합니다.

토목기사 실기 3개년 기출문제 동영상강의 3개월 무료제공

03

자율 모의고사

교재구매 회원께는 자율모의고사 혜택을 드립니다. 자율모의고사는 나의강의실에 올려드리는 문제지를 출력하여 각자 실제 시험과 같은 환경에서 제한된 시간 내에 답안을 작성하여 주시고 이후 올려드리는 해설답안을 참고하시어 부족한 부분을 보완할 수 있도록 합니다.

시행일시 : 토목기사 시험일 2주 전 실시(세부일정은 인터넷 전용 홈페이지 참고)

| 등록 절차 |

도서구매 후 본권② 뒤표지 회원등록 인증번호 확인

⬇

인터넷 홈페이지(www.inup.co.kr)에 인증번호 등록

교재 인증번호 등록을 통한 학습관리 시스템

❶ 365일 학습질의응답 ❷ 3개년 기출문제 3개월 무료수강
❸ 자율모의고사 시행

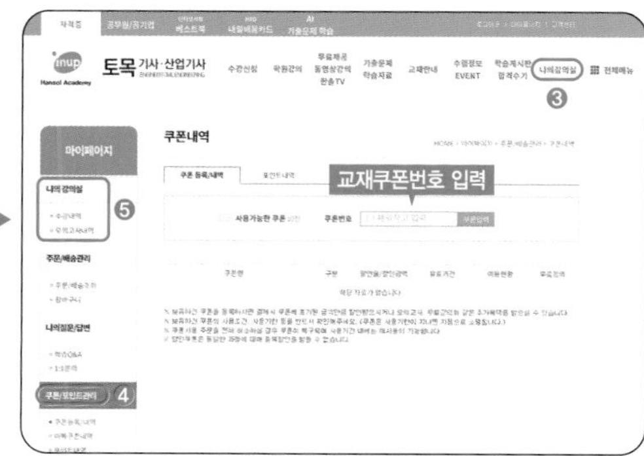

01 사이트 접속

인터넷 주소창에 **https://www.inup.co.kr** 을 입력하여 한솔아카데미 홈페이지에 접속합니다.

02 회원가입 로그인

홈페이지 우측 상단에 있는 **회원가입** 또는 아이디로 **로그인**을 한 후, **[토목]** 사이트로 접속을 합니다.

03 나의 강의실

나의강의실로 접속하여 왼쪽 메뉴에 있는 **[쿠폰/포인트관리]-[쿠폰등록/내역]**을 클릭합니다.

04 쿠폰 등록

도서에 기입된 **인증번호 12자리** 입력(-표시 제외)이 완료되면 **[나의강의실]**에서 학습가이드 관련 응시가 가능합니다.

■ 모바일 동영상 수강방법 안내

❶ QR코드 이미지를 모바일로 촬영합니다.
❷ 회원가입 및 로그인 후, 쿠폰 인증번호를 입력합니다.
❸ 인증번호 입력이 완료되면 [나의강의실]에서 강의 수강이 가능합니다.

※ 인증번호는 ②권 표지 뒷면에서 확인하시길 바랍니다.
※ QR코드를 찍을 수 있는 앱을 다운받으신 후 진행하시길 바랍니다.

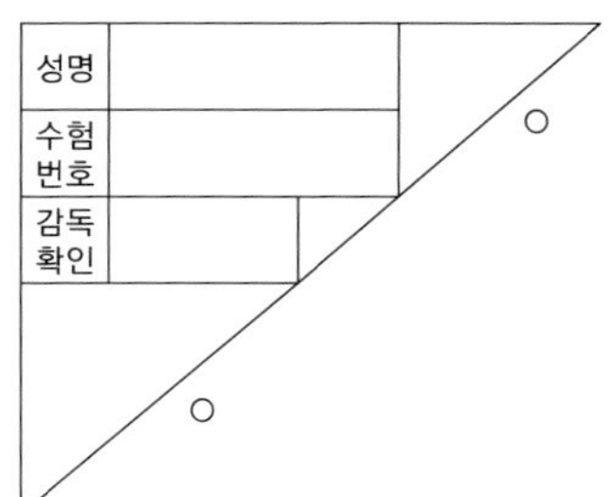

과년도 문제를 풀기 전 숙지 사항

연습도 실전처럼!!!

---

* 수험자 유의사항

1. 시험장 입실시 반드시 **신분증**(주민등록증, 운전면허증, 모바일 신분증, 여권, 한국산업인력공단 발행 자격증 등)을 지참하여야 한다.
2. 계산기는 **『공학용 계산기 기종 허용군』** 내에서 준비하여 사용한다.
3. 시험 중에는 핸드폰 및 스마트워치 등을 지참하거나 사용할 수 없다.
4. 시험문제 내용과 관련된 메모지 사용 등은 부정행위자로 처리된다.
   - 당해시험을 중지하거나 무효처리된다.
   - 3년간 국가 기술자격 검정에 응시자격이 정지된다.

** 채점사항

1. 수험자 인적사항 및 계산식을 포함한 답안 작성은 **검은색** 필기구만 사용해야 하며, 그 외 연필류, 빨간색, 청색 등 필기구로 작성한 답항은 0점 처리 됩니다.
2. 답안과 관련 없는 특수한 표시를 하거나 특정임을 암시하는 경우 답안지 전체를 0점 처리된다.
3. 계산문제는 반드시 **『계산과정과 답란』**에 기재하여야 한다.
   - 계산과정이 틀리거나 없는 경우 0점 처리된다.
   - 정답도 반드시 답란에 기재하여야 한다.
4. 답에 단위가 없으면 오답으로 처리된다.
   - 문제에서 단위가 주어진 경우는 제외
5. 계산문제의 소수점처리는 최종결과값에서 요구사항을 따르면 된다.
   - 소수점 처리에 따라 최종답에서 오차범위 내에서 상이할 수 있다.
6. 문제에서 요구하는 가지 수(항수)는 요구하는 대로, 3가지를 요구하면 3가지만, 4가지를 요구하면 4가지만 기재하면 된다.
7. 단답형은 여러 가지를 기재해도 한 가지로 보며, 오답과 정답이 함께 기재되어 있으면 오답으로 처리된다.
8. 답안 정정 시에는 두 줄(═)로 긋고 기재해야 한다.
9. 수험자 유의사항 미준수로 인해 발생되는 채점상의 불이익은 본인에게 책임이 있다.
10. 답안지 및 채점기준표는 절대로 공개하지 않는다.

머리말

만족과 기쁨이 공존하는 책

토목기사 자격증을 취득하기 위해서는 1차 관문인 필기시험을 거쳐 2차 관문인 필답형 필기시험을 통과해야만 라이선스(license)를 취득할 수 있습니다.

토목기사 자격증을 취득하기 위한 방법은 여러 가지가 있을 수 있으며, 또한 수험서도 여러 종류가 준비되어 있습니다. 하지만 취업준비까지 최소한의 시간으로 최대의 효과를 얻을 수 있는 방안을 생각해야 하며, 그 방안이 바로 승자를 위한 필독서인 토목기사실기입니다.

토목공학
인류를 이루다.
그리고 미래를 세우다.

1시간을 1년처럼 활용할 수 있도록 자격증 취득의 빠른 지름길이 될 수 있도록 집필하였습니다. 혹시 교재에 오류가 있다면 신속히 보완하여 더욱 좋은 책으로 거듭날 수 있도록 항상 조언을 부탁드립니다.

본교재의 특징

- 출제경향에 따라 국제단위인 SI단위와 KCS규정을 적용하였습니다.
- 본교재는 1권(지반공학)과 2권(토목시공학) 그리고 별책부록으로 구성되었습니다.
- 1984년부터 2023년까지의 모든 기출문제를 과년도 문제(1984~1999년), 핵심문제 및 예상문제로 분류하여 단시간 내에 숙지할 수 있도록 하였습니다.
- 모든 문제를 연도별, 회별, 예상문제로 표시하여 문제의 출제빈도를 알 수 있고 출제의 방향을 이해하도록 하였습니다.
- Chapter마다 출제경향과 출제연도를 도표화하여 정답을 수시로 확인하고 기억할 수 있도록 하였습니다.
- 더 알아두기 코너를 두어 핵심요약에서 반드시 공부해야 할 내용을 미리 암시하였습니다.
- 별책부록은 소책자로 하여 10개년도 과년도 문제를 실전테스트 할 수 있도록 하였습니다.

한 권의 책이 나올 수 있도록 최선을 다해 도와주신 여러 교수님, 대학교 동문, 후배님들께 진심으로 감사드립니다.

또한 한솔아카데미 편집부 여러분, 이 책의 얼굴을 예쁘게 디자인 해주신 강수정 실장님, 묵묵히 수정과 교정을 하여 주신 안주현 부장님, 언제나 가교 역할을 해 주시는 최상식 이사님, 항상 큰 그림을 그려 주시는 이종권 사장님, 사랑받는 수험서로 출판될 수 있도록 아낌없이 지원해 주신 한병천 대표이사님께 감사드립니다.

저자 드림

책의 구성

01 연도별 출제경향

- Chapter마다 출제경향과 출제빈도를 제시하여 수험생들에게 학습길잡이 역할과 학습 후의 체크업을 하도록 하였다.
- 문제마다 □□□를 두어 체크업을 하여 실력평가를 하도록 하였다.

02 더 알아두기

- 핵심용어(key word) : 단답형의 출제경향을 파악하여 사전 학습관리를 하도록 하였다.
- 기억해요(remember) : 가짓수를 요구하는 문제를 이론에서 사전 학습관리를 하도록 하였다.

03 핵심 기출문제

- 2000년 이후 출제되었던 대부분의 문제로 구성하여 실전에 대한 감각을 자연스럽고 확실하게 터득할 수 있도록 하였다.
- 산출근거를 요구하는 문제는 먼저 공식을 제시하여 답안 작성법을 익히도록 하였다.

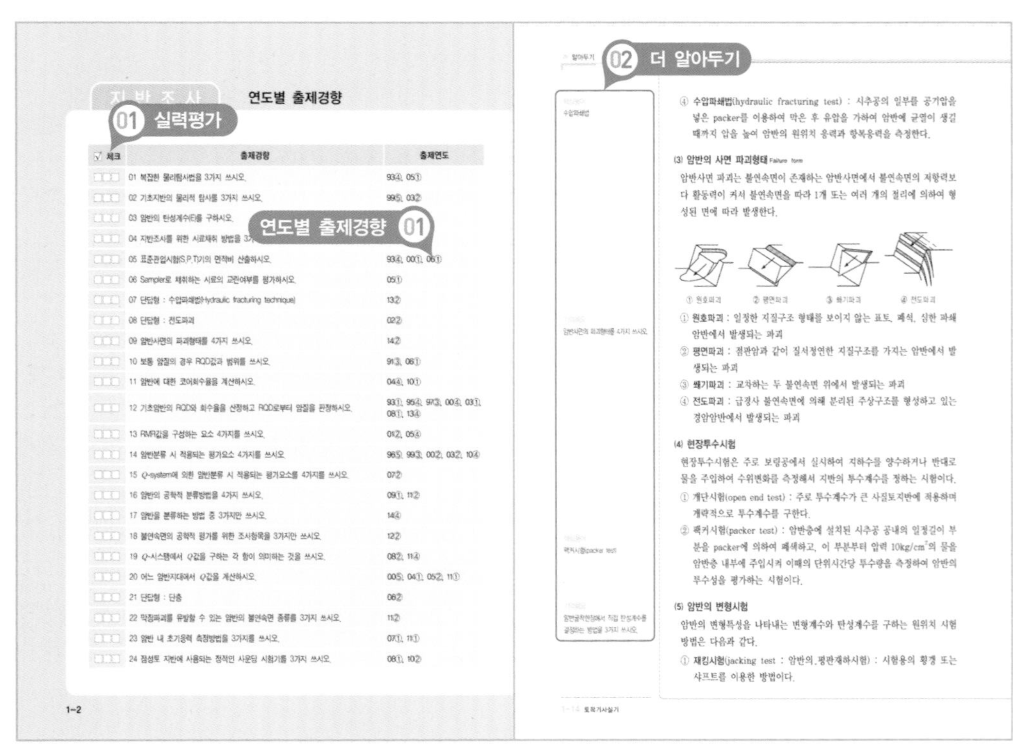

지반조사 연도별 출제경향

√ 체크	출제경향	출제연도
□□□	01 복잡한 물리탐사법을 3가지 쓰시오.	93④, 05①
□□□	02 기초지반의 물리적 탐사를 3가지 쓰시오.	99⑤, 03②
□□□	03 암반의 탄성계수(E)를 구하시오.	
□□□	04 지반조사를 위한 시료채취 방법을 3가	
□□□	05 표준관입시험(S.P.T)기의 면적비 산출하시오.	93④, 00①, 06①
□□□	06 Sampler로 채취하는 시료의 교란여부를 평가하시오.	05①
□□□	07 단답형 : 수압파쇄법(Hydraulic fracturing technique)	13②
□□□	08 단답형 : 전도파괴	02②
□□□	09 암반사면의 파괴형태를 4가지 쓰시오.	14②
□□□	10 보통 암질의 경우 RQD값과 범위를 쓰시오.	91③, 06①
□□□	11 암반에 대한 코어회수율을 계산하시오.	04④, 10①
□□□	12 기초암반의 RQD와 회수율을 산정하고 RQD로부터 암질을 판정하시오.	93①, 95④, 97③, 00④, 03①, 08①, 13④
□□□	13 RMR값을 구성하는 요소 4가지를 쓰시오.	01②, 05④
□□□	14 암반분류 시 적용되는 평가요소 4가지를 쓰시오.	96⑤, 99③, 00②, 03②, 10④
□□□	15 *Q*-system에 의한 암반분류 시 적용되는 평가요소를 4가지를 쓰시오.	07②
□□□	16 암반의 공학적 분류방법을 4가지 쓰시오.	09①, 11②
□□□	17 암반을 분류하는 방법 중 3가지만 쓰시오.	14④
□□□	18 불연속면의 공학적 평가를 위한 조사항목을 3가지만 쓰시오.	12②
□□□	19 *Q*-시스템에서 *Q*값을 구하는 각 항이 의미하는 것을 쓰시오.	08②, 11④
□□□	20 어느 암반지대에서 *Q*값을 계산하시오.	00⑤, 04①, 05②, 11①
□□□	21 단답형 : 단층	08②
□□□	22 막장파괴를 유발할 수 있는 암반의 불연속면 종류를 3가지 쓰시오.	11②
□□□	23 암반 내 초기응력 측정방법을 3가지를 쓰시오.	07①, 11①
□□□	24 점성토 지반에 사용되는 정적인 사운딩 시험기를 3가지 쓰시오.	08①, 10②

1-2

수압파쇄법

④ **수압파쇄법**(hydraulic fracturing test) : 시추공의 일부를 공기압을 넣은 packer를 이용하여 막은 후 유압을 가하여 암반에 균열이 생길 때까지 압을 높여 암반의 원위치 응력과 항복응력을 측정한다.

(3) 암반의 사면 파괴형태 Failure form

암반사면 파괴는 불연속면이 존재하는 암반사면에서 불연속면의 저항력보다 활동력이 커서 불연속면을 따라 1개 또는 여러 개의 절리에 의하여 형성된 면에 따라 발생한다.

① 원호파괴 ② 평면파괴 ③ 쐐기파괴 ④ 전도파괴

암반사면의 파괴형태를 4가지 쓰시오.

① **원호파괴** : 일정한 지질구조 형태를 보이지 않는 표토, 폐석, 심한 파쇄 암반에서 발생되는 파괴
② **평면파괴** : 점판암과 같이 질서정연한 지질구조를 가지는 암반에서 발생되는 파괴
③ **쐐기파괴** : 교차하는 두 불연속면 위에서 발생되는 파괴
④ **전도파괴** : 급경사 불연속면에 의해 분리된 주상구조를 형성하고 있는 경암암반에서 발생되는 파괴

(4) 현장투수시험

현장투수시험은 주로 보링공에서 실시하여 지하수를 양수하거나 반대로 물을 주입하여 수위변화를 측정해서 지반의 투수계수를 정하는 시험이다.

① 개단시험(open end test) : 주로 투수계수가 큰 사질토지반에 적용하며 개략적으로 투수계수를 구한다.
② 팩커시험(packer test) : 암반층에 설치된 시추공 공내의 일정길이 부분을 packer에 의하여 폐색하고, 이 부분부터 압력 $10kg/cm^2$의 물을 암반층 내부에 주입시켜 이때의 단위시간당 투수량을 측정하여 암반의 투수성을 평가하는 시험이다.

팩커시험(packer test)

(5) 암반의 변형시험

암반의 변형특성을 나타내는 변형계수와 탄성계수를 구하는 원위치 시험방법은 다음과 같다.

① **재킹시험**(jacking test : 암반의 평판재하시험) : 시험용의 횡갱 또는 샤프트를 이용한 방법이다.

암반공학현장에서 직접 탄성계수를 결정하는 방법을 3가지 쓰시오.

1-14 토목기사실기

04 **출제연도 체크리스트**

- 문제마다 □□□를 두어 체크업을 하도록 하여 다시 한 번 문제를 확인할 수 있도록 하였다.
- 시험 당일에는 ✓✓□된 문제만 가볍게 확인하면 좋은 결과를 얻을 수 있다.

05 **과년도 예상문제**

- Chapter마다 1984년부터 1999년까지 대부분 출제되었던 문제로 구성하여 과년도 출제되었던 한 문제도 놓치지 않도록 하였다.
- 출제 가능한 예상문제를 넣어 완벽을 기하도록 하였다.

06 **10개년 과년도 문제**

- 과년도 출제문제를 통해 실전 감각을 익힐 수 있다.
- 소책자로 만들어 항상 소지하여 다닐 수 있도록 하였다.
- 자주 보고 여러 번 익히다 보면 자연스럽게 암기할 수 있도록 하였다.

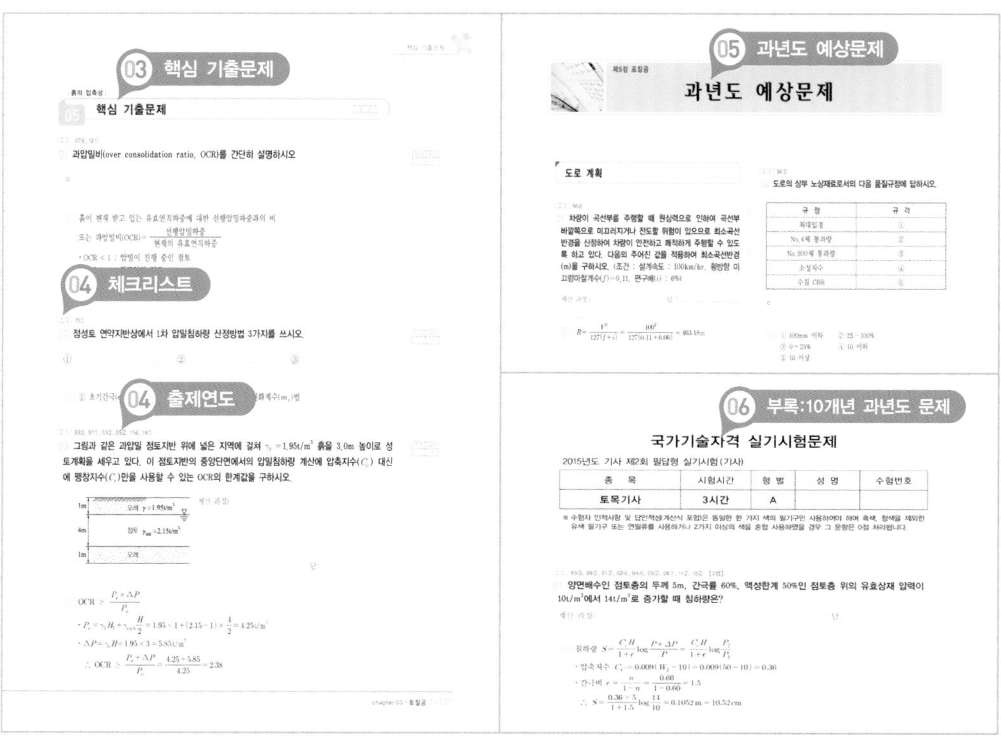

토목기사 실기 **무조건 합격하기**

❶ **신분증** 지참은 반드시 필수입니다.

❷ **계산기**(SOLVE기능) 지참은 필수입니다.

❸ [**년도별 · 회별**]로 출제빈도를 알고계시면 유리합니다.

1단계 핵심이론 마스터

- 핵심이론 및 핵심문제를 서로 연계하여 이해하며 마스터합니다.
- 처음에는 완벽하게 하려하지 말고 문제위주로 이론을 이해하면 됩니다.

2단계 핵심문제 스피드 마스터

- 1단계 핵심이론을 오가며 핵심문제를 집중적이고 반복적으로 학습하여 문제해결 능력을 마스터합니다.
- 1단계 핵심이론을 오가며 2단계 핵심문제를 많이 반복할수록 시험에 유리합니다.

3단계 과년도 실전 테스트

- 10개년 과년도 문제를 실전처럼 수시로 실전테스합니다.
- 까다로운 계산문제와 다답형 문제는 수시로 풀어봅시다.
- 계산문제에서 단위는 꼼꼼히 확인합니다.

4단계 학습의 비중 높은 부분

- 공정관리문제는 10점입니다. 따라서 10개년 공정문제만 완벽 하도록 풀어 보아야 합니다.
- 물량산풀은 18점입니다. 따라서 10개년 물량산출 문제만 완벽 하도록 풀어 보아야 합니다.
- 계산문제의 출제빈도가 42%정도입니다.
- 다답형문제의 출제빈도가 34%정도입니다.

토목기사 실기

10개년 출제경향 분석표

- 물량산출, 공정관리는 완벽하게
- 계산문제, 다답형은 꼼꼼하게 준비

년도	회차	출제문항	계산 문제			다답형 문제			단답(점수)	정의		공정관리 점수	물량종류(점수)	10년 前 문제	
			문제	처음	점수	문제	처음	점수		문제	점수			문제	점수
23	1	23	9		27	7		22	2(4)	3	19	10	앞부벽(18)	3	31
	2	24	8		26	9		27		5	19	10	선반식(18)	3	16
	3	24	10		30	9		27		4	18	10	뒷부벽(18)	1	3
22	1	23	7		30	12		36	1	1	4	10	반중력(18)	3	12
	2	24	13	1	39	6		18	1	2	7	10	뒤부벽(18)	4	13
	3	23	11	1	43	7		22		2	8	10	암거(18)	6	17
21	1	24	9	1	41	9	1	30	1	2	9	10	역T형(8)	7	27
	2	24	12	1	42	6		19	1	2	9	10	역T형(18)	8	26
	3	23	8		28	6	2	24	1	4	20	10	암거(18)	7	22
20	1	23	9		39	7	1	27	1	3	13	10	2연암거(8)	3	13
	2	25	10		39	9	1	30		3	13	10	교대(8)	4	13
	3	23	11		37	4	2	19	2	2	12	10	선반식(18)	4	13
	4	24	8	1	30	4	1	20	6	2	10	10	뒤부벽(18)	9	24
19	1	23	8		32	5	1	20	3	4	14	10	암거(18)	6	17
	2	25	13		54	5		15	3	2	7	10	역T교대(8)	11	37
	3	24	9		32	7		21	3	3	13	10	뒤부벽(18)	7	27
18	1	25	11		34	9	1	30	1	1	6	10	선반식(18)	2	6
	2	25	12		42	9	1	30	1			10	역T형(18)	4	11
	3	26	12		44	8	1	27	1	2	9	10	2연암거(8)	6	20
17	1	25	10		41	11		33	1	1	6	10	2연암거(8)	3	11
	2	27	12	1	44	7	3	30	1	1	6	10	교대(8)	7	18
	4	24	11		50	9		27		2	7	8	교대(8)	2	7
16	1	26	11	2	50	8		24	1	2	6	10	역T형(8)	4	12
	2	25	12		39	7	1	24	1	2	6	10	암거(18)	2	5
	4	27	12		42	8	2	30	2	1	6	10	역T형(8)	3	8
15	1	24	11		40	3	4	24	1	2	6	10	선반식(18)	6	18
	2	21	9		40	5	2	21	1	2	9	10	뒤부벽(18)	4	11
	4	25	12		47	8	1	27	1	1	3	3	슬래브(18)	1	2
14	1	25	13		50	7		21	1	2	9	10	교대(8)	0	
	2	27	13		47	7	1	24	1	3	9	10	역T형(8)	6	18
	4	25	12	1	50	6	2	24		2	8	10	교대(8)	4	12
합계		756	328	9	1,229	224	28	773	39 (78)	68	291	301	428	140	470
평균		24	11		40	7	1	25	1 (3)	2	9	10	14	5	15

토목기사 실기 **이렇게 준비하자**

01 철저한 준비 (CBT시험 후 합격 확인되면)

❶ 자기관리부터 시작하자

- CBT시험 후 합격이라 확인되면 즉시 준비하자.
- 조급하거나 어렵다는 **선입견**을 버려라.
- 아낌없는 시간투자로 한 번에 합격하자.(불합격은 몇 배의 시간 **낭비**)
- 전체 내용을 가능하면 빨리 파악하자.(출제경향과 출제빈도 체크리스트 참조)
- 눈으로 공부하는 방법은 지양하고 **손으로** 공부하는 습관을 기른다.
- 암기는 매일 꾸준히 **반복**하는 습관이 중요하다.(당일치기는 절대 금물)

❷ 자기 노트(sub note)를 반드시 만들자

- 암기해야 할 공식은 자기 노트에서 관리한다.
- 다답형을 요구하는 문제(일명 말따먹기), 단답형은 미리미리 **준비**한다.(유비무환)
- 풀리지 않는 문제, 이해되지 않는 문제는 별도로 관리하여 집중적인 **시간 투자**를 한다.

02 확인 점검 (실기시험 원서접수 이후부터)

❶ 체계적으로 학습하자

- 1권(10파트), 2권(8파트)를 정독보다는 **다독**으로 빠르게 읽어 나간다.
- 학습하면서 단위는 꼼꼼히 체크하여 단위로 인해 **오답**이 나오지 않도록 사전에 차단한다.
- 반드시 계산근거가 필요하므로 계산근거란에 계산근거를 작성하는 **습관**을 기르도록 한다.

❷ 수험자 유의사항에 준하여 실전테스트 하자

- 「수험자 유의사항」을 반드시 **필독**한다.
- 3분법을 통하여 실전테스트 한다.
  - 1차전 : 2023~2019년까지(완전 해결되면 다음 2차전을 실시한다.)
  - 2차전 : 2018~2014년까지(2차전이 완료되면 3차전을 실시한다.)
  - 3차전 : 각 Chapter에 있는 과년도 예상문제

03 최종 마무리 (시험 전날과 당일)

❶ 시험 전날

- **신분증**(주민등록증, 운전면허증, 여권 중 택일, 학생증은 주민등록번호가 있는 것만 인정)은 반드시 챙겨 둔다.
- 계산기는 **건전지** 등을 점검하여 시험 당일에 당황하는 일이 없도록 한다.
- 자기 노트(sub note)를 확인해 본다.
- **수면**이 부족하지 않도록 한다.

❷ 당일 시험시작 전

- 시험장에는 여유있게 **도착**하여 여유롭게 시험 준비를 한다.
- 시험 중에는 절대 화장실에 갈 수가 없으므로 사전에 완료한다.
- ☑된 문제만 가볍게 **확인**해 본다.

❸ 시험 시간 중

- 시험 문제지를 받으면 처음부터 마지막까지 읽어 본다.
- 읽어 가는 중 자신 있는 문제는 옆에 답을 살짝 표시해 둔다.(연필을 이용)
- **익숙한** 문제부터 해결해 나간다.
- 먼저 답안을 작성할 수 있는 단답형 문제, 다답형 문제, 간단한 계산문제부터 작성한다.
- 다음으로 공정관리 문제를 확실히 답안 작성할 수 있으면 작성한다.
- 그 다음으로는 물량산출 문제를 확실히 답안 작성할 수 있으면 작성한다.(암산은 **금물**)
- 이후에는 차근차근 기억을 되살리면서 미해결문제를 해결해 나간다.
- 답 수정은 확실할 때가 아니면 **즉흥적**으로 수정하지 않는다.
- 최종 답에서는 반드시 **검정색** 볼펜(연필은 절대 금물)만을 사용하고 산출근거와 답란에는 단위도 반드시 기재해야 한다.

토목기사 실기 **답안 작성 시 유의사항**

01 **답안 작성** (필기구)

① 문제순서가 아닌 정확히 아는 문제부터 풀어 간다.

② 반드시 동일한 **흑색 필기구**만 사용하여야 한다.

③ 흑색 필기구를 제외한 청색, 유색, 연필류 등을 사용한 경우 그 문항은 0점 처리되어 불이익을 받지 않도록 유의해야 한다.

④ 계산기는 건전지 상태와 필요한 사용 MODE가 잘 되어 있는지 꼭 확인한다.

02 **계산과정과 답란**

① 답란에는 문제와 관련이 없는 불필요한 낙서나 특이한 기록사항 등을 기재하여서는 안 된다.

② 부정의 목적으로 특이한 표식을 하였다고 판단될 경우에는 모든 문항이 0점 처리된다.

③ 답안을 정정할 때에는 반드시 **정정부분을 두 줄(=)로 그어 표시**하여야 한다.

> **예** $P_A = \frac{1}{2} \times 19.8 \times 6^2 \times 0.219 = \sout{78.50}\text{kN/m} = 78.05\text{kN/m}$

④ 계산문제는 반드시「계산과정」,「답」란에 **계산과정**과 **답**을 정확히 기재하여야 한다. 계산과정이 틀리거나 없는 경우 0점 처리된다.

- 계산과정에서 연필류를 사용한 경우 0점 처리되므로 반드시 흑색으로 덧씌우고 연필자국은 반드시 없앤다.

⑤ 계산문제는 최종 결과값(답)의 소수 셋째자리에서 반올림하여 둘째자리까지 구한다.

- 이런 경우 중간계산은 소수 둘째자리까지 계산하거나, 더 정확한 계산을 위해서 셋째자리까지 구하여 최종값에서만 둘째자리까지 구하면 된다.

> **예** $V = \frac{2,700 - 1,200}{1.65} = 909.09\text{cm}^3, \quad W_s = \frac{1,800}{1 + 0.125} = 1,600\text{g}$
>
> $\therefore \rho_d = \frac{W_s}{V} = \frac{1,600}{909.9} = 1.76\text{g/cm}^3$

⑥ 개별문제에서 소수 처리에 대한 요구사항이 있을 경우 그 요구사항에 따라야 한다.

- 소수 셋째자리까지 최종 결과값(답)을 요구하는 경우 소수 넷째자리에서 반올림하여 소수 셋째자리까지 구하면 더 정확한 값을 얻는다.(주로 물량산출인 경우)

⑦ **답에 단위가 없거나 단위가 틀려도 오답**으로 처리된다.

> **예** • 계산 과정) $u = (h_w + z)\gamma_w = (3+4) \times 9.81 = 68.67$
> 답 : 68.67 (오답) ∵ 단위가 없음
> • 계산 과정) $u = (h_w + z)\gamma_w = (3+4) \times 9.81 = 68.67\text{kN/m}^3$
> 답 : 68.67kN/m^3 (오답) ∵ 단위가 틀림
> • 계산 과정) $u = (h_w + z)\gamma_w = (3+4) \times 9.81 = 68.67\text{kN/m}^2$
> 답 : 68.67kN/m^2 (정답)

03 다답형 기재

① 요구한 가짓수만큼만 기재순으로 기재한다.
• 3가지를 요구하면 3가지만 기재한다.

> **예** ① ______ ② ______ ③ ______

• 4가지를 요구하면 4가지만 기재한다.

> **예** ① ______ ② ______ ③ ______ ④ ______

② 단일 답을 요구하는 경우는 한 가지 답만 기재하며, **정답과 오답이 함께 기재되어 있을 경우 오답**으로 처리된다.

> **예** 감세공, 수제

③ 한 문제에서 소문제로 파생되는 문제나 가짓수를 요구하는 문제는 대부분의 경우 부분 **배점**을 적용한다.
• 4가지를 요구한 경우 **한 가지** 또는 **두 가지**라도 답을 알면 반드시 기재하여 부분 배점을 받아야 한다.

> **예** ① 배수기능 ② 여과기능 ③ 분리기능 ④ ______

토목기사 실기 합격수기

합격했다고 전해라!

서울과학기술대학교 건설시스템공학과 **이＊주**

▣ 첫 번째 시험(2회차)에서 탈락을 했습니다.

필기시험 합격자 발표가 대략 6월 중순에 있었는데, 저는 그 당시 학교를 다니면서 준비했기 때문에 6월 말까지 고시원 방정리 및 짐을 빼야 했습니다. 이 때문에 실기 준비를 제대로 하지 못하였습니다. 실기시험은 2회차에 있었는데, 준비기간이 2주 정도밖에 되지 않았습니다. 결과는 58점으로 아쉽게 불합격하고 말았습니다.

▣ 두 번째 시험(4회차)에서 합격했습니다.

첫 번째 실기 준비와 다른 점은 추가적으로 한솔아카데미의 '토목기사 실기 12개년과년도문제 speed master' 교재(보라색)를 준비하였습니다. 그다음 실기시험이 있는 4회차 전까지는 실기시험 준비에 저의 대부분의 시간을 쏟아부었습니다. 학기 중에 병행하려 하니 정말이지 너무 힘들더군요. 중간고사 기간에는 학교 시험공부도 하면서 기사실기 공부도 하느라 4~5시간 정도 잤던 것 같습니다. 대략 2달 정도 집중적으로 준비한 결과, 4회차 실기시험에서 78점으로 합격이었습니다. 기출문제는 10개년치 2번 정도 돌렸습니다.

▣ 지금 생각해 보니......

- 교재는 한 권보다는 두 권이 시간 낭비를 줄일 수 있습니다.
- 일반교재 한 권으로 공부했던 것이 결국은 더 많은 시간을 낭비하게 되었던 것 같습니다.
- 추가적인 교재(토목기사 실기 12개년과년도문제 speed master)를 잘 준비했던 것이 시간 낭비를 줄이고 합격할 수 있었던 지름길이었다고 생각합니다.
- 간략하고 명확한 요점 노트, 실전과 같은 책 구성(과년도 문제를 풀다 보면 반복적인 모범답이 자동적으로 암기됨), 그리고 추가적인 보충설명 덕분에 중요한 내용들을 쉽게 이해하고 암기할 수 있었습니다. 즉, 토목기사 실기 전체를 한눈에 감을 잡을 수 있게 하였습니다.

▣ 토목기사실기를 준비하는 분들께 드리고 싶은 말씀은......

- 적당히는 안 됩니다. 완벽하고 철저하게 준비하라.책 선택을 잘하고 책값을 아끼지 마라. 조급해하거나 어렵게 생각하지 마시라는 것입니다.

- 공부를 할 때, 계산문제 70%, 이론문제(말따먹기 포함) 30% 정도, 그리고 물량산출 및 공정관리는 배점이 상당히 높기 때문에(합쳐서 대략 30점 정도) 감을 잃지 않도록 매일 한 문제라도 꾸준히 보시는 것이 중요합니다. 저의 경우에도 물량산출 2문제, 공정관리 1문제 정도는 매일 풀었던 것 같습니다.
- 매일매일 꾸준히 차근차근 준비하다 보면 지식과 감이 쌓여 반드시 합격하실 수 있을 것입니다.
- 도움이 되었으면 합니다. 그리고 힘내시고, 다들 좋은 결과 있었으면 좋겠습니다!

경북대학교 토목공학과 **조 * 진**

▣ 기본서를 바탕으로 동영상을 들으며……

- 필기에 이어 실기도 한번에 합격하였습니다.
- 기본서를 바탕으로 동영상을 들으며 시작했고 공정관리와 물량산출 부분은 많은 도움이 되었습니다. 방대한 문제들을 해결하기엔 시간이 충분치 않아 단기완성으로 구성된 Speed Master를 구입하여 핵심요약노트를 1차적으로 마스터하니 한눈에 정리가 되었습니다.
- 시간과의 싸움에서 얼마나 효율적으로 60점을 넘길 점수를 획득할 수 있느냐가 관건일 것입니다. 한 번 정확하게 보는 것보다 여러 번 반복하여 눈에 익히고 습득하는 게 좋다고 말하고 싶습니다.
- 조기에 과년도 문제에 실전 투입하여 자주 보고 여러 번 익히다 보니 자연스럽게 외워질 수 있었습니다. 그 결과 1회차에 실기시험에서 합격(81점)하였습니다.

동아대학교 토목공학과 **신 * 섭**

▣ 서브 노트를 만들어 가며 집중적으로 교재 마스터

- 여러 가지 미미한 점으로 인하여 1회차 실기시험(32점)은 불합격하였습니다
- 저는 한솔아카데미에서 나온 문제집을 통해서 공부를 하였는데 2주 동안 이론은 읽지 않고 14시간 동안 무조건 기출문제를 푸는 데 중점을 두며 문제 자체를 외우는 데 초점을 두었습니다. 이는 해설 자체가 자세히 나와 있기 때문에 공부하는 데 어렵지는 않았습니다.

합격했다고 전해라!

- 1회차 때의 교훈으로 너무 길지 않게 한 달 정도의 기간을 잡고, 하루에 2회 분의 문제를 풀어 보고 궁금한 사항이나 문제는 한솔 게시판을 이용하여 해결했고, 틀렸던 문제와 주관식(말따먹기형)문제 위주로 서브 노트를 만들어 가며 집중적으로 한 권의 교재를 마스터할 수 있었습니다. 그 결과 2회차 실기시험에서는 합격(78점)하였습니다.

강원대학교 지역건설공학과 **지＊린**

▣ 자주 틀리는 문제는 비슷한 유형의 문제를 풀어 이해

- 인터넷 강의를 통하여 학습하였으나 1회차에서는 아쉽게도 불합격(58점)하였습니다. 원인을 분석해 보니 계산문제만 완벽하게 한다고 해서 합격할 수 없으며 또한 일명 말따먹기형 문제를 벼락치기로 암기하려 했던 것이 원인이었던 것 같습니다.
- 처음 풀었을 때에는 틀린 문제를 체크해 놓았고, 두 번째 다시 볼 때는 틀린 문제 위주로 학습하였습니다. 세 번째 학습할 때에는 전체적으로 훑어보되 자주 틀리는 문제는 비슷한 유형의 문제를 풀어 이해하도록 했습니다.
- 2회차 실기를 준비하면서는 1회차 실기를 거울 삼아 10개년치 과년도 문제를 거의 암기하다시피 풀었습니다. 그 결과 합격(68점)하였습니다.

영남대학교 건설시스템공학과 **박＊수**

▣ 점수 배점이 높은 부분을 중심으로 3회독 이상

- 토목기사 실기(76점)를 한솔 책으로 공부를 하면서 한 번에 토목기사 자격증을 취득하게 된 학생입니다. 필기 다음 날 한솔 실기 책을 사서 바로 공부하기로 했었습니다.
- 한 달 반 정도의 기간 동안 16~23년도 5회독 이상, 14~15년도는 점수 배점이 높은 물량산출과 공정관리, 그리고 많이 볼수록 좋다고 생각되는 말따먹기 부분만 3회독 정도 공부했습니다.
- 이해가 잘 안 되고, 애매한 부분, 오타 등은 한솔 홈페이지의 질문 게시판에 질문을 올리면서 도움을 받았습니다. 일단 1회차 풀고 실력을 파악하시고, 지속적으로 반복하여 익히셔서 꼭 합격하시길 바랍니다.

출제기준

중직무분야	토목	자격종목	토목기사	적용기간	2022.1.1 ~ 2025.12.31
ㅇ직무내용 : 도로, 공항, 철도, 하천, 교량, 댐, 터널, 상하수도, 사면, 항만 및 해양시설물 등 다양한 건설사업을 계획, 설계, 시공, 관리 등을 수행하는 직무 ㅇ수행준거 : 1. 토목시설물에 대한 타당성 조사, 기본설계, 실시설계 등의 각 설계단계에 따른 설계를 할 수 있다. 2. 설계도면 이해에 대한 지식을 가지고 시공 및 건설사업관리 직무를 수행할 수 있다.					

실기검정방법	필답형	시험시간	3시간

실기과목명	주요항목	세부항목
토목설계 및 시공실무	1. 토목설계 및 시공에 관한 사항	1. 토공 및 건설기계 이해하기 2. 기초 및 연약지반 개량 이해하기 3. 콘크리트 이해하기 4. 교량 이해하기 5. 터널 이해하기 6. 배수구조물 이해하기 7. 도로 및 포장 이해하기 8. 옹벽, 사면, 흙막이 이해하기 9. 하천, 댐 및 항만 이해하기
	2. 토목시공에 따른 공사·공정 및 품질관리	1. 공사 및 공정관리하기 2. 품질관리하기
	3. 도면 검토 및 물량산출	1. 도면기본 검토하기 2. 옹벽, 슬래브, 암거, 기초, 교각, 교대 및 도로 부대시설물 물량산출하기

분석표

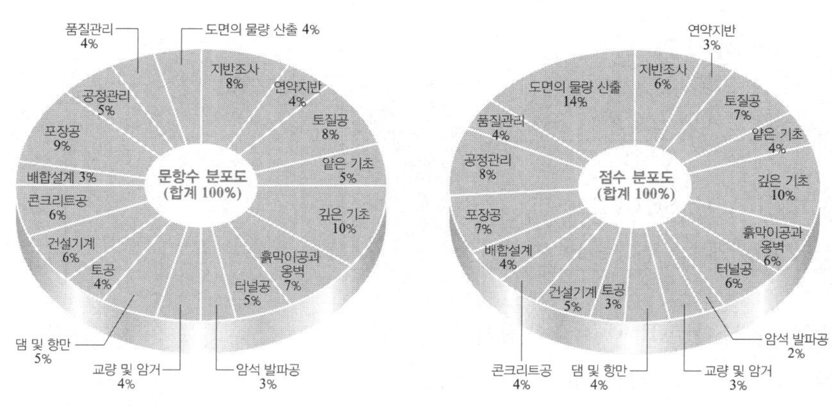

[계산기 f_x570 ES] SOLVE사용법

공학용계산기 기종 허용군

연번	제조사	허용기종군	[예] FX-570 ES PLUS 계산기
1	카시오(CASIO)	FX-901 ~ 999	
2	카시오(CASIO)	FX-501 ~ 599	
3	카시오(CASIO)	FX-301 ~ 399	
4	카시오(CASIO)	FX-80 ~ 120	
5	샤프(SHARP)	EL-501 ~ 599	
6	샤프(SHARP)	EL-5100, EL-5230, EL-5250, EL-5500	
7	유니원(UNIONE)	UC-600E, UC-400M, UC-800X	
8	캐논(Canon)	F-715SG, F-788SG, F-792SGA	
9	모닝글로리(MORNING GLORY)	ECS-101	

1 $14.4B^3+62.1B^2-600=0$

먼저 $14.4\times ALPHA\,X^3+62.1\times ALPHA\,X^2-600$

☞ ALPHA ☞ SOLVE ☞

$14.4\times ALPHA\,X^3+62.1\times ALPHA\,X^2-600=0$

SHIFT ☞ SOLVE ☞ = ☞ 잠시 기다리면

$X=2.47724$ $\quad\therefore\ B=2.48\text{m}$

2 $F_S=\dfrac{(6+2d)(1.7-1)}{6\times 1}=2$

먼저 $\dfrac{(6+2\,ALPHA\,X)(1.7-1)}{6\times 1}$

☞ ALPHA ☞ SOLVE ☞

$\dfrac{(6+2\,ALPHA\,X)(1.7-1)}{6\times 1}=2$

SHIFT ☞ SOLVE ☞ = ☞ 잠시 기다리면

$X=5.571$ $\quad\therefore\ d=5.57\text{m}$

3 $13.68B^3+39.6B^2-150=0$

먼저 $13.68\times ALPHA\,X^3+39.6\times ALPHA\,X^2-150$

☞ ALPHA ☞ SOLVE ☞

$13.68\times ALPHA\,X^3+39.6\times ALPHA\,X^2-150=0$

SHIFT ☞ SOLVE ☞ = ☞ 잠시 기다리면

$X=1.5676$ $\quad\therefore\ B=1.57\text{m}$

4 $Q=\pi r^2 q_u+2\pi r f_s l$

$20=\pi\times0.15^2\times28+2\pi\times0.15\times2.5l$

먼저 20 ☞ ALPHA ☞ SOLVE ☞

$20=\pi\times0.15^2\times28+2\times\pi\times0.15\times2.5\times ALPHA\,X$

SHIFT ☞ SOLVE ☞ = ☞ 잠시 기다리면

$X=7.648$ $\quad\therefore\ l=7.65\text{m}$

국제단위계 변환규정

응력 또는 압력(단위면적당 하중)

- $1\text{kgf/cm}^2=9.8\text{N/cm}^2=10\text{N/cm}^2=0.1\text{N/mm}^2$
  $=0.1\text{MPa}=100\text{kPa}=100\text{kN/m}^2$
- $1\text{kN/mm}^2=1\text{GPa}=1000\text{N/mm}^2=1000\text{MPa}$
- $1\text{kgf/cm}^2=9.8\text{N/m}^2=10\text{N/m}^2=10\text{Pa(pascal)}$
- $1\text{tf/m}^2=9.8\text{kN/m}^2=10\text{kN/m}^2=10\text{kPa}$
- 탄성계수
  $E=2.1\times10^5\text{kg/cm}^2 \Rightarrow E=2.1\times10^4\text{MPa}$
  $E=2.1\times10^4\text{MPa}=21\times10^3\text{N/mm}^2$
  $E=21\times10^3\text{MPa}=21\text{kN/mm}^2=21\text{GPa}$

단위 부피당 하중(단위중량)

- $1\text{kgf/cm}^3=9.8\text{N/cm}^3=10\text{N/cm}^3$
- $1\text{kgf/m}^3=9.8\text{N/m}^3=10\text{N/m}^3$
- $1\text{tf/m}^3=9.8\text{kN/m}^2=10\text{kN/m}^3$
- $1\text{t/m}^3=1\text{g/cm}^3=9.8\text{kN/m}^3=10\text{kN/m}^3$
- 물의 단위중량 $\gamma_w=9.81\text{kN/m}^3$
- 물의 밀도 $\rho_w=1\text{g/cm}^3=1000\text{kg/m}^3$
- $1\text{N/cm}^2=10\text{kN/m}^2=0.010\text{N/mm}^2$

CONTENTS

3권 과년도 출제문제

3 chapter

과년도 출제문제

01 2014년 4월 20일 시행
7월 6일 시행
11월 2일 시행

02 2015년 4월 19일 시행
7월 12일 시행
11월 8일 시행

03 2016년 4월 17일 시행
6월 26일 시행
11월 13일 시행

04 2017년 4월 15일 시행
6월 24일 시행
11월 11일 시행

05 2018년 4월 15일 시행
6월 30일 시행
10월 7일 시행

06 2019년 4월 14일 시행
6월 29일 시행
10월 13일 시행

07 2020년 5월 24일 시행
7월 25일 시행
10월 17일 시행
11월 29일 시행

08 2021년 4월 25일 시행
7월 11일 시행
10월 17일 시행

09 2022년 5월 7일 시행
7월 24일 시행
10월 16일 시행

10 2023년 4월 22일 시행
7월 22일 시행
10월 7일 시행

채점사항

1. 수험자 인적사항 및 계산식을 포함한 답안 작성은 검은색 필기구만 사용해야 한다.
2. 계산문제는 반드시 『계산과정과 답란』에 기재하여야 한다.
   - 계산과정이 틀리거나 없는 경우 0점 처리된다.
   - 정답도 반드시 답란에 기재하여야 한다.
3. 답에 단위가 없으면 오답으로 처리된다.
4. 계산문제의 소수점처리는 최종결과값에서 요구사항을 따르면 된다.
   - 소수점 처리에 따라 최종답에서 오차범위 내에서 상이할 수 있다.
5. 문제에서 요구하는 가지 수(항수)는 요구하는 대로, 3가지를 요구하면 3가지만, 4가지를 요구하면 4가지만 기재하면 된다.
6. 단답형은 여러 가지를 기재해도 한 가지로 보며, 오답과 정답이 함께 기재되어 있으면 오답으로 처리된다.
7. 답안 정정 시에는 두 줄(═)로 긋고 기재해야 한다.
8. 답안지 및 채점기준표는 절대로 공개하지 않는다.

토목기사 실기 년도별 합격률

년도	회차	응시자(명)	합격자(명)	합격률(%)
2017	1	2,369	1,328	56.1
	2	1,691	624	36.9
	4	1,593	611	38.4
	계	5,653	2,563	45.3
2018	1	2,464	1,741	70.7
	2	1,422	598	42.1
	3	1,397	602	43.1
	계	5,283	2,941	55.7
2019	1	2,356	856	36.3
	2	2,320	473	20.3
	3	2,345	1,508	64.3
	계	7,021	2,837	40.4
2020	1	834	497	59.6
	2	2,342	1,472	62.9
	3	1,569	664	42.3
	4	530	135	25.5
	5	688	238	34.6
	계	5,963	3,006	50.4
2021	1	2,500	1,082	43.3
	2	1,932	1,009	52.2
	3	1,741	855	49.1
	계	6,173	2,946	47.7
2022	1	2,339	1,283	54.9
	2	1,731	669	38.6
	3	1,608	562	35.0
	계	5,678	2,514	44.3
2023	1	2,633	1,272	48.3
	2	2,167	955	44.1
	3	1,755	1,136	64.7
	계	6,555	3,363	51.3

국가기술자격 실기시험문제

2014년도 기사 제1회 필답형 실기시험(기사)

종 목	시험시간	형 별	성 명	수험번호
토목기사	3시간	B		

※ 수험자 인적사항 및 계산식을 포함한 답안 작성은 검은색 필기구만 사용하여야 하며, 그 외 연필류, 빨간색, 청색 등 필기구로 작성한 답안은 0점 처리됩니다.

□□□ 98②, 03①, 05②, 11②, 14①, 18② 【3점】

01 다음과 같이 점토지반에 직경이 10m, 자중이 40,000kN인 물탱크가 설치되어 있다. 극한지지력에 대한 안전율(F_s)이 3일 때 최대로 채울 수 있는 물의 높이는 얼마인가? (단, $N_c=5.14$)

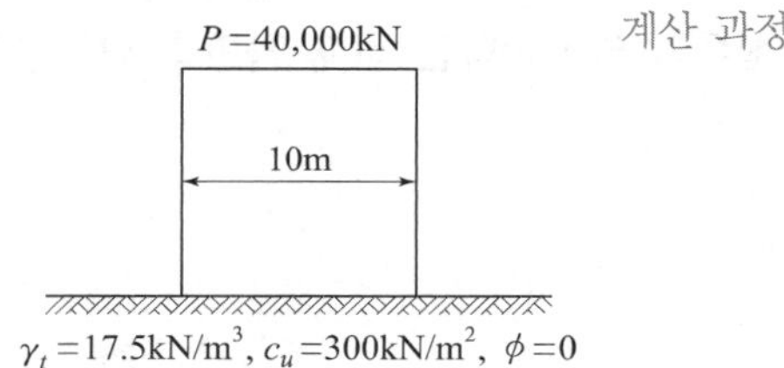

계산 과정)

답 :

해답 허용하중 $Q_a=Q+\left(\frac{\pi D^2}{4}h\right)\gamma_w$(물탱크의 허용하중=물탱크중량+물의 중량)

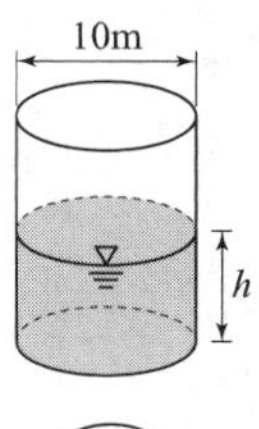

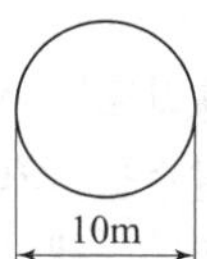

- 극한지지력 $q_u=\alpha c N_c+\beta\gamma_1 B N_\gamma+\gamma_2 D_f N_q$($\phi=0$이면 $N_r=0$, $D_f=0$)

  $=1.3\times300\times5.14+0+0=2{,}004.6\text{kN/m}^2$

- 허용지지력 $q_a=\frac{q_u}{F_s}=\frac{2{,}004.6}{3}=668.2\text{kN/m}^2$

- $668.2\times\frac{\pi\times10^2}{4}=40{,}000+\left(\frac{\pi\times10^2}{4}h\right)\times9.80$

  ∴ 물의 높이 $h=16.21\text{m}$

참고 SOLVE 사용

□□□ 03②, 06②, 08④, 14①, 17④, 18① 【3점】

02 방파제(防波堤, break water)란 외곽시설(外郭施設)로 항내정온을 유지하고 선박의 항행을 원활히 하기 위해 축조된 항만구조물이다. 방파제의 구조형식에 따른 종류를 3가지만 쓰시오.

① ______ ② ______ ③ ______

해답 ① 직립제 ② 경사제 ③ 혼성제

□□□ 87②, 91③, 93①, 02①, 03④, 08①, 11②, 14①, 18② 【3점】

03 연약지반상에 성토할 때 성토재료가 굵은 모래, 자갈, 암석과 같이 투수성이고, 기초지반 지지력이 크지 않은 경우 먼저 sand mat(부사)를 깔고 성토하는데 이때에 sand mat의 중요한 역할 3가지를 쓰시오.

① ______ ② ______ ③ ______

해답 ① 연약층 압밀을 위한 상부배수층을 형성
② 시공기계의 주행성을 확보
③ 지하배수층이 되어 지하수위를 저하
④ 지하수위 상승시 횡방향 배수로 성토지반의 연약화 방지

□□□ 01②, 03②, 07①, 10②, 11②, 14①, 18③ 【3점】

04 한 사질토 사면의 경사가 26°로 측정되었다. 지표면으로부터 5m 깊이에 암반층이 존재하며 사면흙을 채취하여 토질시험을 한 결과 $c'=0$, $\phi'=42°$, $\gamma_{sat}=19\text{kN/m}^3$였다. 갑자기 폭우가 쏟아져 지하수위가 지표면과 일치한 상태에서 침투가 발생한다면 이때 사면의 안전율은 얼마인가?

계산 과정) 답 : ______

해답 지하수위가 지표면과 일치할 때 : $F_s=\dfrac{\gamma_{sub}}{\gamma_{sat}}\cdot\dfrac{\tan\phi}{\tan i}$

- $\gamma_{sub}=\gamma_{sat}-\gamma_w=19-9.81=9.19\text{kN/m}^3$

$\therefore\ F_s=\dfrac{9.19}{19}\times\dfrac{\tan 42°}{\tan 26°}=0.89$

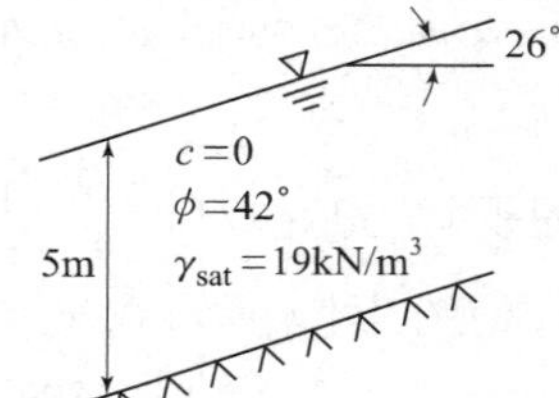

□□□ 84①, 08①, 10①, 14① 【3점】

05 콘크리트는 타설한 후 습윤상태로 노출면이 마르지 않도록 하여야 하며, 수분의 증발에 따라 살수를 하여 습윤상태로 보호하여야 한다. 일평균기온이 15℃ 이상일 때 사용 시멘트에 따른 습윤상태 보호기간의 표준일수를 쓰시오.

① 보통포틀랜드 시멘트 :

② 고로슬래그 시멘트 :

③ 조강포틀랜드 시멘트 :

해답 ① 5일 ② 7일 ③ 3일

□□□ 04③, 06①, 10④, 14①, 17①, 21③ 【3점】

06 심발공(심빼기 발파공)의 종류 중 4가지만 쓰시오.

① ________ ② ________ ③ ________ ④ ________

해답 ① V컷 ② 번컷 ③ 노컷 ④ 스윙컷 ⑤ 피라미드컷

□□□ 94②, 96⑤, 97④, 98②, 99⑤, 00①, 04②, 06①, 10④, 11④, 12①, 14①, 17②, 21②, 22③ 【3점】

07 도로를 설계하기 위하여 5개 지점의 시료를 채취하여 각 지점에 있어서의 평균 CBR을 구하였다. 이때의 설계 CBR을 계산하시오.

- 각 지점의 평균 CBR : 6.8, 8.5, 4.8, 6.3, 7.2
- 설계 CBR 계산용 계수

개수(n)	2	3	4	5	6	7	8	9	10 이상
d_2	1.41	1.91	2.24	2.48	2.67	2.83	2.96	3.08	3.18

계산 과정) 답 : ________

해답 설계 CBR = 평균 CBR $- \dfrac{CBR_{max} - CBR_{min}}{d_2}$

- 평균 CBR $= \dfrac{\Sigma CBR값}{n} = \dfrac{6.8+8.5+4.8+6.3+7.2}{5} = 6.72$

$\therefore$ 설계 CBR $= 6.72 - \dfrac{8.5-4.8}{2.48} = 5.23 \therefore 5$ ($\because$ 설계 CBR은 소수점 이하는 절삭한다.)

□□□ 10②, 14① 【3점】

08 터널 보강재의 하나인 강지보재의 종류를 3가지만 쓰시오.

① ________ ② ________ ③ ________

해답 ① H형강 지보재 ② 격자 지보재 ③ U형 지보재

□□□ 10②, 13①, 14①, 16④, 17④, 21② 【3점】

09 도로 노상의 지지력을 평가할 수 있는 현장시험 평가방법을 3가지만 쓰시오.

① ________ ② ________ ③ ________

해답 ① CBR(CBR시험) ② K값(평판재하시험 ; PBT)
③ Cone값(콘관입시험 ; CPT) ④ N치(표준관입시험 ; SPT)

□□□ 03④, 07②, 11①, 14①, 16④, 22① 【6점】

10 **아래와 같이 백호로 굴착을 하고 통로박스 시공 후, 되메우기를 한다. 이때 15ton 덤프트럭을 2대 사용하며 1일 작업시간을 6시간으로 하고, 덤프트럭의 $E=0.9$, $C_m=300$분일 경우 아래 물음에 답하시오.** (단, 암거길이는 10m, $C=0.8$, $L=1.25$, $\gamma_t=1.8\text{t/m}^3$)

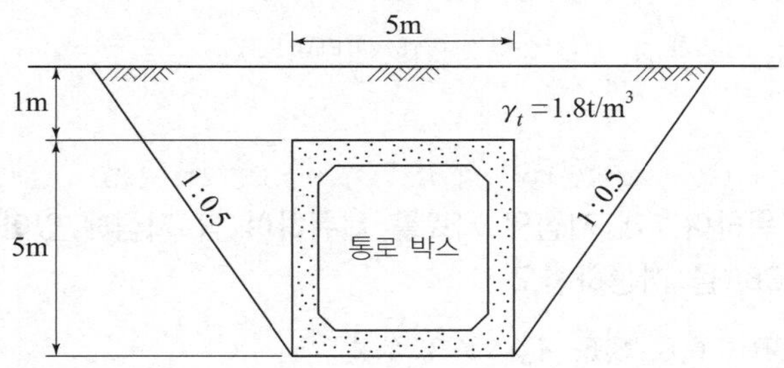

가. 사토량(捨土量)을 본바닥토량으로 구하시오.

계산 과정) 답 : ______

나. 덤프트럭 1대의 시간당 작업량을 구하시오.

계산 과정) 답 : ______

다. 덤프트럭 2대를 사용할 경우 사토에 필요한 소요일수는 몇 일인가?

계산 과정) 답 : ______

해답 가. • 굴착토량 $=\dfrac{\text{윗변길이}+\text{밑변길이}}{2}\times\text{높이}\times\text{암거길이}$

$$=\frac{(3+5+3)+5}{2}\times 6\times 10=480\,\text{m}^3$$

• 통로박스체적 $=5\times 5\times 10=250\,\text{m}^3$

• 뒤메우기량 $=(480-250)\times\dfrac{1}{0.8}=287.5\,\text{m}^3$

$\therefore$ 사토량 $=480-287.5=192.5\,\text{m}^3$

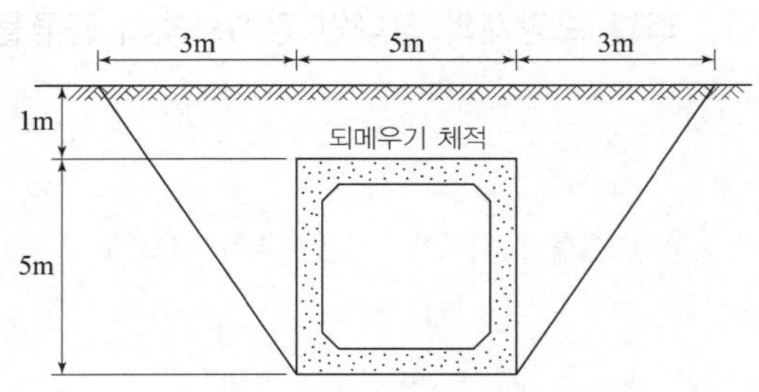

나. 덤프트럭의 적재량 $Q=\dfrac{60\cdot q_t\cdot f\cdot E}{C_m}$

• $q_t=\dfrac{T}{\gamma_t}\cdot L=\dfrac{15}{1.8}\times 1.25=10.42\,\text{m}^3$

$$\therefore\ Q=\frac{60\times 10.42\times\dfrac{1}{1.25}\times 0.9}{300}=1.50\,\text{m}^3/\text{h}$$

다. 소요일수 $=\dfrac{192.5}{1.50\times 6\times 2}=10.69\ \therefore$ 11일

□□□ 97①, 01③, 05①, 14①, 15②, 23③ 【3점】

11 마샬안정도시험(Marshall Stability Test)은 포장용 아스팔트 혼합물의 소성유동에 대한 저항성을 측정하여 설계 아스팔트량 결정에 적용되는데, 이 시험 결과로부터 얻을 수 있는 3가지의 설계기준은?

① ______ ② ______ ③ ______

해답 ① 안정도 ② 흐름값 ③ 공시체의 밀도 ④ 공극률 ⑤ 포화도

□□□ 12②, 14①, 18③, 21②, 22② 【3점】

12 아래 그림과 같은 옹벽에서 인장균열이 발생한 후의 옹벽에 작용하는 전체 주동토압을 구하시오. (단, 인장균열 위의 토압은 무시하고 상재하중으로 고려하여 계산하시오.)

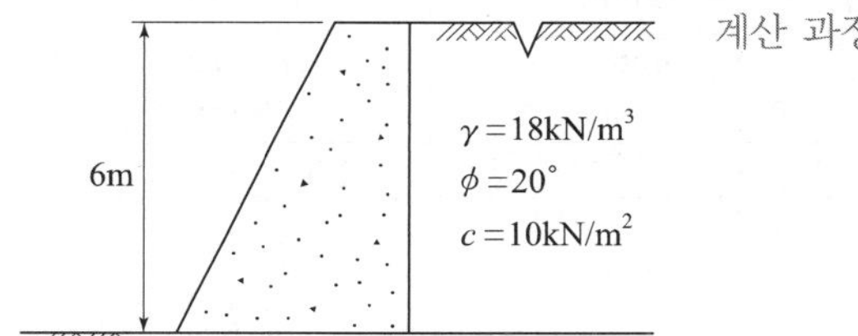

계산 과정)

답 : ______

해답 $P_A = \frac{1}{2}\gamma(H-z_o)^2 K_A + \gamma z_o (H-z_o) K_A$

• 인장균열 깊이

$$z_o = \frac{2c}{\gamma_t}\tan\left(45^\circ + \frac{\phi}{2}\right) = \frac{2\times 10}{18}\times\tan\left(45^\circ + \frac{20^\circ}{2}\right) = 1.587\text{m}$$

• $K_A = \tan^2\left(45^\circ - \frac{\phi}{2}\right) = \tan^2\left(45^\circ - \frac{20^\circ}{2}\right) = 0.490$

$$\therefore\ P_A = \frac{1}{2}\times 18\times(6-1.587)^2\times 0.490 + 18\times 1.587\times(6-1.587)\times 0.490$$
$$= 85.88 + 61.77 = 147.65\text{kN/m}$$

□□□ 92②, 99③, 11④, 14① 【2점】

13 수분이 많은 점토층에 반투막 중공원통을 넣고 그 안에 농도가 큰 용액을 넣어서 점토 속의 수분을 빨아내는 방법으로 상재하중 없이 압밀을 촉진시킬 수 있는 지반개량 공법은?

○

해답 침투압공법(MAIS 공법)

□□□ 99④, 04④, 07②, 14①, 19① 【6점】

14 어떤 골재를 이용하여 시방배합을 수행한 결과 단위시멘트 320kg/m^3, 단위수량 165kg/m^3, 단위 잔골재 650kg/m^3, 단위 굵은 골재 1,200kg/m^{3}가 얻어졌다. 이 골재의 현장 야적상태가 다음 표와 같을 때 이를 이용하여 현장배합설계를 수행하여 단위수량, 현장 잔골재량, 현장 굵은 골재량을 구하시오.

잔골재		굵은골재	
체	잔류량(g)	체	잔류량(g)
5mm	20	40mm	10
2.5mm	55	30mm	120
1.2mm	120	25mm	150
0.6mm	145	20mm	160
0.3mm	110	15mm	180
0.15mm	35	10mm	220
0.07mm	15	5mm	140
팬	0	팬	20
표면수 = 3%		표면수 = −1%	

가. 단위수량을 구하시오.

계산 과정) 답 :

나. 단위 잔골재량을 구하시오.

계산 과정) 답 :

다. 단위 굵은골재량을 구하시오.

계산 과정) 답 :

해답 가. • 5mm체 가적 잔골재율$=\dfrac{\text{잔류량}}{\sum\text{잔골재량}}=\dfrac{20}{500}\times 100=4\%$

• 5mm체 굵은골재 가적잔류율$=\dfrac{\text{잔류량}}{\sum\text{굵은 골재량}}\times 100=\dfrac{980}{1{,}000}\times 100=98\%$

• 5mm체 통과 굵은골재량$=100-\text{가적잔류율}=100-98=2\%$

• $a=4\%,\ b=2\%$

∴ 단위수량$=165-(19.56-11.98)=157.42\,\text{kg/m}^3$

나. • 잔골재량 $X=\dfrac{100S-b(S+G)}{100-(a+b)}$

$$=\frac{100\times 650-2(650+1{,}200)}{100-(4+2)}=652.13\,\text{kg/m}^3$$

• 잔골재 표면수량$=652.13\times\dfrac{3}{100}=19.56\,\text{kg/m}^3$

∴ 단위 잔골재량$=652.13+19.56=671.69\,\text{kg/m}^3$

다. • 굵은골재량 $Y = \dfrac{100G - a(S+G)}{100 - (a+b)}$

$= \dfrac{100 \times 1{,}200 - 4(650 + 1{,}200)}{100 - (4+2)} = 1{,}197.87\,\mathrm{kg/m^3}$

• 굵은골재의 표면수량 $= 1{,}197.87 \times \dfrac{-1}{100} = -11.98\,\mathrm{kg/m^3}$

∴ 단위 굵은골재량 $= 1{,}197.87 - 11.98 = 1{,}185.89\,\mathrm{kg/m^3}$

□□□ 08④, 14①, 18①, 19①, 21①, 23③ 【3점】

15 측량성과가 아래와 같고 시공기준면을 12m로 할 경우 총토공량을 구하시오. (단, 격자점의 숫자는 표고이며, m 단위이다.)

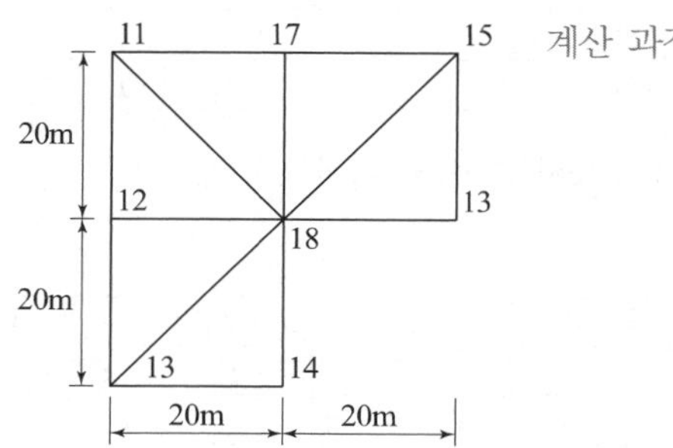

계산 과정)

답 :

해답 • 시공기준면과 각점 표고와의 차를 구하여 총토공량을 계산

$V = \dfrac{a \cdot b}{6}(\Sigma h_1 + 2\Sigma h_2 + 6\Sigma h_6)$

• $\Sigma h_1 = \Sigma(h_1 - 12) = 1 + 2 = 3\,\mathrm{m}$

• $\Sigma h_2 = \Sigma(h_2 - 12) = -1 + 5 + 3 + 1 + 0 = 8\,\mathrm{m}$

• $\Sigma h_6 = \Sigma(h_6 - 12) = 6\,\mathrm{m}$

∴ $V = \dfrac{20 \times 20}{6} \times (3 + 2 \times 8 + 6 \times 6) = 3{,}666.67\,\mathrm{m^3}$

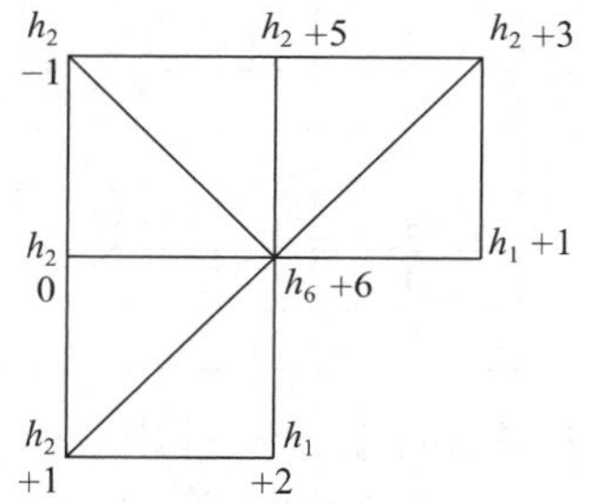

□□□ 00③, 08①, 14① 【3점】

16 일반적으로 차량의 충격위험을 방지하는 충격흡수시설의 종류를 3가지만 쓰시오.

① ② ③

해답 • 철제드럼
• 모래채우기 플라스틱 통
• 하이드로셀 샌드위치(Hi-dro cell sandwich)
• 하이드로셀 클러스터(Hi-dro cell cluster)

□□□ 96②, 98②, 00④, 09②, 11①, 14①, 18②, 22② 【10점】

17 다음과 같은 작업 List가 있다. 아래 물음에 답하시오.

작업명	선행작업	후속작업	표 준		특 급	
			일수	공비(만원)	일수	공비(만원)
A	–	B, C	6	210	5	240
B	A	D, E	4	450	2	630
C	A	F, G	4	160	3	200
D	B	G	3	300	2	370
E	B	H	2	600	2	600
F	C	I	7	240	5	340
G	C, D	I	5	100	3	120
H	E	I	4	130	2	170
I	F, G, H	–	2	250	1	350

가. Net Work(화살선도)를 작도하고, 표준일수에 대한 Critical Path를 나타내시오.

나. 작업 List의 빈칸을 채우시오.

작업명	공비증가율 (만원/일)	개 시		완 료		여유시간		
		EST	LST	EFT	LFT	TF	FF	DF
A								
B								
C								
D								
E								
F								
G								
H								
I								

다. 총공기에 대한 간접비가 2천만원인데 표준일수를 단축하는 경우 1일당 80만원씩 감소한다고 할 때 최적공비와 그때의 총공사비를 구하시오.

계산 과정)　　　　　　　　[답] 최적공비 : ________________, 총공사비 : ________________

해답 가.

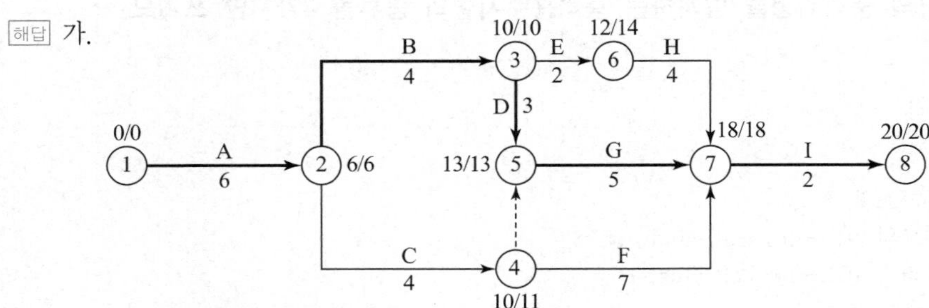

C.P : A → B → D → G → I

나.

작업명	비용구배= $\frac{\text{특급비용}-\text{표준비용}}{\text{표준공기}-\text{특급공기}}$	개시		완료		여유시간		
		EST	LST	EFT	LFT	TF	FF	DF
A	$\frac{240-210}{6-5}=30$만원/일	0	0	6	6	0	0	0
B	$\frac{630-450}{4-2}=90$만원/일	6	6	10	10	0	0	0
C	$\frac{200-160}{4-3}=40$만원/일	6	7	10	11	1	0	1
D	$\frac{370-300}{3-2}=70$만원/일	10	10	13	13	0	0	0
E	불가	10	12	12	14	2	0	2
F	$\frac{340-240}{7-5}=50$만원/일	10	11	17	18	1	1	0
G	$\frac{120-100}{5-3}=10$만원/일	13	13	18	18	0	0	0
H	$\frac{170-130}{4-2}=20$만원/일	12	14	16	18	2	2	0
I	$\frac{350-250}{2-1}=100$만원/일	18	18	20	20	0	0	0

다.

작업명	단축일수	비용구배	20	19	18	17	16
A	1	$\frac{240-210}{6-5}=30$만원/일			1		
B	2	$\frac{630-450}{4-2}=90$만원/일					
C	1	$\frac{200-160}{4-3}=40$만원/일				1	
D	1	$\frac{370-300}{3-2}=70$만원/일					
E	불가	-					
F	2	$\frac{340-240}{7-5}=50$만원/일					
G	2	$\frac{120-100}{5-3}=10$만원/일		1		1	
H	2	$\frac{170-130}{4-2}=20$만원/일					
I	1	$\frac{350-250}{2-1}=100$만원/일					1
직접비(만원)			2,440	2,450	2,480	2,530	2,630
간접비(만원)			2,000	1,920	1,840	1,760	1,680
총공사비(만원)			4,440	4,370	4,320	4,290	4,310

∴ 최적공기 : 17일, 총공사비 : 4,290만원

□□□ 10④, 14①, 20②, 22③ 【3점】

18 **콘크리트의 품질기준강도(f_{cq})는 40MPa이고, 27회의 압축강도시험으로부터 구한 표준편차는 5.0MPa이다. 아래 표를 참고하여 이 콘크리트의 배합강도를 구하시오.**

【시험횟수가 29회 이하일 때 표준편차의 보정계수】

시험횟수	표준편차의 보정계수	비고
15	1.16	이 표에 명시되지 않은 시험횟수에 대해서는 직선보간한다.
20	1.08	
25	1.03	
30 또는 그 이상	1.00	

계산 과정) 답 : ____________

해답 • 시험회수 27회일 때의 표준편차의 보정계수

$$1.03 - \frac{1.03-1.00}{30-25} \times (27-25) = 1.018$$

• 표준편차 : $s = 5 \times 1.018 = 5.09\,\text{MPa}$

• $f_{cq} = 40\,\text{MPa} > 35\,\text{MPa}$인 경우

$f_{cr} = f_{cq} + 1.34\,s = 40 + 1.34 \times 5.09 = 46.82\,\text{MPa}$

$f_{cr} = 0.9 f_{cq} + 2.33\,s = 0.9 \times 40 + 2.33 \times 5.09 = 47.86\,\text{MPa}$

$\therefore\ f_{cr} = 47.86\,\text{MPa}$($\because$ 두 값 중 큰 값)

□□□ 93②, 97①, 03④, 05②, 11④, 14① 【3점】

19 **그림과 같은 과압밀 점토지반 위에 넓은 지역에 걸쳐 $\gamma_t = 19.5\text{kN/m}^3$ 흙을 3.0m 높이로 성토계획을 세우고 있다. 이 점토지반의 중앙 단면에서의 압밀침하량 계산에 압축지수(C_c) 대신에 팽창지수(C_e)만을 사용할 수 있는 OCR의 한계값을 구하시오.**

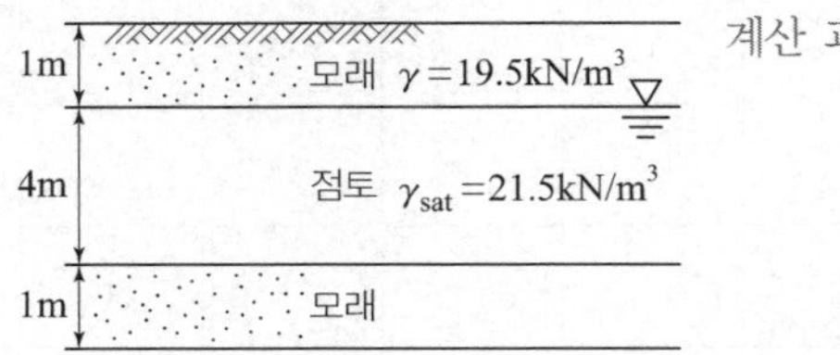

계산 과정)

답 : ____________

해답 $\text{OCR} \ge \dfrac{P_o + \Delta P}{P_o}$

• $P_o = \gamma_t H_1 + \gamma_{\text{sub}} \dfrac{H}{2} = 19.5 \times 1 + (21.5 - 9.81) \times \dfrac{4}{2} = 42.88\,\text{kN/m}^2$

• $\Delta P = \gamma_t H = 19.5 \times 3 = 58.5\,\text{kN/m}^2$

$\therefore\ \text{OCR} \ge \dfrac{P_o + \Delta P}{P_o} = \dfrac{42.88 + 58.5}{42.88} = 2.36$

□□□ 88①②, 98⑤, 99⑤, 00④, 04②, 09①, 11①, 14①, 18①, 20③, 23② 【3점】

20 **그림과 같은 말뚝 하단의 활동면에 대한 히빙(heaving)현상에 대한 안전율을 구하시오.**

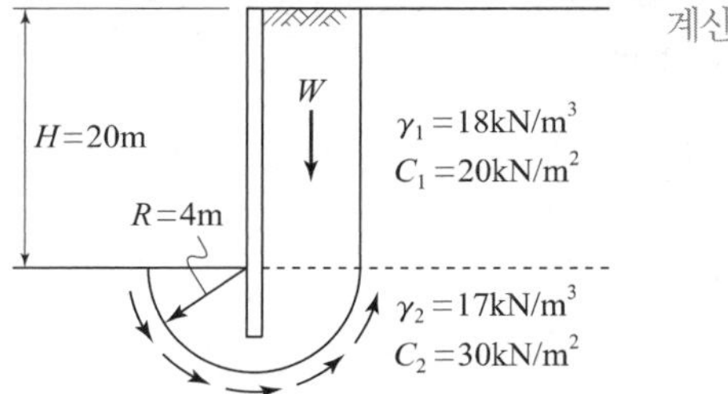

계산 과정)

답 : ______________

해답 안전율 $F_s = \dfrac{M_r}{M_d} = \dfrac{C_1 \cdot H \cdot R + C_2 \cdot \pi \cdot R^2}{\dfrac{R^2}{2}(\gamma_1 \cdot H + q)}$

- $M_d = \dfrac{4^2}{2}(18 \times 20 + 0) = 2{,}880\,\text{kN} \cdot \text{m}$(Heaving을 일으키려는 Moment)
- $M_r = 20 \times 20 \times 4 + 30 \times \pi \times 4^2 = 3{,}107.96\,\text{kN} \cdot \text{m}$(Heaving에 저항하는 Moment)

$\therefore\ F_s = \dfrac{3{,}107.96}{2{,}880} = 1.08$

□□□ 00③, 08①, 14① 【3점】

21 **다음 그림과 같은 항타기록을 보고 Hilley식을 이용하여 허용지지력을 산정하시오.**
(단, 안전율은 3, 타격에너지 6,000kN·cm, 해머중량 20kN, 반발계수 0.5, 말뚝무게 40kN, 해머효율은 50%, $C_1 + C_2 + C_3$ = 리바운드량으로 가정한다.)

Hilley식 $Q_u = \dfrac{W_h h_e}{S + \dfrac{1}{2}(C_1 + C_2 + C_3)} \cdot \left(\dfrac{W_h + n^2 W_P}{W_h + W_P}\right)$

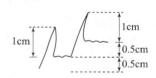

1cm
1cm
0.5cm
0.5cm

계산 과정)

답 : ______________

해답 $Q_u = \dfrac{W_h h_e}{S + \dfrac{1}{2}(C_1 + C_2 + C_3)} \times \dfrac{W_h + n^2 W_p}{W_h + W_p}$

$= \dfrac{6{,}000 \times 0.5}{0.5 + \dfrac{1}{2} \times 1} \times \dfrac{20 + 0.5^2 \times 40}{20 + 40} = 1{,}500\text{kN}$

$\therefore\ Q_a = \dfrac{Q_u}{F_s} = \dfrac{1{,}500}{3} = 500\text{kN}$

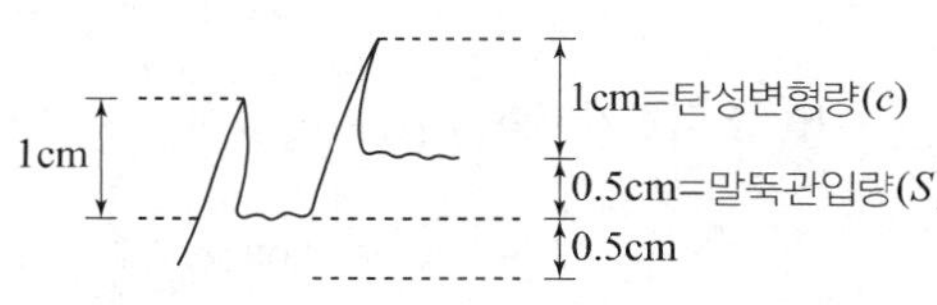

참고 6,000kN·cm = 60kN·m

□□□ 84①②③, 87③, 88②, 91③, 93②, 97②, 98⑤, 03④, 06①, 08②, 12④, 14①, 23① 【3점】

22 다음과 같은 작업조건에서, 불도저의 단위시간당 작업량을 산출하시오.

(조건 : 흙 운반거리=80m, 전진속도=40m/min, 후진속도=48m/min, 삽날의 용량=2.3m^3, 변속시간=0.26min, 토량변화율(L)=1.20, 작업효율=85%)

계산 과정) 답 : __________

해답 $Q=\dfrac{60\cdot q\cdot f\cdot E}{C_m}=\dfrac{60\cdot q\cdot \dfrac{1}{L}\cdot E}{C_m}$

• $C_m=\dfrac{l}{V_1}+\dfrac{l}{V_2}+t=\dfrac{80}{40}+\dfrac{80}{48}+0.26=3.93$분

$\therefore\ Q=\dfrac{60\times 2.3\times \dfrac{1}{1.2}\times 0.85}{3.93}=24.87\text{m}^3/\text{hr}$

□□□ 98⑤, 14①, 20②, 21③ 【8점】

23 직경 30cm의 평판재하시험을 한 결과 침하량 25mm일 때 극한지지력이 300kPa이고, 침하량이 10mm이었다. 허용침하량이 25mm인 직경 1.2m의 실제 기초의 극한지지력과 침하량을 구하시오. (단, 점토지반과 사질토지반인 경우에 대하여 각각 구하시오.)

가. 점토지반인 경우에 대해서 구하시오.

① 극한지지력 :

② 침하량 :

나. 사질토지반인 경우에 대해서 구하시오.

① 극한지지력 :

② 침하량 :

해답 가. ① 극한지지력 $q_u=300\text{kPa}$(∵ 재하판에 무관)

② 침하량 $S_F=S_P\times\dfrac{B_F}{B_P}=10\times\dfrac{1.2}{0.30}=40\text{mm}$ (∵ 재하판 폭에 비례)

나. ① 극한지지력 $q_{u(F)}=q_{u(P)}\times\dfrac{B_F}{B_P}$(∵ 재하판 폭에 비례)

$=300\times\dfrac{1.2}{0.30}=1{,}200\text{kN/m}^2$(∵ $300\text{kPa}=300\text{kN/m}^2$)

② 침하량 $S_F=S_P\left(\dfrac{2B_F}{B_F+B_P}\right)^2$

$=10\times\left(\dfrac{2\times 1.2}{1.2+0.3}\right)^2=25.6\text{mm}$ (∵ 재하판에 무관)

□□□ 10①, 11②, 14①④, 17④, 20② 【8점】

24 주어진 반중력식 교대도면을 보고 다음 물량을 산출하시오. (단, 교대 전체길이는 10m 이며, 도면의 치수단위는 mm이다.)

측 면 도

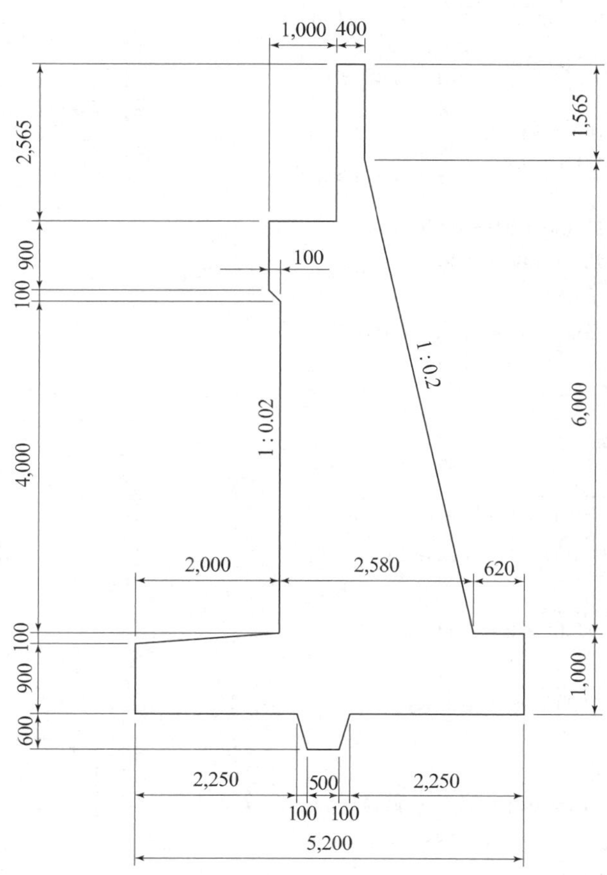

가. 교대의 전체 콘크리트량을 구하시오. (단, 소수점 이하 4째자리에서 반올림하시오.)

계산 과정)

답 :

나. 교대의 전체 거푸집량을 구하시오.
(단, 돌출부(전단 Key)에 거푸집을 사용하며, 소수점 이하 4째자리에서 반올림하시오.)

계산 과정)

답 :

해답 가.

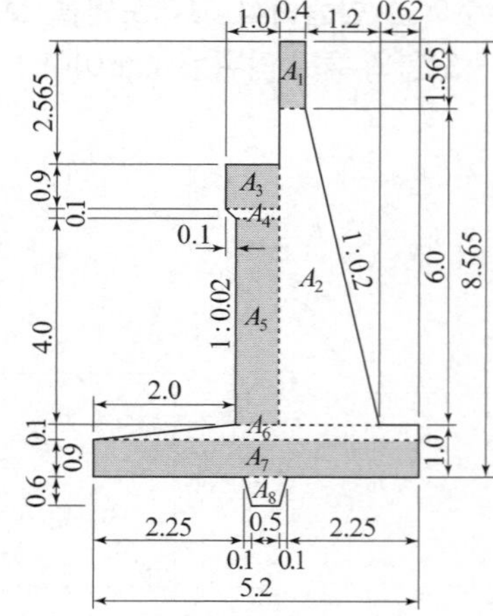

- $A_1 = 0.4 \times 1.565 = 0.626\,\text{m}^2$
- $A_2 = \dfrac{0.4 + (0.4 + 6.0 \times 0.2)}{2} \times 6.0 = 6.0\,\text{m}^2$
- $A_3 = 1.0 \times 0.9 = 0.9\,\text{m}^2$
- $A_4 = \dfrac{1.0 + 0.9}{2} \times 0.1 = 0.095\,\text{m}^2$
- $A_5 = \dfrac{0.9 + (0.9 + 4 \times 0.02)}{2} \times 4 = 3.76\,\text{m}^2$
- $A_6 = \dfrac{(5.2 - 2.0) + 5.2}{2} \times 0.1 = 0.42\,\text{m}^2$
- $A_7 = 5.2 \times 0.9 = 4.68\,\text{m}^2$
- $A_8 = \dfrac{0.5 + (0.5 + 0.1 \times 2)}{2} \times 0.6 = 0.36\,\text{m}^2$

$$\sum A = 0.626 + 6.0 + 0.9 + 0.095 + 3.76 + 0.420 + 4.68 + 0.36 = 16.841\,\text{m}^2$$

∴ 총콘크리트량 $= 16.841 \times 10 = 168.410\,\text{m}^3$

나.

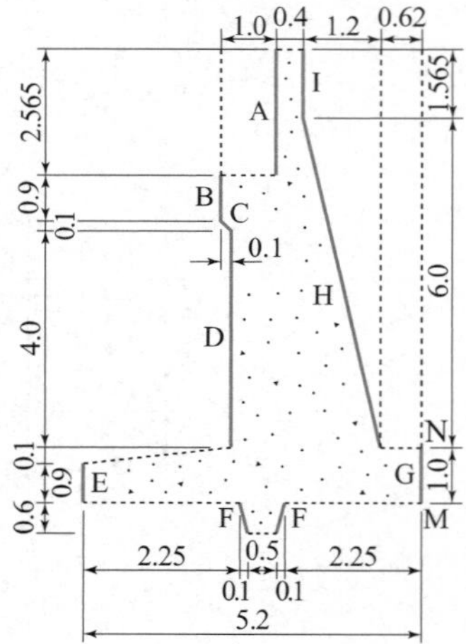

- $\text{A} = 2.565\,\text{m}$
- $\text{B} = 0.9\,\text{m}$
- $\text{C} = \sqrt{0.1^2 + 0.1^2} = 0.1414\,\text{m}$
- $\text{D} = \sqrt{(4 \times 0.02)^2 + 4^2} = 4.0008\,\text{m}$
- $\text{E} = 0.9\,\text{m}$
- $\text{F} = \sqrt{0.1^2 + 0.6^2} \times 2 = 1.2166\,\text{m}$
- $\text{G} = 1.0\,\text{m}$
- $\text{H} = \sqrt{(6 \times 0.2)^2 + 6^2} = 6.1188\,\text{m}$
- $\text{I} = 1.565\,\text{m}$
- 총거푸집길이

$$\sum L = 2.565 + 0.9 + 0.1414 + 4.0008 + 0.9 + 1.2166 + 1.0 + 6.1188 + 1.565 = 18.4076\,\text{m}$$

- 측면도의 거푸집량 $= 18.4076 \times 10 = 184.076\,\text{m}^2$
- 양 마구리면의 거푸집량 $= 16.841 \times 2$(양단) $= 33.682\,\text{m}^2$

∴ 총거푸집량 $= 184.076 + 33.682 = 217.758\,\text{m}^2$

□□□ 14①, 18③ 【6점】

25 연약지반 개량공법 중 강제치환공법에 대해 아래 물음에 답하시오.

가. 강제치환공법을 간단히 설명하시오.

○

나. 강제치환공법의 단점 3가지를 쓰시오.

① ② ③

해답 가. 직접 양질토를 연약지반 위에 투하하여 그 자중으로 기초지반에 파괴를 일으켜 연약토를 주위로 배제시킴으로써 지반을 개량하는 공법

나. ① 잔류침하가 예상된다.
② 개량효과의 확실성이 없다.
③ 이론적이며 정량적인 설계가 어렵다.
④ 균일하게 치환하기가 어렵다.
⑤ 압출에 의한 사면선단의 팽창이 일어난다.

국가기술자격 실기시험문제

2014년도 기사 제2회 필답형 실기시험(기사)

종 목	시험시간	형 별	성 명	수험번호
토목기사	**3시간**	B		

※ 수험자 인적사항 및 계산식을 포함한 답안 작성은 검은색 필기구만 사용하여야 하며, 그 외 연필류, 빨간색, 청색 등 필기구로 작성한 답안은 0점 처리됩니다.

□□□ 88③, 89②, 93②, 96④, 98①, 99①②, 03②, 07④, 09②, 11④, 13①, 14② 【3점】

01 80kg의 래머를 사용하여 보조기층의 다짐작업을 할 경우 시간당 작업량을 구하시오.

(조건 : 1회의 유효찍기 다짐면적(A)=0.033m^2, 1시간당의 찍기 다짐횟수=3,600회, 1층의 끝손질 두께=0.3m, 토량환산계수(f)=0.7, 작업효율=0.5, 되풀이찍기 다짐횟수=6)

계산 과정) 답 : ______

해답 $Q=\dfrac{A\cdot N\cdot H\cdot f\cdot E}{P}$

$=\dfrac{0.033\times3{,}600\times0.3\times0.7\times0.5}{6}=2.08\,\text{m}^3/\text{hr}$

□□□ 06②, 12①, 14②, 22① 【3점】

02 가요성포장(Flexible Pavement)의 구조설계시, AASHTO(1972) 설계법에 의한 소요포장 두께지수(SN)가 4.3으로 계산되었다. 포장은 표층, 기층 및 보조기층의 3개층으로 구성하고, 각층 재료를 상대강도계수와 표층, 기층의 두께를 다음과 같이 배분할 경우의 보조기층 두께를 구하시오.

포장층	재료	상대강도계수	두께(cm)
표층	높은 안정도의 아스팔트 콘크리트	0.176	5
기층	쇄석	0.055	25
보조기층	모래 섞인 자갈	0.043	

계산 과정) 답 : ______

해답 포장 두께지수 $SN=a_1D_1+a_2D_2+a_3D_3$

$4.3=0.176\times5+0.055\times25+0.043\times D_3$

∴ 보조기층 두께 $D_3=47.56\,\text{cm}$

□□□ 94①, 97①, 03①, 05④, 11④, 14②, 20④, 22② 【3점】

03 도로토공을 위한 횡단측량 결과 다음 그림과 같은 결과를 얻었다. Simpson 제2법칙에 의한 횡단면적은? (단위 : m)

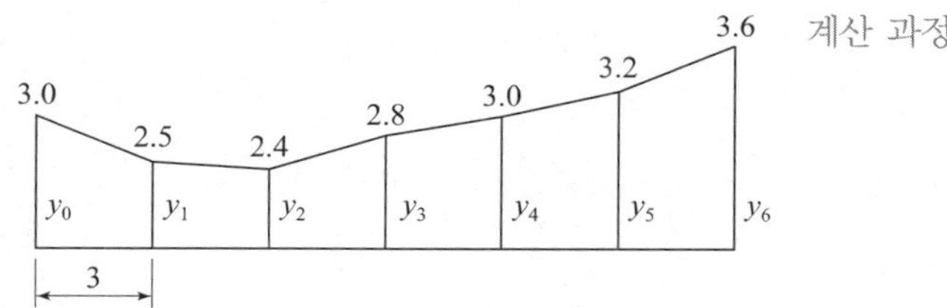

계산 과정)

답 :

해답 ■ 방법 1

• $A=\dfrac{3d}{8}\{y_o+2(y_3)+3(y_1+y_2+y_4+y_5)+y_6\}$

$=\dfrac{3\times3}{8}\{3.0+2\times2.8+3(2.5+2.4+3.0+3.2)+3.6\}=51.19\text{m}^2$

■ 방법 2

• $A_1=\dfrac{3d}{8}(y_o+3y_1+3y_2+y_3)$

$=\dfrac{3\times3}{8}(3.0+3\times2.5+3\times2.4+2.8)=23.06\text{m}^2$

• $A_2=\dfrac{3d}{8}(y_3+3y_4+3y_5+y_6)$

$=\dfrac{3\times3}{8}(2.8+3\times3.0+3\times3.2+3.6)=28.13\text{m}^2$

$\therefore\ A=A_1+A_2=23.06+28.13=51.19\text{m}^2$

□□□ 96①, 98③, 05①, 08④, 11②, 12④, 14② 【4점】

04 사질토지반에서 30cm×30cm 크기의 재하판을 이용하여 평판재하시험을 실시하였다. 재하시험 결과 극한지지력이 250kPa, 침하량이 10mm이었다. 실제 3m×3m의 기초를 설치할 때 예상되는 극한지지력과 침하량을 구하시오.

가. 극한지지력

계산 과정)

답 :

나. 침하량

계산 과정)

답 :

해답 가. $q_{u(F)}=q_{u(P)}\times\dfrac{B_F}{B_P}=250\times\dfrac{3}{0.3}=2{,}500\text{kPa}$

나. $S_F=S_P\times\left(\dfrac{2B_F}{B_F+B_P}\right)^2=10\times\left(\dfrac{2\times3}{3+0.3}\right)^2=33.06\text{mm}$

□□□ 93③, 94②, 97④, 99①, 00②, 01③, 03③, 07④, 10①②, 12④, 13①, 14②, 21②, 23① 【3점】

05 Meyerhof 공식을 이용하여 콘크리크 말뚝 지름 30cm, 길이 14m인 말뚝을 표준관입치가 다른 3종의 지층으로 되어 있는 기초지반에 박을 경우 말뚝의 허용지지력을 구하시오. (단, 안전율은 3을 적용한다.)

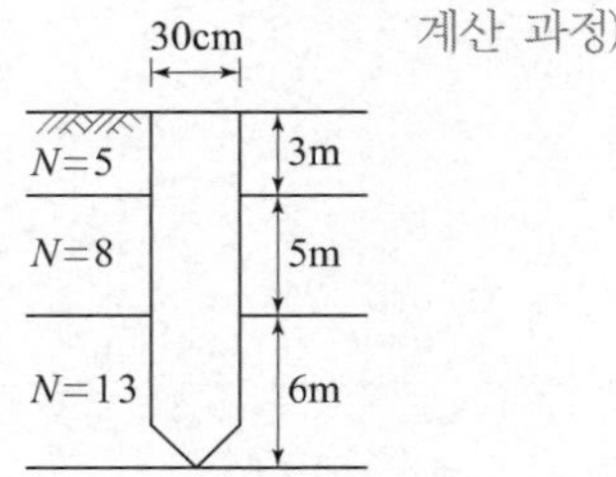

계산 과정)

답 :

해답 허용지지력 $Q_a = \dfrac{Q_u}{F_s}$, $Q_u = 40NA_p + \dfrac{1}{5}\overline{N}A_s$

- $N = 13$
- $A_p = \dfrac{\pi d^2}{4} = \dfrac{\pi \times 0.30^2}{4} = 0.071\,\mathrm{m}^2$
- $\overline{N} = \dfrac{N_1 h_1 + N_2 h_2 + N_3 h_3}{h_1 + h_2 + h_3} = \dfrac{5 \times 3 + 8 \times 5 + 13 \times 6}{3 + 5 + 6} = 9.50$
- $A_s = \pi d l = \pi \times 0.30 \times (3 + 5 + 6) = 13.195\,\mathrm{m}^2$
- $Q_u = 40 \times 13 \times 0.071 + \dfrac{1}{5} \times 9.50 \times 13.195 = 61.991\mathrm{t}$

$\therefore\ Q_a = \dfrac{61.991}{3} = 20.66\,\mathrm{t}$

□□□ 04②, 06④, 14②, 19② 【3점】

06 콘크리트포장은 콘크리트 균열을 조절하기 위해 설치하는 줄눈 및 철근의 유무에 따라 그 종류가 구분되는데 그 종류를 3가지만 기술하시오.

① ② ③

해답 ① 무근 콘크리트포장(JCP) ② 철근 콘크리트포장(JRCP)
③ 연속철근 콘크리트포장(CRCP) ④ 프리스트레스 콘크리트포장(PCP)

□□□ 09①, 10②, 14②, 17② 【3점】

07 압출공법(ILM : Incremental Launching Method)에 적용되는 압출방법 3가지를 쓰시오.

① ② ③

해답 ① Pulling 방법 ② Pushing 방법 ③ Lift & pushing 방법

□□□ 05①, 07④, 11①, 14②, 22② 【3점】

08 그림과 같은 유토곡선(Mass Curve)에서 다음 물음에 답하시오.

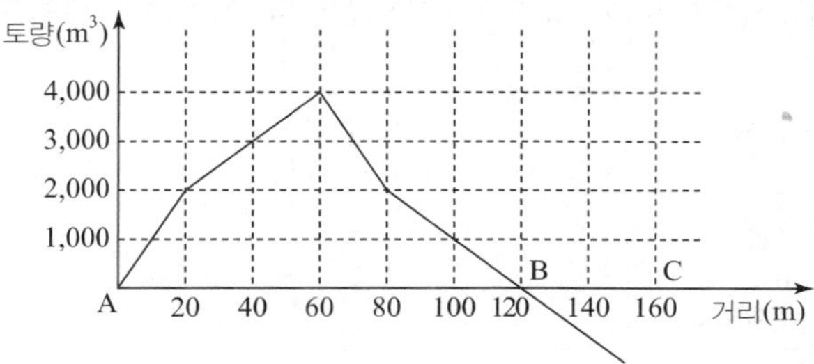

가. AB 구간에서 절토량 및 평균운반거리를 구하시오.

계산 과정) [답] 절토량 : ________, 평균운반거리 : ________

나. AB 구간에서 불도저(Bull Dozer) 1대로 흙을 운반하는 데 필요한 소요일수를 구하시오.
(단, 1일 작업시간은 8시간, 불도저의 $q = 3.2\text{m}^3$, $L = 1.25$, $E = 0.6$, 전진속도 : 40m/분, 후진속도 : 46m/분, 기어변속시간 : 0.25분)

계산 과정) 답 : ________

해답 가. 절토량 : $4,000\text{m}^3$, 평균운반거리 : $80-20=60\text{m}$

나. $Q=\dfrac{60q\cdot f\cdot E}{C_m}$

• $C_m=\dfrac{l}{V_1}+\dfrac{l}{V_2}+t=\dfrac{60}{40}+\dfrac{60}{46}+0.25=3.05$분

• $Q=\dfrac{60\times 3.2\times \dfrac{1}{1.25}\times 0.6}{3.05}=30.22\,\text{m}^3/\text{h}$

∴ 소요일수 $D=\dfrac{4,000}{30.22\times 8}=16.55$ ∴ 17일

□□□ 05②, 13①, 19① 【3점】

09 도로 토공현장에서 다짐도를 판정하는 방법을 5가지만 쓰시오.

① ________ ② ________ ③ ________

④ ________ ⑤ ________

해답 ① 건조밀도로 규정하는 방법 ② 포화도와 공극률로 규정하는 방법
③ 강도 특성으로 규정하는 방법 ④ 다짐기계, 다짐횟수로 규정하는 방법
⑤ 변형 특성으로 규정하는 방법

□□□ 96③, 01③, 06④, 10②, 14②, 16④, 19③ 【3점】

10 **그림과 같은 중력식 옹벽의 전도(overturning)에 대한 안전율을 계산하시오.**
(단, 콘크리트의 단위중량은 23kN/m^3이고, 옹벽전면에 작용하는 수동토압은 무시한다.)

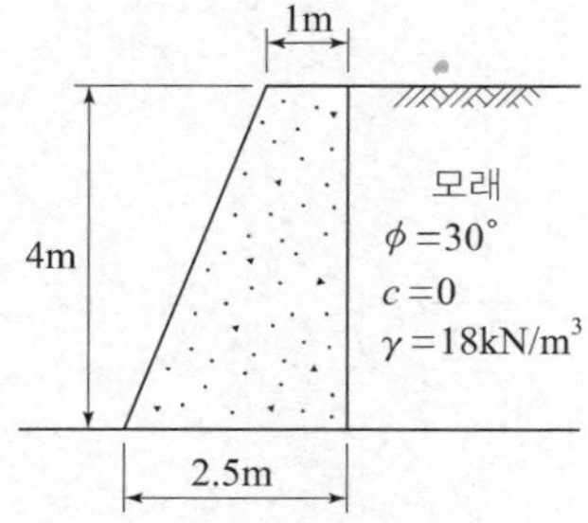

계산 과정)

답 :

해답 $F_s=\dfrac{W\cdot b+P_v\cdot E}{P_A\cdot y}=\dfrac{W\cdot b+0}{P_A\cdot y}$(∵ 수동토압 P_v는 무시)

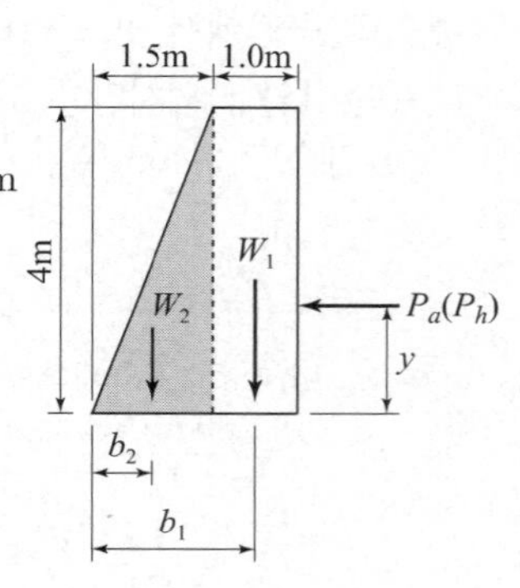

- $P_A=\dfrac{1}{2}\gamma H^2\tan^2\left(45°-\dfrac{\phi}{2}\right)=\dfrac{1}{2}\times 18\times 4^2\tan^2\left(45°-\dfrac{30°}{2}\right)=48\text{kN/m}$
- $W=W_1+W_2$
- $W_1=1\times 4\times 23=92\text{kN/m}$
- $W_2=\dfrac{1}{2}\times(2.5-1)\times 4\times 23=69\text{kN/m}$
- $W\cdot b=W_1b_1+W_2b_2=92\times(1.5+0.5)+69\times\left(1.5\times\dfrac{2}{3}\right)=253\text{kN}$
- $\text{y}=4\times\dfrac{1}{3}=\dfrac{4}{3}\text{m}$

$\therefore\ F_s=\dfrac{253}{48\times\dfrac{4}{3}}=3.95$

□□□ 86①, 89②, 98①, 99⑤, 04②, 11④, 14② 【3점】

11 **구조물 안전을 위한 기초의 형식을 선정하고자 할 때, 기초가 구비해야 할 조건을 아래의 예시와 같이 3가지만 쓰시오.**

경제적인 시공이 가능할 것

① ______ ② ______ ③ ______

 ① 최소의 근입깊이를 가질 것　② 안전하게 하중을 지지할 수 있을 것
③ 침하가 허용치를 넘지 않을 것　④ 기초공의 시공이 가능할 것

□□□ 01①, 10①, 11④, 13①, 14②, 17②, 18②, 22② 【6점】

12 **아래 같은 지층 위에 성토로 인한 등분포하중 $q = 50\text{kN/m}^2$이 작용할 때 다음 물음에 답하시오. (단, 점토층은 정규압밀점토이며, W_L은 액성한계이다.)**

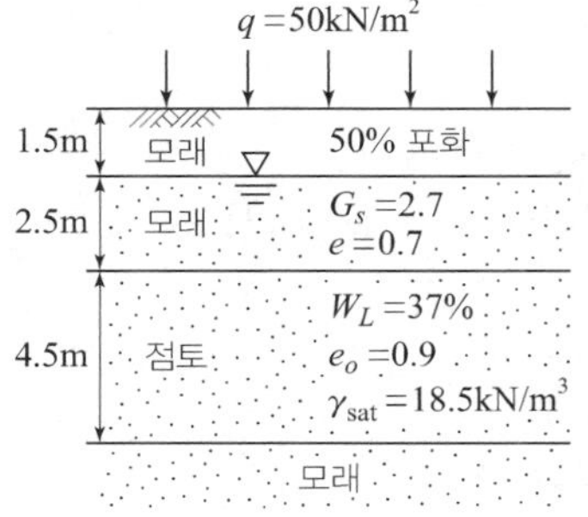

가. 점토층 중앙의 초기 유효연직압력(P_o)을 구하시오.

계산 과정) 답 : ________

나. 점토층의 압밀침하량을 구하시오.

계산 과정) 답 : ________

해답 가. 초기 유효연직압력 $P_o = \gamma_t H_1 + \gamma_{\text{sub}} H_2 + \gamma_{\text{sub}} \dfrac{H_3}{2}$

- 지하수위 이상인 모래층 단위중량 $\gamma_t = \dfrac{G_s + S \cdot e}{1+e}\gamma_w = \dfrac{2.7 + 0.5 \times 0.7}{1 + 0.7} \times 9.81 = 17.60\,\text{kN/m}^3$
- 지하수위 이하 모래층 수중 단위중량 $\gamma_{\text{sub}} = \dfrac{G_s - 1}{1+e}\gamma_w = \dfrac{2.7 - 1}{1 + 0.7} \times 9.81 = 9.81\,\text{kN/m}^3$
- 점토층 수중 단위중량 $\gamma_{\text{sub}} = \gamma_{\text{sat}} - \gamma_w = 18.5 - 9.81 = 8.69\,\text{kN/m}^3$

$\therefore\ P_o = 17.60 \times 1.5 + 9.81 \times 2.5 + 8.69 \times \dfrac{4.5}{2} = 70.48\,\text{kN/m}^2$

나. 압밀침하량 $S = \dfrac{C_c H}{1+e_o} \log\left(\dfrac{P_o + \Delta P}{P_o}\right)$

- $C_c = 0.009(W_L - 10) = 0.009(37 - 10) = 0.243$

$\therefore\ S = \dfrac{0.243 \times 4.5}{1 + 0.9} \log\left(\dfrac{70.48 + 50}{70.48}\right) = 0.1340\text{m} = 13.40\text{cm}$

□□□ 84①, 08①, 10①, 14① 【3점】

13 **콘크리트는 타설한 후 습윤상태로 노출면이 마르지 않도록 하여야 하며, 수분의 증발에 따라 살수를 하여 습윤상태로 보호하여야 한다. 일평균기온이 15℃ 이상일 때 사용 시멘트에 따른 습윤상태 보호기간의 표준일수를 쓰시오.**

① 보통포틀랜드 시멘트 :

② 고로슬래그 시멘트 :

③ 조강포틀랜드 시멘트 :

해답 ① 5일 ② 7일 ③ 3일

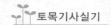

□□□ 00②, 11②, 14②, 17①, 20② 【10점】

14 **다음 작업리스트에서 네트워크 공정표를 작성하고, 각 작업의 여유시간을 구하시오.**

작업명	선행작업	작업일수	비고
A	없음	4	① C.P는 굵은 선으로 표시하시오. ② 각 결합점에는 아래와 같이 표시하시오. LFT EFT / EST LST ③ 각 작업은 다음과 같다. i —작업명/작업일수→ j
B	A	6	
C	A	5	
D	A	4	
E	B	3	
F	B, C, D	7	
G	D	8	
H	E	6	
I	E, F	5	
J	E, F, G	8	
K	H, I, J	6	

가. 공정표를 작성하시오.

나. 여유시간을 구하시오.

작업명	TF	FF	DF
A			
B			
C			
D			
E			
F			
G			
H			
I			
J			
K			

해답 가.

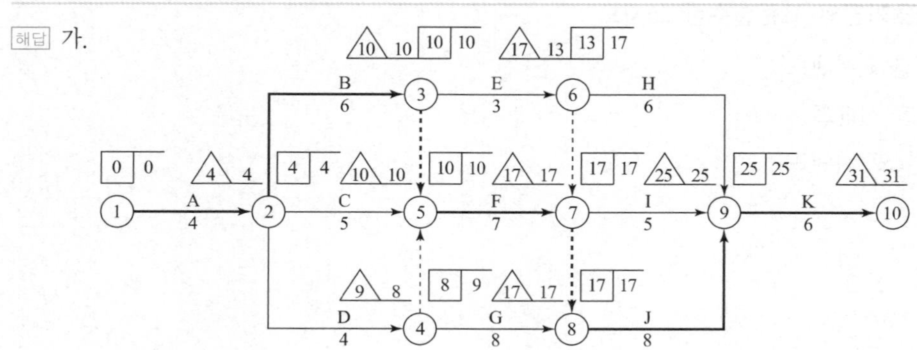

나.

작업명	TF	FF	DF
A	4−0−4=0	4−0−4=0	0−0 = 0
B	10−4−6=0	10−4−6=0	0−0=0
C	10−4−5=1	10−4−5=1	1−1=0
D	9−4−4=1	8−4−4=0	1−0=1
E	17−10−3=4	13−10−3=0	4−0=4
F	17−10−7=0	17−10−7=0	0−0=0
G	17−8−8=1	17−8−8=1	1−1=0
H	25−13−6=6	25−13−6=6	6−6=0
I	25−17−5=3	25−17−5=3	3−3=0
J	25−17−8=0	25−17−8=0	0−0=0
K	31−25−6=0	31−25−6=0	0−0=0

□□□ 92②, 94③, 00②, 03④, 04④, 07②, 10④, 11①, 14②, 17①, 18③, 19③, 21①, 22③, 23① 【3점】

15 PS 콘크리트 교량 건설공법 중 동바리를 사용하지 않는 현장타설공법의 종류 3가지를 쓰시오.

① ______ ② ______ ③ ______

해답 ① FCM(캔틸레버공법) ② MSS(이동식 지보공법)
③ ILM(연속압출공법)

□□□ 96②, 07①, 11②, 14②, 19② 【3점】

16 뒤채움 지표면에 재하중이 없는 높이 6m의 옹벽에 작용하는 전체 지진토압이 Mononobe-Okabe 이론에 의해 P_{AC} =160kN/m, 정적인 상태의 전 토압이 P_A =100kN/m일 때 이 전체 지진 토압의 작용위치는 옹벽 저면으로부터 몇 m로 보는가?

계산 과정)

답 : ______

해답 합력위치 $\overline{Z} = \dfrac{(0.6H)(\triangle P_{AC}) + \dfrac{H}{3}(P_A)}{P_{AC}}$

- 지진토압 $P_{AC} = 160\text{kN/m}$
- 전 토압 $P_A = 100\text{kN/m}$
- 토압증가량 $\triangle P_{AC} = 160 - 100 = 60\text{kN/m}$

$$\therefore\ \overline{Z} = \frac{(0.6\times 6)\times 60 + \dfrac{6}{3}\times 100}{160} = 2.6\text{m}$$

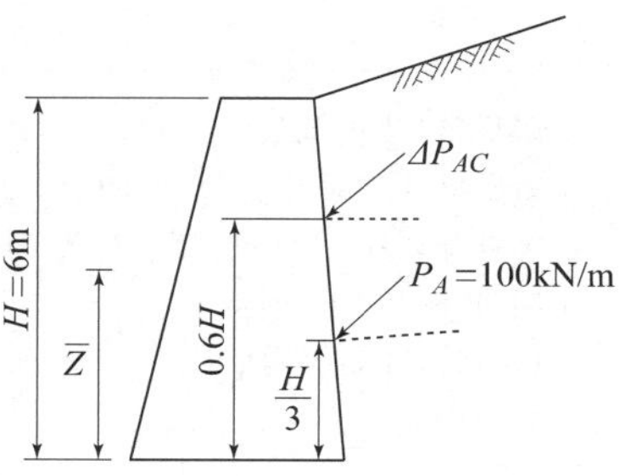

□□□ 87③, 94①, 96④, 99①, 00⑤, 02①, 03④, 04①, 09④, 12①, 14② 【6점】

17 직경 300mm RC 말뚝을 평균 비배수 일축압축강도가 20kN/m²인 포화점토지반에 1m 간격으로 가로방향 3개, 세로방향 4개씩 15m 깊이까지 타입하였다. 아래의 물음에 답하시오.

(단, 점토지반의 지지력계수 $N_c'=9$이며, 점착계수 $\alpha=1.25$이다. 또한 말뚝 자체의 중량은 무시하고 안전율은 3으로 하며, 무리 말뚝의 효율은 Converse-Labbarre식에 의한다.)

가. 말뚝 한 개의 극한지지력을 구하시오.

계산 과정) 답 : ____________

나. 무리말뚝의 효율을 구하시오.

계산 과정) 답 : ____________

다. 무리말뚝의 허용지지력을 구하시오.

계산 과정) 답 : ____________

해답 가. 극한지지력 $Q_u = Q_P + Q_s$

- $Q_P = N_c' \cdot c_u \cdot A_P = 9 \times \left(\frac{1}{2} \times 20\right) \times \frac{\pi \times 0.3^2}{4} = 6.36\text{kN}$ $\left(\because \text{ 점착력 } c_u = \frac{q_u}{2}\right)$
- $Q_s = \pi \cdot D \cdot L \cdot \alpha \cdot c_u = \pi \times 0.3 \times 15 \times 1.25 \times \frac{1}{2} \times 20 = 176.71\text{kN}$

$\therefore\ Q_u = 6.36 + 176.71 = 183.07\text{kN}$

나. $E = 1 - \tan^{-1}\left(\frac{D}{S}\right)\left\{\frac{(n-1)m + (m-1)n}{90 \cdot m \cdot n}\right\}$

$= 1 - \tan^{-1}\left(\frac{0.3}{1}\right)\left\{\frac{(4-1) \times 3 + (3-1) \times 4}{90 \times 3 \times 4}\right\} = 0.737$

다. $Q_{ag} = ENR_a = 0.737 \times 3 \times 4 \times \frac{183.07}{3} = 539.69\text{kN}$ $\left(\because\ R_a = \frac{Q_u}{3}\right)$

□□□ 14② 【3점】

18 말뚝을 항타하여 설치하는 기초파일공에서 시험항타의 목적 5가지를 쓰시오.

① ____________ ② ____________ ③ ____________

④ ____________ ⑤ ____________

해답 ① 말뚝의 길이 결정

② 말뚝길이 따른 이음공법 결정

③ 항타장비의 성능 및 적합성 판정(타입공법 선정)

④ 적절한 시공성 검토

⑤ 말뚝의 지지층 확인

□□□ 94②, 00②, 05①, 08②, 09②, 14②, 16①, 20① 【3점】

19 **Sand drain 공법에서 U_v(연직방향 압밀도)=0.95, U_h(수평향 압밀도)=0.20인 경우, 수직·수평방향을 고려한 압밀도(U)는 얼마인가?**

계산 과정)　　　　　　　　　　　　　　　　　　답 : ____________

해답 $U=\{1-(1-U_h)(1-U_v)\}\times 100$
$=\{1-(1-0.20)(1-0.95)\}\times 100 = 96\%$

□□□ 14② 【3점】

20 **터널에 대한 적합한 용어를 (　　) 안에 쓰시오.**

> 터널 단면에서 최대폭을 형성하는 점중 최상부의 점을 종방향으로 연결하는 선을 (①)이라고 하며, 터널굴착과정에서 발생하는 토사, 암석조각, 암석덩어리 등을 총칭해서 (②)이라고 한다.

① ____________　　② ____________

해답 ① Spring line　　② 버력(muck)

□□□ 14②, 20② 【3점】

21 **도로의 배수처리는 본체 및 도로구조의 기능 보존, 침투나 지하수 유입에 중요한 작용을 한다. 다음 배수시설 종류별 대표적인 것을 1가지씩만 쓰시오.**

① 표면배수 :

② 지하배수 :

③ 횡단배수 :

해답 ① 측구, 집수정　② 맹암거, 유공관　③ 배수관, 암거

□□□ 14② 【3점】

22 **초연약지반의 주행성 확보를 목적으로 지표면에서 깊이 약 3m 이내의 연약토를 석회계, 시멘트계, 플라이 애시계 등의 안정재를 혼합하여 지반강도를 증진시키는 공법으로 해안매립지 같은 초연약지반의 지표면을 고화시키기 위해 사용하는 공법의 명칭을 쓰시오.**

○

해답 표층 혼합처리공법

□□□ 14②, 23② 【3점】

23 콘크리트의 배합설계에서 품질기준강도 $f_{cq}=28$MPa이고, 30회 이상의 압축강도시험으로부터 구한 표준편차 $s=5$MPa이다. 시험을 통해 시멘트-물(C/W)비와 재령 28일 압축강도 f_{28}과의 관계식 $f_{28}=-14.7+20.7C/W$로 얻었을 때 콘크리트의 물-시멘트(W/C)비를 결정하시오.

계산 과정) [답] ____________

해답 ■ $f_{cq} \le$ 35MPa인 경우

- $f_{cr}=f_{cq}+1.34s=28+1.34\times5=34.7$MPa
- $f_{cr}=(f_{cq}-3.5)+2.33s=(28-3.5)+2.33\times5=36.15$MPa

∴ 배합강도 $f_{cr}=36.15$MPa(∵ 두 값 중 큰 값)

■ $f_{28}=-14.7+20.7\,C/W$ 에서

$$36.15=-14.7+20.7\frac{C}{W} \rightarrow \frac{C}{W}=\frac{36.15+14.7}{20.7}=\frac{50.85}{20.7}$$

$$\therefore\ \frac{W}{C}=\frac{20.7}{50.85}=0.4071=40.71\%$$

□□□ 92④, 94②, 96①④, 98②, 00⑤, 04④, 05④, 10②, 13②, 14②, 20① 【4점】

24 퍼트(PERT) 기법에 의한 공정관리방법에서 낙관적인 시간이 5일 정상적인 시간이 8일, 비관적 시간이 11일 때 공정상의 기대시간(Expected time)은 얼마인가?

계산 과정) 답 : ____________

해답 $t_e=\dfrac{t_o+4t_m+t_p}{6}=\dfrac{5+4\times8+11}{6}=8$일

□□□ 14②, 23② 【3점】

25 암반의 사면 파괴형태 4가지를 쓰시오.

① ________ ② ________ ③ ________ ④ ________

해답 ① 평면파괴 ② 쐐기파괴 ③ 전도파괴 ④ 원호파괴

□□□ 14② 【3점】

26 직접기초 시공시 굴착시공법을 3가지 쓰시오.

① ________ ② ________ ③ ________

해답 ① Open cut 공법 ② Island 공법 ③ Trench cut 공법
④ 역권공법 ⑤ 역타공법

□□□ 06②, 12①, 14②, 16④, 21① 【8점】

27 주어진 도면에 따라 다음 물량을 산출하시오. (단, 도면의 치수단위는 mm이다.)

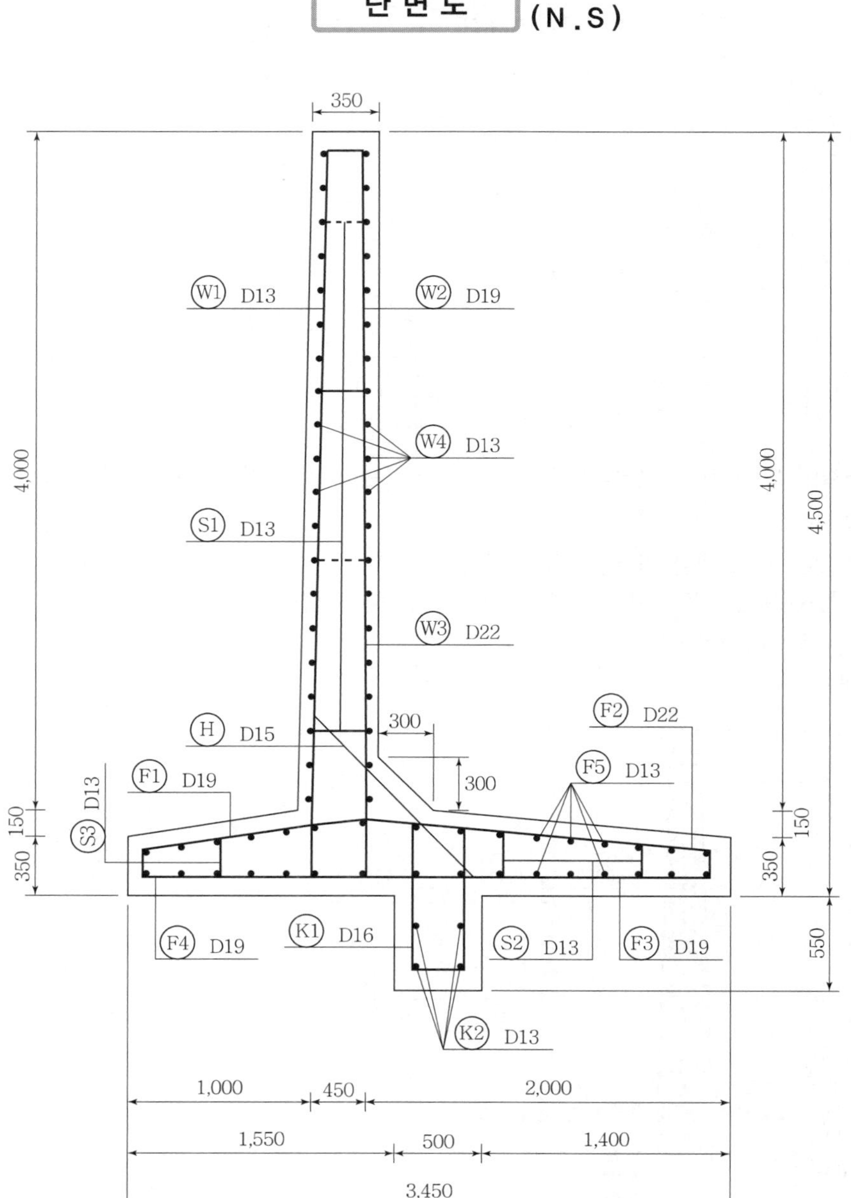

일 반 도

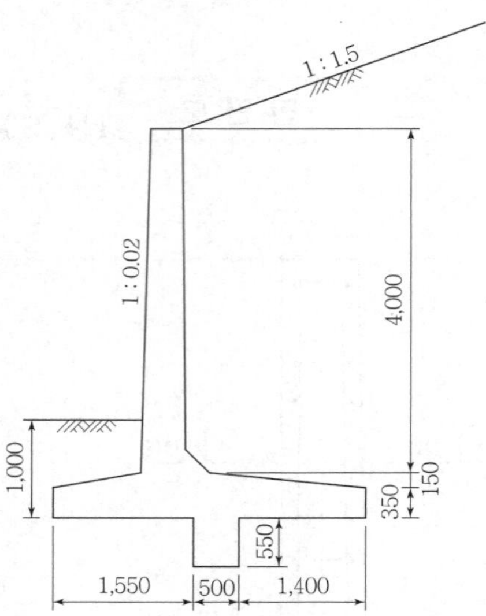

가. 옹벽길이 1m에 대한 콘크리트량을 구하시오. (단, 소수 4째자리에서 반올림하시오.)

계산 과정) 답 : ____________

나. 옹벽길이 1m에 대한 거푸집량을 구하시오.
(단, 돌출부(전단 Key)에 거푸집을 사용하며, 마구리면의 거푸집을 무시하며, 소수 4째자리에서 반올림하시오.)

계산 과정) 답 : ____________

해답 가.

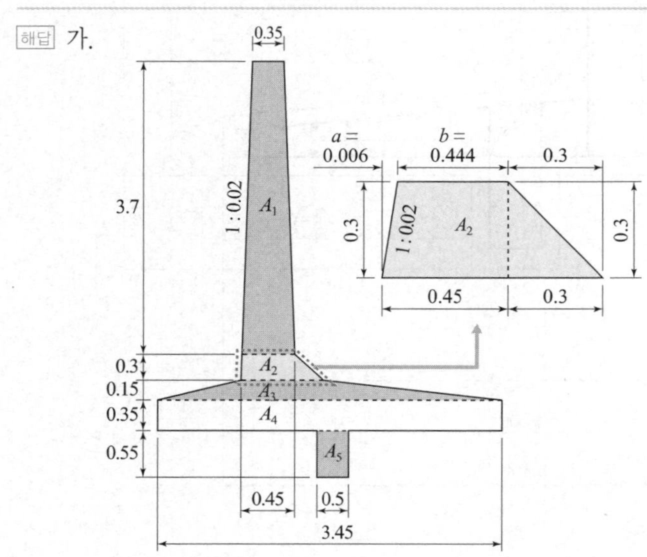

- $a = 0.02 \times 0.30 = 0.006\text{m}$
- $b = 0.45 - 0.02 \times 0.30 = 0.444\text{m}$
- $A_1 = \dfrac{0.35 + 0.444}{2} \times 3.7 = 1.469\,\text{m}^2$
- $A_2 = \dfrac{0.444 + (0.45 + 0.3)}{2} \times 0.3 = 0.179\,\text{m}^2$
- $A_3 = \dfrac{(0.45 + 0.3) + 3.45}{2} \times 0.15 = 0.315\,\text{m}^2$
- $A_4 = 0.35 \times 3.45 = 1.208\,\text{m}^2$
- $A_5 = 0.55 \times 0.5 = 0.275\,\text{m}^2$

$\therefore\ V = (\Sigma A_i) \times 1 = (1.469 + 0.179 + 0.315 + 1.208 + 0.275) \times 1 = 3.446\,\text{m}^3$

나.

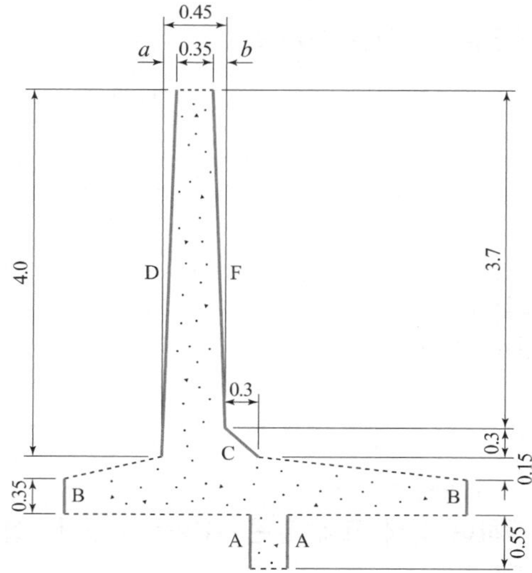

- $a = 0.02 \times 4.0 = 0.08\text{m}$
- $b = 0.45 - (0.08 + 0.35) = 0.02\text{m}$
- $\text{A} = 0.55 \times 2 = 1.1\text{m}$
- $\text{B} = 0.35 \times 2 = 0.70\,\text{m}$
- $\text{C} = \sqrt{0.3^2 + 0.3^2} = 0.4243\,\text{m}$
- $\text{D} = \sqrt{4.0^2 + 0.08^2} = 4.001\,\text{m}$
- $\text{F} = \sqrt{3.7^2 + 0.02^2} = 3.7001\,\text{m}$

$\Sigma L = 1.1 + 0.70 + 0.4243 + 4.001 + 3.7001$
$= 9.9254\text{m}$

$\therefore$ 면적 $= \Sigma L \times 1(m) = 9.9254 \times 1 = 9.925\,\text{m}^2$

국가기술자격 실기시험문제

2014년도 기사 제4회 필답형 실기시험(기사)

종 목	시험시간	형 별	성 명	수험번호
토목기사	**3시간**	B		

※ 수험자 인적사항 및 계산식을 포함한 답안 작성은 검은색 필기구만 사용하여야 하며, 그 외 연필류, 빨간색, 청색 등 필기구로 작성한 답안은 0점 처리됩니다.

□□□ 85①, 94①, 03②, 14④ 【3점】

01 공기케이슨(Pneumatic Caisson) 공법의 단점을 4가지만 쓰시오.

① ______ ② ______ ③ ______ ④ ______

해답 ① 케이슨병이 발생하기 쉽다.
② 굴착깊이에 제한이 있다.
③ 소음과 진동이 커서 도심지에서는 부적당하다.
④ 주야로 작업하므로 노무관리비가 많이 필요하다.
⑤ 기계설비가 비싸므로 소규모 공사에는 비경제적이다.
⑥ 노무자의 모집이 어려워 노무비가 비싸다.

□□□ 94②, 96⑤, 97④, 98②, 99⑤, 00①, 04②, 06①, 10④, 11④, 12①, 14④, 16①, 23③ 【3점】

02 도로 예정노선에서 일곱지점의 CBR을 측정하여 아래 표와 같은 결과를 얻었다. 설계 CBR은 얼마인가? (단, 설계계산용 계수 d_2는 2.83)

지점	1	2	3	4	5	6	7
CBR	4.2	3.6	6.8	5.2	4.3	3.4	4.9

계산 과정) 답 : ______

해답 $\text{설계 CBR} = \text{평균 CBR} - \dfrac{\text{CBR}_{max} - \text{CBR}_{min}}{d_2}$

- $\text{평균 CBR} = \dfrac{\Sigma\text{CBR값}}{n} = \dfrac{4.2+3.6+6.8+5.2+4.3+3.4+4.9}{7} = 4.63$

$\therefore$ $\text{설계 CBR} = 4.63 - \dfrac{6.8-3.4}{2.83} = 3.43$

$\therefore$ 3(∵ 설계 CBR은 소수점 이하는 절삭한다.)

□□□ 04④, 06②, 10①, 14④, 20① 【3점】

03 장대교량에 사용되는 사장교는 주부재인 케이블의 교축방향 배치방식에 따라 크게 4가지로 분류되는데 이를 쓰시오.

① ______ ② ______ ③ ______ ④ ______

해답 ① 부채형(fan type) ② 하프형(harp type) ③ 스타형(star type) ④ 방사형(radiating type)

□□□ 14④ 【3점】

04 콘크리트 타설온도를 낮추는 방법으로 물, 골재 등의 재료를 미리 냉각시키는 방법인 선행냉각 방법(Pre-cooling)의 종류를 3가지 쓰시오.

① ______ ② ______ ③ ______

해답 ① 혼합 전 재료를 냉각
② 혼합 중 콘크리트를 냉각
③ 타설 전 콘크리트를 냉각

□□□ 01①, 07④, 14④, 17④, 23③ 【3점】

05 그림과 같이 매우 넓은 면적에 120kN/m^{2}의 등분포 하중이 작용할 때, 정규압밀점토층에 발생하는 압밀침하량을 구하시오.

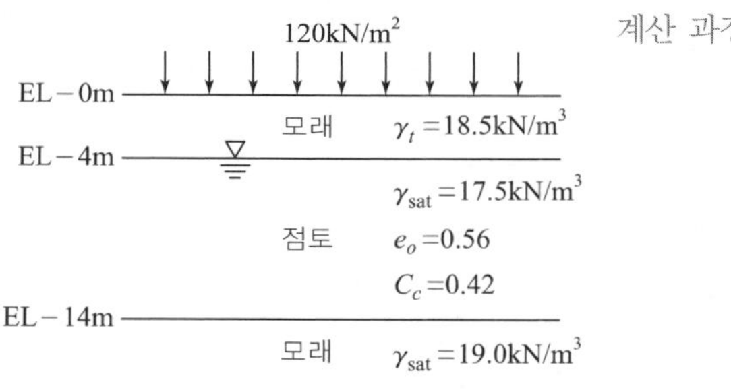

계산 과정)

답 : ______

해답 압밀침하량 $S=\dfrac{C_cH}{1+e_0}\log\dfrac{P_2}{P_1}=\dfrac{C_cH}{1+e_0}\log\dfrac{P_1+\Delta P}{P_1}$

• $P_1=\gamma_t H_1+\gamma_{sub}\dfrac{H_2}{2}=18.5\times4+(17.5-9.81)\times\dfrac{10}{2}=112.45\,\text{kN/m}^2$

• $C_c=0.42$

$\therefore\ S=\dfrac{0.42\times10}{1+0.56}\log\dfrac{112.45+120}{112.45}=0.8491\,\text{m}=84.91\,\text{cm}$

□□□ 14④ 【3점】

06 어떤 모래의 건조단위중량이 17.0kN/m^{3}이고, 이 모래지반의 최대 건조단위중량이 $\gamma_{d\max}$ =18.0kN/m^3, 최소건조단위중량이 $\gamma_{d\min}$ =16.0kN/m^{3}일 때 상대밀도를 구하고 판정하시오.

계산 과정) [답] 상대밀도 : ________, 판정 : ________

해답 상대밀도 $D_r = \dfrac{\gamma_d - \gamma_{d\min}}{\gamma_{d\max} - \gamma_{d\min}} \cdot \dfrac{\gamma_{d\max}}{\gamma_d} \times 100$

$\therefore\ D_r = \dfrac{17.0-16.0}{18.0-16.0} \times \dfrac{18.0}{17.0} \times 100 = 52.94\%$

상대밀도 : 52.94%

판정 : 중간(∵ 50 ~ 70%)

□□□ 01①, 04①②, 07④, 08③, 09②, 10④, 11①, 14④, 17④ 【3점】

07 현장흙을 다진 후 모래치환법으로 아래 표와 같은 결과를 얻었다. 실내다짐시험에서 구한 최대건조단위중량은 1.87g/cm^3 일 때 상대다짐도를 구하시오.

【결 과】

- 시험구덩이에서 파낸 흙의 무게 : 1,800g
- 시험구덩이에서 파낸 흙의 함수비 : 12.5%
- 샌드 콘 내 전체 모래 무게 : 2,700g
- 시험구덩이를 채우고 남는 모래의 무게 : 1,200g
- 모래의 건조밀도 : 1.65g/cm^3

계산 과정) 답 : ________

해답 상대다짐도 $R = \dfrac{\rho_d}{\rho_{d\max}} \times 100$

- 구멍의 체적 $V = \dfrac{W_s}{\rho_s} = \dfrac{2{,}700 - 1{,}200}{1.65} = 909.09\text{cm}^3$
- 건조흙 무게 $W_s = \dfrac{W}{1+w} = \dfrac{1{,}800}{1+0.125} = 1{,}600\text{g}$
- 건조밀도 $\rho_d = \dfrac{W_s}{V} = \dfrac{1{,}600}{909.09} = 1.76\,\text{g/cm}^3$ $\quad\therefore\ R = \dfrac{1.76}{1.87} \times 100 = 94.12\%$

□□□ 95③, 98③, 99⑤, 04③, 10①, 14④, 21③ 【3점】

08 횡방향 지반반력계수(K_h)를 구하는 현장시험을 3가지만 쓰시오.

① ________ ② ________ ③ ________

해답 ① 프레셔미터시험(PMT) ② 딜라토미터시험(DMT) ③ 수평재하시험(LLT)

□□□ 04④, 07④, 09④, 14④, 16④, 22② 【3점】

09 지하수 침강 최소깊이 2m, 암거 매립간격 8m, 투수계수 10^{-5}cm/sec일 때 불투수층에 놓인 암거를 통한 단위 길이당 배수량을 구하시오. (단, 소수점 이하 넷째자리까지 구하시오.)

계산 과정)

답 :

해답 단위길이당 배수량 $Q=\dfrac{4kH_0^{\,2}}{D}$

- $H_o=200\,\text{cm}$, $D=800\,\text{cm}$

$\therefore\ Q=\dfrac{4\times10^{-5}\times200^2}{800}=0.002\,\text{cm}^3/\text{cm}/\text{sec}$

※ 주의 단위길이당 배수량의 단위 : $\text{cm}^3/\text{cm}/\text{sec}$

□□□ 03①, 04④, 06④, 11①, 14④, 18① 【3점】

10 현장타설말뚝은 일반적으로 지지말뚝으로 사용되기 때문에 콘크리트를 타설할 때 공저에 슬라임(Slime)이 퇴적되어 있으면 침하 원인이 되고 말뚝으로서 기능이 현저하게 저하한다. 이 같은 슬라임을 제거하기 위한 방법을 3가지만 쓰시오.

① ______  ______ ③ ______

해답 ① 샌드펌프 방법 ② 에어리프트 방법 ③ 석션펌프 방법 ④ 수중펌프 방법

□□□ 98④, 01①, 05①, 07②, 14④, 19①, 23② 【3점】

11 다음과 같은 모래지반에 위치한 댐의 piping에 대한 안정성을 검토하시오.
(단, safe weighted creep ratio는 6.0)

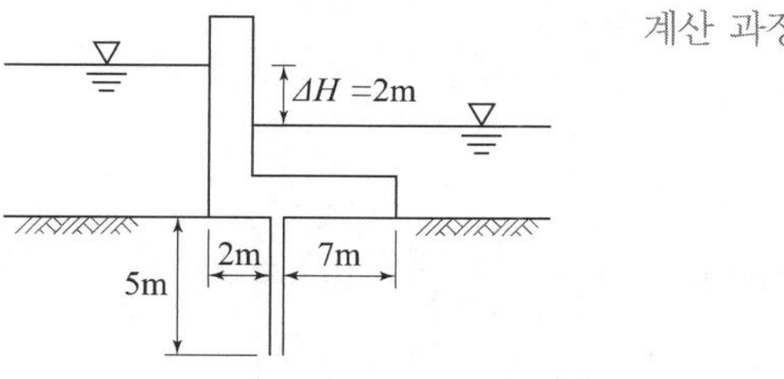

계산 과정)

답 :

해답 크리프비 $CR=\dfrac{L_w}{h_1-h_2}=\dfrac{2D+\dfrac{L}{3}}{\Delta H}$

- 가중 크리프 거리 $L_w=2\times5+\dfrac{2+7}{3}=13$
- 유효수두 $\Delta H=2\text{m}$
- 크리프비 $CR=\dfrac{13}{2}=6.5\ >\ 6\quad\therefore$ 안정

□□□ 05①, 09①, 12①, 14④, 15①, 16④, 17④ 【10점】

12 **다음의 작업리스트를 보고 아래 물음에 답하시오.**

작업명	선행작업	후속작업	표준상태		특급상태	
			작업일수	비용	작업일수	비용
A	−	B, C	3	30만원	2	33만원
B	A	D	2	40만원	1	50만원
C	A	E	7	60만원	5	80만원
D	B	F	7	100만원	5	130만원
E	C	G, H	7	80만원	5	90만원
F	D	G, H	5	50만원	3	74만원
G	E, F	I	5	70만원	5	70만원
H	E, F	I	1	15만원	1	15만원
I	G, H	−	3	20만원	3	20만원

가. Network(화살선도)를 작도하고, 표준상태에 대한 C.P를 표시하시오.

나. 공기를 3일 단축했을 때 추가로 소요되는 비용을 구하시오.

계산 과정) 답 : ______

해답 가.

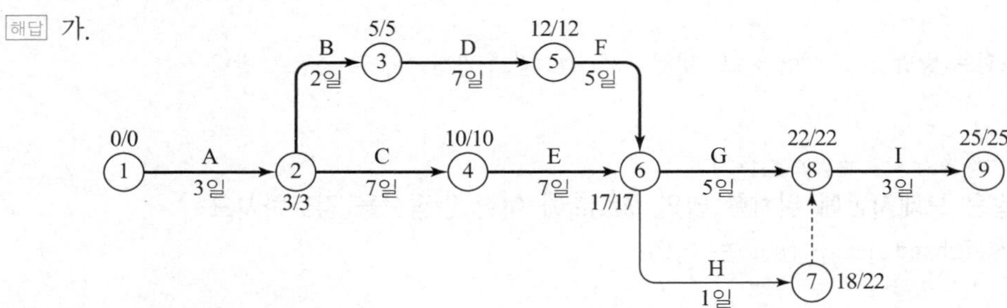

C.P : A→B→D→F→G→I
A→C→E→G→I

나. 비용구배(만원/일)

$A = \frac{33-30}{3-2} = 3$만원, $B = \frac{50-40}{2-1} = 10$만원, $C = \frac{80-60}{7-5} = 10$만원

$D = \frac{130-100}{7-5} = 15$만원, $E = \frac{90-80}{7-5} = 5$만원, $F = \frac{74-50}{5-3} = 12$만원

단축단계	단축작업	단축일	비용경사(만원/일)	단축비용(만원)	추가비용 누계(만원)
1	A	1	3	3	3
2	B+E	1	10+5 = 15	15	18
3	E+F	1	5+12	17	35

∴ 추가 소요되는 비용 35만원

□□□ 05①, 06②, 09②, 14④, 18③, 21② 【3점】

13 **다음 지반조건으로 지반굴착을 할 경우 이에 설치한 지반앵커(Ground Anchor)의 정착장(L)을 구하시오.** (안전율은 1.5 적용)

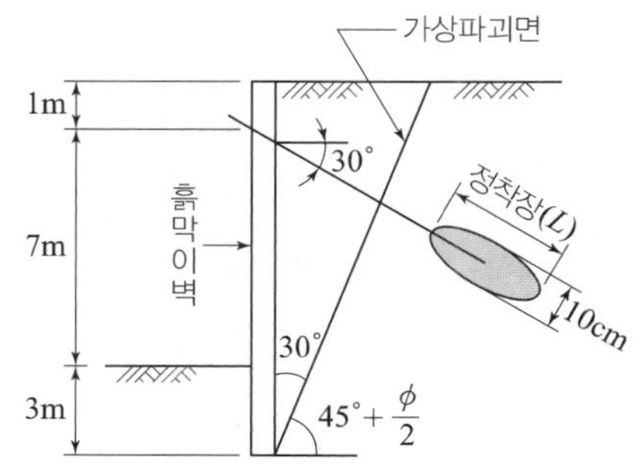

【조 건】
- 앵커반력 : 250kN/m
- 정착부의 주면마찰저항 : 0.2MPa
- 천공직경 : 10cm
- 설치각도 : 수평과 30°
- H-Pile 설치간격(앵커 설치간격) : 1.5m

계산 과정)

답 :

해답 정착장 $L = \dfrac{T \cdot F_s}{\pi D \tau}$

- 앵커축력 $T = \dfrac{P \cdot a}{\cos\alpha} = \dfrac{250 \times 1.5}{\cos 30°} = 433.01\,\text{kN}$
- 주면마찰저항 $\tau = 0.2\text{MPa} = 0.2\text{N/mm}^2 = 200\text{kN/m}^2$
- 천공직경 $D = 10\text{cm} = 0.1\text{m}$

$\therefore\ L = \dfrac{433.01 \times 1.5}{\pi \times 0.1 \times 200} = 10.34\,\text{m}$

□□□ 09①, 11②, 14④ 【3점】

14 **암반의 공학적 분류방법을 4가지만 쓰시오.**

① ② ③ ④

해답 ① 절리의 간격에 의한 분류 ② 풍화도에 의한 분류
③ Muller의 분류 ④ RQD에 의한 분류법
⑤ 균열계수에 의한 분류 ⑥ 암반평점에 의한 분류

□□□ 95⑤, 97④, 04①, 14④, 18① 【3점】

15 **중력식 댐의 시공 후 관리상 댐 내부에 설치하는 검사랑의 시공목적을 3가지만 쓰시오.**

① ② ③

해답 ① 콘크리트 내부의 균열검사 ② 콘크리트 온도 측정 ③ 콘크리트 수축량 검사
④ 그라우팅공 이용 ⑤ 간극수압 측정 ⑥ 양압력 상태 검사

□□□ 14④, 23① 【5점】

16 여굴을 적게 하고 파단선을 매끈하게 하기 위한 조절발파 공법(controlled blasting)에 대한 다음 물음에 답하시오.

가. 조절발파공법의 목적 2가지를 쓰시오.

① ______ ② ______

나. 조절발파 공법의 종류를 4가지만 쓰시오.

① ______ ② ______ ③ ______ ④ ______

해답 가. ① 여굴감소
② 발파예정선에 일치하는 발파면을 얻을 수 있다.
③ 발파면이 고르며 뜬돌 떼기 작업이 감소한다.
④ 암반의 손상이 적어 낙석의 위험성이 적고, 균열발생이 감소한다.
⑤ 암반표면이 강해져 균열발생이 적어 보강의 필요성이 감소한다.

나. ① 라인 드릴링(line drilling) 공법
② 쿠션 블라스팅(cushion blasting) 공법
③ 스무스 블라스팅(smooth blasting) 공법
④ 프리스플리팅(pre-splitting) 공법

□□□ 98③, 08①④, 10②, 12④, 13①, 14④, 17①, 20② 【3점】

17 3m의 모래층 위에 10m 두께의 단단한 포화점토가 있고 모래는 피압상태에 있다. A점에서 히빙(heaving)현상이 일어나지 않은 최대깊이 H를 구하시오.

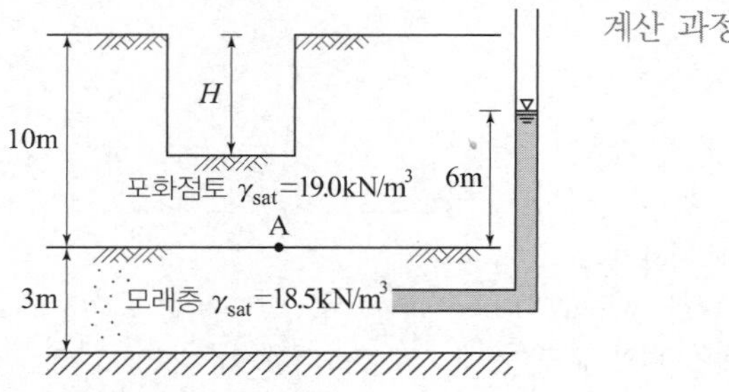

계산 과정)

답 : ______

해답 $H=\dfrac{H_1\gamma_{sat}-\Delta h\gamma_w}{\gamma_{sat}}$

- $H_1=10\text{m}$
- $\Delta h=6\text{m}$

$\therefore\ H=\dfrac{10\times 19-6\times 9.81}{19}=6.90\text{m}$

$\bar{\sigma}=0$일 때 히빙이 일어나지 않음

$\sigma=\gamma_{sat}\times(10-H)$

$U=\gamma_w\times 6$

$\bar{\sigma}=19\times(10-H)-9.81\times 6=0$

$\therefore\ H=6.90\text{m}$ 참고 SOLVE 사용

□□□ 00③, 02①, 06②, 14④, 19① 【6점】

18 그림과 같은 유한사면에서 사면파괴가 한 평면을 따라 발생한다면(Culmann의 가정) 사면의 임계높이, 활동에 대한 안전율이 2가 되도록 사면높이 H를 구하시오.

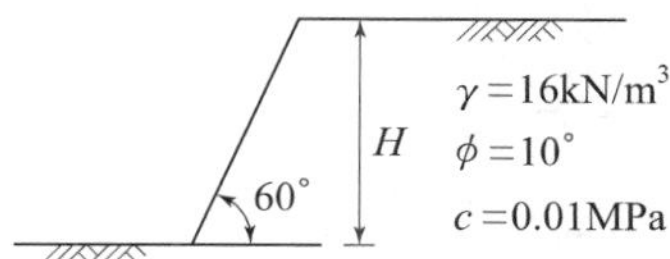

가. 사면의 임계높이를 구하시오.

계산 과정) 답 : ____________

나. 활동에 대한 안전율이 2가 되도록 사면높이 H를 구하시오.

계산 과정) 답 : ____________

해답 가. $H_c = \dfrac{4c}{\gamma_t}\left[\dfrac{\sin\beta\cos\phi}{1-\cos(\beta-\phi)}\right]$

• $c = 0.01\text{MPa} = 0.01\text{N/mm}^2 = 10\text{kN/m}^2$

$$H_c = \frac{4\times 10}{16}\times\left[\frac{\sin 60°\cos 10°}{1-\cos(60°-10°)}\right] = 5.97\text{m}$$

나. $F_s = F_c = F_\phi = 2$에서 $F_c = \dfrac{C}{C_d} = 2$

$$C_d = \frac{C}{F_c} = \frac{C}{F_s} = \frac{10}{2} = 5\text{kN/m}^2$$

$F_\phi = \dfrac{\tan\phi}{\tan\phi_d} = 2$에서 $\phi_d = \tan^{-1}\left(\dfrac{\tan 10°}{2}\right) = 5.038°$

$$\therefore H = \frac{4C_d}{\gamma}\left[\frac{\sin\beta\cos\phi_d}{1-\cos(\beta-\phi_d)}\right] = \frac{4\times 5}{16}\left[\frac{\sin 60°\cos 5.038°}{1-\cos(60°-5.038°)}\right] = 2.53\text{m}$$

□□□ 87③, 03④, 09④, 12①, 14④, 23③ 【3점】

19 지름 30cm인 나무말뚝 36본이 기초슬래브를 지지하고 있다. 이 말뚝의 배치는 6열 각열 6본이다. 말뚝의 중심간격은 1.3m이고, 말뚝 1본의 허용지지력이 150kN일 때 converse－Labarre 공식을 사용하여 말뚝기초의 허용지지력을 구하시오.

계산 과정) 답 : ____________

해답 $Q_{ag} = E\cdot N\cdot R_a$

• $\phi = \tan^{-1}\left(\dfrac{d}{S}\right) = \tan^{-1}\left(\dfrac{30}{130}\right) = 13°$

• $E = 1-\phi\left\{\dfrac{(n-1)m+(m-1)n}{90\cdot m\cdot n}\right\} = 1-13°\left\{\dfrac{(6-1)\times 6+(6-1)\times 6}{90\times 6\times 6}\right\} = 0.759$

$\therefore\ Q_{ag} = 0.759\times 36\times 150 = 4{,}098.6\text{kN}$

□□□ 14④, 16④, 19② 【3점】

20 **이미 경화한 매시브한 콘크리트 위에 슬래브를 타설할 때 부재 평균 최고온도와 외기온도와의 균형시의 온도차가 12.8℃발생하였을 때 아래의 표를 이용하여 온도균열 발생확률을 구하면? (단, 간이법 적용)**

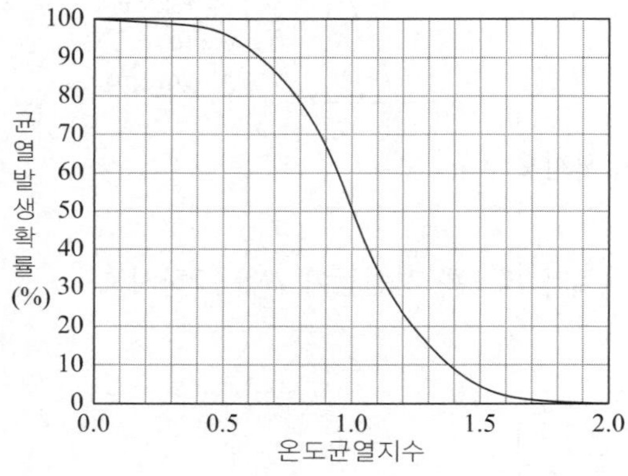

해답 온도균열지수 $I_{cr} = \dfrac{10}{R \cdot \Delta T_o}$

- 이미 경화된 콘크리트 위에 콘크리트를 타설할 때 : $R = 0.60$
- 부재의 최고 평균온도와 외기온도와의 온도차 : $\Delta T_o = 12.8$℃
- $I_{cr} = \dfrac{10}{0.60 \times 12.8} = 1.30$

∴ 온도균열지수 1.30에 대응되는 균열발생확률은 약 15%이다.

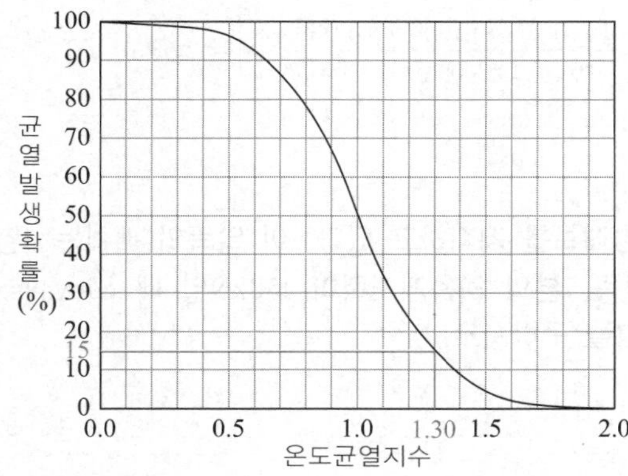

□□□ 91③, 97④, 99②, 08④, 14④, 17②, 20② 【6점】

21 그림과 같은 등고선을 가진 지형으로 굴착하여 오른편 그림과 같은 도로성토를 하려고 한다. 물음에 답하시오. (단, $L=1.20$, $C=0.90$, 토량은 각주공식을 사용)

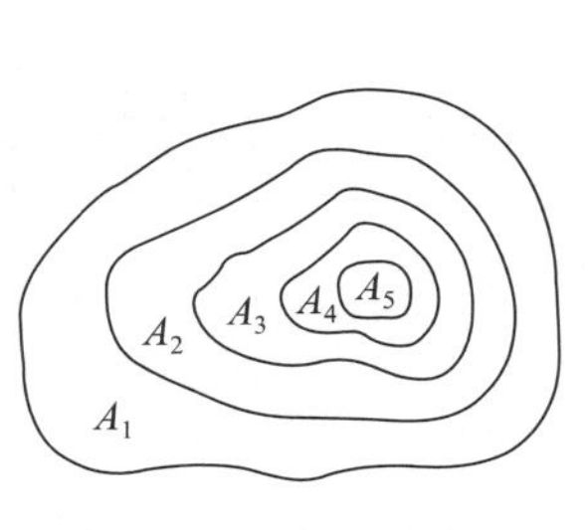

면적(m^2)
$A_1=1,400$
$A_2=950$
$A_3=600$
$A_4=250$
$A_5=100$
한 등고선 높이 : 20m

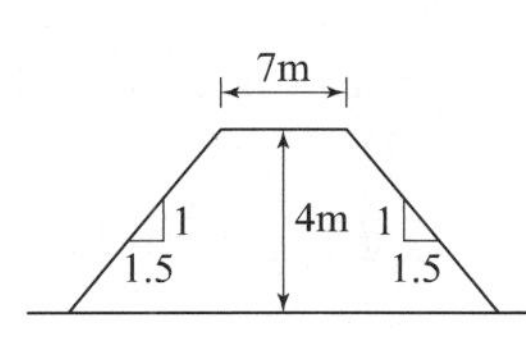

shovel의 C_m : 20sec
dipper 계수 : 0.95
작업효율 : 0.80, $f=1$
1일 운전시간 : 6hrs
유류소모량 : $4l/hr$

가. 도로 몇 m를 만들 수 있는가?

계산 과정) 답 :

나. 위의 그림과 같은 조건에서 $1m^3$ Power shovel 5대가 굴착할 때 작업일수는 몇 일인가?

계산 과정) 답 :

다. Power shovel의 총유류소모량은 얼마나 되겠는가?

계산 과정) 답 :

해답 가. 토량계산

- $Q_1=\dfrac{h}{3}(A_1+4A_2+A_3)=\dfrac{20}{3}(1,400+4\times950+600)=38,666.67\,m^3$
- $Q_2=\dfrac{h}{3}(A_3+4A_4+A_5)=\dfrac{20}{3}(600+4\times250+100)=11,333.33\,m^3$

$\therefore Q=Q_1+Q_2=38,666.67+11,333.33=50,000\,m^3$

- 도로의 단면적 $A=\dfrac{7+(1.5\times4+7+1.5\times4)}{2}\times4=52\,m^2$
- 도로의 길이$=\dfrac{\text{완성토량}\times C}{\text{도로 단면적}}=\dfrac{50,000\times0.90}{52}=865.38\,m$

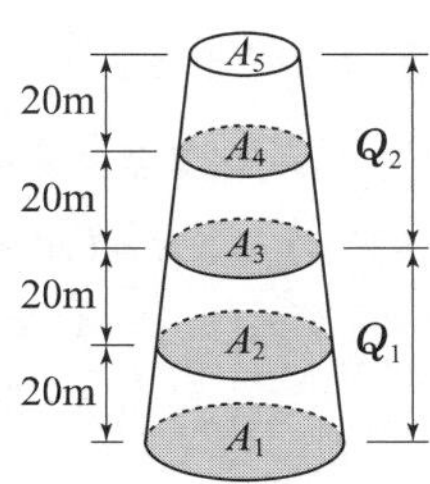

나. • $Q=\dfrac{3,600\cdot q\cdot K\cdot f\cdot E}{C_m}=\dfrac{3,600\times1\times0.95\times\dfrac{1}{1.20}\times0.80}{20}=114\,m^3/h$

$\left(\because \text{자연상태} : f=\dfrac{1}{L}=\dfrac{1}{1.20}\right)$

- 1일 작업일량 $=114(m^3/hr)\times6(hr)\times5(\text{대})=3,420\,m^3/day$

$\therefore$ 작업일수 $=\dfrac{50,000}{3,420}=14.62=15$일

다. 총유류소모량$=4\times6\times14.62\times5=1,754.4\,l$

□□□ 06④, 08④, 09④, 10①, 11②, 12②④, 14④, 16①, 22②, 23③ 【8점】

22 콘크리트의 배합강도를 구하기 위해 전체 시험횟수 17회의 콘크리트 압축강도 측정결과가 아래 표와 같고 호칭강도(f_{cn})가 24MPa일 때 다음 물음에 답하시오.

【압축강도 측정결과(단위 : MPa)】

26.8	22.1	26.5	26.2	26.4	22.8	23.1
25.7	27.8	27.7	22.3	22.7	26.1	27.1
22.2	22.9	26.6				

가. 위의 표를 보고 압축강도의 평균값을 구하시오.

계산 과정) 답 :

나. 압축강도 측정결과 및 아래의 표를 이용하여 배합강도를 구하기 위한 표준편차를 구하시오.

【시험횟수가 29회 이하일 때 표준편차의 보정계수】

시험횟수	표준편차의 보정계수	비고
15	1.16	이 표에 명시되지 않은 시험횟수에 대해서는 직선보간한다.
20	1.08	
25	1.03	
30 또는 그 이상	1.00	

계산 과정) 답 :

다. 배합강도를 구하시오.

계산 과정) 답 :

해답 가. 평균값 $\bar{x}=\dfrac{\sum X_i}{n}=\dfrac{425}{17}=25\text{MPa}$

나. • 표준편제곱합 $S=\sum(X_i-\bar{x})^2$

$$S=(26.8-25)^2+(22.1-25)^2+(26.5-25)^2+(26.2-25)^2+(26.4-25)^2$$
$$+(22.8-25)^2+(23.1-25)^2+(25.7-25)^2+(27.8-25)^2+(27.7-25)^2$$
$$+(22.3-25)^2+(22.7-25)^2+(26.1-25)^2+(27.1-25)^2+(22.2-25)^2$$
$$+(22.9-25)^2+(26.6-25)^2=74.38$$

• 표준편차 $s=\sqrt{\dfrac{S}{n-1}}=\sqrt{\dfrac{74.38}{17-1}}=2.16\text{MPa}$

• 17회의 보정계수 $=1.16-\dfrac{1.16-1.08}{20-15}\times(17-15)=1.128$

$\therefore$ 수정 표준편차 $s=2.16\times1.128=2.44\text{MPa}$

다. $f_{cn}=24\text{MPa}\le35\text{MPa}$인 경우

• $f_{cr}=f_{cn}+1.34s=24+1.34\times2.44=27.27\text{MPa}$

• $f_{cr}=(f_{cn}-3.5)+2.33s=(24-3.5)+2.33\times2.44=26.19\text{MPa}$

$\therefore$ 배합강도 $f_{cr}=27.27\text{MPa}$($\because$ 두 값 중 큰 값)

□□□ 10①, 11②, 14①④, 17②, 20② 【8점】

23 주어진 반중력식 교대 도면을 보고 다음 물량을 산출하시오.
(단, 교대 전체 길이는 10m이며, 도면의 치수 단위는 mm이다.)

일 반 도

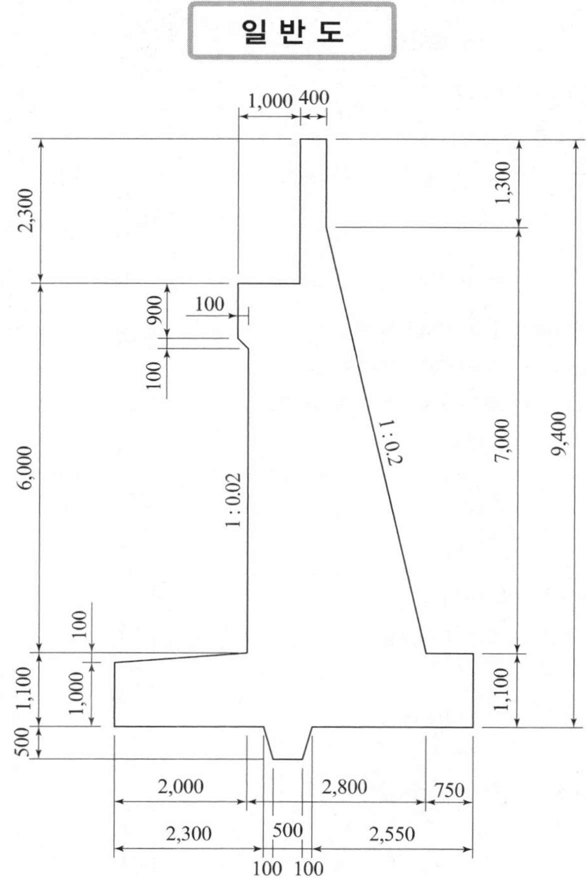

가. 교대의 전체 콘크리트량을 구하시오. (단, 소수 4째자리에서 반올림하시오.)

계산 과정)

답 :

나. 교대의 전체 거푸집량을 구하시오.
(단, 돌출부(전단 Key)에 거푸집을 사용하며, 소수 4째자리에서 반올림하시오.)

계산 과정)

답 :

해답 가.

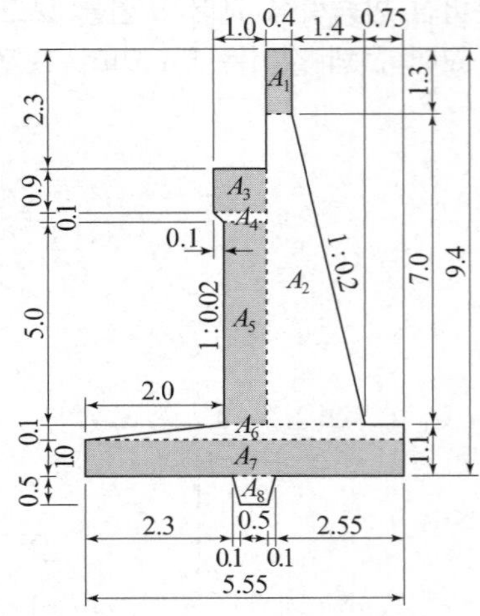

- $A_1 = 0.4 \times 1.3 = 0.52\text{m}^2$
- $A_2 = \dfrac{0.4 + (0.4 + 7 \times 0.2)}{2} \times 7 = 7.70\text{m}^2$
- $A_3 = 1.0 \times 0.9 = 0.9\text{m}^2$
- $A_4 = \dfrac{1.0 + 0.9}{2} \times 0.1 = 0.095\text{m}^2$
- $A_5 = \dfrac{0.9 + (0.9 + 5 \times 0.02)}{2} \times 5 = 4.75\text{m}^2$
- $A_6 = \dfrac{(5.55 - 2.0) + 5.55}{2} \times 0.1 = 0.455\text{m}^2$
- $A_7 = 5.55 \times 1.0 = 5.550\text{m}^2$
- $A_8 = \dfrac{0.5 + 0.7}{2} \times 0.5 = 0.30\text{m}^2$

$\Sigma A = 0.52 + 7.70 + 0.9 + 0.095 + 4.75$
$\quad + 0.455 + 5.55 + 0.30 = 20.270\text{m}^2$

∴ 총콘크리트량 $= 20.270 \times 10 = 202.700\text{m}^3$

나.

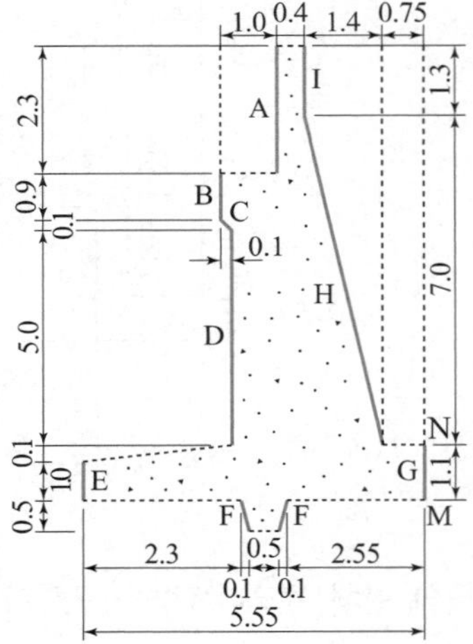

- $\text{A} = 2.3\text{m}$
- $\text{B} = 0.9\text{m}$
- $\text{C} = \sqrt{0.1^2 + 0.1^2} = 0.1414\text{m}$
- $\text{D} = \sqrt{(5 \times 0.02)^2 + 5^2} = 5.001\text{m}$
- $\text{E} = 1.0\text{m}$
- $\text{F} = \sqrt{0.1^2 + 0.5^2} \times 2 = 1.0198\text{m}$
- $\text{G} = 1.1\text{m}$
- $\text{H} = \sqrt{(7 \times 0.2)^2 + 7^2} = 7.1386\text{m}$
- $\text{I} = 1.3\text{m}$
- 총거푸집길이

$\Sigma L = 2.3 + 0.9 + 0.1414 + 5.001 + 1.0 + 1.0198$
$\quad + 1.1 + 7.1386 + 1.3$
$\quad = 19.9008\text{m}$

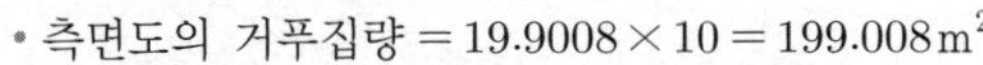

- 측면도의 거푸집량 $= 19.9008 \times 10 = 199.008\text{m}^2$
- 양 마구리면의 거푸집량 $= 20.270 \times 2$(양단)$= 40.54\text{m}^2$

∴ 총거푸집량 $= 199.008 + 40.54 = 239.548\text{m}^2$

□□□ 14④ 【3점】

24 **터널의 단면은 그 속을 지나가는 대상에 의하여 정해지는 것이나 시공상의 난이, 라이닝에 미치는 외력 등에 의하여 변한다. 터널를 단면형상에 의한 분류를 3가지 쓰시오.**

① ______ ② ______ ③ ______

해답 ① 원형터널 ② 타원형터널 ③ 사각형터널 ④ 계란형터널 ⑤ 마제형터널

□□□ 05①, 06④, 14④, 23③ 【3점】

25 **다음의 기초파일공법의 명칭을 각각 기입하시오.**

A. 굴착 소요깊이까지 케이싱 관입 후 및 내부굴착 후, 케이싱 인발, 철근망 투입, 콘크리트 타설, 완성
B. 표층 케이싱 설치, 굴착공 내에 압력수를 순환시킴, 드릴 파이프 내의 굴착토사 배출
C. 얇은 철판의 내외관 동시 관입, 내관 인발, 외관 내부에 콘크리트 타설

[답] A : ______, B : ______, C : ______

해답 A : 베노토(Benoto) 공법, B : RCD(역순환) 공법, C : 레이몬드(Raymond) 말뚝공법

국가기술자격 실기시험문제

2015년도 기사 제1회 필답형 실기시험(기사)

종 목	시험시간	형 별	성 명	수험번호
토목기사	**3시간**	B		

※ 수험자 인적사항 및 계산식을 포함한 답안 작성은 검은색 필기구만 사용하여야 하며, 그 외 연필류, 빨간색, 청색 등 필기구로 작성한 답안은 0점 처리됩니다.

□□□ 00⑤, 04①, 05②, 11①, 15①, 20②, 22③, 23③ 【3점】

01 **어느 암반지대에서 RQD의 평균값은 60%, 절리군의 수는 6, 절리 거칠기계수는 2, 절리면의 변질계수는 2, 지하수 보정계수 J_w는 1, 응력저감계수 SRF는 1일 경우 Q값을 계산하시오.**

계산 과정) 답 : ____________

해답 $Q=\dfrac{\text{RQD}}{J_n}\cdot\dfrac{J_r}{J_a}\cdot\dfrac{J_w}{\text{SRF}}=\dfrac{60}{6}\times\dfrac{2}{2}\times\dfrac{1}{1}=10$

□□□ 10②, 15①, 17②, 20③ 【4점】

02 **아래 그림과 같이 지표면에 100kN의 집중하중이 작용할 때 다음 물음에 답하시오.**
(단, 소수점 이하 넷째자리에서 반올림하시오.)

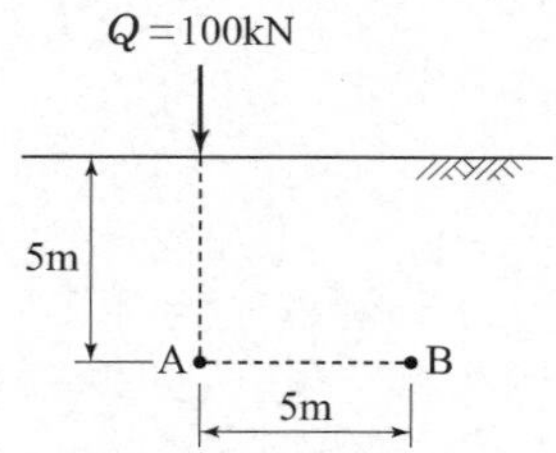

가. A점에서의 연직응력의 증가량을 구하시오.

계산 과정) 답 : ____________

나. B점에서의 연직응력의 증가량을 구하시오.

계산 과정) 답 : ____________

해답 가. $\Delta\sigma_A=\dfrac{3Q}{2\pi Z^2}=\dfrac{3\times 100}{2\pi\times 5^2}=1.910\,\text{kN/m}^2$

나. $\Delta\sigma_B=\dfrac{3Q}{2\pi}\cdot\dfrac{Z^3}{R^5}$

• $R=\sqrt{x^2+z^2}=\sqrt{5^2+5^2}=7.071$

$\Delta\sigma_{\text{B}}=\dfrac{3\times 100}{2\pi}\times\dfrac{5^3}{7.071^5}=0.338\,\text{kN/m}^2$

□□□ 05④, 07②, 09④, 11④, 15①, 18① 【3점】

03 한중콘크리트 시공에서 비볐을 때의 콘크리트의 온도는 기상조건, 운반시간 등을 고려하여 타설할 때 소요의 콘크리트 온도가 얻어지도록 해야 한다. 비볐을 때의 콘크리트 온도 및 주위기온이 아래 표와 같을 때 타설이 끝났을 때의 콘크리트 온도를 계산하시오.

- 비볐을 때의 콘크리트 온도 : 25℃
- 주위온도 : 3℃
- 비빈 후부터 타설이 끝났을 때까지의 시간 : 1시간 30분

계산 과정)　　　　답 :

해답 $T_2 = T_1 - 0.15(T_1 - T_0) \times t = 25 - 0.15(25 - 3) \times 1.5 = 20.05$℃

□□□ 93③, 95③, 12②, 15① 【3점】

04 아래 그림과 같은 기초지반에 평판재하시험을 실시하여 $\log P - \log S$ 곡선을 그려 항복하중을 구했더니 210kN, 극한하중은 300kN이었다. 이때 기초지반의 장기허용지지력은 얼마인가? (단, 기초하중면보다 아래에 있는 지반의 토질에 따른 계수(N_q)는 3이다.)

계산 과정)

답 :

해답 $q_a = q_t + \frac{1}{3}\gamma \cdot D_f \cdot N_q$

- 항복강도 $q_y = \frac{P_y}{A} = \frac{210}{0.3 \times 0.3} = 2,333.33\text{kN/m}^2$
- 극한강도 $q_u = \frac{P_u}{A} = \frac{300}{0.3 \times 0.3} = 3,333.33\text{kN/m}^2$
- 허용지지력(q_t) 결정

$q_t = \frac{q_y}{2} = \frac{2,333.33}{2} = 1,166.67\text{kN/m}^2$

$q_t = \frac{q_u}{3} = \frac{3,333.33}{3} = 1,111.11\text{kN/m}^2$

∴ 허용지지력 $q_t = 1,111.11\text{kN/m}^2$(∵ 두 값 중 작은 값)

- 장기허용지지력

$q_a = q_t + \frac{1}{3}\gamma \cdot D_f \cdot N_q = 1,111.11 + \frac{1}{3} \times 18 \times 2 \times 3 = 1,147.11\text{kN/m}^2$

□□□ 10①, 15① 【3점】

05 그림과 같이 지표면과 지하수위가 같은 옹벽에 작용하는 전체 주동토압을 구하시오.
(단, 흙의 내부마찰각 $\phi = 30°$, 점착력 $c = 0$, 흙의 단위중량 $\gamma_{sat} = 18\text{kN/m}^3$, 마찰각은 무시함.)

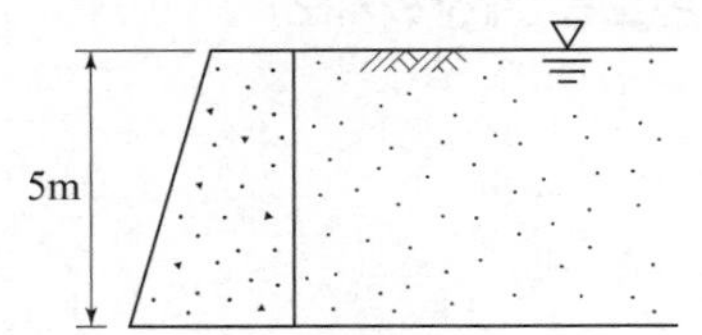

계산 과정)

답 :

해답 전 주동토압 $P_A = P_a + P_w = \frac{1}{2}\gamma_{sub} H^2 K_A + \frac{1}{2}\gamma_w H^2$

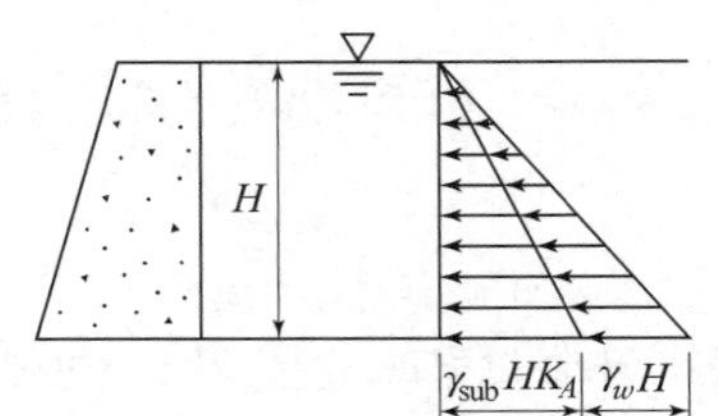

- $K_A = \tan^2\left(45 - \frac{\phi}{2}\right) = \tan^2\left(45° - \frac{30°}{2}\right) = \frac{1}{3}$
- $\gamma_{sub} = \gamma_{sat} - \gamma_w = 18 - 9.81 = 8.19\text{kN/m}^3$
- $P_a = \frac{1}{2} \times 8.19 \times 5^2 \times \frac{1}{3} = 34.13\text{kN/m}$
- $P_w = \frac{1}{2}\gamma_w H^2 = \frac{1}{2} \times 9.81 \times 5^2 = 122.63\text{kN/m}$

$\therefore\ P_A = P_a + P_w = 34.13 + 122.63 = 156.76\text{kN/m}$

□□□ 85①, 99④, 15① 【3점】

06 공사관리의 3대 요소를 쓰시오.

① ② ③

해답 ① 품질관리 ② 공정관리 ③ 원가관리

□□□ 95⑤, 98①, 02①, 15①, 16④, 22① 【3점】

07 함수비가 20%인 토취장의 습윤밀도(γ_t)가 19.2kN/m³이었다. 이 흙으로 도로를 축조할 때 함수비는 15%이고 습윤단위중량은 19.8kN/m³이었다. 이 경우 흙의 토량변화율(C)는 대략 얼마인가?

계산 과정)

답 :

해답 토량변화율 $C = \frac{\text{본바닥흙의 건조단위중량}}{\text{다짐 후의 건조단위중량}}$

- 본바닥흙의 건조단위중량 $\gamma_d = \frac{\gamma_t}{1+w} = \frac{19.2}{1+0.20} = 16.0\text{kN/m}^3$
- 다짐 후의 건조단위중량 $\gamma_d = \frac{\gamma_t}{1+w} = \frac{19.8}{1+0.15} = 17.22\text{kN/m}^3$

$\therefore\ C = \frac{16.0}{17.22} = 0.93$

□□□ 02②, 05④, 12①, 15①, 19③, 22③ 【3점】

08 댐 건설을 위해 댐 지점의 하천수류를 전환시키는 댐의 유수전환방식을 3가지 쓰시오.

① ______ ② ______ ③ ______

해답 ① 반하천 체절공 ② 가배수 터널공 ③ 가배수로 개거공

□□□ 02②, 03④, 06②, 12①, 15① 【6점】

09 불투수층 위에 놓인 8m 두께의 연약점토지반에 직경 40cm의 샌드 드레인(sand drain)을 정사각형으로 배치하고 그 위에 상재유효압력 100kN/m²인 제방을 축조하였다. 축조 6개월 후 제방의 허용압밀침하량을 25mm로 하려고 한다. 다음 물음에 답하시오.
(단, 연약점토지반의 체적변화계수 $m_v = 2.5\times10^{-4}\text{m}^2/\text{kN}$이다.)

가. 축조 6개월 후 압밀도는 몇 %까지 해야 하는가?

계산 과정) 답 : ______

나. 축조 6개월 후 연직방향 압밀도가 20%이었다면 이때의 수평방향 압밀도는?

계산 과정) 답 : ______

다. 배수 영향반경이 샌드 드레인 반경의 10배라면 샌드 드레인 간의 중심간격은?

계산 과정) 답 : ______

해답 가. 압밀도 $U = \dfrac{\Delta H_i}{\Delta H}\times 100$

침하량 $\Delta H = m_v\cdot\Delta P\cdot H = 2.5\times10^{-4}\times100\times8 = 0.2\text{m} = 20\text{cm}$

$\therefore U = \dfrac{20-2.5}{20}\times100 = 87.5\%$

나. $U = \{1-(1-U_h)(1-U_v)\}$

$0.875 = 1-(1-U_h)(1-0.20) \quad \therefore U_h = 0.84375 = 84.38\%$

참고 SOLVE 사용

다. 영향의 반경=샌드드레인 반경의 10배

$\dfrac{1.13d}{2} = \dfrac{\text{샌드드레인의 직경}}{2}\times10(\text{배}) = \dfrac{40}{2}\times10 \quad \therefore d = 353.98\text{cm}$

□□□ 91③, 97④, 98⑤, 06④, 12④, 15①, 22①, 23②③ 【3점】

10 토적곡선(mass curve)을 작성하는 목적을 4가지만 쓰시오.

① ______ ② ______ ③ ______ ④ ______

해답 ① 토량 배분 ② 토량의 평균 운반거리 산출 ③ 토공기계 결정
④ 시공방법 결정 ⑤ 토취장 및 토사장 선정

□□□ 88②, 93④, 09②, 11④, 15① 【6점】

11 **토취장(土取場)에서 원지반토량 2,000m³를 굴착한 후 8t 덤프트럭으로 다음과 같은 단면의 도로를 축조하고자 한다. 이 토취장 흙의 40%는 점성토이고, 60%는 사질토일 때 아래의 물음에 답하시오.**

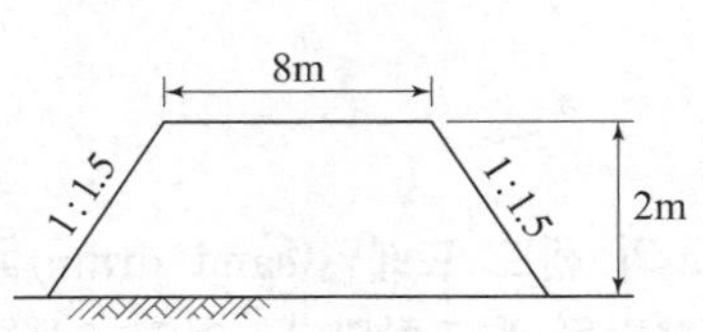

【굴착한 흙】

구분 \ 종류	토량환산계수		자연상태의 단위중량
	L	C	
점성토	1.3	0.9	1.75t/m³
사질토	1.25	0.87	1.80t/m³

가. 운반에 필요한 8t 덤프트럭의 연대수를 구하시오.
(단, 덤프트럭은 적재중량만큼 싣는 것으로 한다.)

계산 과정) 답 :

나. 시공가능한 도로의 길이(m)를 산출하시오.
(단, 도로의 시점 및 종점의 끝단은 수직으로 가정한다.)

계산 과정) 답 :

다. 전체 토량을 상차하는 데 소요되는 장비의 가동시간을 계산하시오.
(사용장비 : 버킷용량 0.9m³의 back hoe, 버킷계수 0.9, 효율 0.7, 사이클타임 21초)

계산 과정) 답 :

해답 가. ■ 토질상태

토질	원지반 상태의 토질	다져진 상태의 토량
점성토	$2,000\times0.40=800\,\text{m}^3$	$800\times0.9=720\,\text{m}^3$
사질토	$2,000\times0.60=1,200\,\text{m}^3$	$1,200\times0.87=1,044\,\text{m}^3$
총토량	$800+1,200=2,000\,\text{m}^3$	$720+1,044=1,764\,\text{m}^3$

■ $N=\dfrac{\text{자연상태 토량}(\text{m}^3)}{\text{적재량}(\text{t})}\times\gamma_t$

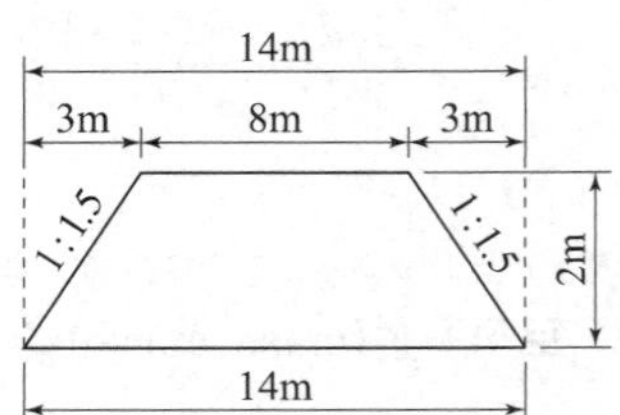

• 점성토 $N_1=\dfrac{800}{8}\times1.75=175$ 대

• 사질토 $N_2=\dfrac{1,200}{8}\times1.80=270$ 대

∴ 연대수 $N=175+270=445$ 대

나. 도로단면적$=\frac{8+14}{2}\times 2=22\text{m}^2$($\because$ $2\times 1.5+8+2\times 1.5=14\text{m}$)

$\therefore$ 도로길이$=\frac{\text{다져진 상태의 토량}}{\text{도로단면적}}=\frac{1,764}{22}=80.18\text{m}$

다. $Q=\frac{3,600\cdot q\cdot K\cdot f\cdot E}{C_m}$

$$=\frac{3,600\times 0.9\times 0.9\times\left(\frac{1}{1.3\times 0.4+1.25\times 0.6}\right)\times 0.7}{21}=76.54\text{m}^3/\text{hr}$$

$\therefore$ 장비의 가동시간$=\frac{2,000}{76.54}=26.13$시간

□□□ 15①, 20④ 【3점】

12 균일한 모래층 위에 설치한 폭(B) 1m, 길이(L) 2m 크기의 직사각형 강성기초에 150kN/m^{2}의 등분포하중이 작용할 경우 기초의 탄성침하량을 구하시오. (단, 흙의 푸아송비(μ)=0.4, 지반의 탄성계수(E_s)=15,000kN/m^2, 폭과 길이(L/B)에 따라 변하는 계수(α_r)=1.2)

계산 과정)

답 : ______

해답 $S_i=qB\frac{1-\mu^2}{E}\cdot\alpha_r=150\times 1\times\frac{1-0.4^2}{15,000}\times 1.2=0.0101\text{m}=1.01\text{cm}$

□□□ 11①, 15① 【3점】

13 교통량이 많은 기존 도로 또는 철도 등의 하부를 통과하는 터널공사가 일반화되고 있다. 이 같은 경우 적용되는 터널공법 3가지만 쓰시오.

① ______ ② ______ ③ ______

해답 ① 프론트 재킹 공법(front jacking method)
② 프론트 실드 공법(front shield method)
③ 프론트 세미실드 공법(front semi shield method)
④ 관추진공법(pipe pushing method)

□□□ 11④, 15①, 20③④ 【2점】

14 유수(流水)의 흐름방향과 유속을 제어하여 하안, 제방의 침식현상을 방지하기 위해 호안이나 하안 전면부에 설치하는 구조물을 무엇이라 하는가?

○

해답 수제(水制 : spur, dike groin)

□□□ 94④, 99④, 00⑤, 06④, 15①④, 18③, 22① 【3점】

15 다음 그림과 같이 연직하중과 모멘트를 받는 구형 기초의 극한하중과 안전율을 Terzaghi 공식을 이용하여 구하시오. (단, $N_c = 37.2$, $N_q = 22.5$, $N_r = 19.7$이다.)

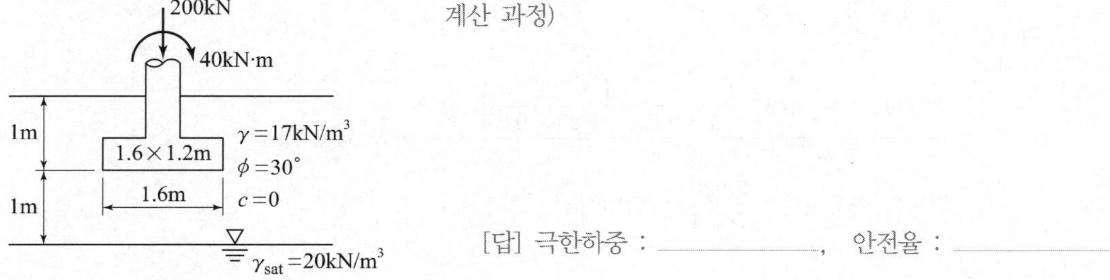

해답 안전율 $F_s = \dfrac{Q_u}{Q_a}$

- 편심거리 $e = \dfrac{M}{Q} = \dfrac{40}{200} = 0.2\,\text{m}$
- 유효길이 $L' = L - 2e = 1.6 - 2 \times 0.2 = 1.2\text{m}$
- $d < B$ (1m < 1.2m)인 경우

$$\gamma_1 = \gamma_{\text{sub}} + \frac{d}{B'}(\gamma_t - \gamma_{\text{sub}})$$
$$= (20 - 9.81) + \frac{1}{1.2}\{17 - (20 - 9.81)\} = 15.87\,\text{kN/m}^3$$

- $q_u = \alpha\, c\, N_c + \beta \gamma_1 B\, N_r + \gamma_2 D_f N_q$

$$= 0 + 0.4 \times 15.87 \times 1.2 \times 19.7 + 17 \times 1 \times 22.5$$
$$= 532.57\,\text{kN/m}^2$$

- 극한하중 $Q_u = q_u A = q_u \cdot\ B' \cdot\ L$

$$= 532.57 \times (1.2 \times 1.2) = 766.90\,\text{kN}$$

$$\therefore\ F_s = \frac{766.90}{200} = 3.83$$

□□□ 15①, 22③ 【3점】

16 포장 파손의 현상에 대한 아래 표의 설명에서 (　　)에 적합한 용어를 쓰시오.

일종의 좌굴현상으로 줄눈 또는 균열부에 이물질이 침투하여 슬래브(Slab)가 솟아오르는 현상을 (①)현상이라 하며 연속철근 콘크리트 포장(CRCP)에서 균열간격이 좁은 경우, 지지력 부족 및 피로하중에 의해 (②)이 발생한다. 또한 보조기층 또는 노상에 우수가 침투하여 반복하중에 의한 지지력 저하 및 단차원인이 되는 (③)현상이 발생한다.

① ______________ ② ______________ ③ ______________

해답 ① 블로우업(blow up) ② 펀칭아웃(punch out) ③ 펌핑(pumping)

□□□ 05①, 09①, 12①, 14④, 15①, 17② 【10점】

17 다음의 작업리스트를 보고 아래 물음에 답하시오.

작업명	선행작업	후속작업	표준상태		특급상태	
			작업일수	비용	작업일수	비용
A	–	B, C	3	30만원	2	33만원
B	A	D	2	40만원	1	50만원
C	A	E	7	60만원	5	80만원
D	B	F	7	100만원	5	130만원
E	C	G, H	7	80만원	5	90만원
F	D	G, H	5	50만원	3	74만원
G	E, F	I	5	70만원	5	70만원
H	E, F	I	1	15만원	1	15만원
I	G, H	–	3	20만원	3	20만원

가. Network(화살선도)를 작도하고, 표준상태에 대한 C.P를 표시하시오.

나. 공기를 3일 단축했을 때 추가로 소요되는 비용을 구하시오.

계산 과정)　　　　답 : ____________

 가.

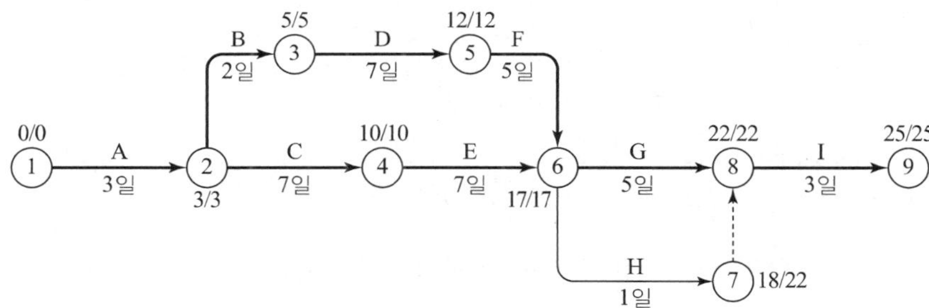

C.P : A → B → D → F → G → I
A → C → E → G → I

나. 비용구배(만원/일)

$A = \dfrac{33-30}{3-2} = 3$만원,　$B = \dfrac{50-40}{2-1} = 10$만원,　$C = \dfrac{80-60}{7-5} = 10$만원

$D = \dfrac{130-100}{7-5} = 15$만원,　$E = \dfrac{90-80}{7-5} = 5$만원,　$F = \dfrac{74-50}{5-3} = 12$만원

단축단계	단축작업	단축일	비용경사(만원/일)	단축비용(만원)	추가비용 누계(만원)
1	A	1	3	3	3
2	B+E	1	10+5 = 15	15	18
3	E+F	1	5+12	17	35

∴ 추가 소요되는 비용 35만원

□□□ 92②, 94③, 97③, 00③, 04①, 10①, 11②, 15① 【3점】

18 탄성파 속도 1,200m/sec 중질사암으로 된 수평한 지반을 운반거리 40m, 트랙터 규격 30톤급의 불도저로 리퍼날 2본 사용, 리핑하면서 도저작업을 할 때의 1시간당의 작업량을 본바닥토량을 구하시오. (단, 토공판 용량 $q_o=4.8\text{m}^3$, 운반거리계수 $\rho=0.88$, 1회 리핑 단면적 $A_n=0.4\text{m}^2$(2개날 사용), 토량환산계수 $f=1$(리핑작업시), $f=\dfrac{1}{1.7}$(도저작업시), $E=0.5$, $C_m=0.05l+0.33$(리핑작업시), $C_m=0.037l+0.250$(도저작업시))

계산 과정) 답 : ______

해답 조합 작업량 $Q=\dfrac{Q_D\times Q_R}{Q_D+Q_R}$

■ 리핑 작업량

$$Q=\frac{60\cdot A_n\cdot l\cdot f\cdot E}{C_m}$$

• $C_m=0.05l+0.33=0.05\times40+0.33=2.33$분

$$\therefore\ Q=\frac{60\times0.4\times40\times1\times0.5}{2.33}=206.01\text{m}^3/\text{hr}$$

($\because$ 리퍼의 작업량은 본바닥토량이므로 $f=1$이다.)

■ 불도저 작업량

$$Q=\frac{60\cdot(q_o\cdot\rho)\cdot f\cdot E}{C_m}$$

• $C_m=0.037l+0.25=0.037\times40+0.25=1.73$분

$$\therefore\ Q=\frac{60\times(4.8\times0.88)\times\dfrac{1}{1.7}\times0.5}{1.73}=43.09\text{m}^3/\text{hr}$$

($\because$ 불도저의 작업량은 흐트러진 토량에서 본바닥토량으로 환산하므로 $f=\dfrac{1}{L}$이다.)

$$\therefore\ \text{조합 작업량}\ Q=\frac{43.09\times206.01}{43.09+206.01}=35.64\text{m}^3/\text{hr}$$

□□□ 15① 【3점】

19 연약지반에서 발생할 수 있는 공학적 문제점을 3가지 쓰시오.

① ______ ② ______ ③ ______

해답 ① 침하의 문제 ② 지반의 안정문제(지반의 파괴문제)
③ 투수성 문제(지하수위의 영향문제) ④ 액상화 문제

□□□ 15① 【3점】

20 숏크리트의 작업에 대한 아래의 물음에 답하시오.

가. 건식 숏크리트는 배치 후 몇 분 이내에 뿜어붙이기를 실시하는가?

○

나. 습식 숏크리트는 배치 후 몇 분 이내에 뿜어붙이기를 실시하는가?

○

다. 숏크리트는 대기 온도가 몇 ℃ 이상일 때 뿜어붙이기를 실시하는가?

○

해답 가. 45분　나. 60분　다. 10℃

□□□ 15① 【3점】

21 점성토 연약지반상에서 1차 압밀침하량 산정방법 3가지를 쓰시오.

① ______ ② ______ ③ ______

해답 ① 초기간극(e_o)법　② 압축지수(C_c)법　③ 체적변화계수(m_v)법

□□□ 15①④ 【3점】

22 연약지반 개량공법 중 일시적인 지반개량공법 4가지만 쓰시오.

① ______ ② ______

③ ______ ④ ______

해답 ① Well point 공법　② Deep well 공법　③ 동결공법
④ 침투압공법　⑤ 전기침투공법

□□□ 15① 【3점】

23 약액주입공법에서 그라우팅의 확인 시험 방법 3가지를 쓰시오.

① ______ ② ______ ③ ______

해답 ① 현장투수시험(K)　② 색소에 의한 판별법　③ 원위치 시험

□□□ 03①, 08①, 12②, 15①, 18①, 20③, 23② 【18점】

24 **주어진 도면 및 조건에 따라 다음 물량을 산출하시오.**
(단, 주어진 도면의 치수는 축척에 맞지 않을 수 있으며, 주어진 치수로만 물량을 산출할 것)

단 면 도 (단위 : mm)

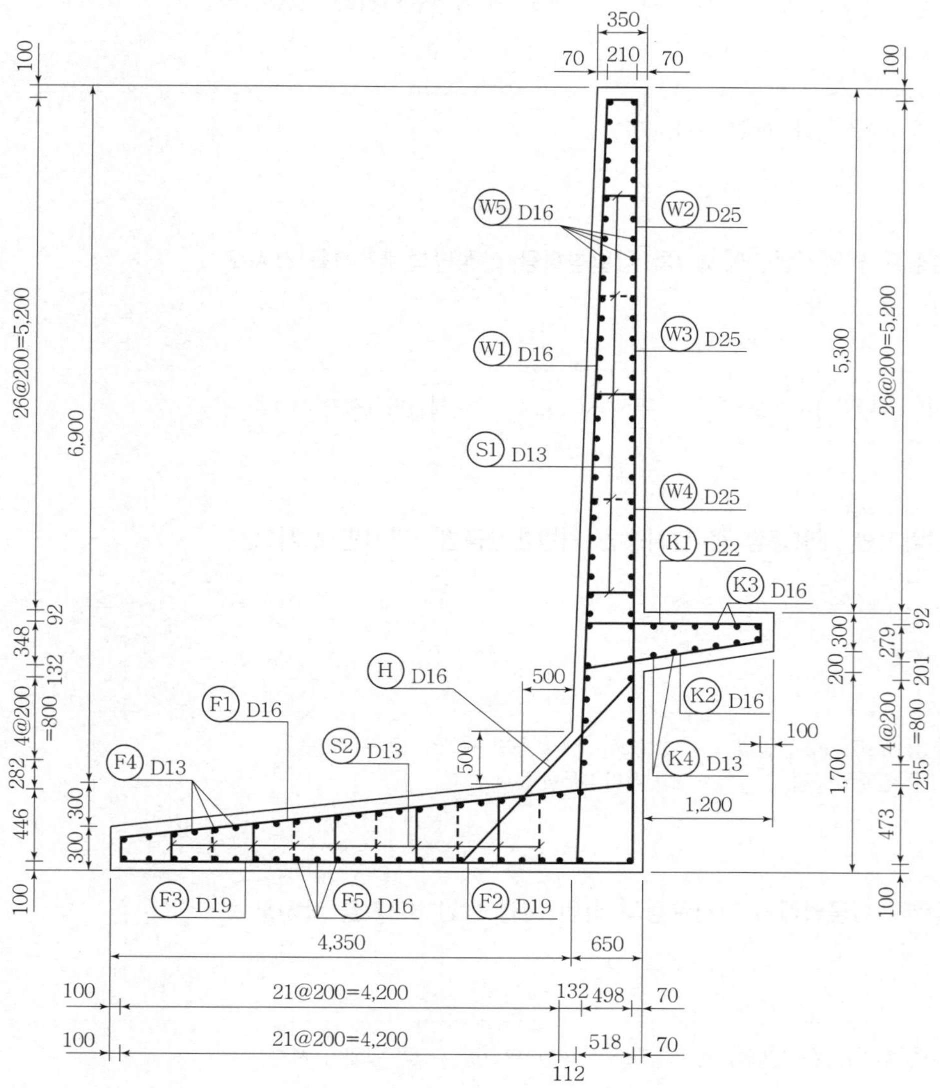

일반도

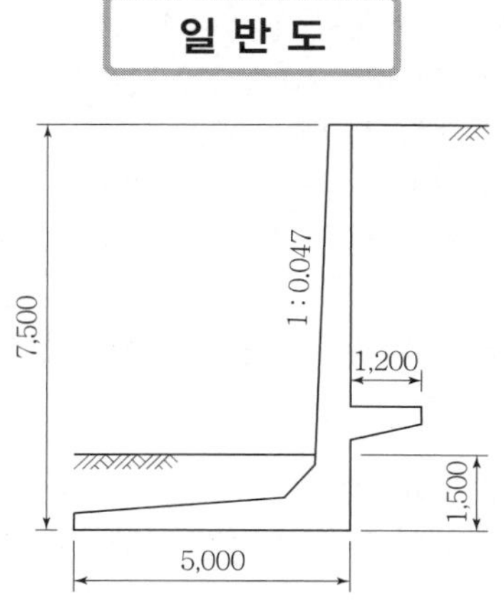
7,500
1 : 0.047
1,200
1,500
5,000

철근상세도

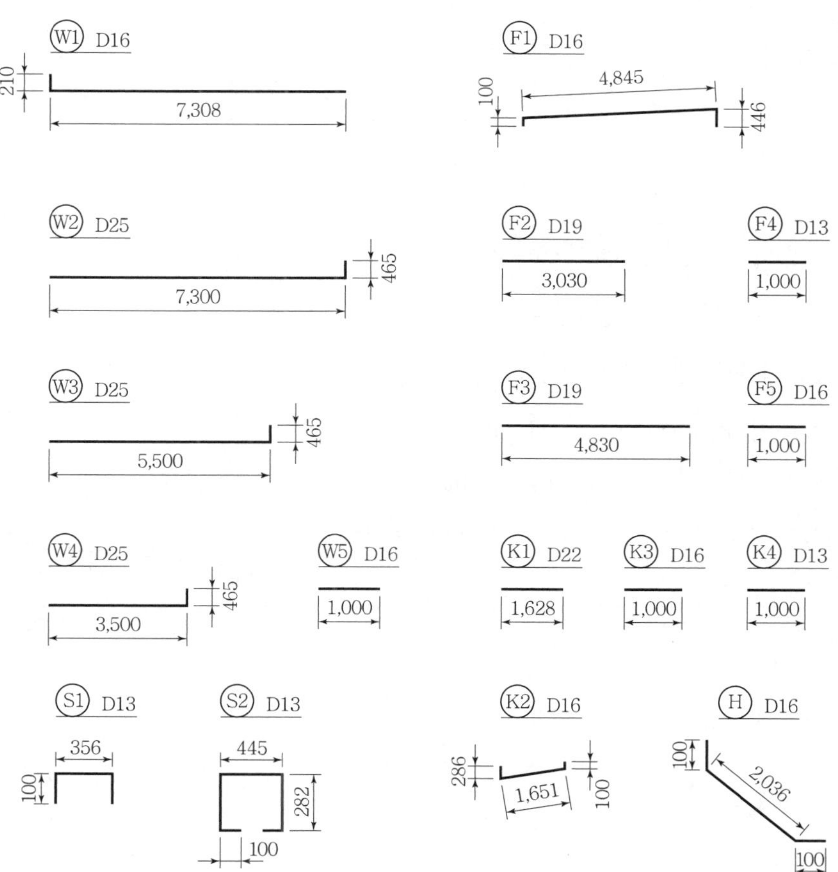
W1 D16
210
7,308
F1 D16
4,845
100
446
W2 D25
465
7,300
F2 D19
3,030
F4 D13
1,000
W3 D25
465
5,500
F3 D19
4,830
F5 D16
1,000
W4 D25
465
3,500
W5 D16
1,000
K1 D22
1,628
K3 D16
1,000
K4 D13
1,000
S1 D13
356
100
S2 D13
445
282
100
K2 D16
286
1,651
100
H D16
100
2,036
100

【조 건】

- W1, W4, H, K1, K2, K3, K4, F1, F2, F3 철근은 각각 200mm 간격으로 배근한다.
- W2, W3 철근은 각각 400mm 간격으로 배근한다.
- S1, S2 철근은 도면의 표시와 같이 지그재그로 배근한다.
- 물량산출에서 할증률은 무시하며 철근길이 계산에서 이음길이는 계산하지 않는다.

가. 길이 1m에 대한 콘크리트량을 구하시오. (단, 소수점 이하 4째자리에서 반올림)

계산 과정) 답 :

나. 길이 1m에 대한 거푸집량을 구하시오.
(단, 양측 마구리면은 계산하지 않으며, 소수점 이하 4째자리에서 반올림)

계산 과정) 답 :

다. 길이 1m에 대한 철근량 산출을 위한 철근물량표를 완성하시오.

기호	직경	길이(mm)	수량	총길이(mm)	기호	직경	길이(mm)	수량	총길이(mm)
W2					F4				
W5					S1				
H					S2				

해답 가.

- A면$=\left(\dfrac{0.35+0.65}{2}\times 6.4\right)\times 1=3.2\text{m}^3$
- B면$=\left(\dfrac{0.3+0.5}{2}\times 1.2\right)\times 1=0.48\text{m}^3$
- C면$=\left(\dfrac{0.65+(0.5+0.65)}{2}\times 0.5\right)\times 1=0.45\text{m}^3$
- D면$=\{(0.5+0.65)\times 0.6\}\times 1=0.69\text{m}^3$
- E면$=\left(\dfrac{0.3+0.6}{2}\times 3.85\right)\times 1=1.733\text{m}^3$

$\Sigma V=3.2+0.48+0.45+0.69+1.733=6.553\text{m}^3$

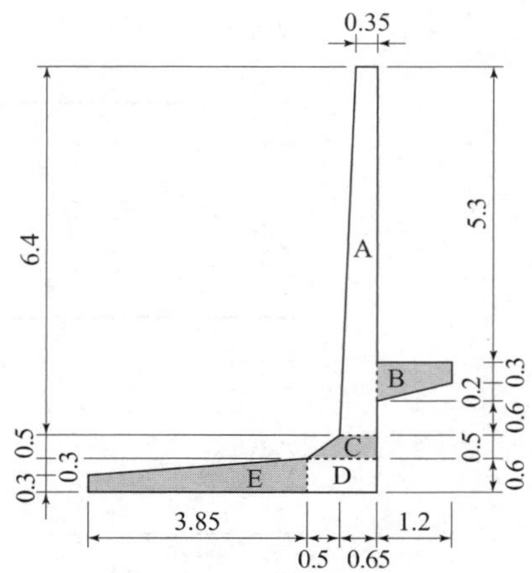

나.

- 저판 A면 $=0.3\times1=0.3\text{m}^2$
- 저판 B면 $=1.7\times1=1.7\text{m}^2$
- 헌치 C면 $=\sqrt{0.5^2+0.5^2}\times1=0.707\text{m}^2$
- 선반 D면 $=\sqrt{1.2^2+0.2^2}\times1=1.217\text{m}^2$
- 선반 E면 $=0.3\times1=0.3\text{m}^2$
- 벽체 F면 $=\sqrt{6.4^2+0.3008^2}\times1=6.407\text{m}^2$
  ($\because\ x=0.047\times6.4=0.3008\text{m}$)
- 벽체 G면 $=5.3\times1=5.3\text{m}^2$
  면적 $=0.3+1.7+0.707+1.217+0.3+6.407+5.3$
  $=15.931\text{m}^2$

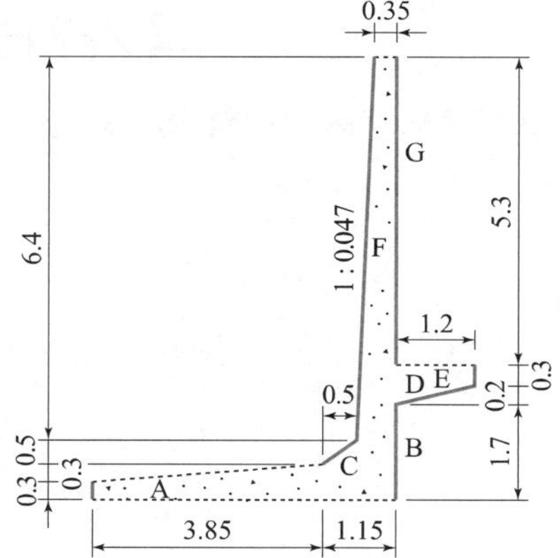

다.

기호	직경	길이(mm)	수량	총길이(mm)	기호	직경	길이(mm)	수량	총길이(mm)
W2	D25	7,765	2.5	19,413	F4	D13	1,000	24	24,000
W5	D16	1,000	68	68,000	S1	D13	556	12.5	6,950
H	D16	2,236	5	11,180	S2	D13	1,209	12.5	15,113

철근물량 산출근거

- W2 $=\dfrac{\text{총길이}}{\text{철근간격}}=\dfrac{1{,}000}{400}=2.5$본
- W5 $=$(철근간격$+1)\times2$(벽체 전후면)$=(26+1+1+1+4+1)\times2=68$본
- H $=\dfrac{\text{총길이}}{\text{철근간격}}=\dfrac{1{,}000}{200}=5$본
- F4 $=$철근간격$+1=(21+1+1)+1=24$본
- S1 $=\dfrac{\text{단면도의 S1개수}}{(\text{W1의 간격})\times2}=\dfrac{5}{200\times2}\times1{,}000=12.5$
- S2 $=\dfrac{\text{단면도의 S2개수}}{(\text{F1의 간격})\times2}\times$옹벽 길이$=\dfrac{10}{400\times2}\times1{,}000=12.5$
  ($\because$ 한칸 건너 지그재그로 배근)

국가기술자격 실기시험문제

2015년도 기사 제2회 필답형 실기시험(기사)

종 목	시험시간	형 별	성 명	수험번호
토목기사	**3시간**	A		

※ 수험자 인적사항 및 계산식을 포함한 답안 작성은 검은색 필기구만 사용하여야 하며, 그 외 연필류, 빨간색, 청색 등 필기구로 작성한 답안은 0점 처리됩니다.

□□□ 93③, 99②, 01②, 02④, 04④, 05②, 08①, 11②, 15② 【3점】

01 양면배수인 점토층의 두께 5m, 간극률 60%, 액성한계 50%인 점토층 위의 유효상재 압력이 100kN/m²에서 140kN/m²로 증가할 때 침하량은?

계산 과정) 답 : ____________

해답 침하량 $S=\dfrac{C_cH}{1+e}\log\dfrac{P+\Delta P}{P}=\dfrac{C_cH}{1+e}\log\dfrac{P_2}{P_1}$

- 압축지수 $C_c=0.009(W_L-10)=0.009(50-10)=0.36$
- 간극비 $e=\dfrac{n}{1-n}=\dfrac{0.60}{1-0.60}=1.5$

$\therefore\ S=\dfrac{0.36\times5}{1+1.5}\log\dfrac{140}{100}=0.1052\,\text{m}=10.52\,\text{cm}$

□□□ 84②, 85②, 10④, 13④, 15② 【3점】

02 토취장 선정조건을 4가지만 쓰시오.

① ____________ ② ____________ ③ ____________ ④ ____________

해답 ① 토질이 양호할 것
② 토량이 충분할 것
③ 싣기가 편리한 지형일 것
④ 성토장소를 향해서 하향구배 $\dfrac{1}{50}\sim\dfrac{1}{100}$ 정도를 유지할 것
⑤ 운반도로가 양호하며 장해물이 적고 유지가 용이할 것
⑥ 용수, 붕괴의 우려가 없고 배수에 양호한 지형일 것
⑦ 기계의 사용이 용이할 것

□□□ 99①, 01①, 12②, 15②, 18①, 23② 【3점】

03 다음 그림과 같은 사면에서 AC는 가상파괴면을 나타낸다. 쐐기 ABC의 활동에 대한 안전율은 얼마인가?

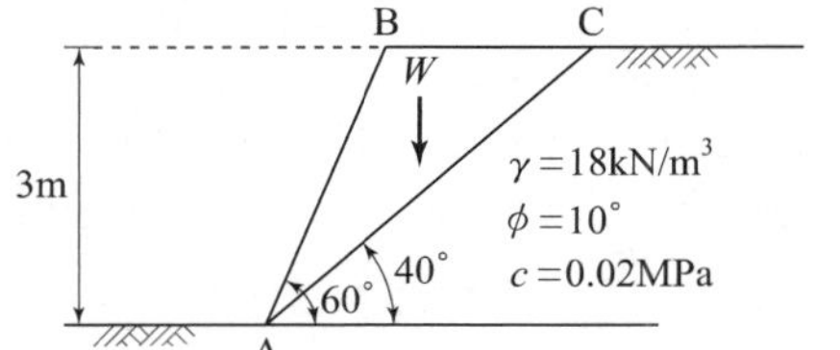

계산과정)

답 : ____________

해답 ■ 방법 1

안전율 $F=\dfrac{c\cdot L+W\cos\theta\cdot\tan\phi}{W\sin\theta}$

① $\overline{BC}$ 거리 계산

$x_1=3\tan30°=1.732\text{m}$

$x_1+x_2=3\tan50°=3.575\text{m}$

$\therefore\ \overline{BC}=x_2=3.575-1.732=1.843\text{m}$

② $\overline{AC}$ 거리 계산

$\overline{AC}=L=\dfrac{3}{\cos50°}=4.667\text{m}$

$\left(\because\ \cos50°=\dfrac{3}{\overline{AC}}\right)$

③ 파괴토사면 ΔABC의 중량 W

$W=\dfrac{3\times1.843}{2}\times18=49.76\text{kN/m}$

$c=0.02\text{MPa}=0.02\text{N/mm}^2=20\text{kN/m}^2$

$\therefore\ F=\dfrac{20\times4.667+49.76\cos40°\times\tan10°}{49.76\sin40°}$

$=3.13$

■ 방법 2

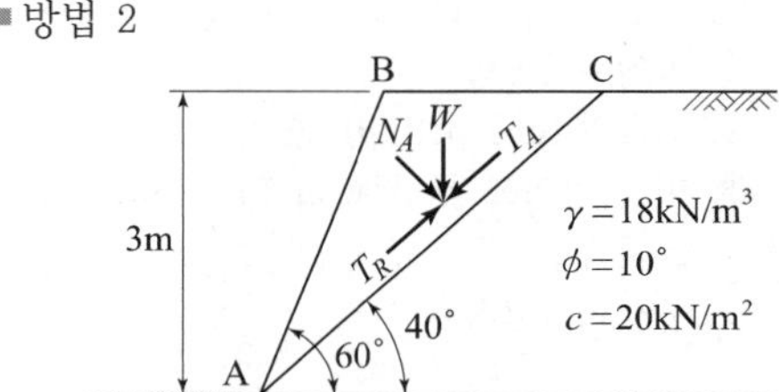

① $W=\dfrac{1}{2}\gamma H^2\dfrac{\sin(\beta-\theta)}{\sin\beta\sin\theta}$

$=\dfrac{1}{2}\times18\times3^2\times\dfrac{\sin(60°-40°)}{\sin60°\sin40°}$

$=49.77\text{kN/m}$

② $\overline{AC}$ 면의 법선과 접선 성분(전단저항력)

$N_A=W\cos\theta=49.77\cos40°=38.13\text{kN/m}$

$T_A=W\sin\theta=49.77\sin40°=31.99\text{kN/m}$

$T_R=\overline{AC}\cdot c+N_A\tan\phi$

$=\dfrac{H}{\sin\theta}\cdot c+N_A\tan\phi$

$=\dfrac{3}{\sin40°}\times20+38.13\tan10°$

$=100.07\text{kN/m}$

③ 안전율 $F_s=\dfrac{T_R}{T_A}=\dfrac{100.07}{31.99}=3.13$

□□□ 98③, 00③, 01①, 15②, 20③ 【6점】

04 NATM 공법을 이용한 터널시공시 보조공법에 대해 물음에 답하시오.

가. 터널의 막장 안정을 위한 공법을 3가지만 쓰시오.

① ______ ② ______ ③ ______

나. 지하수 처리를 위한 대책공법 3가지만 쓰시오.

① ______ ② ______ ③ ______

해답 가. ① 막장면 숏크리트(shotcrete) 공법
② 막장면 록볼트(rock bolt) 공법
③ 약액주입공법
④ 훠폴링(fore poling) 공법
⑤ 미니 파이프 루프(Mini Pipe Roof) 공법

나. ① 물빼기공 ② Well point 공법
③ 약액주입공법 ④ 압기공법

□□□ 91③, 94④, 99⑤, 03③, 08②, 15②, 20② 【3점】

05 그림과 같은 연속기초의 지지력(q_u)을 Terzaghi(테르자기)식으로 구하시오.
(단, 점착력 $c=10\text{kN/m}^2$, 내부마찰각 $\phi=15°$, $N_c=6.5$, $N_r=1.2$, $N_q=2.7$이다.)

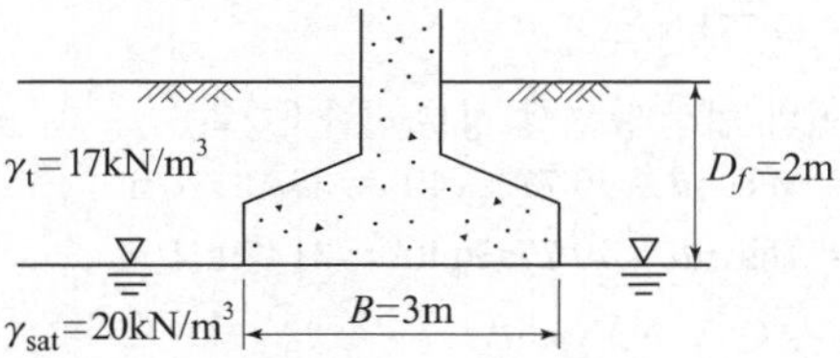

$\gamma_t=17\text{kN/m}^3$
$D_f=2\text{m}$
$\gamma_{sat}=20\text{kN/m}^3$
$B=3\text{m}$

계산 과정)

답 : ______

해답 $q_u=\alpha cN_c+\beta\gamma_t BN_r+\gamma_2 D_f N_q$

$=1\times10\times6.5+0.5\times(20-9.81)\times3\times1.2+17\times2\times2.7$

$=175.14\text{kN/m}^2$

□□□ 00⑤, 08②, 10①, 15②, 21③ 【3점】

06 터널 보강재인 록볼트(Rock Bolt)를 정착방법에 따라 분류할 때 그 종류를 3가지만 쓰시오.

① ______ ② ______ ③ ______

해답 ① 선단정착형 ② 전면접착형 ③ 혼합형

□□□ 98⑤, 01②, 11①, 15②, 23② 【4점】

07 다음과 같은 조건일 때 사다리꼴 복합 확대기초의 크기 B_1, B_2를 구하시오.
(단, 지반의 허용지지력 $q_a = 100\text{kN/m}^2$)

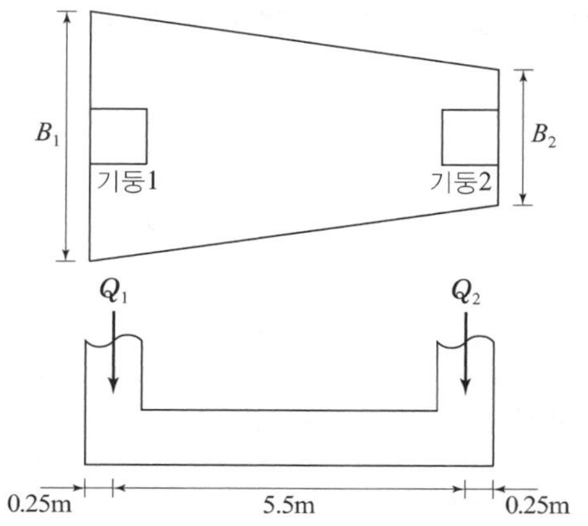

【조 건】

- 기둥 1 : 0.5m×0.5m, $Q_1 = 1{,}000\text{kN}$
- 기둥 2 : 0.5m×0.5m, $Q_2 = 800\text{kN}$

계산 과정)

[답] B_1 : ________, B_2 : ________

해답
- $$\frac{Q_1 \cdot S}{Q_1 + Q_2} = \frac{L}{3} \cdot \frac{2B_1 + B_2}{B_1 + B_2} - a$$

$$\frac{1{,}000 \times 5.5}{1{,}000 + 800} = \frac{6}{3} \times \frac{2B_1 + B_2}{B_1 + B_2} - 0.25$$

$$\frac{2B_1 + B_2}{B_1 + B_2} = 1.653 \quad \cdots\cdots\cdots\cdots \text{①}$$

- $$\frac{B_1 + B_2}{2} \cdot L = \frac{Q_1 + Q_2}{q_a}$$

$$\frac{B_1 + B_2}{2} \times 6 = \frac{1{,}000 + 800}{100} = 18$$

$$B_1 + B_2 = 6,\ B_2 = 6 - B_1 \quad \cdots\cdots\cdots\cdots \text{②}$$

①과 ②에서 $B_1 = 3.92\text{m}$, $B_2 = 2.08\text{m}$

□□□ 15② 【3점】

08 수평력을 받는 말뚝은 말뚝과 지반 중 어느 것이 움직이는가에 따라 2종류로 대별할 수 있는 말뚝을 2가지 쓰시오.

① ________ ② ________

해답 ① 주동말뚝(active pile) ② 수동말뚝(passive pile)

□□□ 15② 【2점】

09 아래의 표에서 시멘트 콘크리트 포장의 양생을 무엇이라고 하는가?

> 초기양생에 연이어 콘크리트 슬래브의 수화작용(水和作用)이 충분히 이루어져 소요의 강도를 얻는 동시에 충분한 강도가 얻어지기 전에 과대한 온도응력이 슬래브에 일어나지 않도록 온도변화를 될 수 있는 대로 줄이기 위한 양생

○

해답 후기양생(後期養生)

□□□ 15② 【3점】

10 현장타설 말뚝공법 중 굴착식 공법의 종류 3가지를 쓰시오.

① ____________ ② ____________ ③ ____________

해답 ① 베노토(benoto) 공법
② 어스드릴(earth drill) 공법
③ 리버스 서큘레이션(RCD) 공법
④ HW(Hochstrasser Weise) 공법

□□□ 15② 【3점】

11 다음 준설기계에 대한 설명에 적합한 준설선의 명칭을 쓰시오.

가. 준설과 매립을 동시에 신속하게 시공할 수 있고 해저 토사를 회전형 Cutter로 깎아 펌프로 흡입하여 매립지로 배송(排送)하는 준설선

○

나. 해저의 암반이나 암초를 쇄암추나 쇄암기의 끝에 특수한 강철로 된 날끝을 달아 암석을 파쇄하는 준설선

○

다. 파워셔블(power shovel)을 대선에 설치해 사암이나 혈암 등의 수중에 적합한 준설선

○

해답 가. 펌프준설선(pump dredger)
나. 쇄암준설선(rock cutter dredger)
다. 디퍼준설선(dipper dredger)

□□□ 92②, 00③, 10①, 11②, 15①②, 17① 【3점】

12 탄성파 속도가 1,100m/s인 사암으로 된 수평한 지반을 1개의 리퍼날이 부착된 21ton급의 불도저($q_0 = 3.3\text{m}^3$)로 리핑하면서 작업을 할 때 1시간당 작업량을 본바닥토량으로 구하시오. (단, 소수 셋째자리에서 반올림하시오.)

【조 건】

- 1개 날의 1회 리핑 단면적 : 0.14m^2
- 작업거리 : 40m
- 불도저의 작업효율 : 0.4
- 불도저의 사이클 타임 : $C_m = 0.037l + 0.25$
- 리핑의 작업효율 : 0.9
- 리핑의 사이클 타임 : $C_m = 0.05l + 0.33$
- 불도저의 구배계수 : 0.90
- 토량변화율 : $L = 1.6$, $C = 1.1$

계산 과정)　　　　　　　　　　　　　　　　　　　　답 :

해답 조합 작업량 $Q = \dfrac{Q_D \times Q_R}{Q_D + Q_R}$

■ 리핑 작업량

$$Q = \frac{60 \cdot A_n \cdot l \cdot f \cdot E}{C_m}$$

- $C_m = 0.05l + 0.33 = 0.05 \times 40 + 0.33 = 2.33$분

$$\therefore\ Q = \frac{60 \times 0.14 \times 40 \times 1 \times 0.9}{2.33} = 129.785\text{m}^3/\text{hr}$$

($\because$ 리퍼의 작업량은 본바닥토량이므로 $f = 1$이다.)

■ 불도저 작업량

$$Q = \frac{60 \cdot (q_o \cdot \rho) \cdot f \cdot E}{C_m}$$

- $C_m = 0.037l + 0.25 = 0.037 \times 40 + 0.25 = 1.73$분

$$\therefore\ Q = \frac{60 \times 3.3 \times 0.90 \times \frac{1}{1.6} \times 0.4}{1.73} = 25.751\text{m}^3/\text{hr}$$

($\because$ 불도저의 작업량은 흐트러진 토량에서 본바닥토량으로 환산하므로 $f = \dfrac{1}{L}$이다.)

$$\therefore\ \text{조합 작업량}\ Q = \frac{25.751 \times 129.785}{25.751 + 129.785} = 21.49\text{m}^3/\text{hr}$$

□□□ 04②, 08④, 15②, 19① 【3점】

13 필댐(fill dam)의 필터재(filter)의 역할을 3가지 쓰시오.

① ______　② ______　③ ______

해답 ① 물만 통과시키고 토립자의 유출방지　② 역학적 완충역할　③ 코어재의 자기치유작용을 지원

□□□ 09④, 10④, 12②④, 15②, 23③ 【6점】

14 배합강도 결정을 위한 콘크리트의 압축강도 측정결과가 다음과 같을 때 물음에 답하시오. (단, 소수점 이하 셋째자리에서 반올림하시오.)

【압축강도 측정결과(MPa)】

48.5	40	45	50	48	42.5	54	51.5
52	40	42.5	47.5	46.5	50.5	46.5	47

가. 배합강도 결정에 적용할 표준편차를 구하시오.
(단, 시험횟수가 15회일 때 표준편차의 보정계수는 1.16이고, 20회일 때는 1.08이다.)

계산 과정) 답 : ______

나. 호칭강도(f_{cn})가 45MPa일 때 콘크리트의 배합강도를 구하시오.

계산 과정) 답 : ______

해답 가. • 평균값($\overline{X}$)$=\dfrac{\sum X_i}{n}=\dfrac{752}{16}=47.0\text{MPa}$

• 편차의 제곱합 $S=\sum(X_i-\overline{X})^2$

$$S=(48.5-47)^2+(40-47)^2+(45-47)^2+(50-47)^2+(48-47)^2$$
$$+(42.5-47)^2+(54-47)^2+(51.5-47)^2+(52-47)^2+(40-47)^2$$
$$+(42.5-47)^2+(47.5-47)^2+(46.5-47)^2+(50.5-47)^2$$
$$+(46.5-47)^2+(47-47)^2=262$$

• 표준편차 $s=\sqrt{\dfrac{S}{n-1}}=\sqrt{\dfrac{262}{16-1}}=4.18\text{MPa}$

• 16회의 보정계수$=1.16-\dfrac{1.16-1.08}{20-15}\times(16-15)=1.144$

∴ 수정 표준편차 $s=4.18\times1.144=4.78\text{MPa}$

나. $f_{cn}=45\text{MPa} > 35\text{MPa}$일 때

$f_{cr}=f_{cn}+1.34s=45+1.34\times4.78=51.41\text{MPa}$

$f_{cr}=0.9f_{cn}+2.33s=0.9\times45+2.33\times4.78=51.64\text{MPa}$

∴ $f_{cr}=51.64\text{MPa}$(∵ 두 값 중 큰 값)

□□□ 03④, 15② 【3점】

15 콘크리트 구조물에 발생하는 균열을 보수하기 위한 보수공법을 3가지 쓰시오.

① ______ ② ______ ③ ______

해답 ① 표면처리공법 ② 충전공법 ③ 주입공법

□□□ 96③, 99③, 00⑤, 11④, 15②, 20③ 【10점】

16 다음과 같은 공정표에서 임계공정선(CP)을 구하고, 정상공사기간과 공사비용, 정상공사기간을 4일 줄일 때 발생하는 추가비용의 최소치를 계산하시오.
(단, 기간의 단위는 '일' 이며 비용의 단위는 '만원' 이다.)

node	공정명	정상기간	정상비용	특급기간	특급비용
0−2	A	3	15	3	15
0−4	B	5	20	4	25
2−6	D	6	36	5	43
2−8	F	8	40	6	50
4−6	E	7	49	5	65
4−10	G	9	27	7	33
6−8	H	2	10	1	15
6−10	C	2	16	1	25
10−12	K	4	28	3	38
8−12	J	3	24	3	24

가. 네트워크 공정표를 작성하고 임계공정선(CP)를 구하시오.

나. 정상공사기간과 공사비용을 구하시오.

계산 과정) [답] 정상공사기간 : ＿＿＿＿, 공사비용 : ＿＿＿＿

다. 정상공사기간을 4일 줄일 때 발생하는 추가비용의 최소치를 구하시오.

계산 과정) 답 : ＿＿＿＿

해답 가.

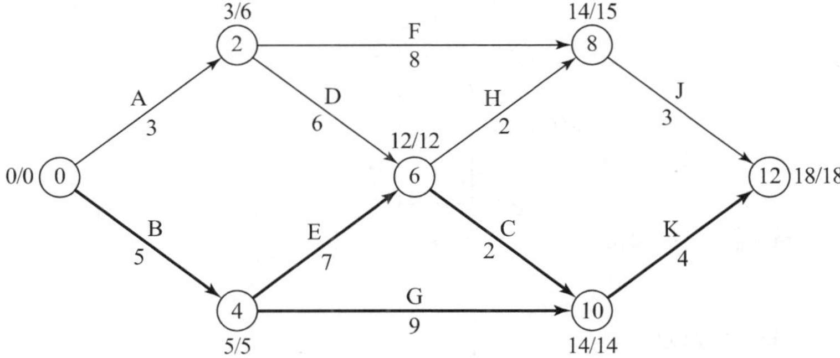

C.P : B→E→C→K, B→G→K

나. 정상공사기간 : 18일
공사비용 : 15+20+36+40+49+27+10+16+28+24=265만원

다.

작업명	단축가능 일수	비용경사(일/만원)= $\dfrac{\text{특급비용}-\text{표준비용}}{\text{표준공기}-\text{특급공기}}$	18	17	16	15	14
A	0	0					
B	1	$\dfrac{25-20}{5-4}=5$		1			
D	1	$\dfrac{43-36}{6-5}=7$					
F	2	$\dfrac{50-40}{8-6}=5$					
E	2	$\dfrac{65-49}{7-5}=8$				1	1
G	2	$\dfrac{33-27}{9-7}=3$				1	1
H	1	$\dfrac{15-10}{2-1}=5$					
C	1	$\dfrac{25-16}{2-1}=9$					
k	1	$\dfrac{38-28}{4-3}=10$			1		
J	0	0					
추가비용				5	10	11	11
단축시 추가비용 합계				5	15	26	37

∴ 추가비용의 최소치 : 37만원

□□□ 11①, 15②, 17④, 21② 【9점】

17 아래 그림과 같은 옹벽의 안전율을 구하시오.

(단, 지반의 허용지지력은 200kN/m^2, 뒤채움흙과 저판 아래의 흙의 단위중량은 18kN/m^3, 내부마찰각은 $37°$, 점착력은 0이고, 콘크리트의 단위중량은 24kN/m^3이다.)

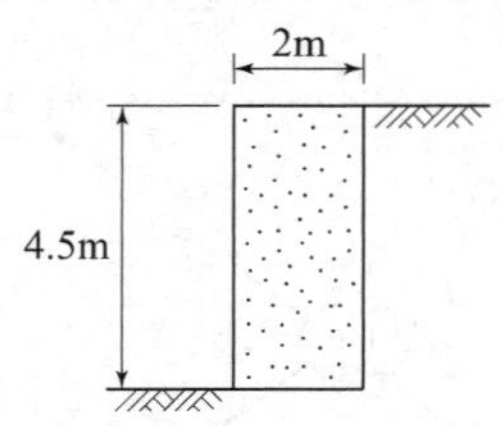

가. 전도에 대한 안전율은 구하시오.

계산 과정)　　　　답 :

나. 활동에 대한 안전율 구하시오.

계산 과정)　　　　답 :

다. 지지력에 대한 안전율을 구하시오.

계산 과정)　　　　답 :

해답 ■ 방법 1

가. • 주동토압 $P_A = \frac{1}{2} K_a z^2 \gamma_t$

$= \frac{1}{2} \times \tan^2\left(45° - \frac{37°}{2}\right) \times 4.5^2 \times 18$

$= 45.3\text{kN/m}$

• 콘크리트의 총중량

$W = BH\gamma_c = 2 \times 4.5 \times 24 = 216\text{kN/m}$

• $y = \frac{1}{3} \times 4.5 = 1.5\text{m}$

$$F_s = \frac{M_r}{M_d} = \frac{W \cdot \frac{B}{2}}{P_A \cdot \frac{H}{3}}$$

$$= \frac{216 \times \frac{2}{2}}{45.3 \times \frac{4.5}{3}} = 3.18$$

나. $F_s = \frac{W\tan\phi}{P_A} = \frac{216\tan37°}{45.3} = 3.59$

다. $e = \frac{B}{2} - \frac{W \cdot \frac{B}{2} - P_A \cdot \frac{H}{3}}{W}$

$$= \frac{2}{2} - \frac{216 \times \frac{2}{2} - 453 \times \frac{4.5}{3}}{216}$$

$= 0.315\text{m}$

• $e = 0.315 < \frac{B}{6} = \frac{2}{6} = 0.333$

$$\sigma_{\max} = \frac{W}{B}\left(1 + \frac{6e}{B}\right)$$

$$= \frac{216}{2}\left(1 + \frac{6 \times 0.315}{2}\right)$$

$= 210.06\text{kN/m}^2$

$$F_s = \frac{\sigma_a}{\sigma_{\max}} = \frac{200}{210.06} = 0.95$$

■ 방법 2

가. $F_s = \frac{W \cdot a}{P_H \cdot y}$

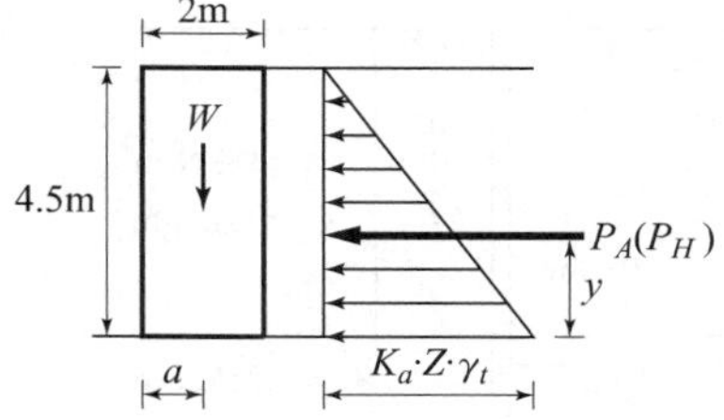

• 주동토압 : $P_A = \frac{1}{2} K_a z^2 \gamma_t$

$= \frac{1}{2} \times \tan^2\left(45° - \frac{37°}{2}\right) \times 4.5^2 \times 18$

$= 45.3\text{kN/m}$

• 콘크리트의 총중량

$W = 2 \times 4.5 \times 24 = 216\text{kN/m}$

• $a = 1\text{m}, \ y = \frac{1}{3} \times 4.5 = 1.5\text{m}$

$\therefore F_s = \frac{216 \times 1}{45.3 \times 1.5} = 3.18$

나. $F_s = \frac{W\tan\phi}{P_H} = \frac{216\tan37°}{45.3} = 3.59$

다. $F_s = \frac{\sigma_a}{\sigma_{\max}}$

• 편심거리

$e = \frac{B}{2} - \frac{W \cdot a - P_H \cdot y}{W}$

$= \frac{2}{2} - \frac{216 \times 1 - 45.3 \times 1.5}{216} = 0.315\text{m}$

• 편심거리 $e = 0.31 < \frac{B}{6} = \frac{2}{6} = 0.33$ 이므로

• 최대지지력

$$\sigma_{\max} = \frac{\Sigma V}{B}\left(1 + \frac{6e}{B}\right)$$

$$= \frac{216}{2}\left(1 + \frac{6 \times 0.315}{2}\right) = 210.06\text{kN/m}^2$$

$\therefore F_s = \frac{200}{210.06} = 0.95$

□□□ 88①②, 98⑤, 99⑤, 00④, 04②, 09①, 11①, 14①, 15② 【6점】

18 다음 히빙(heaving)현상에 대한 물음에 답하시오.

가. 그림과 같은 말뚝 하단의 활동면에 대한 히빙현상에 대한 안전율을 구하시오.

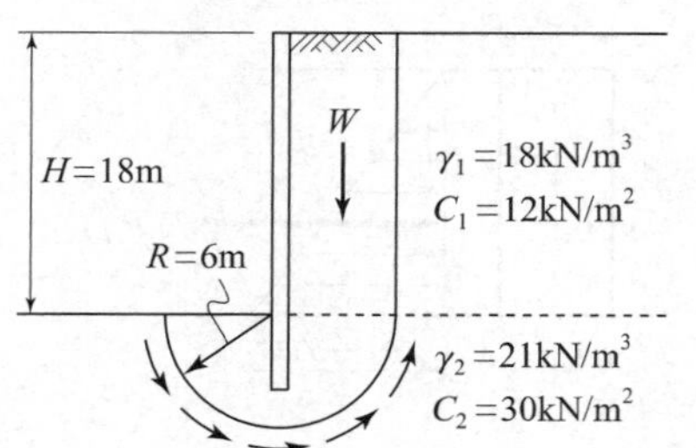

계산 과정)

답 : ______

나. 히빙(heaving)이 발생할 우려가 있는 지반의 방지대책을 3가지만 쓰시오.

① ______ ② ______ ③ ______

해답 가. 안전율 $F_s = \dfrac{M_r}{M_d} = \dfrac{C_1 \cdot H \cdot R + C_2 \cdot \pi \cdot R^2}{\dfrac{R^2}{2}(\gamma_1 \cdot H + q)}$

- $M_d = \dfrac{6^2}{2}(18 \times 18 + 0) = 5{,}832\,\text{kN} \cdot \text{m}$ (Heaving을 일으키려는 Moment)
- $M_r = 12 \times 18 \times 6 + 30 \times \pi \times 6^2 = 4{,}688.92\,\text{kN} \cdot \text{m}$ (Heaving에 저항하는 Moment)

$\therefore\ F_s = \dfrac{4{,}688.9}{5{,}832} = 0.80$

나. ① 흙막이공의 계획을 변경한다.
② 굴착저면에 하중을 가한다.
③ 흙막이벽의 관입 깊이를 깊게 한다.
④ 표토를 제거하여 하중을 적게 한다.

□□□ 97①, 01③, 05①, 14①, 15②, 23③ 【3점】

19 마샬안정도시험(Marshall Stability Test)은 포장용 아스팔트 혼합물의 소성유동에 대한 저항성을 측정하여 설계아스팔트량 결정에 적용된다. 이 시험결과로부터 얻을 수 있는 3가지의 설계기준을 쓰시오.

① ______ ② ______ ③ ______

해답 ① 안정도 ② 흐름값 ③ 공시체의 밀도 ④ 공극률 ⑤ 포화도

□□□ 93③, 94②, 97④, 99①, 00②, 01③, 03③, 07④, 10①②, 12④, 13①, 15② 【3점】

20 **그림과 같이 표준관입값이 다른 3종의 모래지름층으로 되어 있는 기초 지반에 지름 30cm, 길이 12m의 콘크리트말뚝을 박았을 때 말뚝의 허용지지력을 안전율 3으로 하여 Meyerhof의 공식으로 구하시오.**

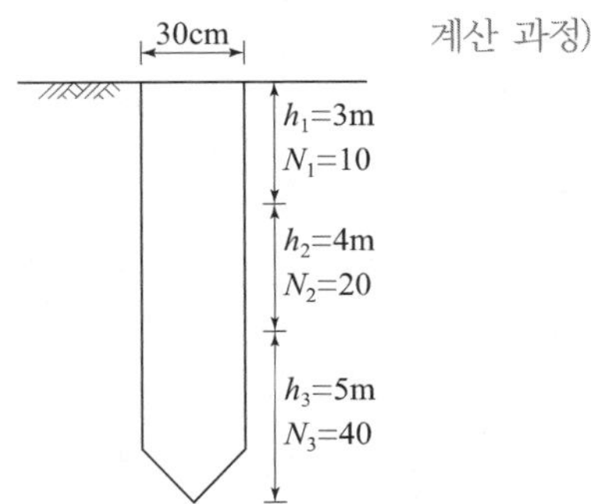

계산 과정)

답 :

해답 극한지지력 $Q_u = 40 \cdot N_3 \cdot A_p + \dfrac{\overline{N} \cdot A_f}{5}$

- $A_p = \dfrac{\pi d^2}{4} = \dfrac{\pi \times 0.3^2}{4} = 0.071\,\text{m}^2$
- $N = \dfrac{N_1 h_1 + N_2 h_2 + N_3 h_3}{h_1 + h_2 + h_3} = \dfrac{10 \times 3 + 20 \times 4 + 40 \times 5}{3+4+5} = 25.833$
- $A_f = \pi d l = \pi \times 0.3 \times 12 = 11.310\,\text{m}^2$

$\therefore\ Q_u = 40 \times 40 \times 0.071 + \dfrac{25.833 \times 11.310}{5} = 172.027\,\text{t}$

$\therefore$ 허용지지력 $Q_a = \dfrac{Q_u}{3} = \dfrac{172.034}{3} = 57.34\,\text{t}$

※ 주의 : 중간 계산은 소수 3자리까지, 결과값은 소수 2자리까지 계산하면 가장 정확한 정답을 얻을 수 있다.

□□□ 01①, 02②, 04②, 06④, 09①, 10④, 13②, 15②, 20④, 22②, 23③ 【18점】

21 **주어진 도면 및 조건에 따라 다음 물량을 산출하시오.** (단, 주어진 도면의 치수는 축척에 맞지 않을 수 있으며, 주어진 치수로만 물량을 산출하며 도면의 단위는 mm이다.)

단 면 도

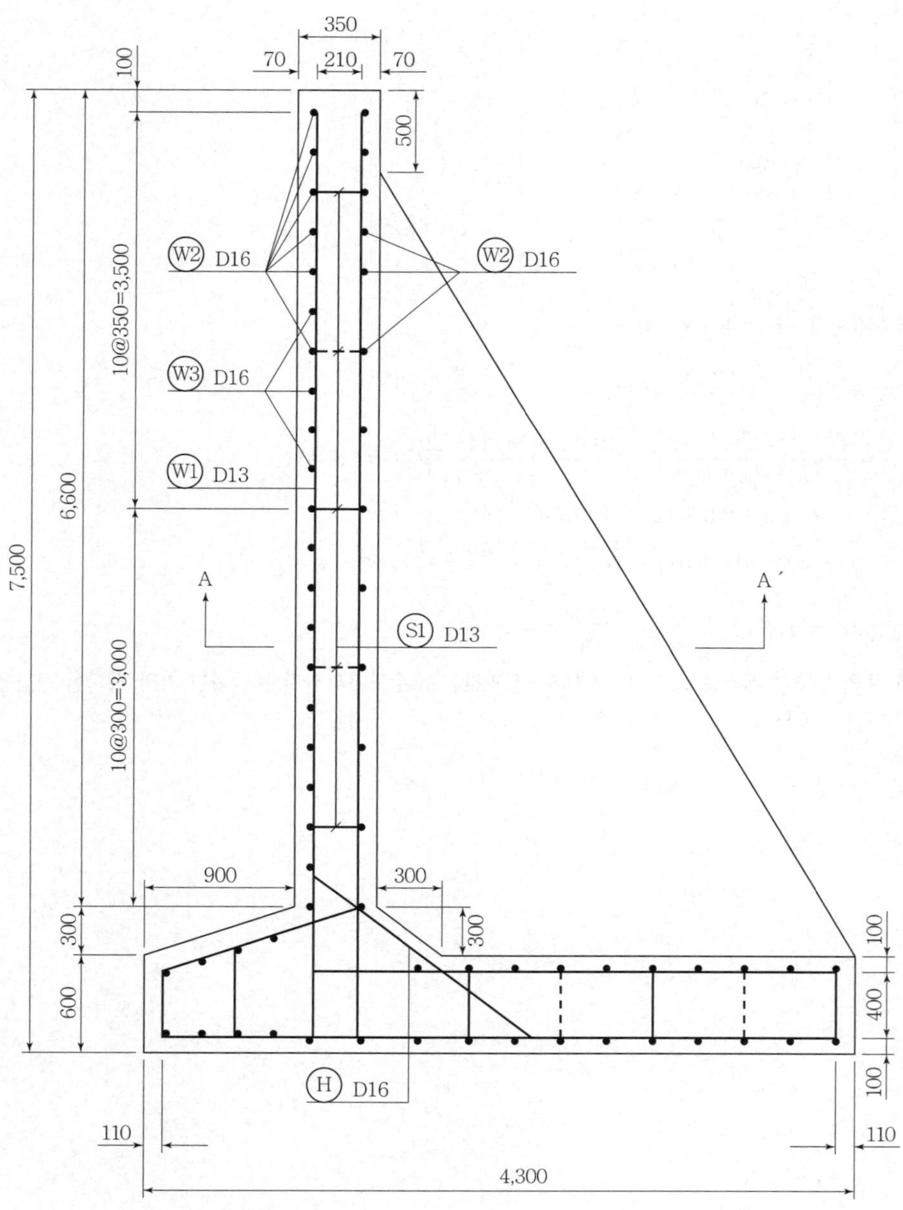

측 면 도

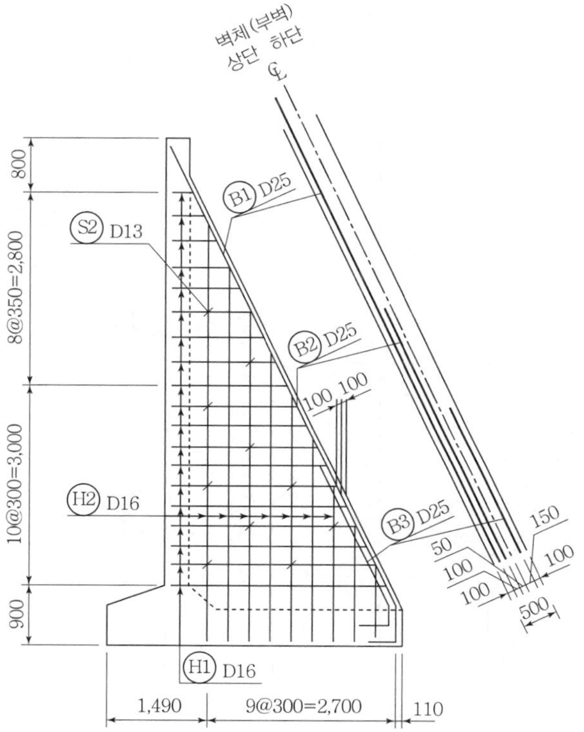

벽체(부벽) 상단 하단
℄
(B1) D25
(S2) D13
(B2) D25
100 100
(H2) D16
(B3) D25
150
50
100
100
100
500
(H1) D16
800
8@350=2,800
10@300=3,000
900
1,490
9@300=2,700
110

일 반 도

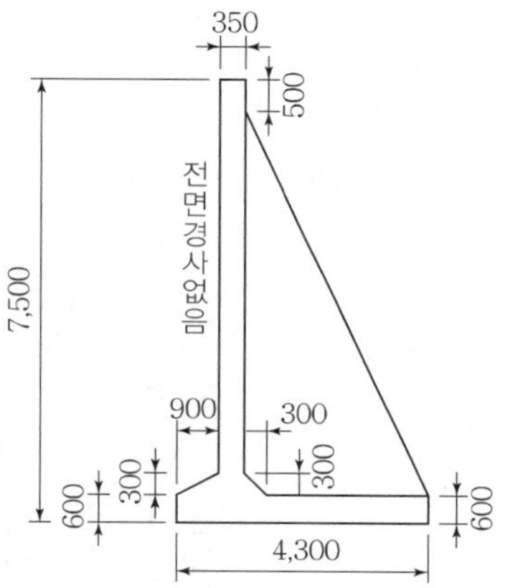

350
500
전면경사없음
7,500
900
300
300
300
600
600
4,300

A – A′ 단 면 도

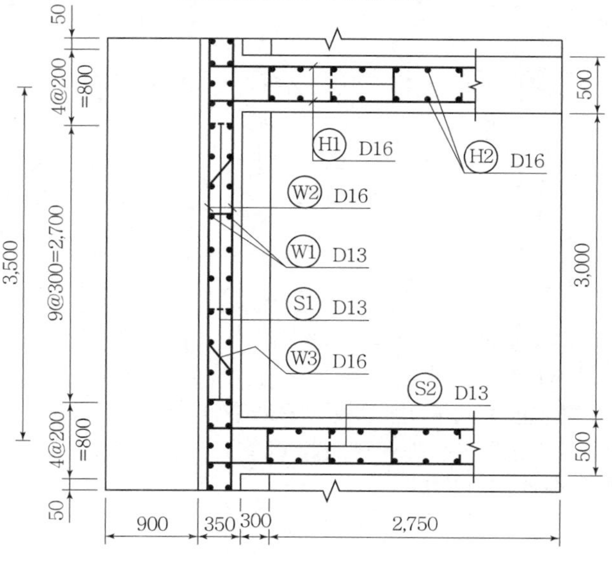

50
4@200 =800
3,500
9@300=2,700
4@200 =800
50
(H1) D16
(H2) D16
(W2) D16
(W1) D13
(S1) D13
(W3) D16
(S2) D13
500
3,000
500
900
350
300
2,750

철근상세도

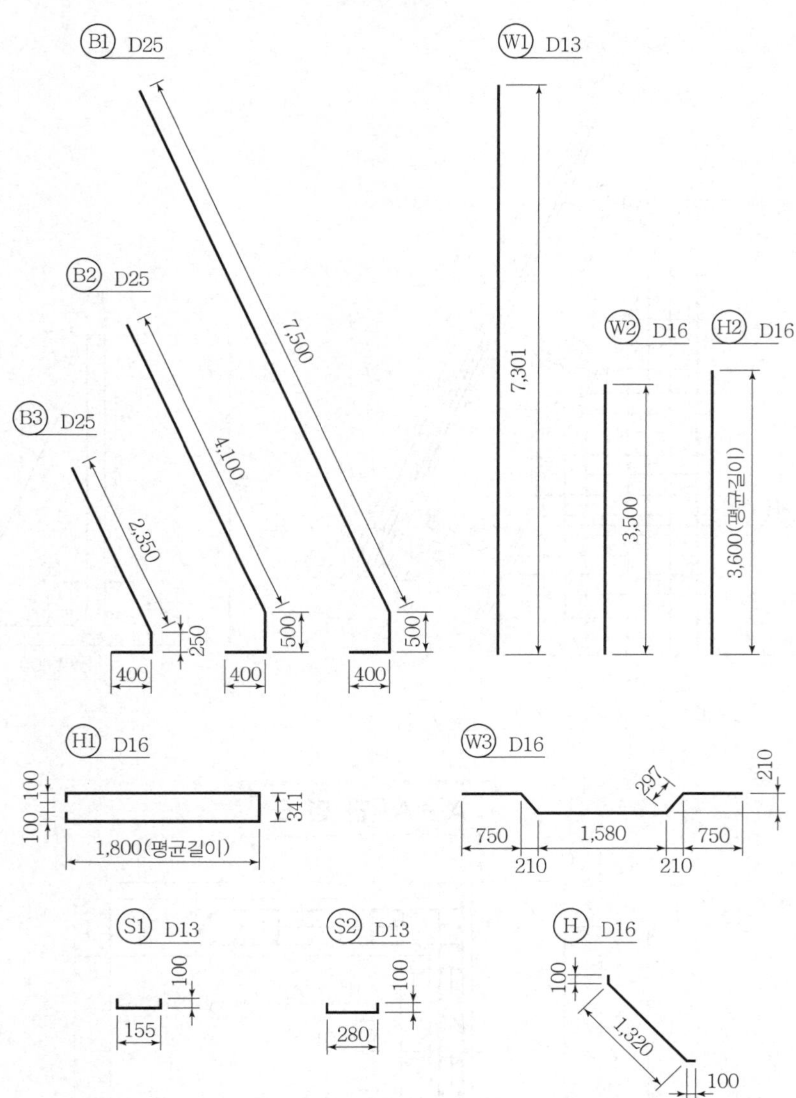

【조 건】

- S1 철근은 지그재그(Zigzag)로 배치되어 있다.
- H 철근의 간격은 W1 철근과 같다.
- 물량산출에서의 할증률 및 마구리는 없는 것으로 한다.
- 철근길이 계산에서 이음길이는 계산하지 않는다.
- 저판의 철근량은 계산하지 않는다.

가. 부벽을 포함하는 옹벽길이 3.5m에 대한 콘크리트량을 구하시오.
(단, 소수점 이하 4째자리에서 반올림하시오.)

계산 과정)

답 :

나. 부벽을 포함하는 옹벽길이 3.5m에 대한 거푸집량을 구하시오.
(단, 소수점 이하 4째자리에서 반올림하시오.)

계산 과정)

답 :

다. 부벽을 포함하는 옹벽길이 3.5m에 대한 철근물량표를 완성하시오.

기호	직경	길이	수량	총길이	기호	직경	길이	수량	총길이
W1					H1				
W2					B1				
W3					S1				

해답 가.

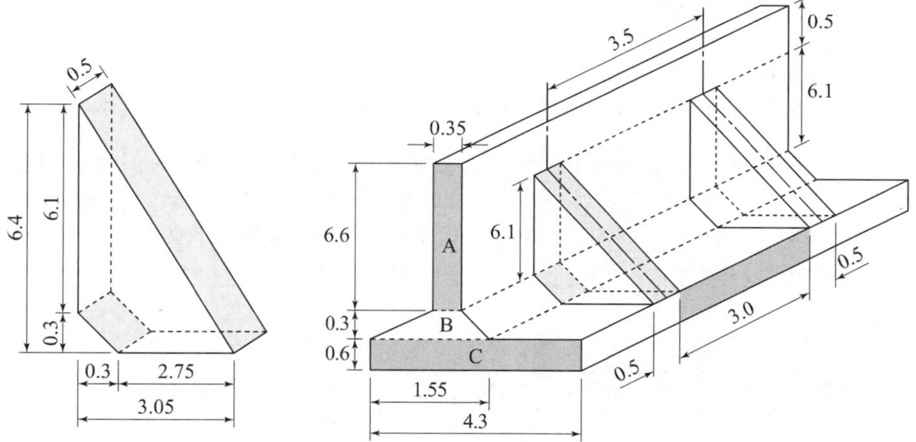

- 단면적×부벽두께$=\left(\dfrac{6.4\times3.05}{2}-\dfrac{0.3\times0.3}{2}\right)\times0.5=4.8575\text{m}^3$
- 벽체 A=단면적×옹벽길이$=(0.35\times6.6)\times3.5=8.085\text{m}^3$
- 헌치부분 B$=\dfrac{0.35+1.55}{2}\times0.3\times3.5=0.9975\text{m}^3$
- 저판 C$=(0.6\times4.30)\times3.5=9.03\text{m}^3$

∴ 총콘크리트량$=4.8575+8.085+0.9975+9.03=22.970\text{m}^3$

나.

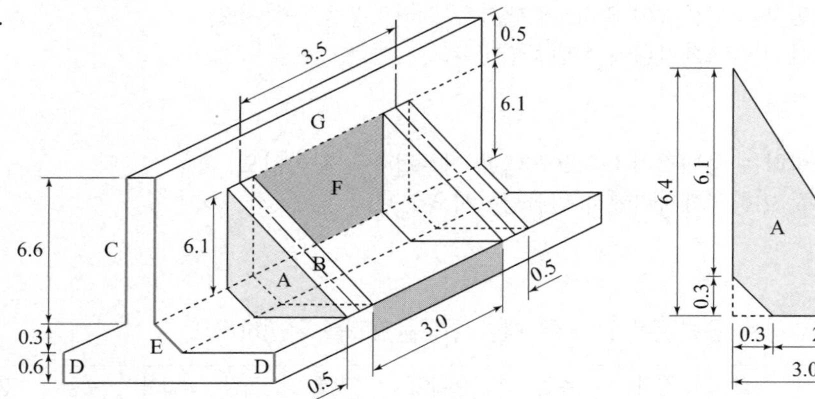

- A면$=\left(\dfrac{6.4\times3.05}{2}-\dfrac{0.3\times0.3}{2}\right)\times2$(양면)$=19.43\text{m}^2$
- B면$=\sqrt{6.4^2+3.05^2}\times0.5=3.545\text{m}^2$
- C면$=6.6\times3.5=23.10\text{m}^2$
- D면$=(0.6\times3.5)\times2$(양면)$=4.20\text{m}^2$
- E면$=\sqrt{0.3^2+0.3^2}\times3.0=1.273\text{m}^2$
- F면$=6.1\times3.0=18.30\text{m}^2$
- G면$=0.5\times3.5=1.75\text{m}^2$

$\therefore$ 총거푸집량 $=19.43+3.545+23.10+4.20+1.273+18.30+1.75=71.598\text{m}^2$

다.

기호	직경	길이(mm)	수량	총길이(mm)	기호	직경	길이(mm)	수량	총길이(mm)
W1	D13	7,301	26	189,826	H1	D16	4,141	19	78,679
W2	D16	3,500	26	91,000	B1	D25	8,400	2	16,800
W3	D16	3,674	8	29,392	S1	D13	355	10	3,550

철근물량 산출근거

기호	직경	길이	수량	총길이	수량산출
W1	D13	7,301	26	189,826	• A−A'단면에서 • 철근 간격수×2(전후면) $=\{(9+1)+(2+1)\}\times2$(전·후면)$=26$본
W2	D16	3,500	26	91,000	• 철근 간격수×2(전후면) $=\{(4+3+5)+1)\}\times2$(전·후면)$=26$본
W3	D16	3,674	8	29,392	• 단면도에서 수계산
H1	D16	4,141	19	78,679	• 측면도 8@+10@ • 칸수$+1=(8+10)+1=19$본
B1	D25	8,400	2	16,800	• 측면도 벽체(부벽)상단 좌우
S1	D13	355	10	3,550	• 단면도 실선 3, 점선 2 • A−A'단면도(실선 2, 점선 2) $\therefore\ 3\times2+2\times2=10$본

국가기술자격 실기시험문제

2015년도 기사 제4회 필답형 실기시험(기사)

종 목	시험시간	형 별	성 명	수험번호
토목기사	**3시간**	B		

※ 수험자 인적사항 및 계산식을 포함한 답안 작성은 검은색 필기구만 사용하여야 하며, 그 외 연필류, 빨간색, 청색 등 필기구로 작성한 답안은 0점 처리됩니다.

□□□ 84①, 15④ 【8점】

01 어떤 콘크리트 공사현장에서 압축강도 시험결과 및 관리한계 계수표는 아래와 같다. 이 시험결과를 이용하여 빈칸을 채우고, 다음 물음에 답하시오.

【압축강도시험의 결과】

조번호	측정값(MPa)			계 Σx	각조의 평균치 $(\overline{X})$	범위 R
	x_1	x_2	x_3			
1	2.1	1.6	2.4			
2	2.5	1.6	2.8			
3	2.1	2.6	1.8			
4	2.5	1.6	2.7			
5	2.6	1.8	2.5			

【관리한계 계수표】

n	A_2	D_3	D_4
2	1.880	–	3.267
3	1.023	–	2.575
4	0.729	–	2.282
5	0.577	–	2.115
6	0.483	–	2.004
7	0.419	0.076	1.924

가. 전체평균$(\overline{\overline{X}})$과 범위$(R)$의 평균값을 구하시오.

계산 과정)

[답] 전체평균$(\overline{\overline{X}})$: ______________, 범위(R)의 평균값 : ______________

나. $\overline{X}$ 관리도의 상한관리한계(UCL)와 하한관리한계(LCL)를 구하시오.

계산 과정)

[답] 상부관리한계(UCL) : ____________, 하부관리한계(LCL) : ____________

다. R관리도의 상한관리한계(UCL)와 하한관리한계(LCL)를 구하시오.

계산 과정)

[답] 상부관리한계(UCL) : ____________, 하부관리한계(LCL) : ____________

해답 가.

조번호	측정값(MPa)			계 Σx	각조의 평균치 ($\overline{X}$)	범위 R
	x_1	x_2	x_3			
1	2.1	1.6	2.4	2.1+1.6+2.4=6.10	2.033	2.4−1.6=0.8
2	2.5	1.6	2.8	2.5+1.6+2.8=6.90	2.300	2.8−1.6=1.2
3	2.1	2.6	1.8	2.1+2.6+1.8=6.50	2.167	2.6−1.8=0.8
4	2.5	1.6	2.7	2.5+1.6+2.7=6.80	2.267	2.7−1.6=1.1
5	2.6	1.8	2.5	2.6+1.8+2.5=6.90	2.300	2.6−1.8=0.8
계					11.067	4.7

$$\overline{X} = \frac{\Sigma \overline{x}}{n} = \frac{11.067}{5} = 2.213\text{MPa}$$

$$\overline{R} = \frac{\Sigma R}{n} = \frac{4.7}{5} = 0.940\text{MPa}$$

나. • 상한관리한계(UCL) $= \overline{X} + A_2 \cdot \overline{R} = 2.213 + 1.023 \times 0.940 = 3.175\text{MPa}$

• 하한관리한계(LCL) $= \overline{X} - A_2 \cdot \overline{R} = 2.213 - 1.023 \times 0.940 = 1.251\text{MPa}$

다. • 상한관리한계(UCL) $= D_4 \cdot \overline{R} = 2.575 \times 0.940 = 2.421\text{MPa}$

• 하한관리한계(LCL) $= D_3 \cdot \overline{R} = 0$

□□□ 11①, 15④, 21② 【3점】

02 댐의 기초암반에 보링공을 천공한 후, 시멘트 풀, 점토 및 약액 등을 압력으로 주입하여 지반개량 및 차수를 목적으로 시행하는 것을 그라우팅이라고 한다. 이러한 그라우팅의 종류를 4가지만 쓰시오.

① ____________ ② ____________ ③ ____________ ④ ____________

해답 ① 콘솔리데이션 그라우팅(consolidation grouting)
② 커튼 그라우팅(curtain grouting)
③ 림 그라우팅(rim grouting)
④ 콘택트 그라우팅(contact grouting)
⑤ 블랭킷 그라우팅(blanket grouting)

□□□ 07④, 10②, 15④ 【3점】

03 다짐되지 않은 두께 1.5m, 상대밀도 45%의 느슨한 사질토지반이 있다. 실내시험결과 최대 및 최소 간극비가 0.70, 0.35로 각각 산출되었다. 이 사질토를 상대밀도 80%까지 다짐할 때 두께의 감소량을 구하시오.

계산 과정) 답 :

해답 ■ 상대밀도 $D_r = \dfrac{e_{max} - e}{e_{max} - e_{min}} \times 100$

■ 두께의 감소량 $S = \dfrac{e_1 - e_2}{1 + e_1} H$

- 상대밀도 45%에 공극비

$$D_r = \frac{0.70 - e_1}{0.70 - 0.35} \times 100 = 45\% \qquad \therefore\ e_1 = 0.54$$

- 상대밀도 80%일 때의 공극비

$$D_r = \frac{0.70 - e_2}{0.70 - 0.35} \times 100 = 80\% \qquad \therefore\ e_2 = 0.42$$

- 두께의 감소량(최종압밀침하량)

$$\therefore\ S = \frac{0.54 - 0.42}{1 + 0.54} \times 1.5 = 0.1169\text{m} = 11.69\text{cm}$$

□□□ 09①, 11②, 15④, 20② 【3점】

04 구조물 공사는 지하수가 배제된 상태에서 시공하거나 또는 원지반에 구조물 축조 후 주변을 성토하여 구조물을 완성하게 되면 지하수의 상승 등에 의해 양압력에 의한 피해가 발생한다. 이러한 구조물의 기초바닥에 작용하는 양압력(부력)에 저항하는 방법을 3가지 쓰시오.

① ② ③

해답 ① 사하중에 의한 방법
② 부력 앵커시스템 방법
③ 영구배수처리방법

□□□ 00②, 04②, 06④, 11④, 15④, 22① 【3점】

05 해안, 준설, 매립 공사시 사용되는 준설선의 종류를 4가지만 쓰시오.

① ② ③ ④

해답 ① 펌프준선설 ② 디퍼준설선 ③ 그래브준설선 ④ 버킷준설선

□□□ 07②, 11④, 15④ 【3점】

06 말뚝의 정적재하시험의 재하방법 3가지를 쓰시오.

① ______ ② ______ ③ ______

해답 ① 사하중 재하방법 ② 반력말뚝 재하방법
③ 어스앵커 재하방법

□□□ 05④, 08②, 11④, 15④, 20①, 22③ 【6점】

07 다음 그림과 같은 유선망에서 단위폭(1m)당 1일 침투유량을 구하고, 점 A에서 간극수압을 계산하시오. (단, 수평방향 투수계수 $k_h = 5.0 \times 10^{-4}$cm/sec, 수직방향 투수계수 $k_v = 8.0 \times 10^{-5}$cm/sec)

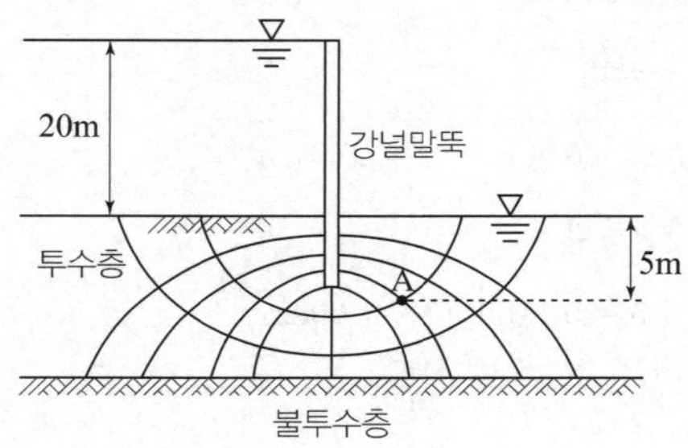

가. 단위폭(1m)당 1일 침투수량을 구하시오.

계산 과정) 답 : ______

나. A점의 간극수압을 구하시오.

계산 과정) 답 : ______

해답 가. $Q = kH\dfrac{N_f}{N_d}$

• $k = \sqrt{k_h \cdot k_v} = \sqrt{(5.0\times10^{-4})\times(8.0\times10^{-5})}$
$= 2\times10^{-4}\text{cm/sec} = 2\times10^{-6}\text{m/sec}$

$\therefore\ Q = 2.0\times10^{-6}\times20\times\dfrac{3}{10}\times1 = 12\times10^{-6}\ \text{m}^3/\text{sec}$

$= 12\times10^{-6}\times60\times60\times24 = 1.04\,\text{m}^3/\text{day}$

나. • 전수두 $h_t = \dfrac{N_d'}{N_d}h = \dfrac{3}{10}\times20 = 6\,\text{m}$

• 위치수두 $h_e = -5\,\text{m}$

• 압력수두 $h_p = h_t - h_e = 6-(-5) = 11\,\text{m}$

$\therefore$ 공극수압 $u_p = \gamma_w h_p = 9.81\times11 = 107.91\,\text{kN/m}^2$

□□□ 92①, 94④, 00④, 11④, 15④, 16④ 【3점】

08 케이슨 기초의 침하공법을 아래의 표와 같이 4가지만 쓰시오.

재하중에 의한 공법

① ________ ② ________ ③ ________ ④ ________

해답 ① 분기식 공법 ② 물하중식 공법 ③ 발파식 공법
④ 감압식 공법 ⑤ 진동식 공법

□□□ 12②, 15④, 17②, 19③ 【3점】

09 22회의 시험실적으로부터 구한 압축강도의 표준편차가 4.5MPa이었고, 콘크리트의 품질기준강도(f_{cq})가 40MPa일 때 배합강도는?
(단, 표준편차의 보정계수는 시험횟수가 20회인 경우 1.08이고, 25회인 경우 1.03이다.)

계산 과정) 답 : ________

해답 $f_{cq} = 40\,\text{MPa} > 35\text{MPa}$일 때

- 22회의 보정계수 $= 1.08 - \dfrac{1.08 - 1.03}{25 - 20} \times (22 - 20) = 1.06$ (∵ 직선보간)
- 수정 표준편차 $s = 4.5 \times 1.06 = 4.77\,\text{MPa}$
- $f_{cr} = f_{cq} + 1.34s = 40 + 1.34 \times 4.77 = 46.39\,\text{MPa}$
- $f_{cr} = 0.9f_{cq} + 2.33s = 0.9 \times 40 + 2.33 \times 4.77 = 47.11\,\text{MPa}$

∴ 배합강도 $f_{cr} = 47.11\,\text{MPa}$(∵ 두 값 중 큰 값)

□□□ 93②, 97②, 02②, 05④, 10④, 13②, 15④ 【3점】

10 극한지지력 $Q_u = 200\text{kN}$이고, RC pile의 직경이 30cm, 주면마찰력이 25kN/m^2, 말뚝선단의 지지력 $q_u = 280\text{kN/m}^2$이라 할 때 RC pile의 최소지중깊이를 구하시오.(단, 정역학적 지지력 공식개념에 의함.)

계산 과정) 답 : ________

해답 $Q_u = Q_p + Q_f = q_u \cdot A_p + f_s \cdot A_s = \pi r^2 q_u + 2\pi r f_s l$ 에서
$200 = \pi \times 0.15^2 \times 280 + 2\pi \times 0.15 \times 25 \times l$
∴ 지중깊이 $l = 7.65\,\text{m}$

참고 SOLVE 사용

□□□ 85③, 92③, 93③, 95④, 00⑤, 06①②, 07①, 09④, 12②, 15④, 19③, 20④ 【3점】

11 토목시공에서 사용하고 있는 토목섬유의 주요기능을 4가지만 쓰시오.

① ______ ② ______ ③ ______ ④ ______

해답 ① 배수기능 ② 여과기능 ③ 분리기능
④ 보강기능 ⑤ 차수기능

□□□ 15①④ 【3점】

12 연약지반 개량공법 중 일시적인 지반개량공법을 4가지 쓰시오.

① ______ ② ______ ③ ______ ④ ______

해답 ① well point 공법 ② Deep well 공법 ③ 동결공법
④ 침투압공법 ⑤ 전기침투공법

□□□ 84①②③, 87③, 88②, 91③, 93②, 94②, 97②, 98⑤, 03④, 12④, 15④, 20③ 【3점】

13 다음과 같은 조건으로 불도저를 사용하여 흙을 굴착할 때 불도저의 시간당 작업량을 본바닥 토량으로 구하시오.

【조 건】

- 흙의 운반거리 : 30m
- 전진속도 : 37.5m/min
- 후진속도 : 70m/min
- 기어변속시간 : 20sec
- 토량변화율(L) : 1.25
- 1회의 압토량 : 2.2m^3
- 작업효율(E) : 0.8

계산 과정) 답 : ______

해답 $Q=\dfrac{60\cdot q_0\cdot \dfrac{1}{L}\cdot E}{C_m}$

• $C_m=\dfrac{l}{V_1}+\dfrac{l}{V_2}+t=\left(\dfrac{30}{37.5}+\dfrac{30}{70}\right)+\dfrac{20}{60}=1.56$분

$\therefore\ Q=\dfrac{60\times 2.2\times \dfrac{1}{1.25}\times 0.80}{1.56}=54.15\,\text{m}^3/\text{hr}$

□□□ 04①, 05④, 08①, 15④, 19① 【3점】

14 **도심지 굴착공사 중 계측관리시 아래 그림에서 빈칸에 해당하는 계측기기를 쓰시오.**

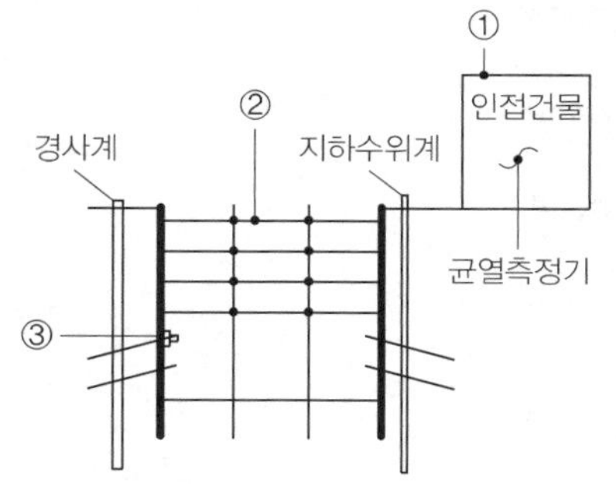

① ____________

② ____________

③ ____________

해답 ① 건물경사계　② 변형률계　③ 하중계

□□□ 01②, 03②, 07①, 10②, 11②, 15④, 21③ 【3점】

15 **아래 그림과 같은 무한사면에서 지하수위면과 지표면이 일치한 경우 사면의 안전율을 구하시오.** (단, 지반의 $c=0$, $\phi=30°$, $\gamma_{sat}=18.0\text{kN/m}^3$이다.)

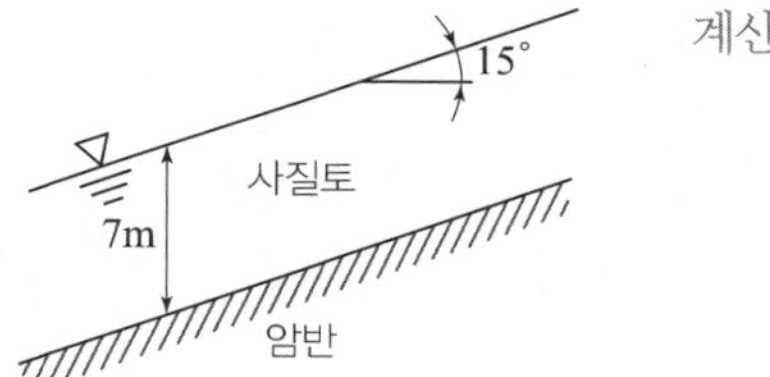

계산 과정)

답 : ____________

해답 $F_s=\dfrac{\gamma_{sub}}{\gamma_{sat}}\cdot\dfrac{\tan\phi}{\tan i}=\dfrac{18.0-9.81}{18.0}\times\dfrac{\tan 30°}{\tan 15°}=0.98$

(점착력 $c=0$이고, 지하수위가 지표면과 일치할 때 반무한사면의 안전율)

□□□ 92③④, 94②, 96①④, 98②, 00⑤, 04③, 05④, 10①, 13④, 15④, 18②, 20④ 【3점】

16 **PERT 기법에 의한 공정관리기법에서 낙관시간치 2일, 정상시간치 5일, 비관시간치 8일일 때 기대시간과 분산을 구하시오.**

계산 과정)

[답] 기대시간 : ____________, 분산 : ____________

해답 • 기대시간 $t_e=\dfrac{t_0+4t_m+t_p}{6}=\dfrac{2+4\times5+8}{6}=5$

• 분산 $\sigma^2=\left(\dfrac{t_p-t_0}{6}\right)^2=\left(\dfrac{8-2}{6}\right)^2=1$

□□□ 12②, 14①, 15④ 【6점】

17 **아래 그림과 같은 옹벽에서 다음 물음에 답하시오.**

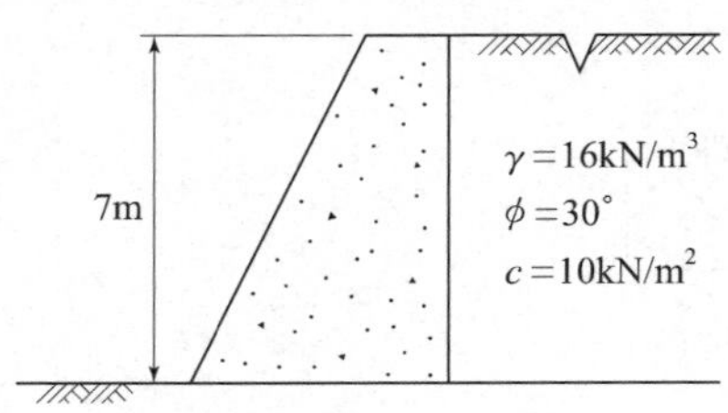

가. 인장균열의 깊이를 구하시오.

계산 과정) 답 : ____________

나. 인장균열이 발생하기 전의 전체 주동토압을 구하시오.

계산 과정) 답 : ____________

다. 인장균열이 발생한 후의 전체 주동토압을 구하시오.

계산 과정) 답 : ____________

해답 가. $z_o = \dfrac{2c}{\gamma_t}\tan\left(45° + \dfrac{\phi}{2}\right) = \dfrac{2\times 10}{16}\times\tan\left(45° + \dfrac{30°}{2}\right) = 2.165\,\text{m}$

나. $P_A = \dfrac{1}{2}\gamma H^2 K_A - 2cH\sqrt{K_A}$

- $K_A = \tan^2\left(45° - \dfrac{\phi}{2}\right) = \tan^2\left(45° - \dfrac{30°}{2}\right) = \dfrac{1}{3}$

$\therefore\ P_A = \dfrac{1}{2}\times 16\times 7^2\times\dfrac{1}{3} - 2\times 10\times 7\times\sqrt{\dfrac{1}{3}}$

$= 130.07 - 80.83 = 49.84\,\text{kN/m}$

다. $P_A = \dfrac{1}{2}\gamma H^2 K_A - 2cH\sqrt{K_A} + \dfrac{2c^2}{\gamma_t}$

$= \dfrac{1}{2}\times 16\times 7^2\times\dfrac{1}{3} - 2\times 10\times 7\times\sqrt{\dfrac{1}{3}} + \dfrac{2\times 10^2}{16}$

$= 130.67 - 80.38 + 12.5 = 62.34\,\text{kN/m}$

□□□ 15④, 22① 【2점】

18 **교량의 상부구조와 하부구조의 접점에 위치하여 상부구조에서 전달되는 하중을 하부구조에 전달하고, 상하부 간의 상대변위 및 상부구조의 회전변형을 흡수하는 구조를 무엇이라 하는가?**

○

해답 교좌장치(교량받침, shoe)

□□□ 88③, 15④, 20④ 【3점】

19 어떤 사질 기초지반의 평판 재하실험 결과 항복강도가 600kN/m^2, 극한강도 $1,000\text{kN/m}^2$이었다. 그리고 그 기초는 지표에서 1.5m 깊이에 설치된 것이고 그 기초지반의 단위중량이 18kN/m^3일 때, 이때의 지지력계수 $N_q=5$이었다. 이 기초의 장기 허용지지력을 구하시오.

계산 과정) 답 : ______

해답 ■ 허용지지력(q_t) 결정

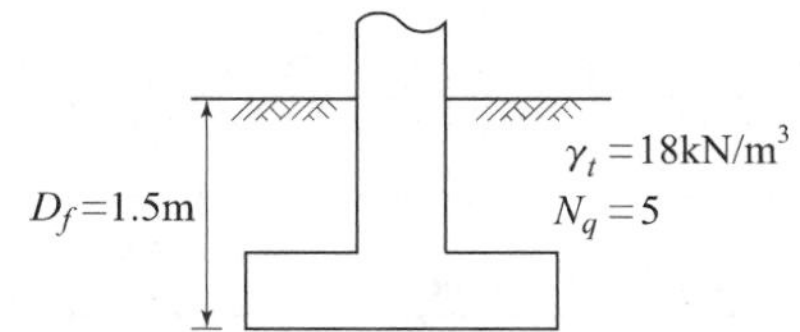

$$q_t=\frac{q_u}{3}=\frac{1,000}{3}=333.33\,\text{kN/m}^2$$

$$q_t=\frac{q_y}{2}=\frac{600}{2}=300\,\text{kN/m}^2$$

$\therefore\ q_t=300\,\text{kN/m}^2$(∵ 두 값 중 작은 값)

∴ 장기 허용지지력

$$q_a=q_t+\frac{1}{3}\gamma_t\cdot D_f\cdot N_q$$

$$=300+\frac{1}{3}\times18\times1.5\times5=345\,\text{kN/m}^2$$

□□□ 05④, 15④, 20② 【3점】

20 숏크리트 및 록볼트 공법을 제외한 터널보조공법의 종류를 4가지만 쓰시오.

① ______ ② ______  ______  ______

해답 ① 주입공법
② 훠폴링(Fore Poling) 공법
③ 파이프 루프(Pipe Roof) 공법
④ 강관 다단 그라우팅공법
⑤ 지하수위 저하공법
⑥ 동결공법

□□□ 89①, 92③, 96①, 15④, 20① 【3점】

21 흙의 동결을 방지하기 위한 동상대책을 3가지만 쓰시오.

① ______ ② ______ ③ ______

해답 ① 치환공법으로 동결되지 않는 흙으로 바꾸는 방법
② 지하수위 상층에 조립토층을 설치하는 방법
③ 배수구 설치로 지하수위를 저하시키는 방법
④ 흙 속에 단열재료를 매입하는 방법
⑤ 화학약액으로 처리하는 방법

□□□ 00①, 15④ 【3점】

22 그림과 같은 Network에서 Critical Path상의 표준공기를 구하시오. (단, 화살선상의 숫자는 공사 소요일수이다.)

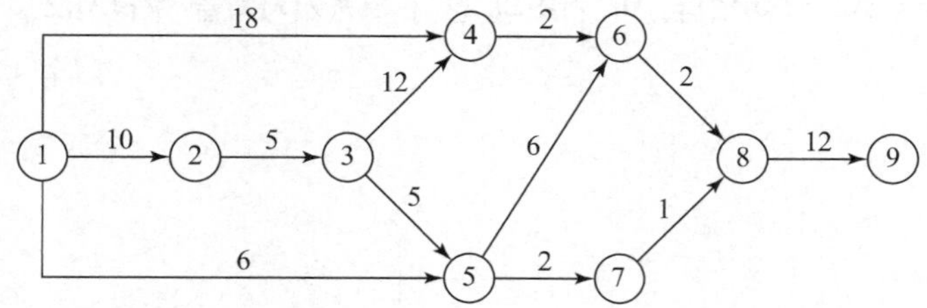

답 : ______________

해답

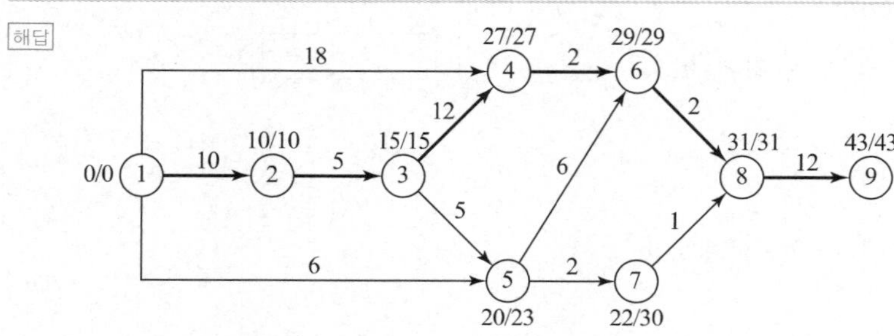

- C.P : ①→②→③→④→⑥→⑧→⑨
- 공기 : 43일

□□□ 93③, 99②, 01②, 02④, 04④, 05②, 11②, 15④, 18③ 【3점】

23 연약점토층의 두께가 10m인 현장 지반에서 시료를 채취하여 압밀시험을 실시하였다. 이 때 압밀 시험한 결과 하중강도가 2.4kg/cm^2(240kN/m^2)에서 3.6kg/cm^2(360kN/m^2)으로 증가할 때, 간극비는 1.8에서 1.2로 감소하였다. 이 지반 위에 단위중량 2.0t/m^3(20kN/m^3)인 성토재를 5m 성토할 때 최종침하량을 구하시오. (단, 원지반의 간극비(e_o)는 2.2이다.)

계산 과정)

답 : ______________

해답

■ [MKS] 단위

$$S = m_v \Delta PH = \frac{a_v}{1+e_o} \cdot \Delta P \cdot H$$

- $a_v = \dfrac{e_1 - e_2}{P_2 - P_1} = \dfrac{1.8-1.2}{3.6-2.4}$

  $= 0.5\text{cm}^2/\text{kg} = 0.05\text{m}^2/\text{t}$
- $\Delta P = 2.0 \times 5 = 10\text{t/m}^2$ • $H = 10\text{m}$
- $m_v = \dfrac{a_v}{1+e_o} = \dfrac{0.05}{1+2.2} = 0.0156\text{m}^2/\text{t}$

$\therefore\ S = 0.0156 \times 10 \times 10 = 1.56\text{m}$

■ [SI] 단위

$$S = m_v \Delta PH = \frac{a_v}{1+e_o} \cdot \Delta P \cdot H$$

- $a_v = \dfrac{e_1 - e_2}{P_2 - P_1} = \dfrac{1.8-1.2}{360-240} = 5 \times 10^{-3}\text{m}^2/\text{kN}$
- $\Delta P = 20 \times 5 = 100\text{kN/m}^2$ • $H = 10\text{m}$
- $m_v = \dfrac{a_v}{1+e_o} = \dfrac{5 \times 10^{-3}}{1+2.2}$

  $= 1.56 \times 10^{-3}\text{m}^2/\text{kN}$

$\therefore\ S = 1.56 \times 10^{-3} \times 100 \times 10 = 1.56\text{m}$

□□□ 03④, 05④, 08②, 15④ 【18점】

24 주어진 슬래브의 도면 및 조건에 따라 다음 물량을 산출하시오. (단위 : mm)

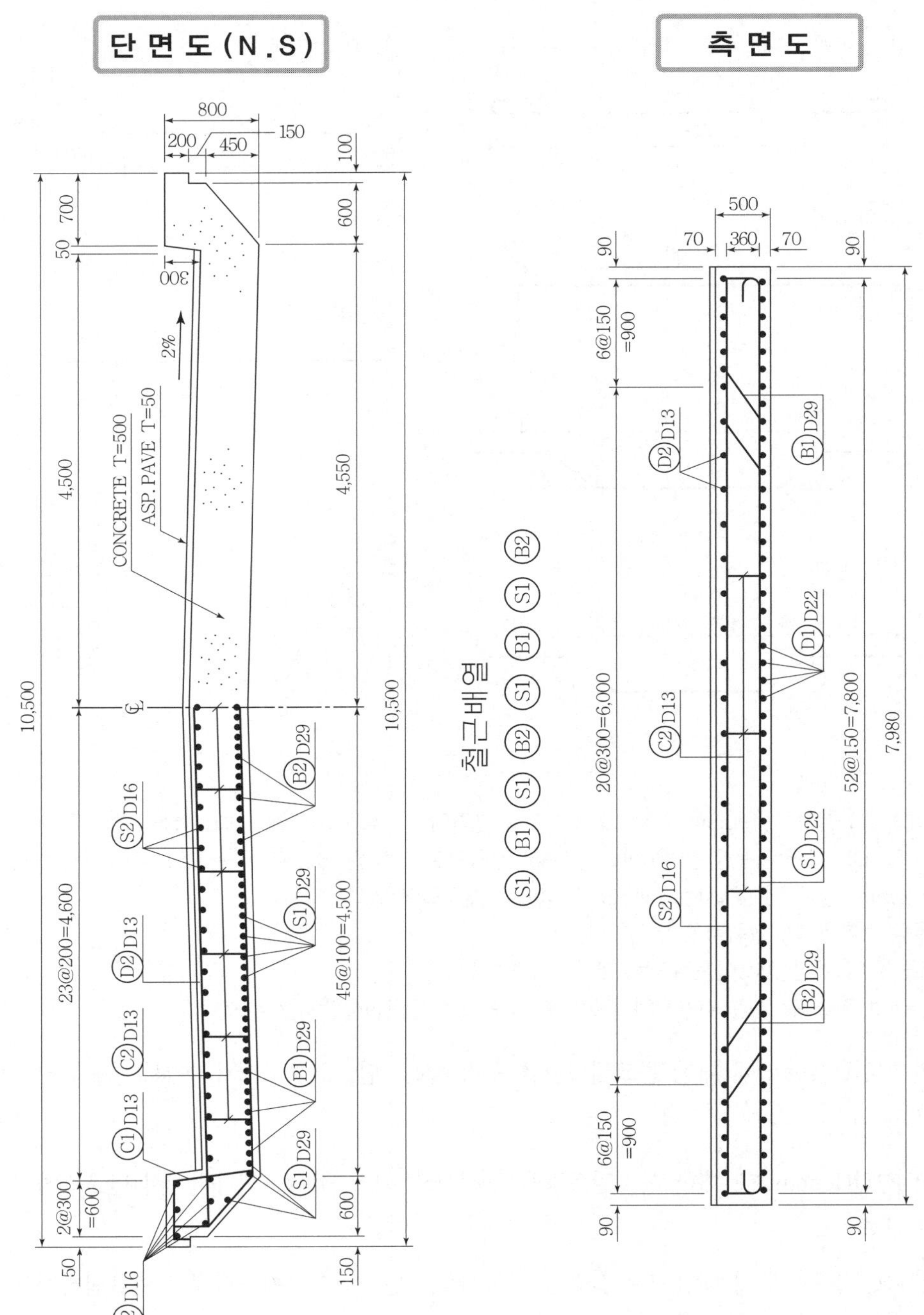

철근상세도

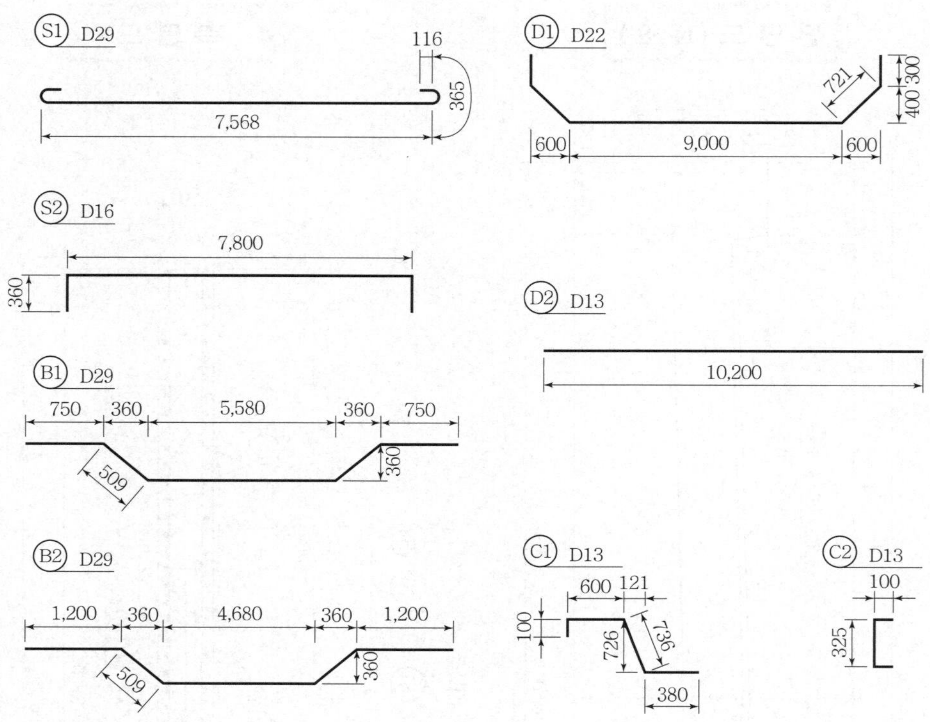

【조 건】

- B1과 B2 철근은 400mm 간격으로 200mm 간격의 S1 철근 사이에 교대로 배치되어 있다.
- D2와 C1 철근은 동일한 위치에 동일한 간격으로 배치된 것으로 측면도와 같이 중앙부에서는 300mm, 양쪽 단부에서는 150mm 간격으로 배근되어 있다.
- 물량산출에서의 할증률은 무시한다.
- 철근길이 계산에서 이음길이는 계산하지 않는다.
- 슬래브 기울기 2%는 시공시에만 고려할 사항으로 물량산출에서는 무시한다.

가. 한 경간(1 span)에 대한 콘크리트량을 구하시오. (단, 소수 4째자리에서 반올림하시오.)

계산 과정)

답 :

나. 한 경간(1 span)에 대한 아스팔트량을 구하시오. (단, 소수 4째자리에서 반올림하시오.)

계산 과정)

답 :

다. 한 경간(1 span)에 대한 거푸집량을 구하시오. (단, 소수 4째자리에서 반올림하시오.)

계산 과정)

답 :

라. 한 경간(1 span)에 대한 다음 철근물량표를 완성하시오.

기호	직경	길이(mm)	수량	총길이(mm)	기호	직경	길이(mm)	수량	총길이(mm)
B1					D1				
B2					S1				
C1					S2				

해답 가.

- $A_1 = 0.10 \times 0.2 = 0.02\text{m}^2$
- $A_2 = \dfrac{0.35 + 0.8}{2} \times 0.6 = 0.345\text{m}^2$
- $A_3 = \dfrac{0.05 \times 0.3}{2} = 0.0075\text{m}^2$
- $A_4 = 4.55 \times 0.5 = 2.275\text{m}^2$
- 총단면적$= \Sigma A \times 2$(좌우)
  $= (0.02 + 0.345 + 0.0075 + 2.275) \times 2$
  $= 2.6475 \times 2 = 5.295\text{m}^2$

∴ 콘크리트량 = 총단면적×측면도 길이$= 5.295 \times 7.980 = 42.254\text{m}^3$

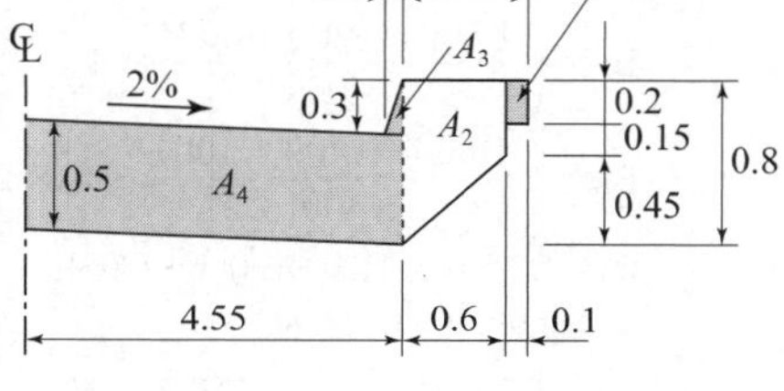

나. $\text{A} = 4.50 \times 0.05 = 0.225\text{m}^2$

∴ 아스팔트량 =총단면적×측면도 길이
$= 0.225 \times 2$(좌우)$\times 7.980$
$= 3.591\text{m}^3$

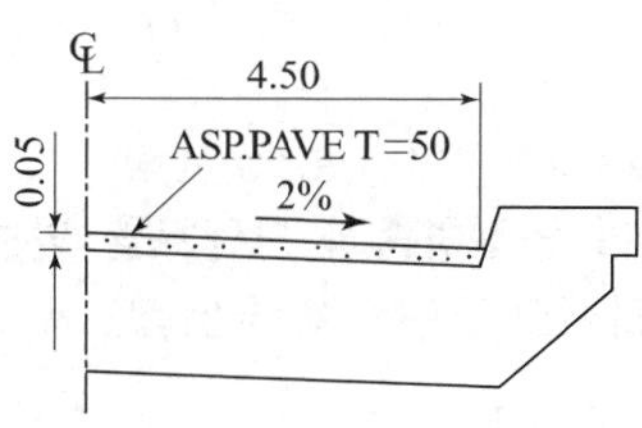

다.

- $\overline{\text{AB}} = 4.55\text{m}$
- $\overline{\text{BC}} = \sqrt{0.6^2 + 0.45^2} = 0.750\text{m}$
- $\overline{\text{CD}} = 0.15\text{m}$
- $\overline{\text{DE}} = 0.10\text{m}$
- $\overline{\text{EF}} = 0.20\text{m}$
- $\overline{\text{GH}} = \sqrt{0.30^2 + 0.05^2} = 0.304\text{m}$
- 거푸집면 길이$= 4.55 + 0.75 + 0.15$
  $+ 0.1 + 0.2 + 0.304$
  $= 6.054\text{m}$

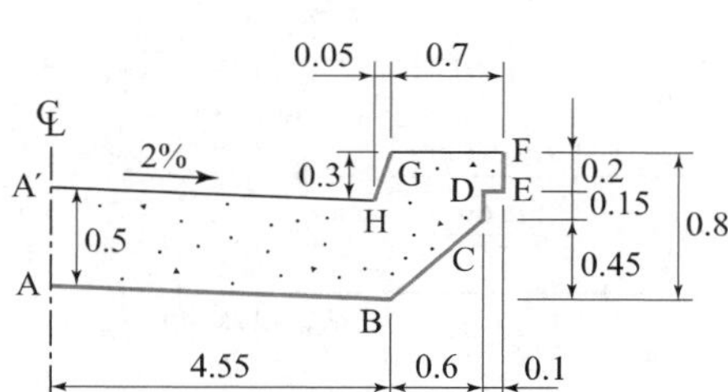

∴ 거푸집량$= 6.054 \times 7.980 \times 2 = 96.622\text{m}^2$

- span 마구리면$= 5.295 \times 2 = 10.590\text{m}^2$

∴ 총거푸집량 $= 96.622 + 10.590 = 107.212\text{m}^2$

라. 한 경간에 대한 철근물량표

기호	직경	길이(mm)	수량	총길이(mm)	기호	직경	길이(mm)	수량	총길이(mm)
B1	D29	8,098	22	178,156	D1	D22	11,042	53	585,226
B2	D29	8,098	22	178,156	S1	S29	8,530	49	417,970
C1	D13	1,816	66	119,856	S2	S29	8,520	57	485,640

철근물량 산출근거

$$B1=\left\{\frac{4{,}500-(200+300)}{400}+1\right\}\times 2=22\text{本}$$

$$B2=\left\{\frac{4{,}500-(400+100)}{400}+1\right\}\times 2=22\text{本}$$

$$C1=D2\times 2=(6@+20@+6@+1)=32+1=33\text{本}$$

$$D1=52@+1=53\text{本}$$

$$S1=\left\{\frac{4{,}500-(100+200)}{200}+1\right\}\times 2+1+2\times 2=49\text{本}$$

S2 = {(간격수+1)+끝단 철근}×2−1

$$=\{(23+1)+5\}\times 2-1=57\text{本}$$

□□□ 94④, 99④, 00⑤, 06④, 15①④, 18③, 22③ 【3점】

25 그림과 같이 연직하중과 모멘트를 받는 구형기초의 극한하중과 안전율을 Terzaghi 공식을 이용하여 구하시오. (단, $N_c=37.2$, $N_q=22.5$, $N_r=19.7$이다.)

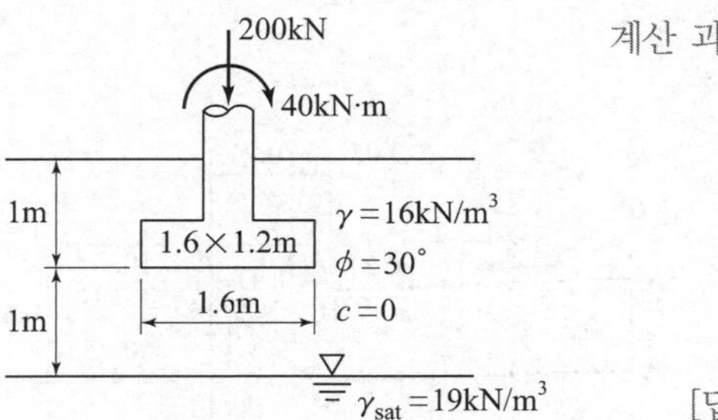

계산 과정)

[답] 극한하중 : ______________, 안전율 : ______________

해답 안전율 $F_s=\dfrac{Q_u}{Q_a}$

- 편심거리 $e=\dfrac{M}{Q}=\dfrac{40}{200}=0.2\,\text{m}$
- 유효길이 $L'=L-2e=1.6-2\times 0.2=1.2\text{m}$ ∴ 정사각형 기초
- $d<B$ (1m < 1.2m)인 경우

$$\gamma_1 = \gamma_{\text{sub}} + \frac{d}{B}(\gamma_t - \gamma_{\text{sub}})$$

$$= (19 - 9.81) + \frac{1}{1.2}\{16 - (19 - 9.81)\} = 14.87\,\text{kN/m}^3$$

- $q_u = \alpha\, c\, N_c + \beta \gamma_1 B\, N_r + \gamma_2 D_f N_q$
- 정사각형 기초 : $\alpha = 1.3, \quad \beta = 0.4$

$\therefore q_u = 0 + 0.4 \times 14.87 \times 1.2 \times 19.7 + 16 \times 1 \times 22.5$

$= 500.61\,\text{kN/m}^2$

- 극한하중 $Q_u = q_u A = q_u \cdot B' \cdot L$

$= 500.61 \times (1.2 \times 1.2) = 720.88\text{kN}$

$$\therefore\ F_s = \frac{720.88}{200} = 3.60$$

국가기술자격 실기시험문제

2016년도 기사 제1회 필답형 실기시험(기사)

종 목	시험시간	형 별	성 명	수험번호
토목기사	**3시간**	B		

※ 수험자 인적사항 및 계산식을 포함한 답안 작성은 검은색 필기구만 사용하여야 하며, 그 외 연필류, 빨간색, 청색 등 필기구로 작성한 답안은 0점 처리됩니다.

□□□ 09①, 11②, 15④, 16① 【3점】

01 지하수가 높은 경우 지하구조물 설계시 양압력에 대해 검토하고 그에 따른 처리방안을 강구해야 한다. 양압력 처리방법을 3가지만 쓰시오.

① ______ ② ______ ③ ______

해답 ① 사하중에 의한 방법
② 부력앵커시스템 방법
③ 영구배수처리방법

□□□ 97④, 00⑤, 04①, 10①, 16① 【3점】

02 기존 아스팔트 포장에 생긴 균열에 대한 일반적인 보수방법을 3가지만 쓰시오.

① ______ ② ______ ③ ______

해답 ① 오버레이(over lay) ② 절삭 오버레이 ③ 표면처리 ④ 패칭(patching)

□□□ 09②, 11②, 16① 【3점】

03 도로에서 기층은 표층에 가해지는 하중을 분산시켜 보조기층에 전달하며, 교통하중에 의한 전단에 저항하는 역할을 한다. 이러한 역할을 하는 기층을 만들기 위해 사용되는 공법을 3가지만 쓰시오.

① ______ ② ______ ③ ______

해답 ① 입도조정공법 ② 시멘트 안정처리공법
③ 아스팔트 안정처리공법 ④ 석회 안정처리공법

□□□ 88③, 89②, 94②, 97①, 01②, 03①, 04②④, 07①, 09①, 12①, 13①②, 16①, 18③ 【6점】

04 버킷 용량 3.0m^3의 쇼벨과 15ton 덤프트럭을 사용하여 토공사를 하고 있다. 아래 조건에 따라 다음 물음에 답하시오.

- 흙의 단위중량 : 1.8t/m^3
- 토량변화율(L) : 1.2
- 쇼벨의 버킷계수 : 1.1
- 사이클타임 : 30초
- 쇼벨의 작업효율 : 0.5
- 덤프트럭의 사이클타임 : 30분
- 덤프트럭의 작업효율 : 0.8
- 덤프트럭의 사이클타임 중 상차시간 : 2분
- 덤프트럭 1대를 적재하는 데 필요한 셔블의 사이클 횟수 : 3

가. 쇼벨의 시간당 작업량은 얼마인가?

계산 과정)　　　　답 : ______

나. 덤프트럭의 시간당 작업량은 얼마인가?

계산 과정)　　　　답 : ______

다. 쇼벨 1대당 덤프트럭의 소요대수는 얼마인가?

계산 과정)　　　　답 : ______

해답 가. $Q_S = \dfrac{3{,}600 \cdot q \cdot K \cdot f \cdot E}{C_m} = \dfrac{3{,}600 \times 3.0 \times 1.1 \times \dfrac{1}{1.2} \times 0.5}{30} = 165\text{m}^3/\text{hr}$

나. $Q_t = \dfrac{60 \cdot q_t \cdot f \cdot E}{C_m} = \dfrac{60 \cdot q_t \cdot \dfrac{1}{L} \cdot E}{C_m}$

- $q_t = \dfrac{T}{\gamma_t} \cdot L = \dfrac{15}{1.8} \times 1.2 = 10\text{m}^3$

$\therefore\ Q_s = \dfrac{60 \times 10 \times \dfrac{1}{1.2} \times 0.8}{30} = 13.33\text{m}^3/\text{hr}$

다. $N = \dfrac{Q_S}{Q_t} = \dfrac{165}{13.33} = 12.38$대 $\therefore$ 13대

□□□ 96①, 98③, 08④, 11②, 12④, 16① 【3점】

05 직경 30cm 평판재하시험에서 작용압력이 200kN/m^2일 때 침하량이 15mm라면, 직경 1.5m의 실제 기초에 200kN/m^2의 압력이 작용할 때 사질토 지반에서의 침하량의 크기는 얼마인가?

계산 과정)　　　　답 : ______

해답 침하량 $S_F = S_P\left(\dfrac{2B_F}{B_F + B_P}\right)^2 = 15 \times \left(\dfrac{2 \times 1.5}{1.5 + 0.3}\right)^2 = 41.67\text{ mm}$(∵ 사질토지반)

□□□ 00②, 10②, 13②, 16①, 17④ 【10점】

06 **다음 표와 같은 설계조건 및 재료, 참고표를 이용하여 콘크리트를 배합설계하여 아래 배합표를 완성하시오.**

【설계조건 및 재료】

- 물-시멘트비는 50%로 한다.
- 굵은골재는 최대치수 20mm의 부순돌을 사용한다.
- 양질의 공기연행제(AE제)를 사용하며 그 사용량은 시멘트 질량의 0.03%로 한다.
- 목표로 하는 슬럼프는 100mm, 공기량은 5%로 한다.
- 사용하는 시멘트는 보통포틀랜드시멘트로서 밀도는 0.00315g/mm^{3}이다.
- 잔골재의 표건밀도는 0.0026g/mm^{3}이고, 조립률은 2.85이다.
- 굵은골재의 표건밀도는 0.0027g/mm^{3}이다.

【배합설계 참고표】

굵은 골재 최대 치수 (mm)	단위 굵은 골재 용적 (%)	공기연행제를 사용하지 않은 콘크리트			공기연행 콘크리트				
		갇힌 공기 (%)	잔골재율 S/a(%)	단위 수량 (kg/m^3)	공기량 (%)	양질의 공기연행제를 사용한 경우		양질의 공기연행 감수제를 사용한 경우	
						잔골재율 S/a(%)	단위수량 W(kg/m^3)	잔골재율 S/a(%)	단위수량 W(kg/m^3)
15	58	2.5	53	202	7.0	47	180	48	170
20	62	2.0	49	197	6.0	44	175	45	165
25	67	1.5	45	187	5.0	42	170	43	160
40	72	1.2	40	177	4.5	39	165	40	155

주 1) 이 표의 값은 보통의 입도를 가진 잔골재(조립률 2.8 정도)와 부순돌을 사용한 물-시멘트비 55% 정도, 슬럼프 80mm 정도의 콘크리트에 대한 것이다.

2) 사용재료 또는 콘크리트의 품질이 주 1)의 조건과 다를 경우에는 위의 표의 값을 아래 표에 따라 보정한다.

구 분	S/a의 보정(%)	W의 보정(kg)
잔골재의 조립률이 0.1만큼 클(작을) 때마다	0.5만큼 크게(작게) 한다.	보정하지 않는다.
슬럼프값이 10mm만큼 클(작을) 때마다	보정하지 않는다.	1.2%만큼 크게(작게) 한다.
공기량이 1%만큼 클(작을) 때마다	0.5~1만큼 작게(크게) 한다.	3%만큼 작게(크게) 한다.
물-시멘트비가 0.05 클(작을) 때마다	1만큼 크게(작게) 한다.	보정하지 않는다.
S/a가 1% 클(작을) 때마다	보정하지 않는다.	1.5kg 만큼 크게(작게) 한다.

비고 : 단위굵은골재용적에 의하는 경우에는 모래의 조립률이 0.1만큼 커질(작아질) 때마다 단위굵은골재용적을 1만큼 작게(크게) 한다.

【답】 배합표

굵은골재 최대치수 (mm)	슬럼프 (mm)	공기량 (%)	W/C (%)	잔골재율 S/a(%)	단위량(kg/m^3)				혼화제 단위량 (g/m^3)
					물 (W)	시멘트 (C)	잔골재 (S)	굵은골재 (G)	
20	100	5	50						

해답

• 잔골재율과 단위수량의 보정

보정항목	배합 참고표	설계조건	잔골재율(S/a) 보정	단위수량(W)의 보정
굵은골재의 치수 20mm일 때			$S/a=44\%$	$W=175\text{kg}$
잔골재의 조립률	2.80	2.85(↑)	$\dfrac{2.85-2.80}{0.10}\times(+0.5)$ $=+0.25\%(\uparrow)$	보정하지 않는다.
슬럼프값	80mm	100mm(↑)	보정하지 않는다.	$\dfrac{100-80}{10}\times 1.2=2.4\%(\uparrow)$
공기량	6	5(↓)	$\dfrac{6-5}{1}\times(+0.75)$ $=+0.75\%(\uparrow)$	$\dfrac{6-5}{1}\times(+3)=+3\%(\uparrow)$
W/C	55%	50%(↓)	$\dfrac{0.55-0.50}{0.05}\times(-1)$ $=-1.0\%(\downarrow)$	보정하지 않는다.
S/a	44.00%	44%	보정하지 않는다.	$\dfrac{44-44}{1}\times(+1.5)=0$
보정값			$S/a=44+0.25+0.75-1.0=44.00\%$	$175\left(1+\dfrac{2.4}{100}+\dfrac{3}{100}\right)+0=184.45\text{kg}$

• 단위수량 $W=184.45\text{kg/m}^3$

• 단위시멘트량 C : $\dfrac{W}{C}=0.50 \quad =\dfrac{184.45}{0.50}=368.90 \quad \therefore\ C=368.90\text{kg/m}^3$

• 공기연행(AE)제 : $368.90\times\dfrac{0.03}{100}=0.11067\text{kg/m}^3=110.67\text{g/m}^3$

• 단위골재량의 절대체적

$$V_a=1-\left(\frac{\text{단위수량}}{1{,}000}+\frac{\text{단위시멘트}}{\text{시멘트 밀도}\times 1{,}000}+\frac{\text{공기량}}{100}\right)$$

$$=1-\left(\frac{184.45}{1{,}000}+\frac{368.90}{3.15\times 1{,}000}+\frac{5}{100}\right)=0.648\text{m}^3$$

• 단위잔골재량

$$S=V_a\times S/a\times \text{잔골재 밀도}\times 1{,}000$$

$$=0.648\times 0.44\times 2.6\times 1{,}000=741.31\text{kg/m}^3$$

• 단위굵은골재량

$G=V_g\times(1-S/a)\times$ 굵은골재 밀도 $\times 1{,}000$

$=0.648\times(1-0.44)\times 2.7\times 1{,}000=979.78\,\text{kg/m}^3$

• 배합표

굵은골재 최대치수 (mm)	슬럼프 (mm)	공기량(%)	W/C (%)	잔골재율 S/a(%)	단위량(kg/m^3)				혼화제 단위량 (g/m^3)
					물 (W)	시멘트 (C)	잔골재 (S)	굵은골재 (G)	
20	100	5	50	44	184.45	368.90	741.31	979.78	110.67

□□□ 16① 【3점】

07 10m 깊이의 쓰레기층을 동다짐(dynamic compaction 또는 heavy tamping)을 이용하여 개량하려고 한다. 사용할 해머 중량이 20t, 하부 면적 반경 2m의 원형블록을 이용한다면 해머의 낙하고를 구하시오. (단, 보정계수 α : 0.5 이다.)

계산 과정) 답 : ______

해답 심도 $D=\alpha\sqrt{WH}$에서

$10=0.5\sqrt{20\times H}$

$\therefore\ H=20\text{m}$

참고 SOLVE 사용

□□□ 05①, 08④, 12②, 16①, 22① 【3점】

08 연약지반에 설치한 교대에 발생하기 쉬운 측방유동에 영향을 미치는 주요 요인을 3가지만 쓰시오.

① ______ ② ______ ③ ______

해답 ① 교대배면의 뒤채움 편재하중 ② 교대배면의 성토높이
③ 교대하부 연약층의 두께 ④ 교대하부 연약층의 전단강도

□□□ 87②, 16①, 20② 【3점】

09 록볼트(rock bolt)의 역할을 3가지만 쓰시오.

① ______ ② ______ ③ ______

해답 ① 봉합효과 ② 보형성효과
③ 내압효과 ④ 아치형성효과
⑤ 지반보강효과

□□□ 04①, 06②, 08④, 12④, 16①, 18③ 【10점】

10 다음의 작업리스트를 이용하여 아래 물음에 답하시오.

(단, 표준일수에 대한 간접비가 60만원이고 1일 단축 시 5만원씩 감소하며, 표준일수에 대한 직접비는 60만원이다.)

작업명	선행작업	후속작업	표준일수	특급일수	1일 단축하는 데 필요한 직접비용 증가액(만원/일)
A	–	B, C	5	2	6
B	A	E	4	2	4
C	A	F	6	4	7
D	–	G	5	4	5
E	B	H	6	3	8
F	C	–	4	3	5
G	D	H	7	5	8
H	E, G	–	5	3	9

가. Network(화살선도)를 작도하고 표준일수에 대한 C.P를 구하시오.

나. 최적공기와 그때의 총공사비를 구하시오.

계산 과정)　　　　　[답] 최적공기 : ＿＿＿＿＿, 총공사비 : ＿＿＿＿＿

해답 가.

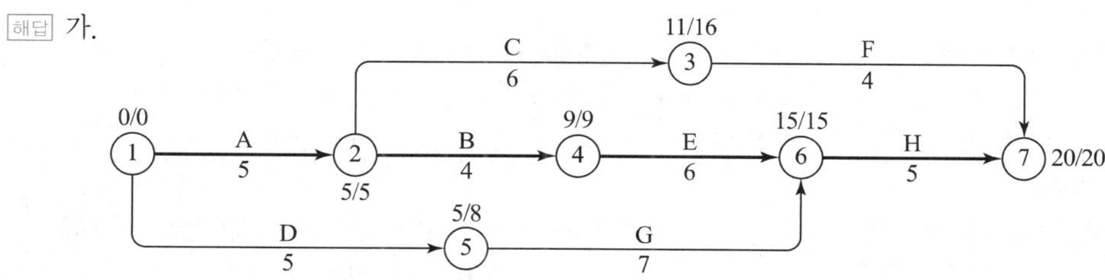

CP : A → B → E → H

나.

작업명	단축일수	비용경사	20	19	18	17	16
A	3	6(만원/일)				1	
B	2	4(만원/일)		1	1		
C	2	7(만원/일)					
D	1	5(만원/일)					
E	3	8(만원/일)					
F	1	5(만원/일)					
G	2	8(만원/일)					
H	2	9(만원/일)					1
직 접 비(만원)			60	64	68	74	83
간 접 비(만원)			60	55	50	45	40
총공사비(만원)			120	119	118	119	123

∴ 최적공기 : 18일, 총공사비 : 118만원

□□□ 92④, 99③, 01①, 08①, 09①, 12④, 16① 【3점】

11 다음과 같은 조건일 때, 직사각형 복합확대기초의 크기(B, L)를 구하시오.

【조 건】

지반의 허용지지력 $q_a = 150\text{kN/m}^2$, 기둥 1 : $0.4\text{m} \times 0.4\text{m}$, $Q_1 = 600\text{kN}$
기둥 2 : $0.5\text{m} \times 0.5\text{m}$, $Q_2 = 900\text{kN}$

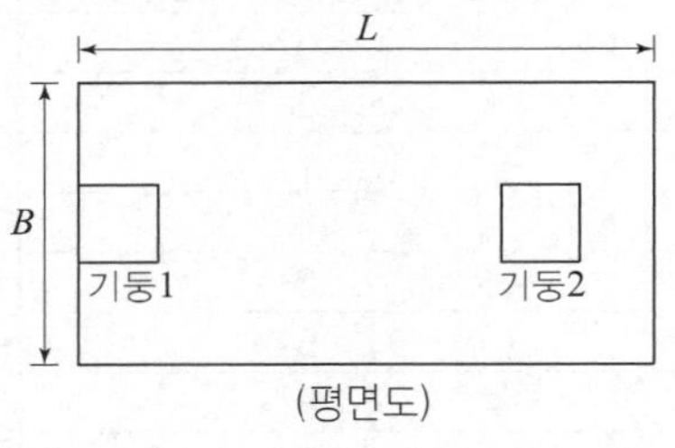

(평면도)

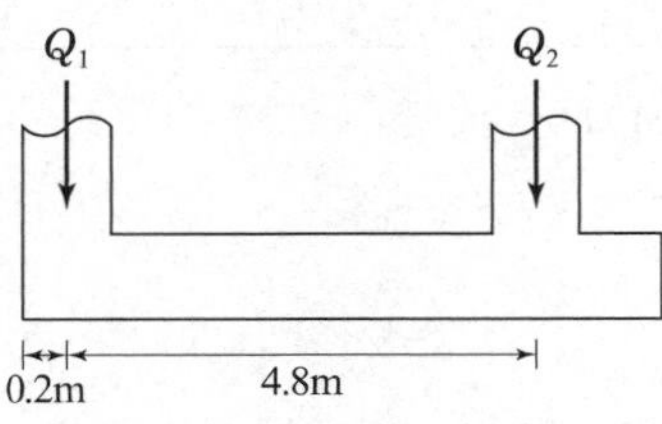

계산 과정)

답 : ______________

해답 ■ 공식에 의한 방법

$$L = 2a + \frac{2Q_2 \cdot S}{Q_1 + Q_2} = 2 \times 0.2 + \frac{2 \times 900 \times 4.8}{600 + 900}$$
$$= 6.16\text{m}$$
$$B = \frac{Q_1 + Q_2}{q_a \cdot L} = \frac{600 + 900}{150 \times 6.16} = 1.62\text{m}$$

■ 평형방정식 조건식에 의한 방법

$$\Sigma F_v = 0 \; : \; Q_1 + Q_2 = q_a \cdot (B \cdot L)$$
$$B \cdot L = \frac{Q_1 + Q_2}{q_a} = \frac{600 + 900}{150} = 10 \; \cdots\cdots\cdots\cdots\cdots \; (1)$$
$$\Sigma M_0 = 0 \; : \; 600 \times 0.2 + 900 \times 5.0 = q_a \cdot (B \cdot L) \cdot \frac{L}{2}$$
$$B \cdot L^2 = \frac{600 \times 0.2 + 900 \times 5.0}{150 \times \frac{1}{2}} = 61.6 \; \cdots\cdots\cdots\cdots \; (2)$$

(1)과 (2)에서 $10L = 61.6\text{m}$

$\therefore \; L = 6.16\text{m}, \; B = 1.62\text{m}$

□□□ 94②, 00②, 05①, 08②, 09②, 14②, 16①, 20① 【3점】

12 Sand Drain 공법으로 연약지반을 개량할 때 U_v(연직방향 압밀도)=0.9, U_h(수평방향 압밀도)=0.4인 경우 전체 압밀도(U)는 얼마인가?

○

해답 $U = \{1 - (1 - U_h)(1 - U_v)\} \times 100$
$= \{1 - (1 - 0.4)(1 - 0.9)\} \times 100 = 94\%$

□□□ 16① 【3점】

13 **현장투수시험은 보링에 의하여 형성된 공내의 수위를 양수 혹은 주수에 의해 변화시켜 놓고 이의 회복상황과 시간과의 관계를 관측하여 투수계수를 산출하여 지반의 투수성을 판단하는 시험으로 양수시험과 주수시험으로 구분한다.**

가. 양수시험의 종류 2가지를 쓰시오.

① ______________________ ② ______________________

나. 주수시험의 종류 2가지를 쓰시오.

① ______________________ ② ______________________

해답 가. ① 단계양수 시험법 ② 대수층 시험법
나. ① 정수위법 ② 변수위법

□□□ 07②④, 09②, 10①④, 16① 【3점】

14 **어떤 토공현장에서 흙시료를 채취하여 실내 다짐시험하여 최대건조단위중량 19.4kN/m^3, 최적함수비 10.3%를 얻었다. 이 현장에서 다짐을 실시하여 상대다짐도 95% 이상을 얻으려고 한다. 다짐을 실시한 후 들밀도시험을 실시하였더니 $V=1,630\text{cm}^3$, $W=29.34\text{N}$이었다. 흙의 비중이 2.62, 현장 흙의 함수비가 9.8%일 때 합격 여부를 판정하시오.**

계산 과정) 답 : ______________

해답 다짐도 $R=\dfrac{\gamma_d}{\gamma_{d\max}}\times 100$, 합격($R\geq 95\%$), 불합격($R<95\%$)

• $\gamma_t=\dfrac{W}{V}=\dfrac{29.34\times 10^{-3}}{1,630\times 100^{-3}}=18\,\text{kN/m}^3$

• $\gamma_d=\dfrac{\gamma_t}{1+w}=\dfrac{18}{1+0.098}=16.39\,\text{kN/m}^3$

$\therefore\ R=\dfrac{16.39}{19.4}\times 100=84.48\,\%<95\%$ ∴ 불합격

□□□ 16① 【3점】

15 **모터그레이더로 작업거리 50m인 노상을 정지작업할 때 1시간당 작업량을 구하시오. (단, 블레이드의 유효길이 $l=2.9\text{m}$, 흙 고르기 두께 $D=0.3\text{m}$, 사이클 타임 $C_m=0.96\text{min}$, 부설횟수 $N=3$회, 토량환산계수 $f=1.0$, 작업효율 $E=0.6$)**

계산 과정) 답 : ______________

해답 $Q=\dfrac{60\cdot l\cdot L\cdot D\cdot f\cdot E}{C_m\cdot N}=\dfrac{60\times 2.9\times 50\times 0.3\times 1.0\times 0.6}{0.96\times 3}$

$=543.75\,\text{m}^3/\text{hr}$

□□□ 07①, 09④, 10④, 12①, 16①, 23② 【3점】

16 아래 그림과 같은 지반에서 지하수위가 지표면에 위치하다가 지표하부 2m까지 저하하였다. 점토지반의 압밀침하량을 산정하시오. (단, 정규압밀 점토임.)

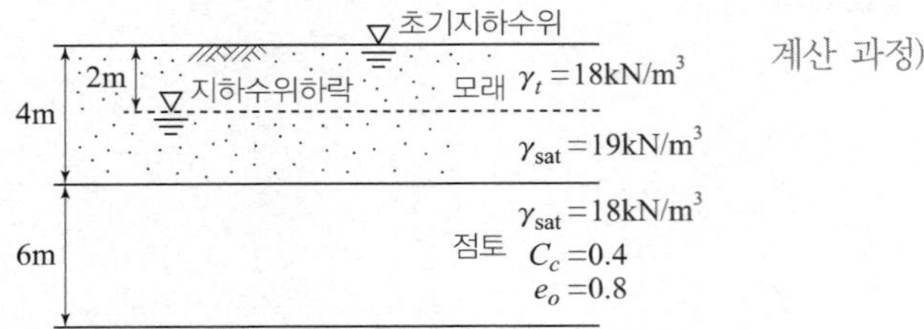

계산 과정)

답 : ____________

해답 침하량 $\Delta H = \dfrac{C_c H}{1+e_0} \log \dfrac{P_2}{P_1}$

- $P_1 = \gamma_{sub} H_1 + \gamma_{sub} \dfrac{H_3}{2} = (19-9.81)\times 4 + (18-9.81)\times \dfrac{6}{2} = 61.33\,kN/m^2$
- $P_2 = \gamma_t H_1 + \gamma_{sub1} H_2 + \gamma_{sub2} \dfrac{H_3}{2}$
  $= 18\times 2 + (19-9.81)\times(4-2) + (18-9.81)\times \dfrac{6}{2} = 78.95\,kN/m^2$

$\therefore\ \Delta H = \dfrac{0.4\times 6}{1+0.8} \times \log \dfrac{78.95}{61.33} = 0.1462\,m = 14.62\,cm$

□□□ 87③, 16① 【3점】

17 $\phi = 0°$이고, $c = 0.04MPa$, $\gamma_t = 18kN/m^3$인 단단한 점토지반 위에 근입깊이 1.5m의 정방형 기초가 놓여 있다. 이때, 이 기초의 도심에 1,500kN의 하중이 작용하고 지하수위의 영향은 없다고 한다. 이 기초의 기초폭 B는?
(단, Terzaghi의 지지력공식을 이용하고, 안전율 $F_s = 3$, 형상계수 $\alpha = 1.3$, $\beta = 0.4$, $\phi = 0°$일 때 지지력계수는 $N_c = 5.14$, $N_r = 0$, $N_q = 1.0$이다.)

계산 과정)

답 : ____________

해답
- $q_u = \alpha c N_c + \beta \gamma_1 B N_r + \gamma_2 D_f N_q$
  $= 1.3\times 40\times 5.14 + 0.4\times 18\times B\times 0 + 18\times 1.5\times 1.0$
  $= 294.28\,kN/m^2$
  ($\because\ c = 0.04MPa = 0.04N/mm^2 = 40kN/m^2$)
- 허용지지력 $q_a = \dfrac{q_u}{F_s} = \dfrac{294.28}{3} = 98.09\,kN/m^2$
- $q_a = \dfrac{P}{B^2}$에서 $B^2 = \dfrac{P}{q_a} = \dfrac{1,500}{98.09}$

$\therefore\ B = \sqrt{\dfrac{1,500}{98.09}} = 3.91\,m$

□□□ 16① 【3점】

18 **다음은 피어공법인 대구경 현장타설말뚝의 기계굴착공법의 특징을 정리한 표이다. (a), (b), (c)에 들어갈 공법 명칭을 쓰시오.**

공법명칭	(a)	(b)	(c)
공법유지	정수압	casing tube	bentonite
적용토질	사력토, 암반	암반을 제외한 전 토질	점성토
굴착장비	drill bit	hammer grab	회전 bucket
최대구경	6m	2m	2m
최대심도	100~200m	40~50m	40~50m

(a) : ________ (b) : ________ (c) : ________

해답 (a) : RCD공법(역순환공법, reverse circulation drill)
(b) : 베노토공법(benoto method)
(c) : 어스드릴공법(earth drill method)

□□□ 94②, 96⑤, 97④, 98②, 99⑤, 00①, 04②, 06①, 10④, 11④, 12①, 14④, 16① 【3점】

19 **도로 예정노선에서 일곱지점의 CBR을 측정하여 아래 표와 같은 결과를 얻었다. 설계 CBR은 얼마인가? (단, 설계계산용 계수 d_2는 2.83)**

지점	1	2	3	4	5	6	7
CBR	4.2	3.6	6.8	5.2	4.3	3.4	4.9

계산 과정) 답 : ________

해답 설계 CBR = 평균 CBR $-\dfrac{CBR_{max}-CBR_{min}}{d_2}$

• 평균 CBR $=\dfrac{\Sigma CBR값}{n}=\dfrac{4.2+3.6+6.8+5.2+4.3+3.4+4.9}{7}=4.63$

∴ 설계 CBR $=4.63-\dfrac{6.8-3.4}{2.83}=3.43$

∴ 3(∵ 설계 CBR은 소수점 이하는 절삭한다.)

□□□ 01①, 07④, 09④, 16①, 23① 【3점】

20 **교량을 상판의 위치에 따라 분류할 때 그 종류를 4가지만 쓰시오.**

① ________ ② ________ ③ ________ ④ ________

해답 ① 상로교(上路橋) ② 중로교(中路橋) ③ 하로교(下路橋) ④ 2층교(二層橋)

□□□ 07②, 10②, 13④, 16①, 22①, 23② 【4점】

21 **아래 그림과 같이 6.0m의 연직옹벽에 연속적인 강우로 뒤채움 흙이 완전 포화되어 있다. 뒤채움 흙은 포화밀도 $\gamma_{sat}=19.8\text{kN/m}^3$, 내부마찰각 $\phi=38°$ 인 사질토이며, 벽면마찰각 $\delta=15°$ 이다. 이때 Coulomb의 주동토압계수는 0.219이고 파괴면이 수평면과 55° 라고 가정할 경우 아래의 물음에 답하시오.** (단, 물의 단위중량 $\gamma_w=9.81\text{kN/m}^3$)

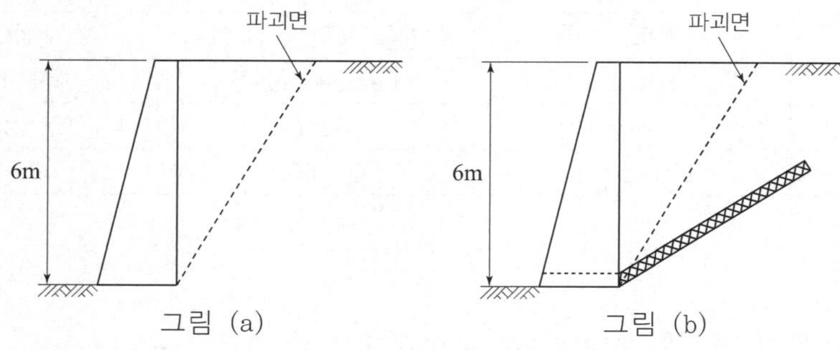

그림 (a) 그림 (b)

가. 그림 (a)와 같이 옹벽면에 배수구가 없을 경우 옹벽에 작용하는 전 주동토압을 구하시오.

계산 과정) 답 : ____________

나. 그림 (b)와 같이 파괴면 아래쪽에 배수구를 경사지게 설치했을 경우 옹벽에 작용하는 전 주동토압을 구하시오.

계산 과정) 답 : ____________

해답 가. $P_A=\frac{1}{2}\gamma_{sub}H^2C_a+\frac{1}{2}\gamma_wH^2$

$=\frac{1}{2}\times(19.8-9.81)\times6^2\times0.219+\frac{1}{2}\times9.81\times6^2$

$=39.38+176.58=215.96\text{kN/m}$

나. $P_A=\frac{1}{2}\gamma_{sat}H^2C_a$

$=\frac{1}{2}\times19.8\times6^2\times0.219=78.05\text{kN/m}$

□□□ 07②, 11④, 16① 【3점】

22 **얕은 기초(직접기초)지반에 하중을 가하면 그에 따라서 침하가 발생되면서 기초지반은 점진적인 파괴가 발생한다. 이에 대표적인 파괴형태 3가지를 쓰시오.**

① ____________ ② ____________ ③ ____________

해답 ① 국부전단파괴 ② 전반전단파괴 ③ 관입전단파괴

□□□ 01①, 03②, 13②, 16① 【3점】

23 표준관입시험의 N치가 35이고, 현장에서 채취한 모래는 입자가 둥글고 입도시험결과가 다음과 같다. Dunham의 식을 이용하여 이 모래의 내부마찰각을 추정하시오.

입도시험 결과값 : $D_{10}=0.08\text{mm}$, $D_{30}=0.12\text{mm}$, $D_{60}=0.14\text{mm}$

계산 과정) 답 :

해답 ■ 모래의 입도판정

- 균등계수 : $C_u \geq 6$, 곡률계수 : $1 \leq C_g \leq 3$ 일 때 양입도
- C_u, C_g 조건 중 어느 한 가지라도 만족하지 못하면 입도분포가 불량(빈입도)이다.

■ 모래의 입도판정

- 균등계수 $C_u = \dfrac{D_{60}}{D_{10}} = \dfrac{0.14}{0.08} = 1.75 \leq 6$: 빈입도
- 곡률계수 $C_g = \dfrac{D_{30}^2}{D_{10} \times D_{60}} = \dfrac{0.12^2}{0.08 \times 0.14} = 1.29$: $1 \leq C_g \leq 3$ 일 때 양입도

∴ 모래의 입자는 둥글고 입도분포가 불량(∵ $C_u = 1.75$, $C_g = 1.29$)

■ 입자가 둥글고 입도분포가 균등(불량)한 모래

- 내부마찰각 $\phi = \sqrt{12N} + 15 = \sqrt{12 \times 35} + 15 = 35.49°$

모래의 내부마찰각과 N의 관계(Dunham 공식)

• 입자가 둥글고 입도분포가 균등(불량)한 모래	$\phi = \sqrt{12N} + 15$
• 입자가 둥글고 입도분포가 양호한 모래 • 입자가 모나고 입도분포가 균등(불량)한 모래	$\phi = \sqrt{12N} + 20$
• 입자가 모나고 입도분포가 양호한 모래	$\phi = \sqrt{12N} + 25$

□□□ 96②③, 08②, 16① 【3점】

24 절취사면 및 굴착면에 대한 유연한 지보 등을 목적으로 네일을 프리스트레싱 없이 비교적 촘촘하게 원지반에 삽입하여, 원지반 자체의 전단강도를 증대시키고 지반변위를 억제시키는 공법은?

○

해답 소일네일링(soil nailing) 공법

□□□ 11①, 13④, 16①, 19② 【8점】

25 **주어진 역T형 교대 도면을 보고 다음 물량을 산출하시오.** (단, 교대 전체길이는 10.3m 이며, 도면의 치수단위는 mm이며, 소수점 이하 4째자리에서 반올림하시오.)

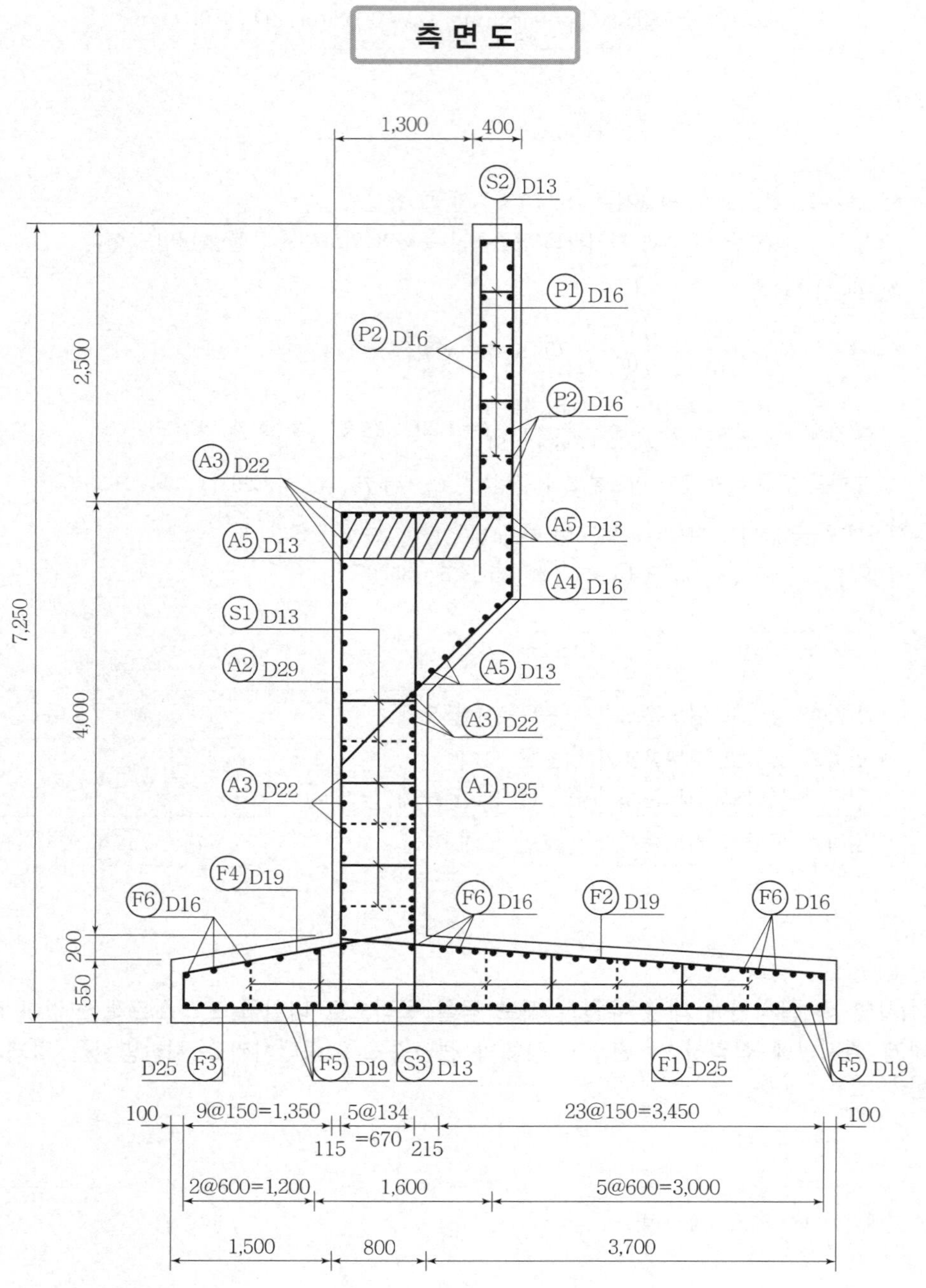

일 반 도

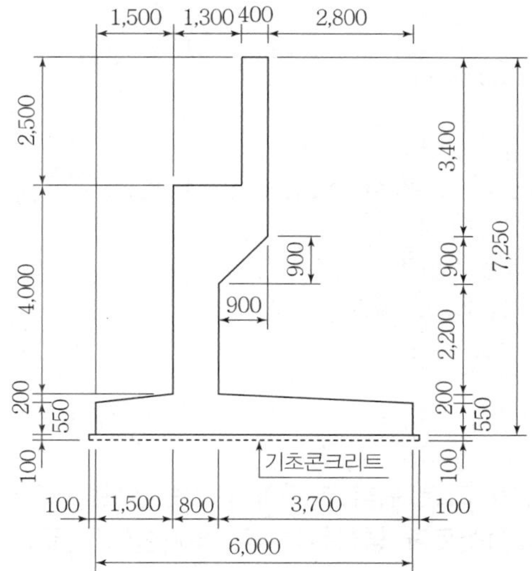

가. 교대의 전체 콘크리트량을 구하시오. (단, 기초 콘크리트량은 무시한다.)

계산 과정)

답 :

나. 교대의 전체 거푸집량을 구하시오. (단, 기초 콘크리트에 사용되는 거푸집량은 무시한다.)

계산 과정)

답 :

해답 가.

- $A_1 = 0.4 \times 2.5 = 1.0\text{m}^2$
- $A_2 = (1.3 + 0.4) \times 0.9 = 1.53\text{m}^2$
- $A_3 = \dfrac{(1.30 + 0.4) + 0.8}{2} \times 0.9 = 1.125\text{m}^2$
- $A_4 = 2.2 \times 0.8 = 1.76\text{m}^2$
- $A_5 = \dfrac{0.80 + 6.0}{2} \times 0.2 = 0.68\text{m}^2$
- $A_6 = 6.0 \times 0.55 = 3.30\text{m}^2$

총단면적 $\sum A = 1.0 + 1.53 + 1.125 + 1.76 + 0.68 + 3.30$

$= 9.395\text{m}^2$

∴ 총콘크리트량 $V = 9.395 \times 10.3 = 96.769\text{m}^3$

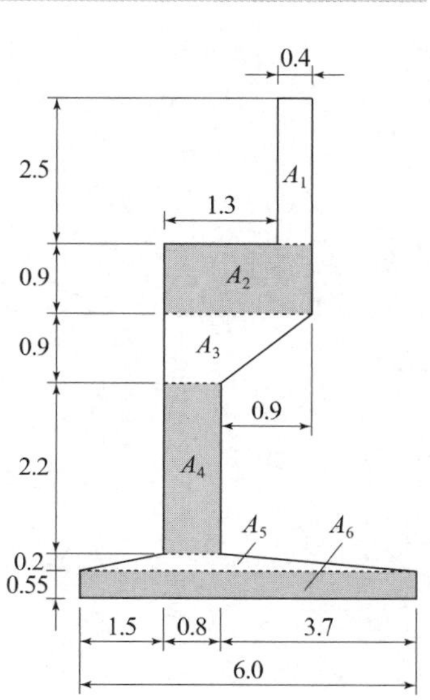

나.

- $A = 2.5\text{m}$
- $B = 3.4\text{m}$
- $C = 4.0\text{m}$
- $D = \sqrt{0.9^2 + 0.9^2} = 1.2728\,\text{m}$
- $E = 2.2\text{m}$
- $F = 0.55 \times 2 = 1.10\text{m}$

총거푸집길이 $\Sigma L = 2.5 + 3.4 + 4.0 + 1.2728 + 2.2 + 1.10$
$= 14.4728\text{m}$

마구리면 $= 9.395 \times 2 = 18.79\text{m}^2$

∴ 총거푸집량 $\Sigma A = 14.4728 \times 10.3 + 18.79$
$= 167.860\text{m}^2$

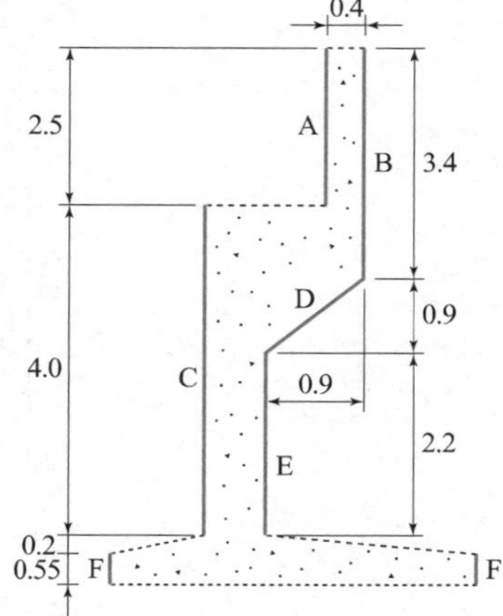

□□□ 94②, 99①, 09①, 10②, 16① 【3점】

26 유기질토는 대개 지하수가 지면 위나 가까이에 있는 넓은 지역에서 발견된다. 지하수면이 높으면 수생식물이 썩어 유기질토가 형성된다. 이 유기질토의 특징을 3가지만 쓰시오.

① ______________  ______________  ______________

해답 ① 압축성이 크다.
② 자연함수비는 200 ~ 300%이다.
③ 2차 압밀에 의한 압밀침하량이 크다.

국가기술자격 실기시험문제

2016년도 기사 제2회 필답형 실기시험(기사)

종 목	시험시간	형 별	성 명	수험번호
토목기사	**3시간**	**B**		

※ 수험자 인적사항 및 계산식을 포함한 답안 작성은 검은색 필기구만 사용하여야 하며, 그 외 연필류, 빨간색, 청색 등 필기구로 작성한 답안은 0점 처리됩니다.

□□□ 07②, 09①, 10④, 16②, 23① 【3점】

01 그림과 같이 지하 5m 되는 곳에 피에조미터를 설치하고 연약지반에서 공사를 진행한다. 구조물 축조 직후에 수주가 지표면으로부터 8m였다. 8개월 후 수주가 3m가 되었다면 지하 5m 되는 곳의 압밀도를 구하시오.

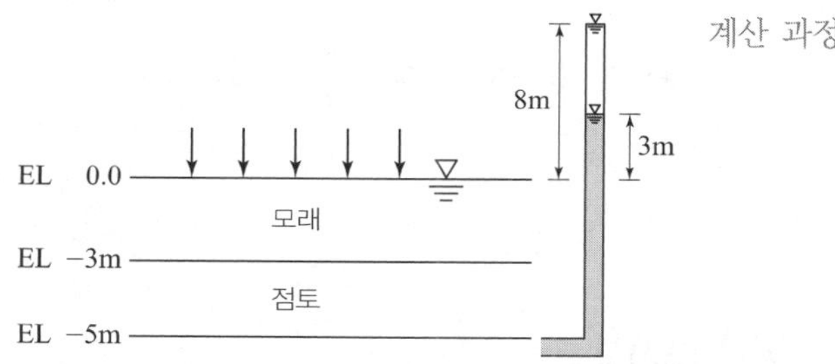

계산 과정)

답 :

해답 압밀도 $U = 1 - \frac{\text{과잉공극수압}}{\text{정압력}} = 1 - \frac{u}{P}$

• $u = \gamma_w h = 9.81 \times 3 = 29.43\,\text{kN/m}^2$

• $P = \gamma_w H = 9.81 \times 8 = 78.48\,\text{kN/m}^2$

$\therefore\ U = 1 - \frac{29.43}{78.48} = 0.625 = 62.5\%$

□□□ 93③, 97③, 12①, 16②, 19① 【3점】

02 교량의 내진설계는 지진에 의해 교량이 입는 피해정도를 최소화 시킬 수 있는 내진성을 확보하기 위해 실시한다. 이러한 내진설계시 사용하는 내진해석방법을 3가지만 쓰시오.

① ____________ ② ____________ ③ ____________

해답 ① 등가정적 해석법(equivalent load analysis) ② 스펙트럼 해석법(spectrum analysis)
③ 시간이력 해석법(time history analysis)

□□□ 07①, 09④, 10④, 12①, 16② 【3점】

03 **아래 그림과 같이 지하수위가 지표면에 위치하다가 완전갈수기에 지하수위가 넓은 범위에 걸쳐 3m하락하였다. 이 경우 점토지반에서의 압밀침하량을 구하시오.**

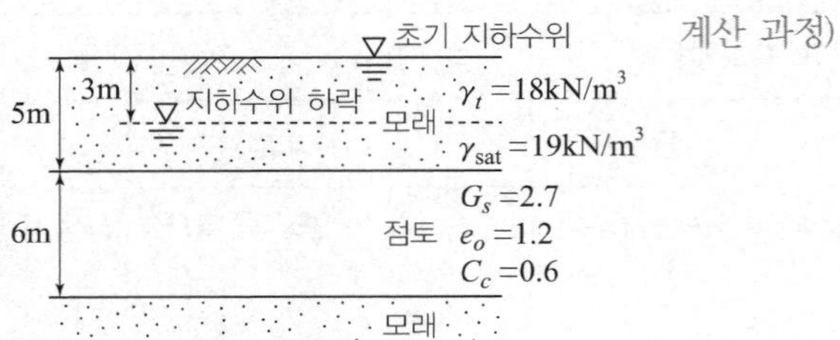

계산 과정)

답 : ______________

해답 압밀 침하량 $S = \dfrac{C_c H}{1+e_0} \log \dfrac{P_2}{P_1}$

- $\gamma_{sub2(\text{점토})} = \dfrac{G_s - 1}{1+e} \gamma_w = \dfrac{2.7-1}{1+1.2} \times 9.81 = 7.58\,\text{kN/m}^3$
- $P_1 = \gamma_{sub1} H_1 + \gamma_{sub2} \dfrac{H_2}{2} = (19-9.81) \times 5 + 7.58 \times \dfrac{6}{2} = 68.69\,\text{kN/m}^2$
- $P_2 = \gamma_t H_1 + \gamma_{sub1} H_2 + \gamma_{sub2} \dfrac{H_2}{2} = 18 \times 3 + (19-9.81) \times (5-3) + 7.58 \times \dfrac{6}{2} = 95.12\,\text{kN/m}^2$

$\therefore\ S = \dfrac{0.6 \times 6}{1+1.2} \log \dfrac{95.12}{68.69} = 0.2313\text{m} = 23.13\text{cm}$

□□□ 98②, 00②, 16②, 20④ 【3점】

04 **아스팔트 콘크리트 포장의 장점을 3가지만 쓰시오.**

① ______________ ② ______________ ③ ______________

해답 ① 주행성이 좋다. ② 평탄성이 좋다. ③ 시공성이 좋다.
④ 양생기간이 짧다. ⑤ 유지 보수 작업이 용이하다.

□□□ 16②, 21① 【3점】

05 **항만구조물 설계시 기초지반의 액상화 평가시 실시되는 현장시험을 3가지만 쓰시오.**

① ______________ ② ______________ ③ ______________

해답 ① 표준관입시험
② 콘관입시험
③ 탄성파탐사
④ 지하수위 조사

□□□ 01②, 02①, 05②, 16②, 21① 【3점】

06 **어느 현장의 콘크리트 일축압축강도의 하한규격치는 18MPa이고 상한 규격치는 24MPa로 정해져 있다. 측정결과 평균치($\overline{x}$)는 19.5MPa이고, 표준편차의 추정치(δ)는 0.8MPa이라 할 때, 공정능력지수와 규격치에 대한 여유치를 구하시오.**

계산 과정)　　　　답 : 공정능력지수(C_p) : ________, 여유치 : ________

해답 • 공정능력 지수

$$C_p = \frac{SU - SL}{6\delta} = \frac{24-18}{6 \times 0.8} = 1.25$$

• 여유치

$$\frac{SU-SL}{\delta} = \frac{24-18}{0.8} = 7.5 \geq 6$$

$\therefore$ 여유치$= (7.5-6) \times 0.8 = 1.2\,\text{MPa}$

□□□ 98③, 08①④, 10②, 12④, 13①, 16②, 22②, 23① 【3점】

07 **아래 그림과 같이 10m 두께의 비교적 단단한 포화점토층 밑에 모래층이 있다. 모래층은 피압상태(artesian pressure)에 있을때, 점토층에서 바닥의 융기(heaving)현상이 없이 굴착할 수 있는 최대깊이 H를 구하시오.**

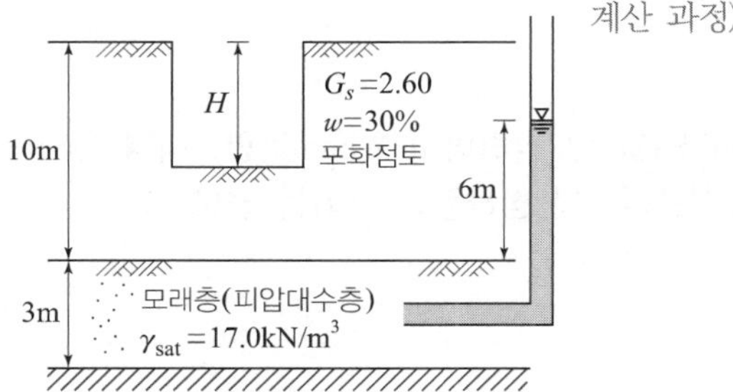

계산 과정)

답 : ________

해답 $$H = \frac{H_1\gamma_{sat} - \Delta h \gamma_w}{\gamma_{sat}}$$

• $H_1 = 10\,\text{m}$

• $e = \dfrac{G_s w}{S} = \dfrac{2.60 \times 30}{100} = 0.78$

• $\gamma_{sat} = \dfrac{G_s + e}{1+e}\gamma_w = \dfrac{2.60+0.78}{1+0.78} \times 9.81 = 18.63\,\text{kN/m}^3$

• $\Delta h = 6\,\text{m}$

$$\therefore\ H = \frac{10 \times 18.63 - 6 \times 9.81}{18.63} = 6.84\,\text{m}$$

□□□ 08④, 09①, 11①, 16② 【3점】

08 어떤 흙의 입도분석시험 결과가 다음과 같을 때 통일분류법에 따라 이 흙을 분류하시오.

【시험결과】

$D_{10}=0.077\text{mm},\ D_{30}=0.54\text{mm},\ D_{60}=2.27\text{mm}$

No.4(4.76mm)체 통과율 = 58.1%, No.200(0.075mm)체 통과율 = 4.34%

계산 과정) 답 : ______

해답 통일분류법에 의한 흙의 분류방법

- 1단계 : G나 S 조건(No.200 < 50%)
- 2단계 : G(No.4체 통과량 < 50%), S(No.4체 통과량 > 50%) 조건
  No.4(4.76mm)체 통과량이 50% < 58.1% ∴ S(모래)
- 3단계 : SW($C_u>6,\ 1<C_g<3$)와 SP($C_u<6,\ C_g>3$) 조건
  - No.200체가 5% > 4.34% : 양호(W)
  - 균등계수 $C_u=\dfrac{D_{60}}{D_{10}}=\dfrac{2.27}{0.077}=29.48>6$: 입도 양호(W)
  - 곡률계수 $C_g=\dfrac{{D_{30}}^2}{D_{10}\times D_{60}}=\dfrac{0.54^2}{0.077\times 2.27}=1.67$: $1<C_g<3$: 입도 양호(W)

  ∴ SW(∵ SW에 해당되는 두 조건을 만족)

□□□ 96①, 98③, 08④, 11②, 12④, 16②, 23③ 【3점】

09 직경 30cm 평판재하시험에서 작용압력이 300kPa일 때 침하량이 20mm라면, 직경 1.5m의 실제 기초에 300kPa의 압력이 작용할 때 사질토지반에서의 침하량의 크기는 얼마인가?

계산 과정) 답 : ______

해답 침하량 $S_F=S_P\left(\dfrac{2B_F}{B_F+B_P}\right)^2=20\times\left(\dfrac{2\times1.5}{1.5+0.3}\right)^2=55.56\text{ mm}$ (∵ 사질토지반)

□□□ 16②, 20①, 21① 【3점】

10 매스콘크리트에서는 구조물에 필요한 기능 및 품질을 손상시키지 않도록 온도균열을 제어하기 위한 적절한 조치를 강구해야 한다. 온도 균열을 억제하기 위한 방법을 3가지만 쓰시오.

① ______ ② ______ ③ ______

해답 ① 냉수나 얼음을 사용하는 방법
② 냉각한 골재를 사용하는 방법
③ 액체질소를 사용하는 방법

□□□ 16②, 21③ 【3점】

11 콘크리트 구조물에서 시공이음을 설치하고자 할 때 그 위치 또는 방향에 대해 아래의 각 물음에 답하시오.

가. 바닥틀과 일체로 된 기둥 또는 벽의 시공이음 위치로 적합한 곳 :

나. 바닥틀의 시공이음 위치로 적합한 곳 :

다. 아치에 시공이음을 설치하고자 할 때 적합한 방향 :

해답 가. 바닥틀과 경계 부근에 설치
나. 슬래브 또는 보의 경간 중앙부 부근에 설치
다. 아치축에 직각방향이 되도록 설치

□□□ 93②, 99⑤, 03①, 08①, 11①, 16②, 20②, 23③ 【3점】

12 계획된 저수량 이상으로 댐에 유입하는 홍수량을 조절하여 자연하천으로 방류하는 중요한 구조물인 여수로(Spill Way)의 종류를 3가지만 쓰시오.

① ______ ② ______ ③ ______

해답 ① 슈트식 여수로 ② 측수로 여수로 ③ 그롤리 홀 여수로
④ 사이펀 여수로 ⑤ 댐마루 월류식 여수로

□□□ 03②, 12②, 16②, 22② 【3점】

13 15ton 덤프 트럭으로 보통토사를 운반하고자 한다. 적재장비는 버킷용량 2.4m^3인 백호를 사용하는 경우 덤프트럭 1대를 적재하는데 소요되는 소요시간을 구하시오. (단, 흙의 단위중량은 1.6t/m^3, 토량변화율 $L=1.2$, 버킷 계수 $K=0.8$, 적재기계의 싸이클 시간 $C_{ms}=30$초, 적재기계의 작업효율 $E_s=0.75$)

계산 과정) 답 : ______

해답 적재시간 $C_{mt}=\dfrac{C_{ms}\cdot n}{60\cdot E_s}$

• $q_t=\dfrac{T}{\gamma_t}\cdot L=\dfrac{15}{1.6}\times 1.2=11.25\text{m}^3$

• $n=\dfrac{q_t}{q\cdot k}=\dfrac{11.25}{2.4\times 0.8}=5.86=6$회

∴ 적재시간 $C_{mt}=\dfrac{30\times 6}{60\times 0.75}=4$분

□□□ 02①, 08①, 09③, 11②, 16②, 20③, 23③ 【3점】

14 **다음과 같은 모양의 중력식 옹벽을 설치하려고 한다. 흙의 단위중량 $\gamma_t=17.5\text{kN/m}^3$, 내부마찰각 $\phi=31°$, 점착력 $c=0$, 콘크리트의 단위중량 $\gamma_c=24\text{kN/m}^3$일 때 옹벽의 전도(over turning)에 대한 안전율을 Rankine의 식을 이용하여 계산하시오.** (단, 옹벽 전면에 작용하는 수동토압은 무시한다.)

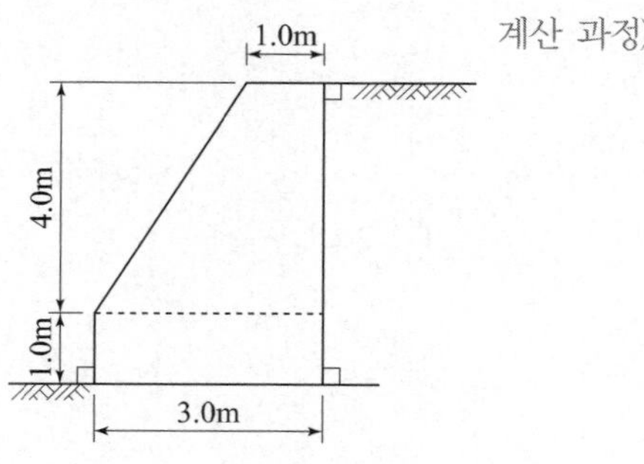

계산 과정)

답 : ______________

해답 $F_s=\dfrac{M_r}{M_o}=\dfrac{W\cdot b+P_v\cdot B}{P_A\cdot y}=\dfrac{W\cdot b+0}{P_A\cdot y}$ ($\because$ 수동토압 P_v는 무시)

- $P_A=\dfrac{1}{2}\gamma_t H^2\tan^2\left(45-\dfrac{\phi}{2}\right)$

  $=\dfrac{1}{2}\times 17.5\times 5^2\tan^2\left(45-\dfrac{31°}{2}\right)=70.02\,\text{kN/m}$

  $\therefore\ M_o=P_A\cdot y=(70.02\times 1)\times\dfrac{5}{3}=116.7\,\text{kN}\cdot\text{m}$

- $M_r=W\times b=W_1\cdot y_1+W_2\cdot y_2+W_3\cdot y_3$

  $W_1=\left(\dfrac{1}{2}\times 2\times 4\right)\times 24=96\text{kN/m}$

  $W_2=1\times 4\times 24=96\text{kN/m}$

  $W_3=(3\times 1)\times 24=72\text{kN/m}$

  $\therefore\ M_r=\left[96\times 2\times\dfrac{2}{3}+96\times(2+0.5)+72\times 1.5\right]\times 1$

  $=476\,\text{kN}\cdot\text{m}$

  $\therefore$ 안전율 $F_s=\dfrac{M_r}{M_o}=\dfrac{476}{116.7}=4.08$

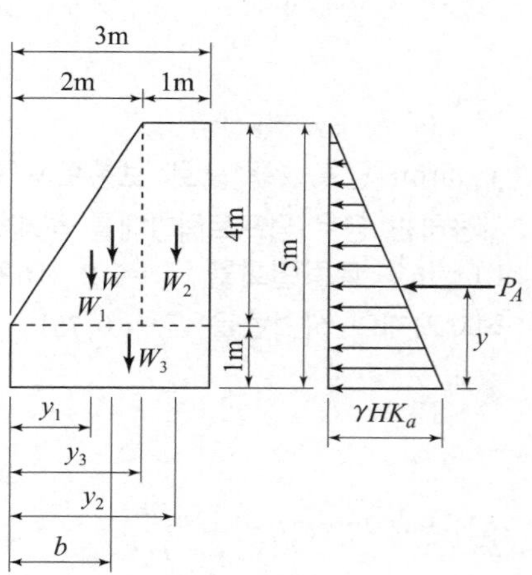

□□□ 12④, 16②, 23③ 【6점】

15 콘크리트 배합강도를 구하기 위한 시험횟수 15회의 콘크리트 압축강도 측정결과가 아래표와 같고 품질기준강도가 40MPa일 때 아래 물음에 답하시오.

【압축강도 측정결과(MPa)】

36	40	42	36	44	43	36	38
44	42	44	46	42	40	42	

가. 배합설계에 적용할 표준편차를 구하시오. (단, 압축강도의 시험횟수가 15회 일 때 표준편차의 보정계수는 1.16이다.)

계산 과정) 답 :

나. 배합강도를 구하시오

계산 과정) 답 :

해답 가. • 평균값$(\overline{x})=\dfrac{\sum X_i}{n}=\dfrac{615}{15}=41\text{MPa}$

• 편차의 제곱합 $S=\sum(X_i-\overline{x})^2$

$$S=(36-41)^2+(40-41)^2+(42-41)^2+(36-41)^2+(44-41)^2+(43-41)^2+(36-41)^2$$
$$+(38-41)^2+(44-41)^2+(42-41)^2+(44-41)^2+(46-41)^2+(42-41)^2+(40-41)^2$$
$$+(42-41)^2$$
$$=146$$

• 표준편차$s=\sqrt{\dfrac{S}{n-1}}=\sqrt{\dfrac{146}{15-1}}=3.23\text{MPa}$

∴ 수정 표준편차 $s=3.23\times1.16=3.75\text{MPa}$

나. $f_{cq}=40\text{MPa} > 35\text{MPa}$일 때

$f_{cr}=f_{cq}+1.34s=40+1.34\times3.75=45.03\text{MPa}$

$f_{cr}=0.9f_{cq}+2.33s=0.9\times40+2.33\times3.75=44.74\text{MPa}$

∴ $f_{cr}=45.03\text{MPa}$ (두 값 중 큰 값)

□□□ 09④, 11④, 16②, 22③ 【3점】

16 어느 지역에 지표경사가 30°인 자연사면이 있다. 지표면에서 6m 깊이에 암반층이 있고, 지하수위면은 암반층 아래 존재할 때 이 사면의 활동파괴에 대한 안전율을 구하시오. (단, 사면 흙을 채취하여 토질시험을 실시한 결과 $c'=25\text{kN/m}^2$, $\phi=35°$, $\gamma_t=18\text{kN/m}^3$이다.)

계산 과정) 답 :

해답 지하수위가 파괴면 아래에 있는 경우(사면 내 침투류가 없는 경우)

$$F_s=\frac{c'}{\gamma_t\,Z\cos i\cdot\sin i}+\frac{\tan\phi}{\tan i}=\frac{25}{18\times6\cos30°\times\sin30°}+\frac{\tan35°}{\tan30°}=1.75$$

□□□ 16② 【3점】

17 연약지반개량공법 중 압밀효과와 보강효과에 동시 적용되는 공법을 3가지만 쓰시오.

① ________ ② ________ ③ ________

해답 ① 모래다짐말뚝공법(sand compaction pile method)
② 샌드드레인공법(sand drain method)
③ 선행재하공법(preloading method)
④ 쇄석다짐말뚝공법(gravel compaction pile method)

□□□ 13①, 16②, 17② 【3점】

18 콘크리트의 경화나 강도발현을 촉진하기 위해 실시하는 양생을 촉진양생이라고 한다. 이러한 촉진양생법의 종류를 3가지만 쓰시오.

① ________ ② ________ ③ ________

해답 ① 증기양생 ② 오토클레이브 양생 ③ 전기양생 ④ 온수양생
⑤ 적외선 양생 ⑥ 고주파 양생선

□□□ 16②, 20②④ 【3점】

19 지하수위가 지표면과 일치하는 포화된 연약 점토층의 깊이 2m지점에 폭 1.2m의 연속기초를 설치하였다. 연약점토층의 포화단위중량은 18.5kN/m³이며, 강도정수 $c_u = 25\text{kN/m}^2$, $\phi_u = 0$일 때 극한 지지력을 구하시오. (단, $\phi_u = 0$일 때 $N_c = 5.14$, $N_r = 0$, $N_q = 1.0$이며, 전반전단파괴로 가정하며, Terzaghi공식을 사용하시오.)

계산 과정) 답 : ________

해답 $\phi_u = 0$인 점토인 경우(∵ 연속기초 : $\alpha = 1.0$, $\beta = 0.5$)

$$q_u = \alpha c N_c + \gamma_2 D_f N_q$$
$$= 1.0 \times 25 \times 5.14 + (18.5 - 9.81) \times 2 \times 1.0$$
$$= 145.88\,\text{kN/m}^2$$

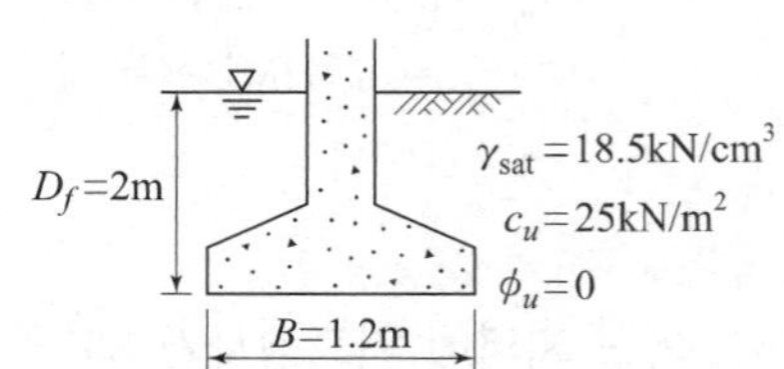

□□□ 16② 【2점】

20 수평길이 L의 간격으로 땅속에 굴착된 두 개의 홀에 어느 하나의 시추공의 바닥에서 충격막대에 의해 연직 충격을 발생시켜 연직으로 민감한 트랜스듀서(transducer)에 의해 전단파를 기록할 수 있는 지구물리학적인 지반조사 방법은?

○

해답 크로스홀 탐사법(cross hole seismic survey)

□□□ 04②, 06①, 12②, 16②, 22① 【10점】

21 다음과 같은 공정표(CPM Table)를 보고 아래 물음에 답하시오.

NODE		공정명	정상기간	정상비용	특급기간	특급비용
1	2	A	3일	30만원	3일	30만원
1	3	B	4일	24만원	3일	30만원
1	4	C	4일	40만원	3일	60만원
2	3	DUMMY	0	0만원	0일	0만원
2	5	E	7일	35만원	5일	49만원
3	5	F	4일	32만원	4일	32만원
3	6	H	6일	48만원	5일	60만원
3	7	G	9일	45만원	6일	69만원
4	6	I	7일	56만원	6일	66만원
5	7	J	10일	40만원	7일	55만원
6	7	K	8일	64만원	8일	64만원
7	8	M	5일	60만원	3일	96만원

가. Net Work(화살선도)를 작도하고 표준일수에 대한 Critical Path를 표시하시오.

나. 정상공사시간 4일을 줄일 때 발생하는 추가비용의 최소치를 구하시오.

계산 과정) 답 :

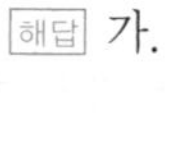
가.

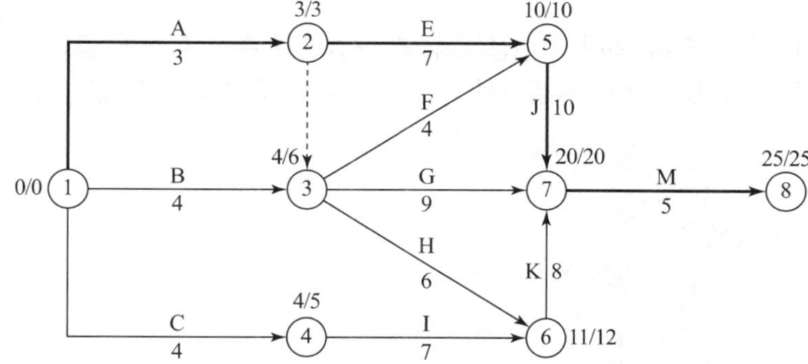

나. 비용경사

$I = \dfrac{66-56}{7-6} = 10$만원, $J = \dfrac{55-40}{10-7} = 5$만원, $M = \dfrac{96-60}{5-3} = 18$만원

단축단계	단축작업	단축일	비용경사 (만원/일)	단축비용 (만원)	추가비용 누계 (만원)
1	J	1	5	5	5
2	J+I	1	5+10	15	20
3	M	2	18	36	56

∴ 추가비용 56만원

□□□ 04②, 06②, 09④, 10①, 13①, 16②, 21③ 【3점】

22 **농공단지 조성을 위하여 다음 그림과 같이 기준면으로부터 고저측량을 하였다. 이 용지를 수평으로 정지하고자 할 때 절토량과 성토량이 같게 하려고 하면 기준면으로부터 몇 m의 높이로 하면 되는가?**

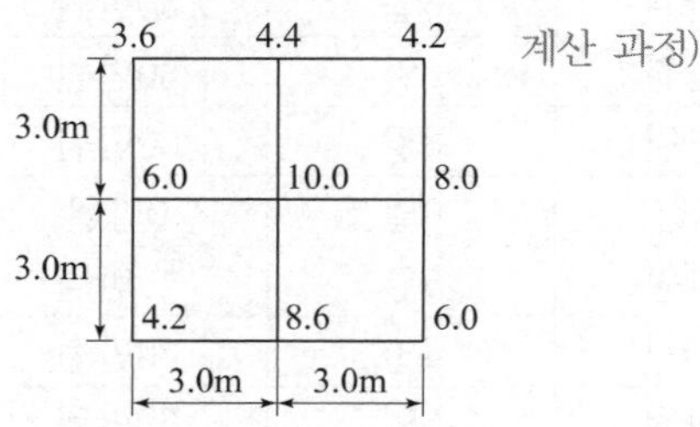

계산 과정)

답 :

해답 $H=\dfrac{V}{A\times n}$

- $V=\dfrac{a\cdot b}{4}(\Sigma h_1+2\Sigma h_2+4\Sigma h_4)$
- $\Sigma h_1=3.6+4.2+6.0+4.2=18\text{m}$
- $\Sigma h_2=4.4+8.0+8.6+6.0=27\text{m}$
- $\Sigma h_4=10\text{m}$

$\therefore\ V=\dfrac{3\times 3}{4}\times(18+2\times 27+4\times 10)=252\text{m}^3$

$\therefore\ H=\dfrac{252}{(3\times 3)\times 4}=7\text{m}$

□□□ 07①, 11①, 16② 【3점】

23 **토류벽 공법은 지하수 처리에 의해 개수성 토류벽 공법과 차수성 토류벽 공법으로 대별한다. 아래 그림과 같은 개수성 토류벽 공법에서 H-pile 흙막이 공법의 부재 명칭을 쓰시오.**

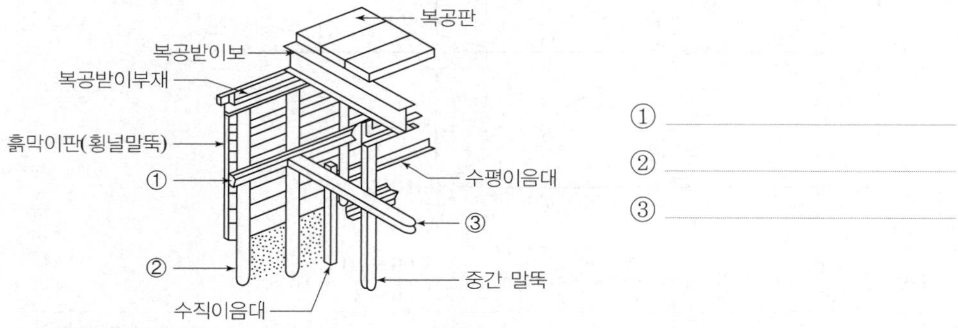

해답 ① 띠장(wale)
② 엄지말뚝
③ 버팀대

□□□ 00③, 01②, 04①, 07①, 09②, 12④, 16②, 19①, 21③ 【18점】

24 주어진 도면 및 조건에 따라 다음 물량을 산출하시오. (단, 주어진 도면의 치수는 축척에 맞지 않을 수 있으며, 주어진 치수로만 물량을 산출할 것)

단 면 도 (단위 : mm)

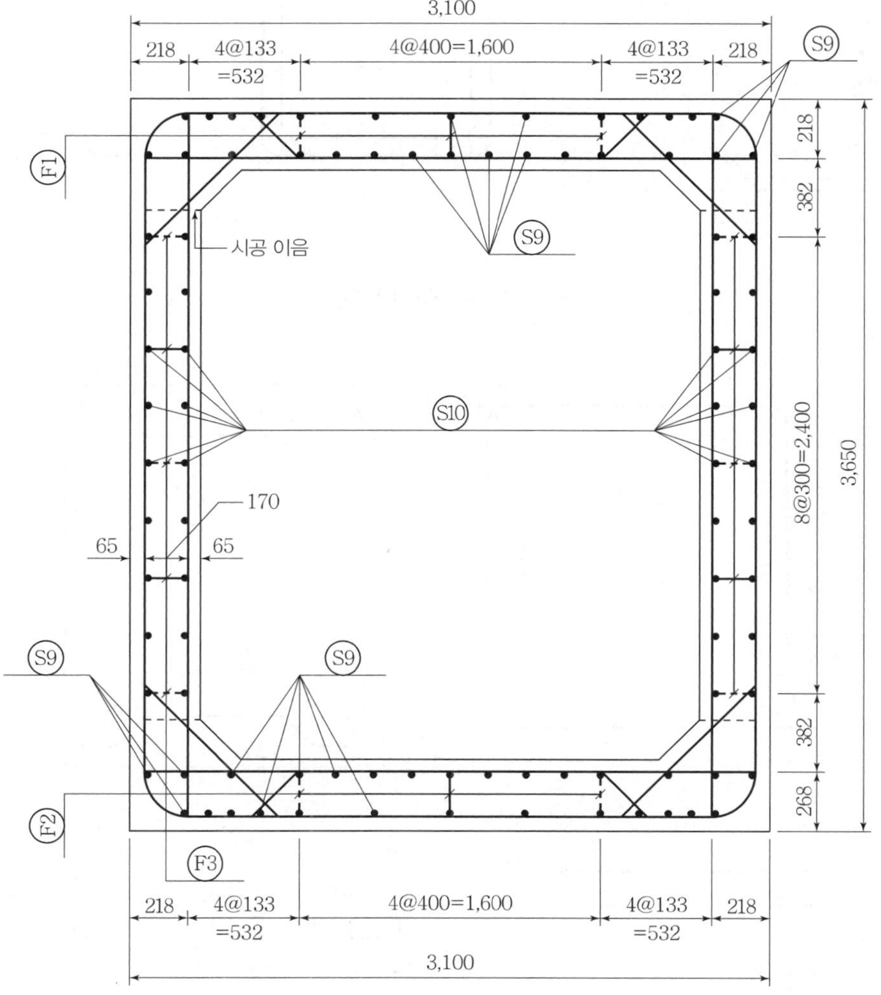

일 반 도

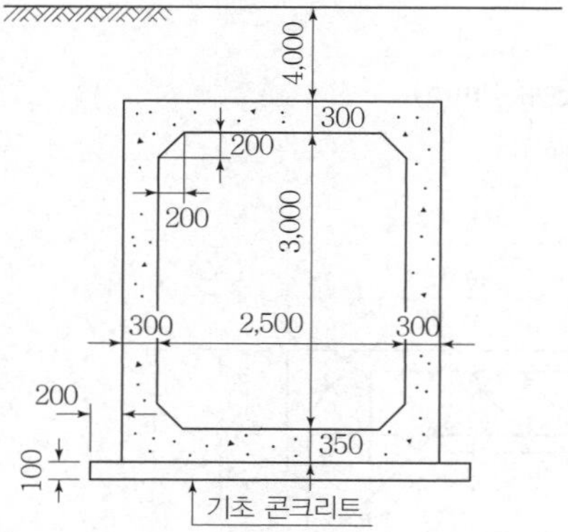

4,000
300
200
200
3,000
300
2,500
300
200
350
100
기초 콘크리트

주 철 근 조 립 도

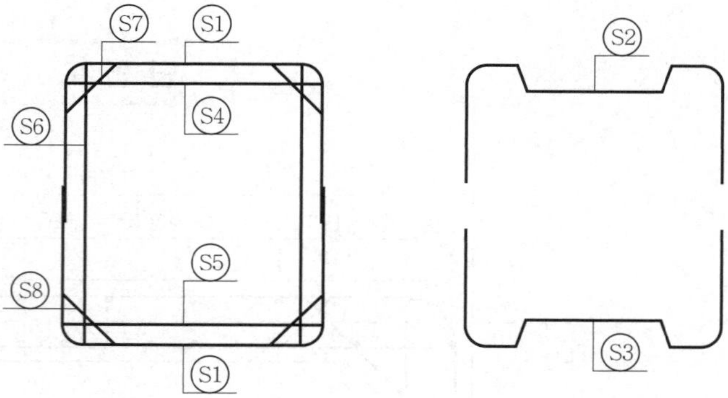

S7 S1 S4 S6 S5 S8 S1 S2 S3

철 근 상 세 도

S1 D22
2,530
346 346
R=220 R=220
1,805 1,805
530 530

S2 D22
346 295 170 1,600 170 295 346
170
R=220
240
935 935

S3 D22
935 935
R=220
311
220
346 245 220 1,600 220 245 346

S4 D19
2,970

S5 D19
2,970

S6 D22
3,520

S9 S10 D16
1,000

F1 D13
100
136
340

F2 D13
100
186
340

F3 D13
100
135

S7 D13
818
100
100

S8 D13
888
100
100

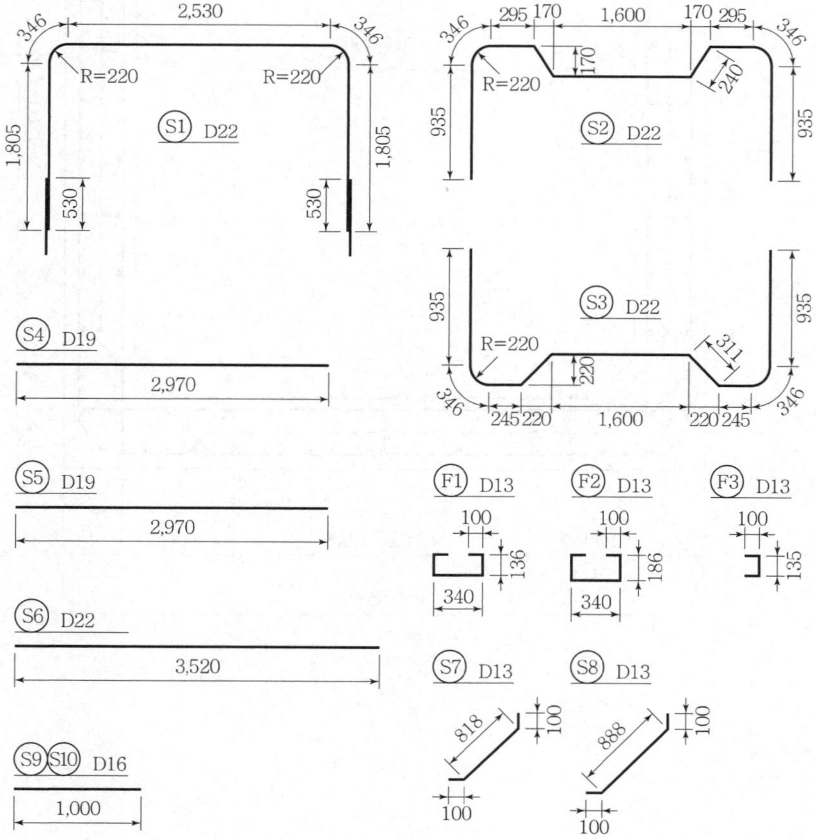

【조 건】

- S1～S8 철근은 300mm 간격으로 배치되어 있다.
- F1, F2, F3 철근은 300mm 간격으로 지그재그로 배치되어 있다.
- 철근의 이음과 할증은 무시한다.
- 지형상태는 일반도와 같으며 터파기는 기초 콘크리트 양끝에서 100cm 여유폭을 두고 비탈기울기는 1 : 0.5로 한다.
- 거푸집량의 계산에서 마구리면은 무시한다.

가. 길이 1m에 대한 기초와 구체의 콘크리트량을 구하시오. (단, 소수 넷째자리에서 반올림하시오.)

① 기초 콘크리트량 :

② 구체 콘크리트량 :

나. 길이 1m에 대한 거푸집량을 구하시오. (단, 소수 넷째자리에서 반올림하시오.)

계산 과정)

답 :

다. 길이 1m에 대한 터파기량을 구하시오. (단, 소수 넷째자리에서 반올림하시오.)

계산 과정)

답 :

라. 길이 1m에 대한 철근량을 산출하기 위한 다음 철근물량표를 완성하시오. (단, 소수 셋째자리에서 반올림하시오.)

기호	직경	길이(mm)	수량	총길이(mm)	기호	직경	길이(mm)	수량	총길이(mm)
S1					S9				
S7					F1				

정답 가. ① $V_1 = 3.5 \times 0.1 \times 1 = 0.350\text{m}^3$

② $\left\{(3.1 \times 3.65) - (2.5 \times 3.0) + \frac{1}{2} \times 0.2 \times 0.2 \times 4\right\} \times 1 = 3.895\text{m}^3$

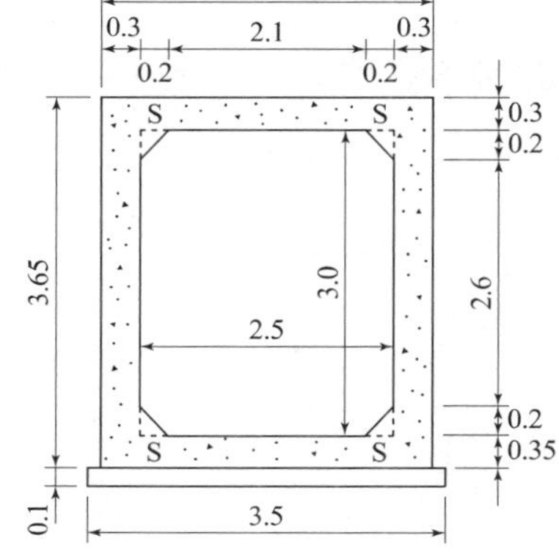

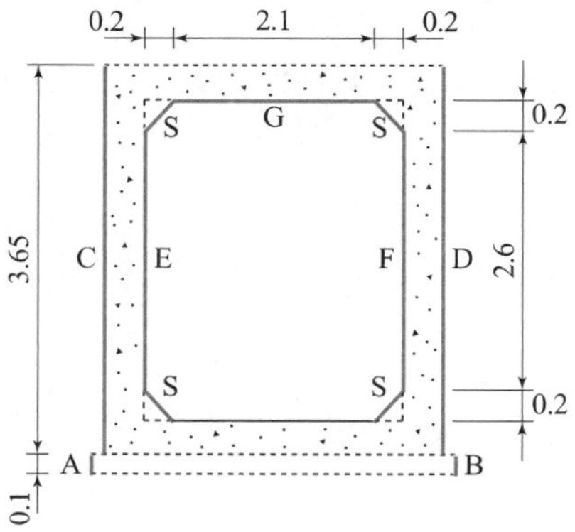

나. A면 = 0.1m B면 = 0.1m C면 = 3.65m D면 = 3.65m
E면 = 2.60m F면 = 2.60m G면 = 2.10m
$S = \sqrt{0.20^2 + 0.20^2} \times 4 = 1.1314\text{m}$
∴ 총거푸집길이 $= 0.1 \times 2 + 3.65 \times 2 + 2.60 \times 2 + 2.10 + 1.1314 = 15.9314\text{m}$
∴ 총거푸집량 = 총거푸집길이 × 단위길이 $= 15.9314 \times 1 = 15.931\text{m}^2$

다.

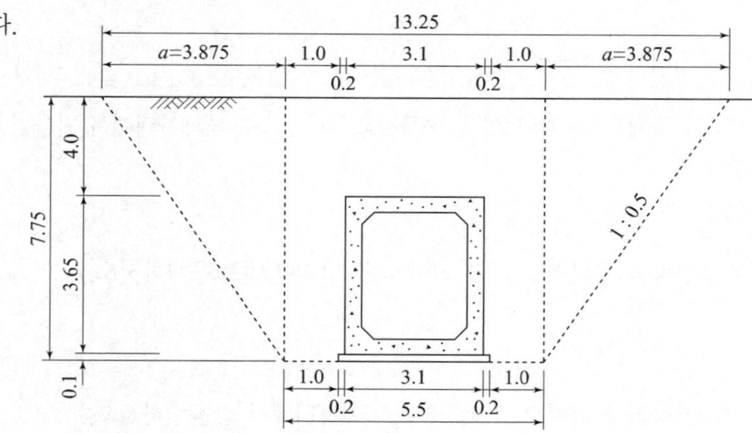

$a = 7.75 \times 0.5 = 3.875\text{m}$
$b = 1.0 + 0.2 + 3.1 + 0.2 + 1.0 = 5.5\text{m}$
∴ 터파기량$= \left(\dfrac{13.25 + 5.50}{2} \times 7.75\right) \times 1 = 72.656\text{m}^3$

라.

기호	직경	길이(mm)	수량	총길이(mm)	기호	직경	길이(mm)	수량	총길이(mm)
S1	D22	6,832	6.67	45,569	S9	D16	1,000	56	56,000
S7	D13	1,018	6.67	6,790	F1	D13	812	5	4,060

□□□ 85①, 16②, 18②, 19③, 22② 【3점】

25 말뚝의 지지력을 산정하는 방법 3가지를 쓰시오.

① ______ ② ______ ③ ______

해답 ① 동역학적 공식에 의한 방법 ② 정역학적 공식에 의한 방법 ③ 정재하시험에 의한 방법

국가기술자격 실기시험문제

2016년도 기사 제4회 필답형 실기시험(기사)

종　목	시험시간	형 별	성 명	수험번호
토목기사	**3시간**	**B**		

※ 수험자 인적사항 및 계산식을 포함한 답안 작성은 검은색 필기구만 사용하여야 하며, 그 외 연필류, 빨간색, 청색 등 필기구로 작성한 답안은 0점 처리됩니다.

□□□ 89①, 91③, 93①, 95③, 99⑤, 02④, 09①, 16④ 【3점】

01 품질관리를 위해 콘크리트 압축강도시험을 실시하여 다음과 같은 자료를 얻었다. 콘크리트 압축강도의 변동계수를 구하시오.

21, 19, 20, 22, 23(MPa)

계산 과정)　　　　　　　　　　　　　　　　답 : ______

해답 변동계수 $C_v = \dfrac{\text{표준편차}}{\text{평균값}} \times 100 = \dfrac{\sigma}{\overline{x}} \times 100$

- 평균값 $\overline{x} = \dfrac{21+19+20+22+23}{5} = 21\,\text{MPa}$
- 표준편차 $\sigma = \sqrt{\dfrac{S}{n-1}}$
- $S = \Sigma(X_i - \overline{x})^2 = (21-21)^2 + (19-21)^2 + (20-21)^2 + (22-21)^2 + (23-21)^2 = 10$
- $\sigma = \sqrt{\dfrac{10}{5-1}} = 1.58$

$\therefore\ C_v = \dfrac{1.58}{21} \times 100 = 7.52\%$

□□□ 92①, 94④, 00④, 11④, 15④, 16④ 【3점】

02 케이슨 기초의 침하공법을 아래의 표와 같이 4가지만 쓰시오.

재하중에 의한 공법

① ______　② ______　③ ______　④ ______

해답 ① 분기식 공법　② 물하중식 공법　③ 발파식 공법
④ 감압식 공법　⑤ 진동식 공법

□□□ 10②, 13①, 14①, 16④, 17④, 21② 【3점】

03 도로 노상의 지지력을 평가할 수 있는 현장시험 평가방법을 3가지만 쓰시오.

① ______ ② ______ ③ ______

해답 ① CBR(CBR시험) ② K값(평판재하시험 ; PBT)
③ Cone값(콘관입시험 ; CPT) ④ N치(표준관입시험 ; SPT)

□□□ 03④, 06④, 11①, 12④, 16④, 20③ 【3점】

04 굵은골재 최대치수 25mm, 단위수량 157kg, 물-시멘트비 50%, 슬럼프 80mm, 잔골재율 40%, 잔골재 표건밀도 2.60g/cm^3, 굵은골재 표건밀도 2.65g/cm^3, 시멘트 밀도 3.14g/cm^3, 공기량 4.5%일 때 콘크리트 1m^{3}에 소요되는 굵은골재량을 구하시오.

계산 과정) 답 : ______

해답 • $\frac{W}{C}=50\%$에서

∴ 단위시멘트량 $C=\frac{157}{0.50}=314\text{kg}$

• 단위골재의 절대체적

$$V_a=1-\left(\frac{\text{단위수량}}{1,000}+\frac{\text{단위시멘트량}}{\text{시멘트 밀도}\times1,000}+\frac{\text{공기량}}{100}\right)$$

$$=1-\left(\frac{157}{1,000}+\frac{314}{3.14\times1,000}+\frac{4.5}{100}\right)=0.698\text{m}^3$$

• 단위 굵은골재의 절대부피 $=$ 단위골재의 절대체적$\times\left(1-\frac{S}{a}\right)$

$$=0.698\times(1-0.40)=0.4188\text{m}^3$$

∴ 굵은 골재량 $G=$ 단위 굵은골재의 절대부피$\times$굵은골재 밀도$\times1,000$

$$=0.4188\times2.65\times1,000=1,109.82\text{kg/m}^3$$

□□□ 01①, 03②, 13②, 16④, 21② 【3점】

05 표준관입시험의 N치가 35이고, 현장에서 채취한 모래는 입자가 둥글고 균등계수가 5이고 곡률계수가 5이었다. Dunham의 식을 이용하여 이 모래의 내부마찰각을 추정하시오.

계산 과정) 답 : ______

해답 ■ 모래의 입도판정

• 균등계수 $C_u\geq6$, 곡률계수 : $1\leq C_g\leq3$일 때 양입도

∴ 입자가 둥글고 입도분포가 균등(불량)한 모래($\because C_u=5,\ C_g=5$)

■ 입자가 둥글고 입도분포가 균등(불량)입도

• 내부마찰각 $\phi=\sqrt{12N}+15=\sqrt{12\times35}+15=35.49°$

□□□ 03④, 07②, 11①, 14①, 16④, 22① 【6점】

06 **아래와 같이 백호로 굴착을 하고 통로박스 시공 후, 되메우기를 한다. 이때 15ton 덤프트럭을 2대 사용하며 1일 작업시간을 6시간으로 하고, 덤프트럭의 $E=0.9$, $C_m=300$분일 경우 아래 물음에 답하시오.** (단, 암거길이는 10m, $C=0.8$, $L=1.25$, $\gamma_t=1.8\text{t/m}^3$)

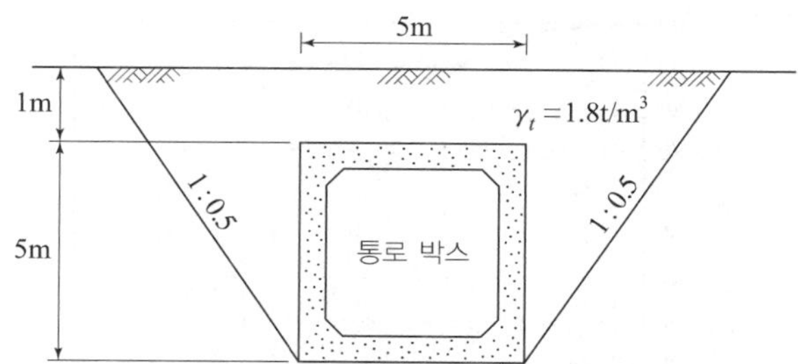

가. 사토량(捨土量)을 본바닥토량으로 구하시오.

계산 과정)　　　　답 :

나. 덤프트럭 1대의 시간당 작업량을 구하시오.

계산 과정)　　　　답 :

다. 덤프트럭 2대를 사용할 경우 사토에 필요한 소요일수는 몇 일인가?

계산 과정)　　　　답 :

 해답

가. • 굴착토량 $= \dfrac{\text{윗변길이}+\text{밑변길이}}{2} \times \text{높이} \times \text{암거길이}$

$= \dfrac{(3+5+3)+5}{2} \times 6 \times 10 = 480\,\text{m}^3$

• 통로박스체적 $= 5 \times 5 \times 10 = 250\,\text{m}^3$

• 뒤메우기량 $= (480-250) \times \dfrac{1}{0.8} = 287.5\,\text{m}^3$

∴ 사토량 $= 480 - 287.5 = 192.5\,\text{m}^3$

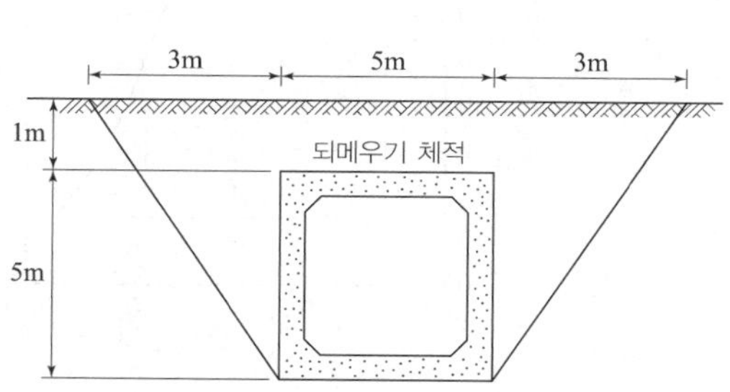

나. 덤프트럭의 적재량 $Q = \dfrac{60 \cdot q_t \cdot f \cdot E}{C_m}$

• $q_t = \dfrac{T}{\gamma_t} \cdot L = \dfrac{15}{1.8} \times 1.25 = 10.42\,\text{m}^3$

$\therefore\ Q = \dfrac{60 \times 10.42 \times \dfrac{1}{1.25} \times 0.9}{300} = 1.50\,\text{m}^3/\text{h}$

다. 소요일수 $= \dfrac{192.5}{1.50 \times 6 \times 2} = 10.69$

∴ 11일

□□□ 14④, 16④, 19② 【3점】

07 **이미 경화한 매시브한 콘크리트 위에 슬래브를 타설할 때 부재 평균 최고온도와 외기온도와의 균형시의 온도차가 12.8℃ 발생하였을 때 아래의 표를 이용하여 온도균열 발생확률을 구하면? (단, 간이법 적용)**

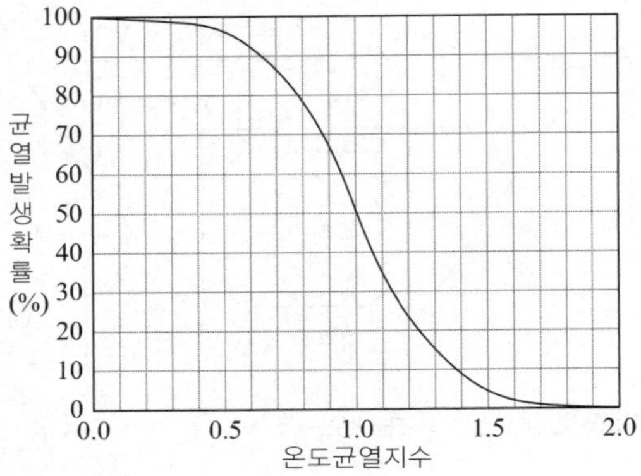

해답 온도균열지수 $I_{cr} = \dfrac{10}{R \cdot \Delta T_o}$

- 이미 경화된 콘크리트 위에 콘크리트를 타설할 때 : $R = 0.60$
- 부재의 최고 평균온도와 외기온도와의 온도차 : $\Delta T_o = 12.8$℃
- $I_{cr} = \dfrac{10}{0.60 \times 12.8} = 1.30$

∴ 온도균열지수 1.30에 대응되는 균열발생확률은 약 15%이다.

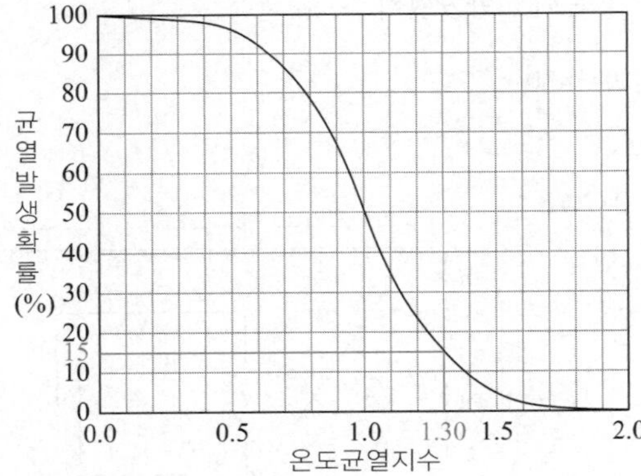

□□□ 12④, 16④, 22② 【3점】

08 **록필댐(Rock fill Dam)의 종류를 3가지만 쓰시오.**

① ______________ ② ______________ ③ ______________

해답 ① 표면 차수벽형댐 ② 내부 차수벽형댐 ③ 중앙 차수벽형댐

□□□ 95⑤, 98①, 02①, 10④, 16④, 22① 【3점】

09 함수비가 20%인 토취장의 습윤단위중량(γ_t)가 19kN/m^{3}이었다. 이 흙으로 도로를 축조할 때 함수비는 15%이고 습윤단위중량은 19.8kN/m^{3}이었다. 이 경우 흙의 토량 변화율(C)는 대략 얼마인가?

계산 과정) 답 :

해답 토량 변화율 $C=\dfrac{\text{본바닥 흙의 건조단위중량}}{\text{다짐 후의 건조단위중량}}$

- 본다박 흙의 건조단위중량 $\gamma_d=\dfrac{\gamma_t}{1+w}=\dfrac{19}{1+0.20}=15.83\text{kN/m}^3$
- 다짐후의 건조단위중량 $\gamma_d=\dfrac{\gamma_t}{1+w}=\dfrac{19.8}{1+0.15}=17.22\text{kN/m}^3$

$\therefore\ C=\dfrac{15.83}{17.22}=0.92$

□□□ 06④, 16④ 【3점】

10 점성토지반에서 표준관입시험 결과 N치로 판정·추정할 수 있는 사항 4가지를 쓰시오.

① ② ③ ④

해답 ① 컨시스턴시 ② 일축압축강도 ③ 점착력 ④ 기초지반 허용지지력

□□□ 02①, 16④ 【3점】

11 보통콘크리트보다 단위중량이 작은 2t/m^3 이하인 콘크리트를 경량콘크리트라 하는데, 이러한 경량콘크리트를 제조하는 방법에 따라 크게 3가지로 구분하시오.

① ② ③

해답 ① 경량골재 콘크리트 ② 경량기포 콘크리트 ③ 무세골재 콘크리트

□□□ 96②, 12④, 16④ 【3점】

12 폭파에서 생긴 암덩어리가 쇼벨 등으로 처리할 수 없을 정도로 크다면 이것을 조각낼 필요가 있다. 이와 같이 조각을 내기 위한 폭파를 2차 폭파 또는 조각발파라고 한다. 이러한 2차 폭파 방법을 3가지만 쓰시오.

① ② ③

해답 ① 천공법(block boring) ② 복토법(mud boring) ③ 사혈법(snake boring)

□□□ 96③, 01③, 06④, 10②, 14②, 16④, 19③ 【3점】

13 **그림과 같은 중력식 옹벽의 전도(overturning)에 대한 안전율을 계산하시오.**
(단, 콘크리트의 단위중량은 23kN/m^3이고, 옹벽전면에 작용하는 수동토압은 무시한다.)

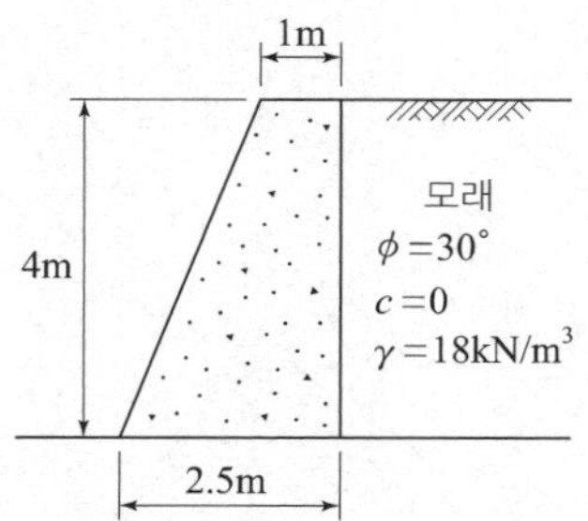

계산 과정)

답 :

해답 $F_s = \dfrac{W\cdot b + P_v \cdot E}{P_A \cdot \text{y}} = \dfrac{W\cdot b + 0}{P_A \cdot \text{y}}$ (∵ 수동토압 P_v는 무시)

- $P_A = \dfrac{1}{2}\gamma H^2\left(45° - \dfrac{\phi}{2}\right) = \dfrac{1}{2}\times 18 \times 4^2 \tan^2\left(45° - \dfrac{30°}{2}\right) = 48\,\text{kN/m}$
- $W = W_1 + W_2$
- $W_1 = 1\times 4\times 23 = 92\,\text{kN/m}$
- $W_2 = \dfrac{1}{2}\times(2.5-1)\times 4\times 23 = 69\,\text{kN/m}$
- $W\cdot b = W_1 b_1 + W_2 b_2 = 92\times(1.5+0.5) + 69\times\left(1.5\times\dfrac{2}{3}\right) = 253\,\text{kN}$
- $\text{y} = 4\times\dfrac{1}{3} = \dfrac{4}{3}\,\text{m}$

$\therefore\ F_s = \dfrac{253}{48\times\dfrac{4}{3}} = 3.95$

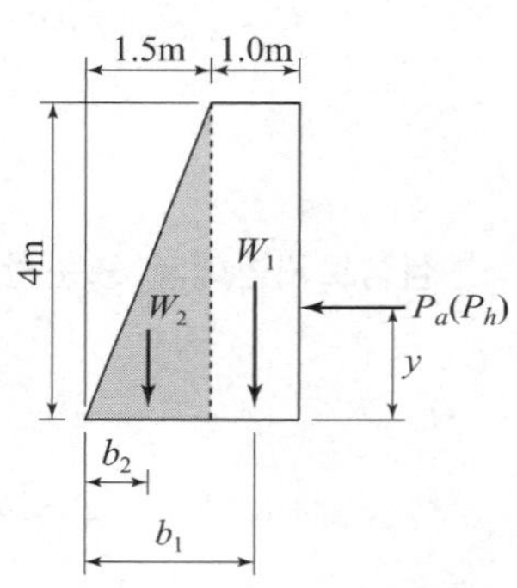

□□□ 96⑤, 99③, 00⑤, 03②, 05②, 08②, 10①, 11①, 13②, 16④, 18③ 【3점】

14 **그림에서와 같이 강널말뚝(steel sheet pile)으로 지지된 모래지반의 굴착에서 지하수의 분출로 인하여 예상되는 파이핑(piping)에 대한 안전율을 계산하시오.**

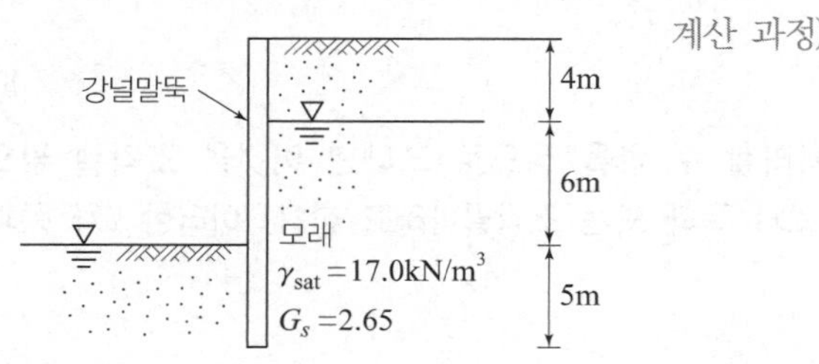

계산 과정)

답 :

해답 $F_s = \dfrac{(\Delta h + 2d)\gamma_{sub}}{\Delta h \cdot \gamma_w} = \dfrac{(6+2\times 5)(17-9.81)}{6\times 9.81} = 1.95$

□□□ 95③, 96②, 97②, 98⑤, 08②, 11①, 13②, 16④ 【3점】

15 제방, 터널, 배수로, 사면 안정 및 보호 등에 사용되는 토목섬유의 종류를 4가지만 쓰시오.

① ________ ② ________ ③ ________ ④ ________

해답 ① 지오텍스타일(Geotextile) ② 지오그리드(Geogrid) ③ 지오콤포지트(Geocomposite)
④ 지오멤브레인(Geomembrane) ⑤ 지오매트(Geomat)

□□□ 04④, 07④, 09④, 14④, 16④, 22② 【3점】

16 지하수 침강 최소깊이 2m, 암거 매립간격 8m, 투수계수 10^{-5}cm/sec일 때 불투수층에 놓인 암거를 통한 단위 길이당 배수량을 구하시오. (단, 소수점 이하 넷째자리까지 구하시오.)

계산 과정) 답 : ________

해답 단위길이당 배수량 $Q=\dfrac{4kH_0^2}{D}$

• $H_o=200\,\text{cm},\ D=800\,\text{cm}$

$\therefore\ Q=\dfrac{4\times10^{-5}\times200^2}{800}=0.002\,\text{cm}^3/\text{cm}/\text{sec}$

※ 주의 단위길이당 배수량의 단위 : $\text{cm}^3/\text{cm}/\text{sec}$

□□□ 96②, 08④, 16④, 22① 【3점】

17 그림과 같이 표고가 20m씩 차이 나는 등고선으로 둘러싸인 지역의 흙을 굴착하여 택지조성을 계획할 때 1.0m^3 용적의 굴삭기 2대를 동원하면 굴착에 소요되는 기간은 며칠인가? (단, 굴삭기 사이클타임=20초, 효율=0.8, 디퍼계수=0.8, $L=1.2$, 1일 작업시간=8시간, 등고선 면적 $A_1=100\text{m}^2$, $A_2=80\text{m}^2$, $A_3=50\text{m}^2$이다.)

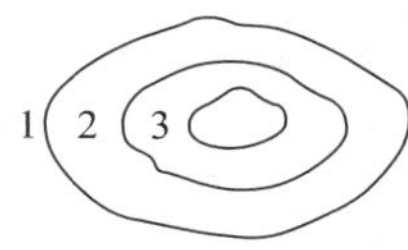

계산 과정)

답 : ________

해답

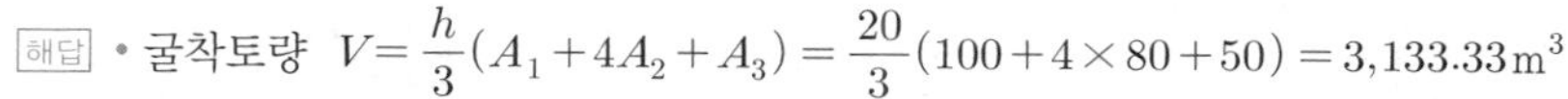

• 굴착토량 $V=\dfrac{h}{3}(A_1+4A_2+A_3)=\dfrac{20}{3}(100+4\times80+50)=3{,}133.33\,\text{m}^3$

• 굴삭기 1대 작업량

$Q=\dfrac{3{,}600\cdot q\cdot K\cdot f\cdot E}{C_m}=\dfrac{3{,}600\times1.0\times0.8\times\dfrac{1}{1.2}\times0.8}{20}=96\,\text{m}^3/\text{hr}$

• 백호 2대의 작업량$=96\times8$시간$\times2$대$=1{,}536\,\text{m}^3/\text{day}$

$\therefore$ 소요공기$=\dfrac{\text{총굴착토량}}{\text{백호 2대의 작업량}}=\dfrac{3{,}133.33}{1{,}536}=2.04\quad\therefore$ 3일

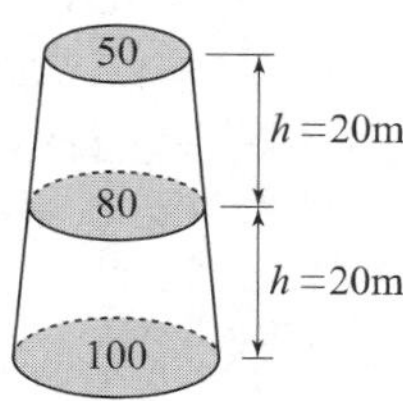

□□□ 98④, 05①, 10④, 11④, 13④, 16④, 21③ 【6점】

18 **3m×3m 크기의 정사각형 기초를 마찰각 $\phi = 30°$, 점착력 $c = 50\text{kN/m}^2$인 지반에 설치하였다. 흙의 단위중량 $\gamma = 17\text{kN/m}^3$이며, 기초의 근입깊이는 2m이다. 지하수위가 지표면에서 1m, 3m, 5m 깊이에 있을 때의 극한지지력을 각각 구하시오.** (단, 지하수위 아래의 흙의 포화단위중량은 19kN/m^3이고, Terzaghi 공식을 사용하고, $\phi = 30°$일 때, $N_c = 36$, $N_r = 19$, $N_q = 22$)

가. 지하수위가 1m 깊이에 있는 경우

계산 과정) 답 : ________

나. 지하수위가 3m 깊이에 있는 경우

계산 과정) 답 : ________

다. 지하수위가 5m 깊이에 있는 경우

계산 과정) 답 : ________

해답 가. $D_1 \leq D_f$인 경우 (1m < 2m)

$$q_u = \alpha c N_c + \beta \gamma_1 B N_r + \gamma_2 D_f N_q$$
$$= \alpha c N_c + \beta \gamma_{\text{sub}} B N_r + (D_1 \gamma_1 + D_2 \gamma_{\text{sub}}) N_q$$
$$= 1.3 \times 50 \times 36 + 0.4 \times (19 - 9.81) \times 3 \times 19 + \{1 \times 17 + 1 \times (19 - 9.81)\} \times 22$$
$$= 2{,}340 + 209.53 + 576.18 = 3{,}125.71\,\text{kN/m}^2$$

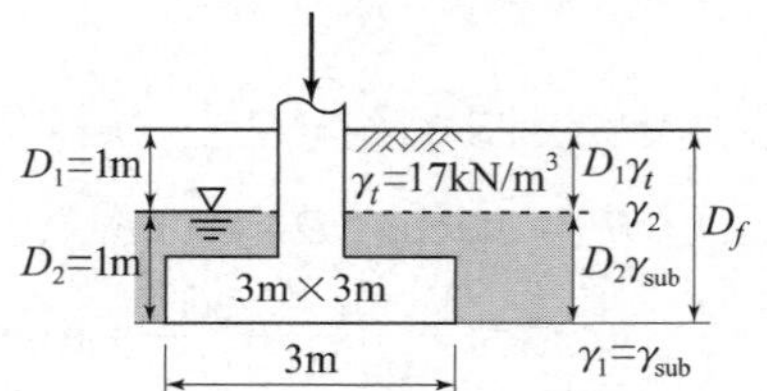

나. $d < B$인 경우 (1m < 3m)

$$q_u = \alpha c N_c + \beta \left\{ \gamma_{\text{sub}} + \frac{d}{B}(\gamma_t - \gamma_{\text{sub}}) \right\} B N_r + \gamma_t D_f N_q$$

- $\gamma_{\text{sub}} = \gamma_t - \gamma_w = 19 - 9.81 = 9.19\,\text{kN/m}^3$
- $\gamma_1 = \gamma_{\text{sub}} + \dfrac{d}{B}(\gamma_t - \gamma_{\text{sub}})$

$$= 9.19 + \frac{1}{3}(17 - 9.19) = 11.79\,\text{kN/m}^3$$

$$\therefore\ q_u = 1.3 \times 50 \times 36 + 0.4 \times 11.79 \times 3 \times 19 + 17 \times 2 \times 22$$
$$= 2{,}340 + 268.81 + 748 = 3{,}356.81\,\text{kN/m}^2$$

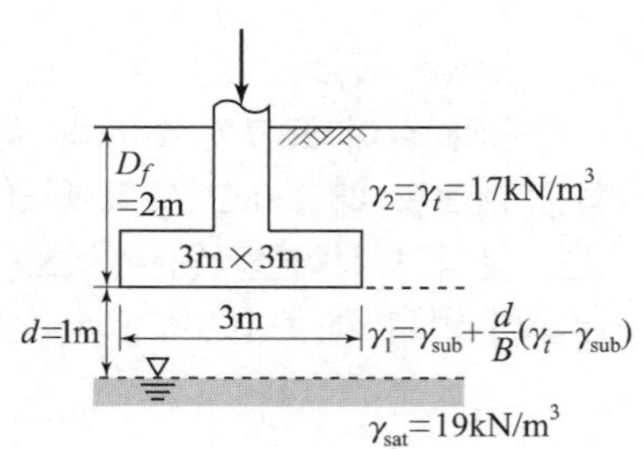

다. $d \geq B$인 경우

$$q_u = \alpha c N_c + \beta B \gamma_1 N_r + \gamma_2 D_f N_q$$
$$= 1.3 \times 50 \times 36 + 0.4 \times 17 \times 3 \times 19 + 17 \times 2 \times 22$$
$$= 2{,}340 + 387.6 + 748 = 3{,}475.6\,\text{kN/m}^2$$
$$(\therefore\ \gamma_1 = \gamma_2 = \gamma_t)$$

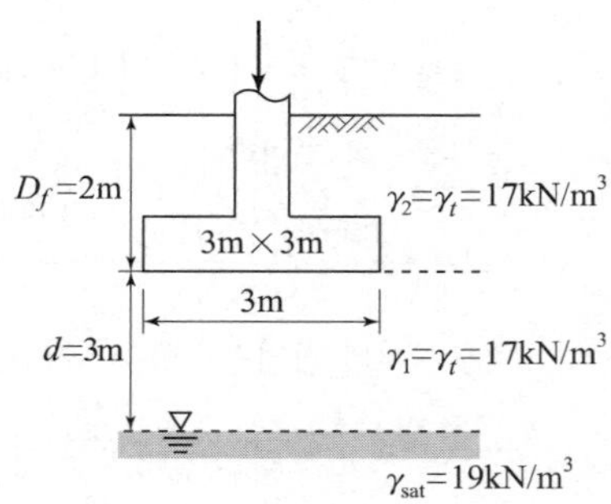

□□□ 96①, 98④, 99③, 10④, 13①, 16④ 【3점】

19 두 번의 평판재하시험 결과가 다음과 같을 때 허용침하량이 25mm인 정사각형 기초가 1,500kN의 하중을 지지하기 위한 실제 기초의 크기를 구하시오.

원형평판직경 B(m)	0.3	0.6
작용하중 Q(kN)	100	250
침하량(mm)	25	25

계산 과정)　　　　　　　　　　　　　　　　답 :

해답 $Q = Am + Pn$

- $100 = \left(\dfrac{\pi \times 0.3^2}{4}\right)m + (0.3\pi)n$ ······································ (1)
- $250 = \left(\dfrac{\pi \times 0.6^2}{4}\right)m + (0.6\pi)n$ ······································ (2)

(1)×2−(2)

- $200 = \left(\dfrac{2\pi \times 0.3^2}{4}\right)m + (0.6\pi)n$ ································· (1)′

$-50 = -0.18\left(\dfrac{\pi}{4}\right)m$ ∴ $m = 353.678$, $n = 79.577$

- $1{,}500 = D^2 \times 353.678 + 4D \times 79.577$ (∵ 정사각형 기초)　∴ $D = 1.66\text{m}$

참고 SOLVE 사용

□□□ 05①, 09①, 12①, 14④, 15①, 16④ 【10점】

20 다음의 작업리스트를 보고 아래 물음에 답하시오.

작업명	선행작업	후속작업	표준상태		특급상태	
			작업일수	비용	작업일수	비용
A	−	B, C	3	30만원	2	33만원
B	A	D	2	40만원	1	50만원
C	A	E	7	60만원	5	80만원
D	B	F	7	100만원	5	130만원
E	C	G, H	7	80만원	5	90만원
F	D	G, H	5	50만원	3	74만원
G	E, F	I	5	70만원	5	70만원
H	E, F	I	1	15만원	1	15만원
I	G, H	−	3	20만원	3	20만원

가. Network(화살선도)를 작도하고, 표준상태에 대한 C.P를 표시하시오.

나. 공기를 3일 단축했을 때 추가로 소요되는 비용을 구하시오.

계산 과정)　　　　　　　　　　　　　　　　　　　　　　　　　답 :

해답 가.

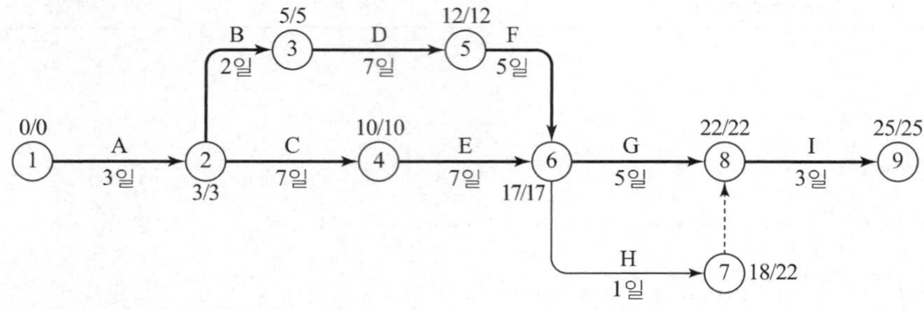

C.P : A→B→D→F→G→I
　　　A→C→E→G→I

나. 비용구배(만원/일)

$A = \dfrac{33-30}{3-2} = 3$만원,　　$B = \dfrac{50-40}{2-1} = 10$만원,　　$C = \dfrac{80-60}{7-5} = 10$만원

$D = \dfrac{130-100}{7-5} = 15$만원,　　$E = \dfrac{90-80}{7-5} = 5$만원,　　$F = \dfrac{74-50}{5-3} = 12$만원

단축단계	단축작업	단축일	비용경사(만원/일)	단축비용(만원)	추가비용 누계(만원)
1	A	1	3	3	3
2	B+E	1	10+5 = 15	15	18
3	E+F	1	5+12	17	35

∴ 추가 소요되는 비용 35만원

□□□ 16④ 【3점】

21 암반보강공법을 3가지만 쓰시오.

①　　　　　　②　　　　　　③

해답 ① 숏크리트공법(shotcrete)
② 록 볼트(rock bolt)
③ 록 앵커공법(rock anchor)

□□□ 06②, 12①, 14②, 16④, 21① 【8점】

22 주어진 도면에 따라 다음 물량을 산출하시오. (단, 도면의 치수단위는 mm이다.)

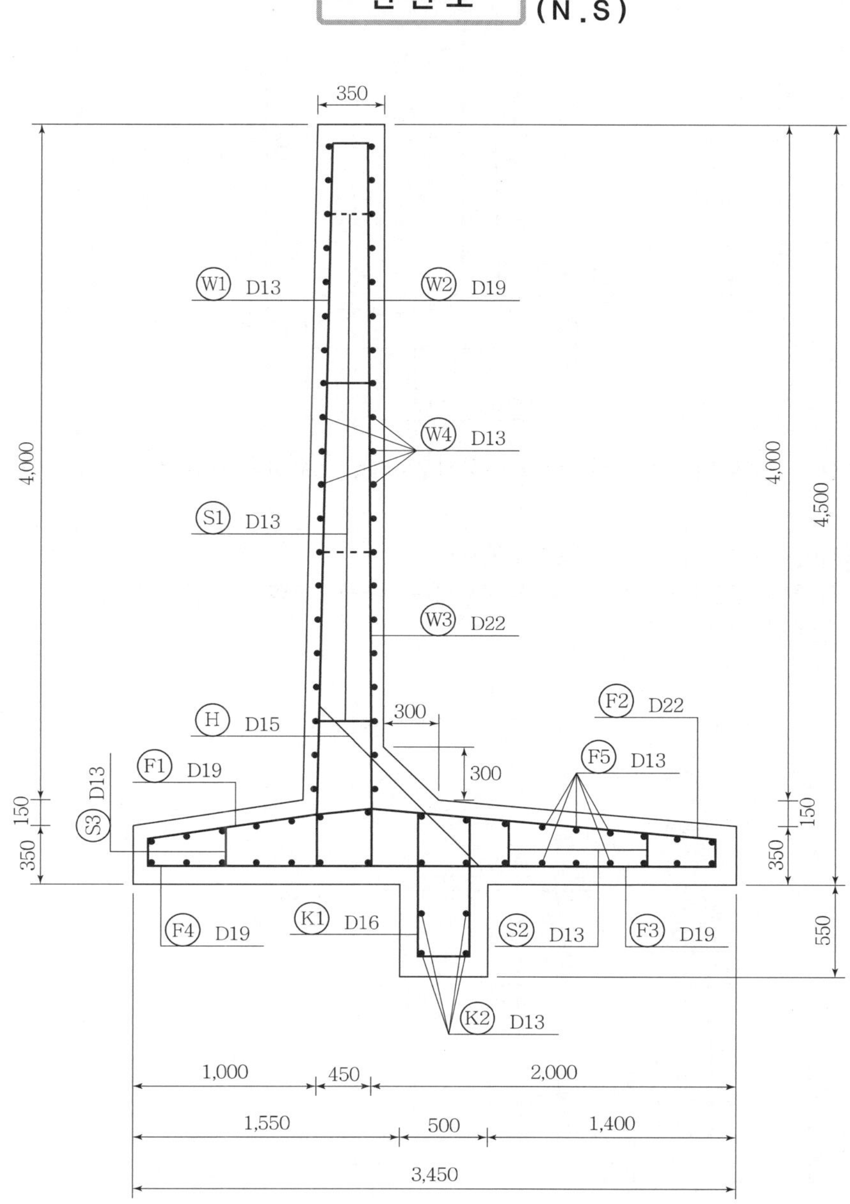

일 반 도

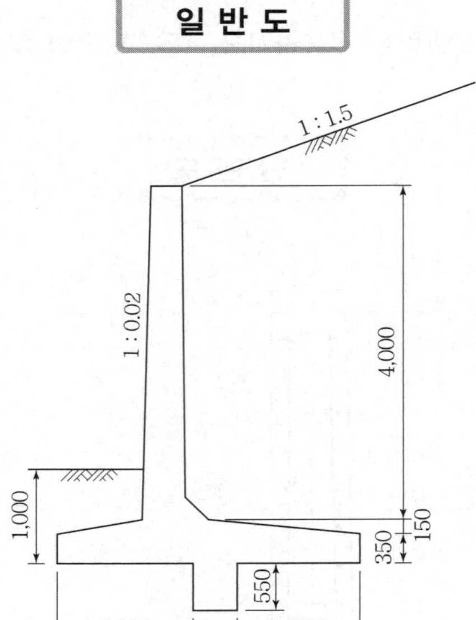

가. 옹벽길이 1m에 대한 콘크리트량을 구하시오. (단, 소수 4째자리에서 반올림하시오.)

계산 과정) 답 : ______

나. 옹벽길이 1m에 대한 거푸집량을 구하시오.
(단, 돌출부(전단 Key)에 거푸집을 사용하며, 마구리면의 거푸집을 무시하며, 소수 4째자리에서 반올림하시오.)

계산 과정) 답 : ______

해답 가.

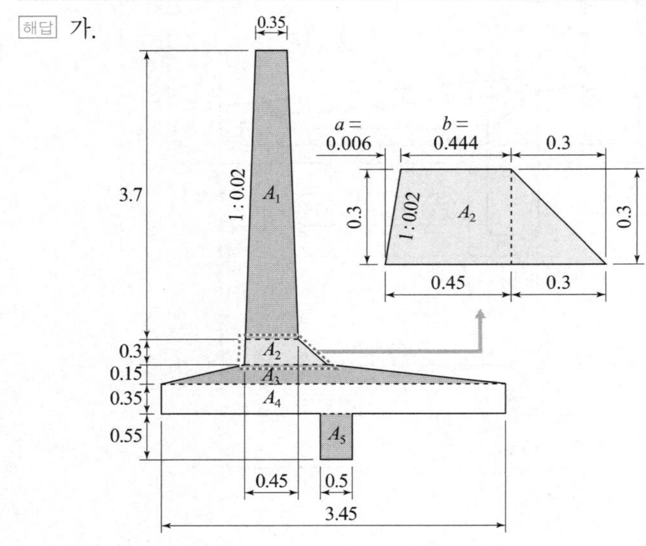

- $a = 0.02 \times 0.30 = 0.006\text{m}$
- $b = 0.45 - 0.02 \times 0.30 = 0.444\text{m}$
- $A_1 = \dfrac{0.35 + 0.444}{2} \times 3.7 = 1.469\,\text{m}^2$
- $A_2 = \dfrac{0.444 + (0.45 + 0.3)}{2} \times 0.3 = 0.179\,\text{m}^2$
- $A_3 = \dfrac{(0.45 + 0.3) + 3.45}{2} \times 0.15 = 0.315\,\text{m}^2$
- $A_4 = 0.35 \times 3.45 = 1.208\,\text{m}^2$
- $A_5 = 0.55 \times 0.5 = 0.275\,\text{m}^2$

  $\therefore\ V = (\sum A_i) \times 1 = (1.469 + 0.179 + 0.315 + 1.208 + 0.275) \times 1 = 3.446\,\text{m}^3$

나.

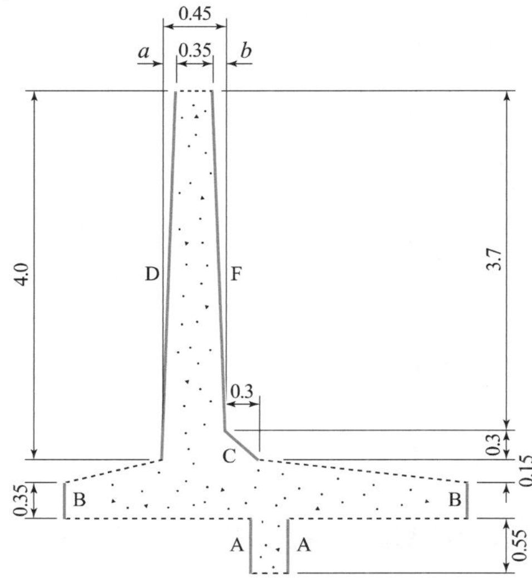

- $a = 0.02 \times 4.0 = 0.08\text{m}$
- $b = 0.45 - (0.08 + 0.35) = 0.02\text{m}$
- $\text{A} = 0.55 \times 2 = 1.1\text{m}$
- $\text{B} = 0.35 \times 2 = 0.70\,\text{m}$
- $\text{C} = \sqrt{0.3^2 + 0.3^2} = 0.4243\,\text{m}$
- $\text{D} = \sqrt{4.0^2 + 0.08^2} = 4.001\,\text{m}$
- $\text{F} = \sqrt{3.7^2 + 0.02^2} = 3.7001\,\text{m}$

  $\sum L = 1.1 + 0.70 + 0.4243 + 4.001 + 3.7001$

  $= 9.9254\,\text{m}$

  $\therefore$ 면적 $= \sum L \times 1(m) = 9.9254 \times 1 = 9.925\,\text{m}^2$

□□□ 04④, 06②, 10①, 14④, 16④, 20④ 【6점】

23 장대교량에 사용되는 사장교는 주부재인 케이블의 교축방향 배치방식에 따라 3가지를 쓰고 예와 같이 그림을 그리시오.

[예] 방사형 :

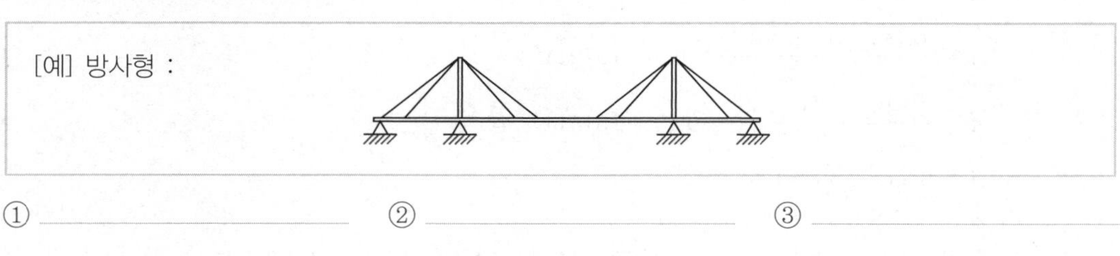

① ______ ② ______ ③ ______

해답 ① 부채형(fan type)

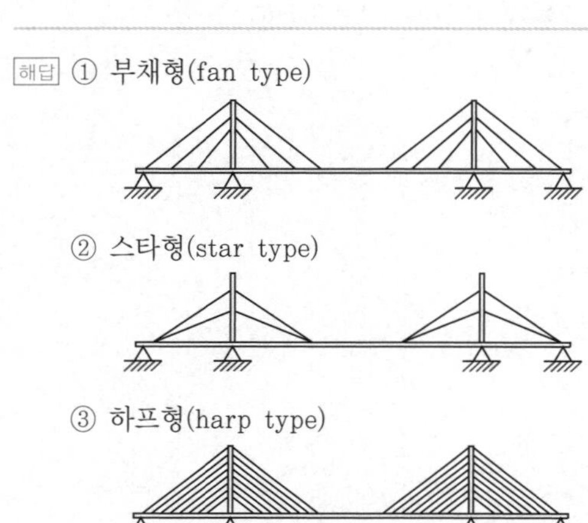

② 스타형(star type)

③ 하프형(harp type)

□□□ 16④ 【2점】

24 교량의 내진설계에 사용하는 모드 스펙트럼 해석법에서 등가 정적 지진하중을 구하기 위한 무차원량을 무엇이라 하는가?

○

해답 탄성지진응답계수(elastic seismic response coefficient)

□□□ 97①, 10①, 16④, 17④ 【3점】

25 지하수위 저하공법은 크게 중력배수공법과 강제배수공법으로 나눌 수 있다. 여기서 강제배수공법의 종류를 3가지만 쓰시오.

① ______ ② ______ ③ ______

해답 ① 웰포인트 공법 ② 전기침투공법 ③ 진공압밀공법

□□□ 16④ 【3점】

26 건설기계에서 주행저항의 종류 3가지를 쓰시오.

① ______ ② ______ ③ ______

해답 ① 회전저항(rolling resistance) ② 경사저항(grade resistance)
③ 가속저항(accelerate resistance) ④ 공기저항(air resistance)

□□□ 87②, 88①, 16④ 【2점】

27 연약지반 중에 진동 또는 충격하중을 사용하여 모래를 압입하고, 직경이 큰 압축된 모래기둥을 조성하여 지반을 안정시키는 공법으로, 느슨한 사질토 지반에 널리 활용되고, 점성토에도 적용이 가능한 공법은?

○

해답 모래 다짐 말뚝 공법(Sand compaction pile method)

국가기술자격 실기시험문제

2017년도 기사 제1회 필답형 실기시험(기사)

종 목	시험시간	형 별	성 명	수험번호
토목기사	3시간	B		

※ 수험자 인적사항 및 계산식을 포함한 답안 작성은 검은색 필기구만 사용하여야 하며, 그 외 연필류, 빨간색, 청색 등 필기구로 작성한 답안은 0점 처리됩니다.

□□□ 04③, 06①, 10④, 14①, 17①, 21③ 【3점】

01 심발공(심빼기 발파공)의 종류 중 4가지만 쓰시오.

① ______ ② ______ ③ ______ ④ ______

해답 ① V컷 ② 번컷 ③ 노컷 ④ 스윙컷 ⑤ 피라미드 컷

□□□ 99①, 00④, 04②, 07②④, 09②, 13①, 17① 【3점】

02 관암거의 직경이 20cm, 유속이 0.8m/sec, 암거길이가 300m일 때 원활한 배수를 위한 암거낙차를 Giesler 공식을 이용하여 구하시오.

계산 과정) 답 : ______

해답 유속 $V=20\sqrt{\frac{D\cdot h}{L}}$

$0.8=20\sqrt{\frac{0.20\times h}{300}}$

$\therefore\ h=2.40\text{m}$

참고 SOLVE 사용

□□□ 13①, 17① 【3점】

03 공정관리법 중 막대공정표의 장점을 3가지만 쓰시오.

① ______ ② ______ ③ ______

해답 ① 각 공종별 공사의 착수 및 완료일이 명시되어 판단이 용이하다.
② 각 공종별 공사와 전체의 공정시기 등이 일목요연하다.
③ 공정표가 단순하여 경험이 적은 사람도 이해하기 쉽다.

□□□ 88③, 93④, 01①, 03②, 12①, 17① 【4점】

04 어느 공사에서 콘크리트 슬럼프시험을 하여 다음 표와 같은 Data를 얻었을 때 $\overline{x}$관리도의 상한과 하한관리선을 구하시오.

조번호	1	2	3	4	5	비고
$\overline{x}$	8.5	9.0	7.5	7.0	8.0	$n=4$
R	1.0	1.5	1.5	1.0	1.0	$A_2=0.729$

상한 관리선 : ________________, 하한 관리선 : ________________

해답 $\overline{x}$ 관리선$=\overline{\overline{x}}\pm A_2\cdot\overline{R}$

- 총 평균 $\overline{\overline{x}}=\dfrac{\Sigma\overline{x}}{n}=\dfrac{8.5+9.0+7.5+7.0+8.0}{5}=8.0$
- 범위의 평균 $\overline{R}=\dfrac{\Sigma R}{n}=\dfrac{1.0+1.5+1.5+1.0+1.0}{5}=1.2$

∴ 상한 관리선 $UCL=8.0+0.729\times1.2=8.87$

∴ 하한 관리선 $LCL=8.0-0.729\times1.2=7.13$

□□□ 98③, 08①④, 10②, 12④, 13①, 14④, 16②, 17①, 20②, 22① 【3점】

05 3m의 모래층 위에 10m 두께의 단단한 포화점토가 있고 모래는 피압상태에 있다. A점에서 히빙(heaving)현상이 일어나지 않은 최대깊이 H를 구하시오.

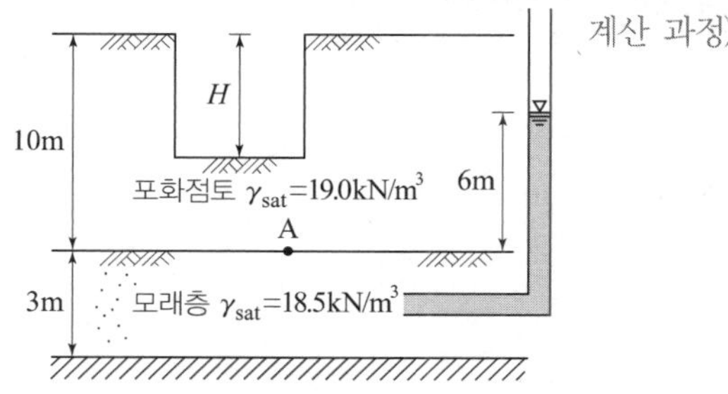

계산 과정)

답 : ________________

해답 $H=\dfrac{H_1\gamma_{sat}-\Delta h\gamma_w}{\gamma_{sat}}$

- $H_1=10\,m$
- $\Delta h=6\,m$

∴ $H=\dfrac{10\times19.0-6\times9.81}{19.0}=6.90\,m$

□□□ 17①, 22① 【6점】

06 댐 콘크리트에서 사용되는 용어의 정의를 간단하게 쓰시오.

가. 로러다짐용 콘크리트(roller compacted dam concrete)의 정의

나. 관로식 냉각(pipe cooling)의 정의

다. 선행 냉각(pre cooling)의 정의

해답 가. 슬럼프가 0인 매우 된 반죽 콘크리트를 얇게 층으로 깔고, 진동 롤러로 다지기를 한 콘크리트
나. 댐 콘크리트를 친 후에 미리 묻어둔 파이프 내부에 냉각수를 순환시켜 댐콘크리트를 냉각하는 방법
다. 댐 콘크리트에서 콘크리트를 타설하기 전에 콘크리트의 온도를 제어하기 위해 얼음이나 액체질소 등으로 콘크리트 원재료를 냉각하는 방법

□□□ 87②, 11①, 17① 【3점】

07 콘크리트의 슬래브 포장에서 팽창, 수축 등을 어느 정도 자유롭게 일어나도록 하여 온도응력을 경감하고 피할 수 없는 균열을 규칙적으로 일정한 장소로 제어할 목적으로 줄눈을 설치한다. 이 같은 줄눈의 종류를 3가지만 쓰시오.

① ______ ② ______ ③ ______

해답 ① 가로수축줄눈 ② 가로팽창줄눈 ③ 시공줄눈 ④ 세로줄눈

□□□ 01①, 04①, 10②, 17① 【3점】

08 가체절공(coffer dam)의 종류를 3가지만 쓰시오.

① ______ ② ______ ③ ______

해답 ① 간이식 가체절공 ② 흙댐식 가체절공 ③ 한겹식 가체절공
④ 두겹식 가체절공 ⑤ 셀식 가체절공

□□□ 17①, 19③ 【3점】

09 흙의 애터버그(Atterberg)한계의 종류 3가지를 쓰시오.

① ______ ② ______ ③ ______

해답 ① 액성한계 ② 소성한계 ③ 수축한계

□□□ 92②, 94③, 97③, 00③, 04①, 10①, 11②, 15①②, 17①, 18① 【3점】

10 **탄성파 속도가 1,100m/s인 사암으로 된 수평한 지반을 1개의 리퍼날이 부착된 21ton급의 불도저($q_0=3.3\text{m}^3$)로 리핑하면서 작업을 할 때 1시간당 작업량을 본바닥 토량으로 구하시오. (단, 소수 셋째자리에서 반올림하시오.)**

【설계조건 및 재료】

- 1개 날의 1회 리핑 단면적 : 0.14m^2
- 리핑의 작업효율 : 0.9
- 작업거리 : 40m
- 리핑의 사이클타임 : $C_m=0.05l+0.33$
- 불도저의 작업효율 : 0.4
- 불도저의 구배계수 : 0.90
- 불도저의 사이클타임 : $C_m=0.037l+0.25$
- 토량 변화율 : $L=1.6$, $C=1.1$

계산 과정)　　　　　　　　　　　　　　　　　　답 : ______

해답 조합작업량 $Q=\dfrac{Q_D\times Q_R}{Q_D+Q_R}$

■ 리핑작업량 $Q_R=\dfrac{60\cdot A_n\cdot l\cdot f\cdot E}{C_m}$

- $C_m=0.05l+0.33=0.05\times40+0.33=2.33$분

$\therefore\ Q_R=\dfrac{60\times0.14\times40\times1\times0.9}{2.33}=129.785\text{m}^3/\text{hr}$

(∵ 리퍼의 작업량은 본바닥 토량이므로 $f=1$이다.)

■ 불도저 작업량 $Q_D=\dfrac{60\cdot(q_o\cdot\rho)\cdot f\cdot E}{C_m}$

- $C_m=0.037l+0.25=0.037\times40+0.25=1.73$분

$\therefore\ Q_D=\dfrac{60\times3.3\times0.90\times\dfrac{1}{1.6}\times0.4}{1.73}=25.751\text{m}^3/\text{hr}$

(∵ 불도저의 작업량은 흐트러진 토량에서 본바닥 토량으로 환산하므로 $f=\dfrac{1}{L}$이다.)

$\therefore$ 조합작업량 $Q=\dfrac{25.751\times129.785}{25.751+129.785}=21.49\text{m}^3/\text{hr}$

□□□ 96⑤, 99③, 00②, 01②, 03②, 05④, 10④, 17① 【3점】

11 **RMR(Rock Mass Rating)에 의한 암반분류 시 적용되는 평가요소를 4가지만 쓰시오.**

① ______　② ______　③ ______　④ ______

해답 ① 암석의 일축압축강도　② RQD(암질지수)　③ 불연속면 간격
④ 절리(불연속면)의 상태　⑤ 지하수 상태　⑥ 불연속면 방향

□□□ 06④, 08④, 09④, 10①, 11②, 17①, 18②, 22②, 23① 【8점】

12 콘크리트의 배합강도를 구하기 위한 시험횟수 16회의 콘크리트 압축강도 측정결과가 아래 표와 같고 품질기준강도가 28MPa일 때 아래 물음에 답하시오.

【압축강도 측정결과(단위 MPa)】

26.0	29.5	25.0	34.0	25.5	34.0	29.0
24.5	27.5	33.0	33.5	27.5	25.5	28.5
26.0	35.0					

가. 위 표를 보고 압축강도의 평균값을 구하시오.

계산 과정)　　　　　　　　　　　　　　　　　　　　답 : ________

나. 압축강도 측정결과 및 아래의 표를 이용하여 배합강도를 구하기 위한 표준편차를 구하시오.

【시험횟수가 29회 이하일 때 표준편차의 보정계수】

시험횟수	표준편차의 보정계수	비고
15 20 25 30 또는 그 이상	1.16 1.08 1.03 1.00	이 표에 명시되지 않은 시험횟수에 대해서는 직선보간한다.

계산 과정)　　　　　　　　　　　　　　　　　　　　답 : ________

다. 배합강도를 구하시오.

계산 과정)　　　　　　　　　　　　　　　　　　　　답 : ________

해답 가. 평균값 $\bar{x}=\dfrac{\Sigma X_i}{n}=\dfrac{464}{16}=29\text{MPa}$

나. 편차제곱합 $S=\Sigma(X_i-\bar{x})^2$

$$S=(26.0-29)^2+(29.5-29)^2+(25.0-29)^2+(34.0-29)^2+(25.5-29)^2$$
$$+(34.0-29)^2+(29.0-29)^2+(24.5-29)^2+(27.5-29)^2+(33.0-29)^2$$
$$+(33.5-29)+(27.5-29)^2+(25.5-29)^2+(28.5-29)^2+(26.0-29)^2$$
$$+(35.0-29)^2=206$$

• 표준편차 $s=\sqrt{\dfrac{S}{n-1}}=\sqrt{\dfrac{206}{16-1}}=3.71\,\text{MPa}$

• 16회의 보정계수 $=1.16-\dfrac{1.16-1.08}{20-15}\times(16-15)=1.144$

∴ 수정 표준편차 $s=3.71\times1.144=4.24\text{MPa}$

다. $f_{cq}=28\text{MPa} \le 35\text{MPa}$인 경우

- $f_{cr}=f_{cq}+1.34s=28+1.34\times4.24=33.68\text{MPa}$
- $f_{cr}=(f_{cq}-3.5)+2.33s=(28-3.5)+2.33\times4.24=34.38\text{MPa}$

∴ 배합강도 $f_{cr}=34.38\text{MPa}$(∵ 두 값 중 큰 값)

□□□ 98①, 00③, 03④, 07①, 17① 【3점】

13 **CPT(원추형 콘관입 시험)의 일종인 piezocone으로 측정할 수 있는 값을 3가지 쓰시오.**

① ________ ② ________ ③ ________

해답 ① 선단 cone 저항(q_c) ② 마찰저항(f_s) ③ 간극수압(u)

□□□ 99③, 02①, 17① 【3점】

14 **어느 암반 지층에서 core를 채취하여 탄성파 시험을 한 결과, 압축파(P파)의 속도가 3,500m/sec로 측정되었다. 암반의 단위중량이 23kN/m³이라 할 때 암반의 탄성계수(E)를 구하시오.**

계산 과정) 답 : ________

해답 탄성파 속도 $V=\sqrt{\dfrac{E}{\dfrac{\gamma}{g}}}$ 에서 $3{,}500=\sqrt{\dfrac{E}{\dfrac{23}{9.8}}}$

∴ 탄성계수 $E=28{,}750{,}000\text{kN/m}^2$

참고 SOLVE 사용

□□□ 85②③, 98⑤, 99③, 01④, 13②, 17① 【3점】

15 **지반의 일축압축강도가 18kN/m²인 연약점성토층을 직경 40cm의 철근 콘크리트 파일로 관입길이 12m를 관통하도록 박았을 때 부마찰력(Negative friction)을 구하시오.**

계산 과정) 답 : ________

해답 $R_{nf}=U\cdot l_c\cdot f_c=\pi d\cdot l_c\cdot\dfrac{q_u}{2}$

$=\pi\times0.40\times12\times\dfrac{1}{2}\times18=135.72\text{kN}$

□□□ 92②, 02②, 07②, 09③, 13①, 13④, 17①, 20① 【3점】

16 말뚝 기초에 발생하는 부마찰력(Negative Friction)의 발생원인 4가지만 쓰시오.

① ____________ ② ____________ ③ ____________ ④ ____________

해답 ① 말뚝의 타입지반이 압밀 진행 중인 경우 ② 상재하중이 말뚝과 지표에 작용하는 경우
③ 지하수위의 저하로 체적이 감소하는 경우 ④ 점착력 있는 압축성 지반일 때

□□□ 00②, 11②, 14②, 17①, 20② 【10점】

17 다음 작업리스트에서 네트워크 공정표를 작성하고, 각 작업의 여유시간을 구하시오.

작업명	선행작업	작업일수	비고
A	없음	4	① C.P는 굵은 선으로 표시하시오. ② 각 결합점에는 아래와 같이 표시하시오. LFT EFT / EST LST ③ 각 작업은 다음과 같다. ⓘ —작업명 / 작업일수→ ⓙ
B	A	6	
C	A	5	
D	A	4	
E	B	3	
F	B, C, D	7	
G	D	8	
H	E	6	
I	E, F	5	
J	E, F, G	8	
K	H, I, J	6	

가. 공정표를 작성하시오.

나. 여유시간을 구하시오.

작업명	TF	FF	DF
A			
B			
C			
D			
E			
F			
G			
H			
I			
J			
K			

해답 가.

나.

작업명	TF	FF	DF
A	4−0−4=0	4−0−4=0	0−0 = 0
B	10−4−6=0	10−4−6=0	0−0=0
C	10−4−5=1	10−4−5=1	1−1=0
D	9−4−4=1	8−4−4=0	1−0=1
E	17−10−3=4	13−10−3=0	4−0=4
F	17−10−7=0	17−10−7=0	0−0=0
G	17−8−8=1	17−8−8=1	1−1=0
H	25−13−6=6	25−13−6=6	6−6=0
I	25−17−5=3	25−17−5=3	3−3=0
J	25−17−8=0	25−17−8=0	0−0=0
K	31−25−6=0	31−25−6=0	0−0=0

□□□ 17①, 18②, 23③ 【3점】

18 터널굴착시 여굴(over break)이 발생하는 원인을 3가지만 쓰시오.

① ______ ② ______ ③ ______

해답 ① 천공 및 발파의 잘못 ② 착암기 사용 잘못 ③ 전단력이 약한 토질 굴착시 발생

□□□ 17① 【2점】

19 말뚝상부에는 모멘트를 받는 강관말뚝을 사용하며, 하부는 압축력을 받는 고강도 콘크리트 말뚝(PHC)으로 된 말뚝의 명칭을 쓰시오.

○

해답 매입형 복합말뚝(Hybrid Composite Pile)

□□□ 12②, 17①, 20① 【8점】

20 **아래 그림과 같은 지반에서 다음 물음에 답하시오.**

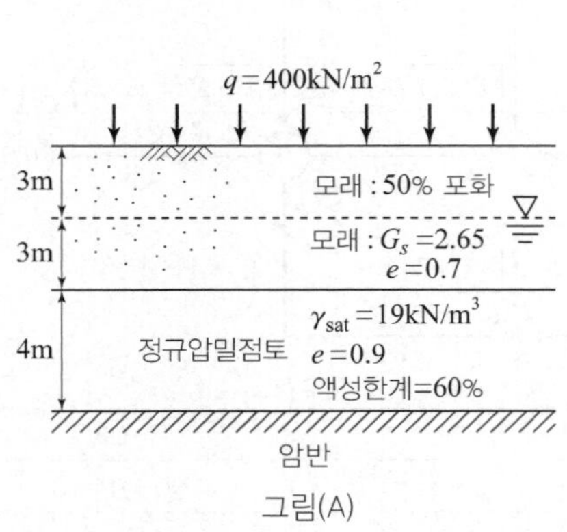

그림(A)

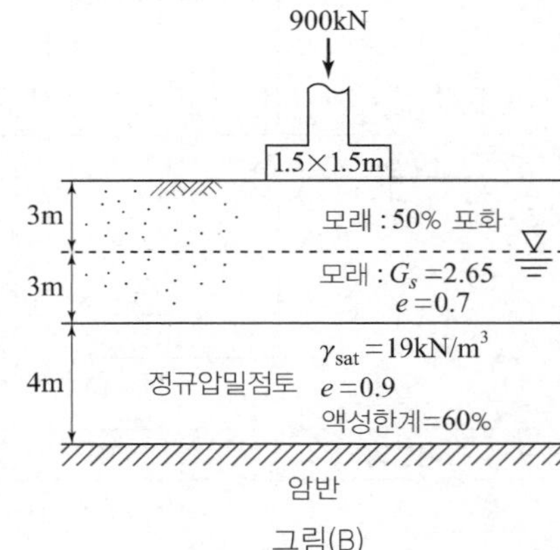

그림(B)

가. 그림(A)와 같이 지표면에 400kN/m^{2}의 무한히 넓은 등분포하중이 작용하는 경우 압밀침하량을 구하시오.

계산 과정) 답 : ________

나. 그림(B)와 같이 지표면에 설치한 정사각형 기초에 900kN의 하중이 작용하는 경우 압밀침하량을 구하시오. (단, 응력증가량 계산은 2 : 1 분포법을 사용하고, 평균유효응력 증가량($\Delta\sigma$) 은 $(\Delta\sigma_t+4\Delta\sigma_m+\Delta\sigma_b)/6$ 으로 구한다. 여기서, $\Delta\sigma_t$, $\Delta\sigma_m$, $\Delta\sigma_b$는 점토층의 상단부, 중간층, 하단부의 응력증가량이다.)

계산 과정) 답 : ________

해답 가. 압밀침하량 $\Delta H=\dfrac{C_c H}{1+e}\log\dfrac{P_2}{P_1}$

- $C_c=0.009(W_L-10)=0.009(60-10)=0.45$
- 모래 $\gamma_t=\dfrac{G_s+\dfrac{S\cdot e}{100}}{1+e}\cdot\gamma_w=\dfrac{2.65+\dfrac{50\times0.7}{100}}{1+0.7}\times9.81=17.31\text{kN/m}^3$
- 모래 $\gamma_{\text{sub}}=\dfrac{G_s-1}{1+e}\gamma_w=\dfrac{2.65-1}{1+0.7}\times9.81=9.52\text{kN/m}^3$
- 정규압밀점토 $\gamma_{\text{sub}}=\gamma_{\text{sat}}-\gamma_w=19-9.81=9.19\text{kN/m}^3$
- $P_1=\gamma_t\cdot h_1+\gamma_{\text{sub}}\cdot h_2+\gamma_{\text{sub}}\cdot\dfrac{h_3}{2}$

  $=17.31\times3+9.52\times3+9.19\times\dfrac{4}{2}=98.87\text{kN/m}^2$
- $P_2=P_1+q=98.87+400=498.87\text{kN/m}^2$

  $\therefore\ \Delta H=\dfrac{0.45\times4}{1+0.9}\log\dfrac{498.87}{98.87}=0.6659\text{m}=66.59\text{cm}$

나. 압밀침하량 $\triangle H = \dfrac{C_c H}{1+e} \log \dfrac{P_1 + \Delta\sigma}{P_1}$

- $\Delta\sigma_t = \dfrac{Q}{(B+z)^2} = \dfrac{900}{(1.5+6)^2} = 16\,\text{kN/m}^2$
- $\Delta\sigma_m = \dfrac{Q}{(B+z)^2} = \dfrac{900}{(1.5+8)^2} = 9.97\,\text{kN/m}^2$
- $\Delta\sigma_b = \dfrac{Q}{(B+z)^2} = \dfrac{900}{(1.5+10)^2} = 6.81\,\text{kN/m}^2$
- $\Delta\sigma = \dfrac{\Delta\sigma_t + 4\sigma_m + \Delta\sigma_b}{6} = \dfrac{16.0 + 4\times 9.97 + 6.81}{6} = 10.44\,\text{kN/m}^2$

$\therefore\ \triangle H = \dfrac{0.45\times 4}{1+0.9} \log \dfrac{98.87 + 10.44}{98.87} = 0.0413\text{m} = 4.13\text{cm}$

□□□ 10②, 11④, 17①, 18③, 20① 【8점】

21 아래 그림과 같은 2연암거의 일반도를 보고 다음 물량을 산출하시오. (단, 도면 치수의 단위는 mm이다.)

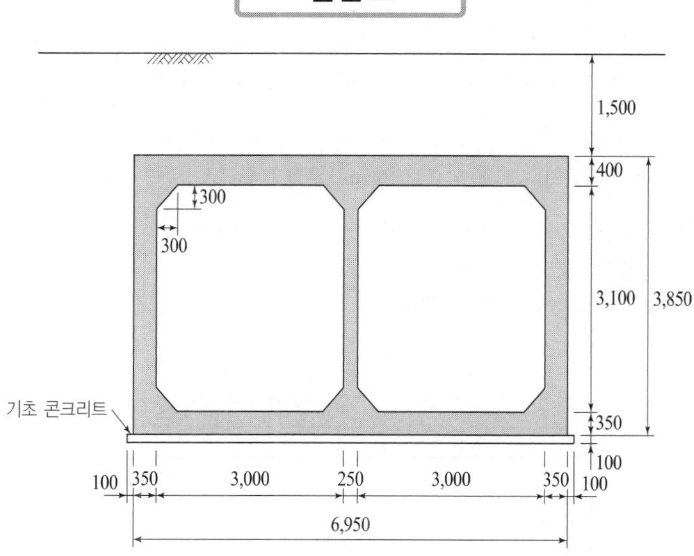

가. 암거길이 1m에 대한 콘크리트량을 산출하시오.
(단, 기초 콘크리트량도 포함하며, 소수점 이하 넷째자리에서 반올림하시오.)

계산 과정)　　　　　　　　　　　　　　　　답 :

나. 암거길이 1m에 대한 거푸집량을 산출하시오.
(단, 양쪽 마구리면은 무시하며, 기초 거푸집량도 포함하며, 소수점 이하 넷째자리에서 반올림하시오.)

계산 과정) 답 : ____________

다. 암거길이 1m에 대한 터파기량을 산출하시오.
(단, 지형상태는 일반도와 같으며 터파기는 기초 콘크리트 양끝에서 0.6m 여유폭을 두고 비탈기울기는 1 : 0.5로 하며, 소수점 이하 넷째자리에서 반올림하시오.)

계산 과정) 답 : ____________

해답 가.

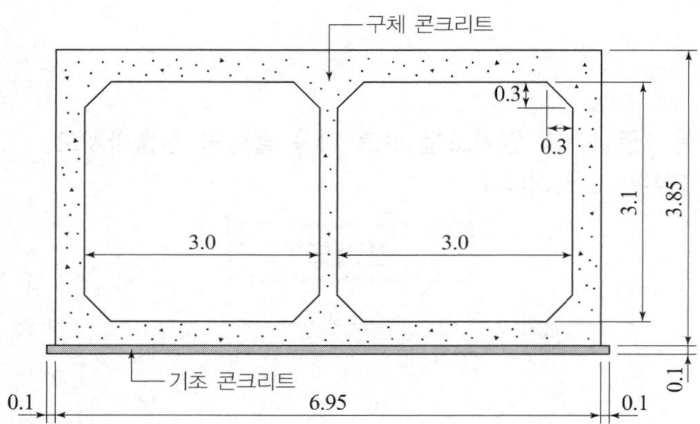

기초콘크리트량 $=(6.95+0.1\times2)\times0.1\times1(\mathrm{m})=0.715\mathrm{m}^3$

암거 콘크리트 $=[6.95\times3.85-3.100\times3.000\times2+\frac{1}{2}\times0.3\times0.3\times8]\times1\mathrm{m}$
$=8.518\mathrm{m}^3$

총 콘크리트량 $=0.715+8.518=9.233\mathrm{m}^3$

나.

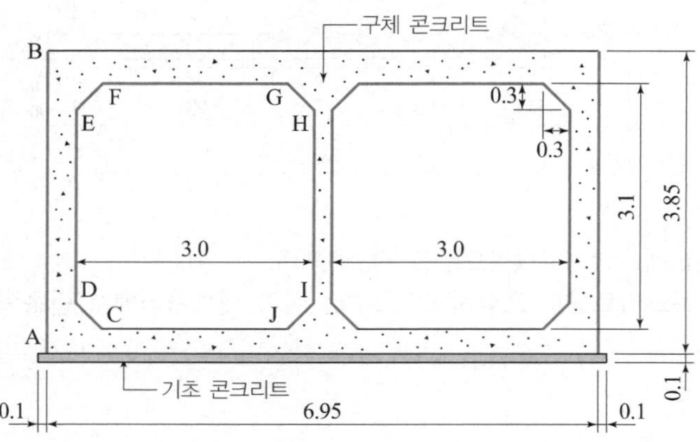

기초 거푸집량$=0.100\times2\times1(\text{m})=0.200\text{m}^2$

암거 거푸집량$=3.85\times2+(3.100-0.300\times2)\times4+(3.000-0.300\times2)\times2+\sqrt{0.3^2+0.3^2}\times8$
$=25.894\text{m}$

∴ 총거푸집량 =0.200+25.894=26.094m^2

다.

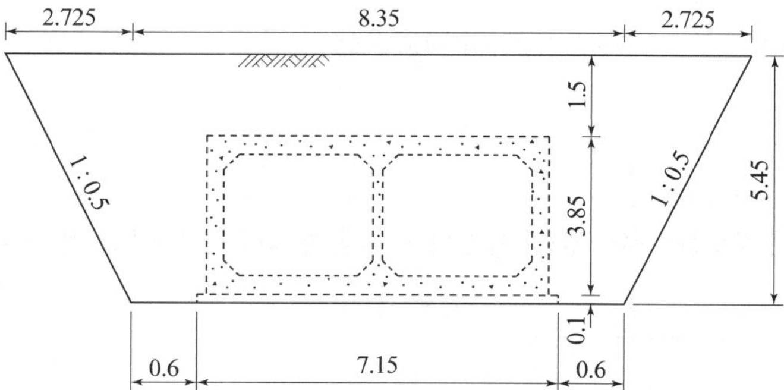

기초 터파기량 밑면 : $0.6+0.100+6.95+0.100+0.6=8.35\text{m}$

기초 터파기량 위면 : $8.35+(1.5+3.85+0.1)\times0.5\times2=13.8\text{m}$

암거 터파기량 : $\dfrac{(8.35+13.8)}{2}\times(1.5+3.85+0.1)\times1(\text{m})=60.359\text{m}^3$

□□□ 94①, 97①, 03①, 05④, 11④, 17①, 20④, 22② 【3점】

22 도로토공을 위한 횡단측량 결과 다음 그림과 같은 결과를 얻었다. Simpson 제2법칙에 의한 횡단면적은? (단위 : m)

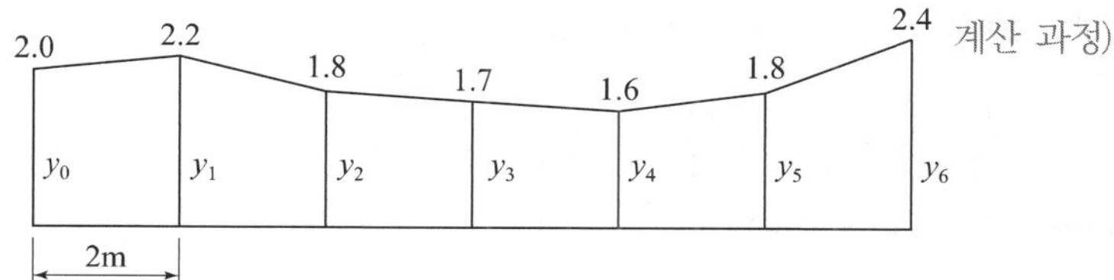

계산 과정)

답 : ______

해답 ■ 방법 1

$$A=\frac{3d}{8}\{y_o+2(y_3)+3(y_1+y_2+y_4+y_5)+y_6\}$$

$$=\frac{3\times2}{8}\{2.0+2\times1.7+3(2.2+1.8+1.6+1.8)+2.4\}=22.50\text{m}^2$$

■ 방법 2

• $A_1=\dfrac{3d}{8}(y_o+3y_1+3y_2+y_3)=\dfrac{3\times2}{8}(2.0+3\times2.2+3\times1.8+1.7)=11.78\text{m}^2$

• $A_2=\dfrac{3d}{8}(y_3+3y_4+3y_5+y_6)=\dfrac{3\times2}{8}(1.7+3\times1.6+3\times1.8+2.4)=10.73\text{m}^2$

∴ $A=A_1+A_2=11.78+10.73=22.51\text{m}^2$

□□□ 92②, 94③, 00②, 03④, 04④, 07②, 10④, 11①, 14②, 17①, 18③, 19③, 21①, 22③, 23① 【3점】

23 PS 콘크리트 교량 건설공법 중 동바리를 사용하지 않는 현장타설공법의 종류 3가지를 쓰시오.

① ______ ② ______ ③ ______

해답 ① FCM(캔틸레버 공법) ② MSS(이동식 지보공법)
③ ILM(연속압출공법)

□□□ 89①, 94④, 05①, 09②, 12④, 17①, 20①② 【3점】

24 아래 그림과 같이 연약토층 위에 있는 사면의 복합활동 파괴면에 대한 안전율을 구하시오.

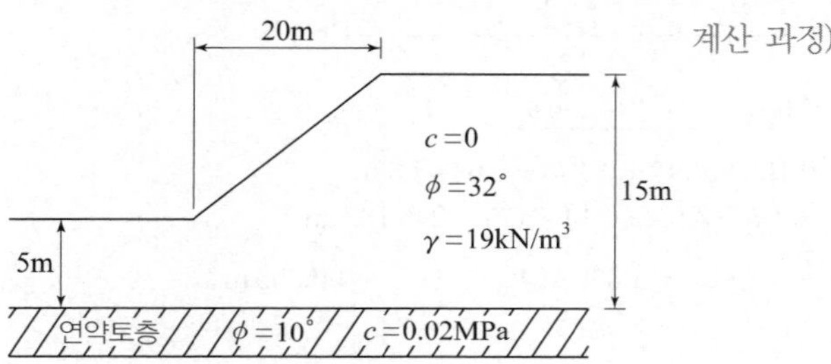

계산 과정)

답 : ______

해답 안전율 $F_s = \dfrac{c \cdot L + W\tan\phi + P_p}{P_a}$

- $P_a = \dfrac{\gamma H^2}{2}\tan^2\left(45° - \dfrac{\phi}{2}\right) = \dfrac{19 \times 15^2}{2}\tan^2\left(45° - \dfrac{32°}{2}\right) = 656.77\text{kN/m}$
- $P_p = \dfrac{\gamma H^2}{2}\tan^2\left(45° + \dfrac{\phi}{2}\right) = \dfrac{19 \times 5^2}{2}\tan^2\left(45° + \dfrac{32°}{2}\right) = 772.96\text{kN/m}$
- $c = 0.02\text{MPa} = 0.02\text{N/mm}^2 = 2\text{N/cm}^2 = 20\text{kN/m}^2$
- $c \cdot L = 20 \times 20 = 400\text{kN/m}$
- $W\tan\phi = \dfrac{15+5}{2} \times 20 \times 19\tan 10° = 670.04\text{kN/m}$

$\therefore\ F_s = \dfrac{400 + 670.04 + 772.96}{656.77} = 2.81$

□□□ 93③, 94①, 96②, 98①, 99①③, 03①, 04①, 07②, 17①, 18③, 20①, 22①②, 23② 【3점】

25 아스팔트 포장 중 실코트(seal coat)의 중요한 목적 3가지만 쓰시오.

① ______ ② ______ ③ ______

해답 ① 표층의 노화방지 ② 포장 표면의 방수성 ③ 포장 표면의 미끄럼 방지
④ 포장 표면의 내구성 증대 ⑤ 포장면의 수밀성 증대

국가기술자격 실기시험문제

2017년도 기사 제2회 필답형 실기시험(기사)

종 목	시험시간	형 별	성 명	수험번호
토목기사	3시간	B		

※ 수험자 인적사항 및 계산식을 포함한 답안 작성은 검은색 필기구만 사용하여야 하며, 그 외 연필류, 빨간색, 청색 등 필기구로 작성한 답안은 0점 처리됩니다.

□□□ 89②, 98③, 07①, 11②, 17②, 20①, 23① 【3점】

01 그림과 같은 방파제의 활동에 대한 안전율을 계산하시오.

(단, 파고$(H)=3.0$m, 케이슨 단위중량$(w)=20$kN/m^3, 해수 단위중량$(w')=10$kN/m^3, 마찰계수$(f)=0.6$, 파압공식$(P)=1.5w'H$(kN/m^2))

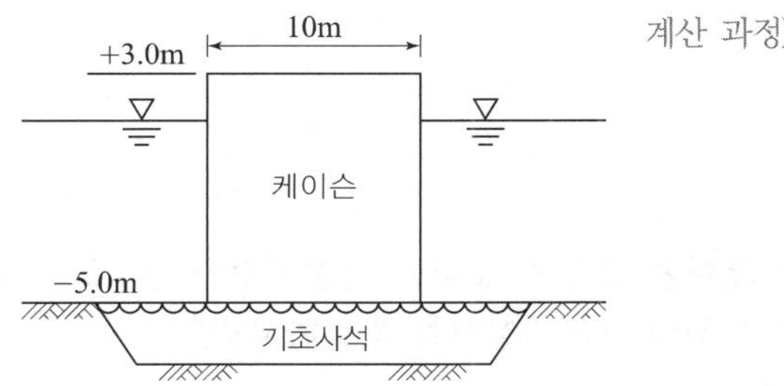

계산 과정)

답 :

해답 안전율 $F_s = \dfrac{f \cdot W}{P_h}$

- 파압 $P = 1.5w'H = 1.5 \times 10 \times 3.0 = 45$kN/m^2
- 수평력 P_h =파압×케이슨 높이$= 45 \times (5+3) = 360$kN/m
- 연직력 W=케이슨의 자중−케이슨의 부력

  $= (3+5) \times 10 \times 20 - (3+5) \times 10 \times 10 = 800$kN/m

∴ 안전율 $F_s = \dfrac{f \cdot W}{P_h} = \dfrac{0.6 \times 800}{360} = 1.33$

□□□ 85①③, 04③, 08①, 17②, 21③ 【3점】

02 연약지반 개량공법 중 치환공법의 종류 3가지를 쓰시오.

① ② ③

해답 ① 굴착치환공법 ② 폭파치환공법 ③ 강제치환공법(압출치환공법)

□□□ 89①, 91③, 93①, 95③, 02④, 17② 【3점】

03 어느 sample 값에서 측정한 다음 데이터의 변동계수를 구하시오. (단, 소수 둘째자리에서 반올림하시오.)

【데이터】

4, 7, 3, 10, 6

계산 과정)　　　　답 : ________

해답 변동계수 $C_v = \dfrac{\sigma}{\bar{x}} \times 100$

- 평균치 $\bar{x} = \dfrac{4+7+3+10+6}{5} = 6$
- 편차의 제곱합 $S = (4-6)^2 + (7-6)^2 + (3-6)^2 + (10-6)^2 + (6-6)^2 = 30$
- 표준편차 $\sigma = \sqrt{\dfrac{S}{n-1}} = \sqrt{\dfrac{30}{5-1}} = 2.74$

$\therefore$ 변동계수 $C_v = \dfrac{2.74}{6} \times 100 = 45.7\%$

□□□ 06④, 13②, 17② 【3점】

04 표준관입시험의 N치가 35일 때, 현장에서 채취한 모래는 모나고 균등계수가 7이고 곡률계수가 2이었다. Dunham의 식을 이용하여 이 모래의 내부마찰각을 추정하시오.

계산 과정)　　　　답 : ________

해답
- 모래의 입도 판정
  균등계수 $C_u \geq 6$, 곡률계수 : $1 \leq C_g \leq 3$일 때 양입도
  $\therefore$ 모나고 입도분포가 양호한 모래
  ($\because$ $C_u = 7$, $C_g = 2$)
- 토립자가 모나고 입도분포가 좋은 모래
  내부마찰각 $\phi = \sqrt{12\text{N}} + 25 = \sqrt{12 \times 35} + 25 = 45.49°$

□□□ 17② 【3점】

05 옹벽, 지하벽체 및 널말뚝 같은 흙막이 구조물에 작용하는 횡방향토압은 구조물의 변위 상태에 따라 토압의 크기가 달라진다. 이 횡방향토압의 종류 3가지를 쓰시오.

① ________　② ________　③ ________

해답 ① 정지토압　② 주동토압　③ 수동토압

□□□ 95①, 00④, 05①, 13①, 17② 【3점】

06 콘크리트 타설시 타설에서 콘크리트의 응결이 종료할 때까지 발생하는 초기균열의 종류를 3가지만 쓰시오.

① ______ ② ______ ③ ______

해답 ① 침하수축균열(침하균열)
② 플라스틱수축균열(초기건조균열)
③ 거푸집 변형에 의한 균열
④ 진동 및 경미한 재하에 의한 균열

□□□ 96④, 17②, 20③ 【3점】

07 차량이 곡선부를 주행할 때 원심력으로 인하여 곡선부 바깥쪽으로 미끄러지거나 전도할 위험이 있으므로 최소곡선반경을 산정하여 차량이 안전하고 쾌적하게 주행할 수 있도록 하고 있다. 다음의 주어진 값을 적용하여 최소곡선반경(R)을 구하시오. (조건 : 설계속도 : 100km/hr, 횡방향 미끄럼마찰계수(f)=0.11, 편구배(i) : 6%)

계산 과정) 답 : ______

해답 $R=\dfrac{V^2}{127(f+i)}=\dfrac{100^2}{127(0.11+0.06)}=463.18\text{m}$

□□□ 17②, 20③ 【6점】

08 다음에 답하시오.

가. 사운딩의 정의에 대해 간단히 설명하시오.

○

나. 정적사운딩의 종류 3가지를 쓰시오.

① ______ ② ______ ③ ______

해답 가. rod에 붙인 어떤 저항체를 지중에 넣어 타격 관입, 인발 및 회전할 때의 흙의 전단강도를 측정하는 원위치 시험

나. ① 베인(Vane) 시험기
② 이스키 메터
③ 스웨덴식 관입 시험기
④ 휴대용 원추 관입 시험기
⑤ 화란식 원추 관입 시험기

□□□ 10①, 11②, 14①④, 17②, 20② 【8점】

09 주어진 반중력식 교대 도면을 보고 다음 물량을 산출하시오.
(단, 교대 전체길이는 10m이며, 도면의 치수단위는 mm이다.)

일 반 도

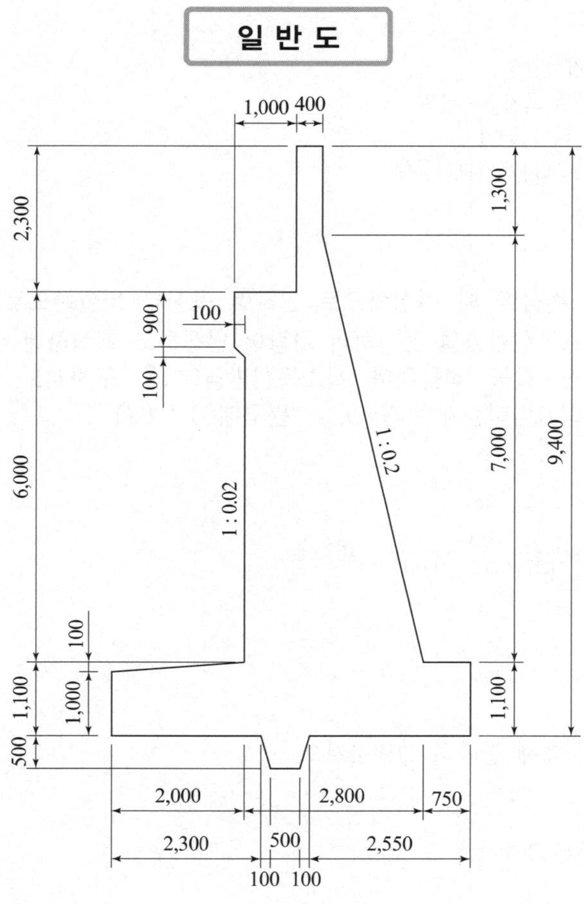

가. 교대의 전체 콘크리트량을 구하시오. (단, 소수 4째자리에서 반올림하시오.)

계산 과정)

답 :

나. 교대의 전체 거푸집량을 구하시오.
(단, 돌출부(전단 Key)에 거푸집을 사용하며, 소수 4째자리에서 반올림하시오.)

계산 과정)

답 :

해답 가.

- $A_1 = 0.4 \times 1.3 = 0.52\text{m}^2$
- $A_2 = \dfrac{0.4 + (0.4 + 7 \times 0.2)}{2} \times 7 = 7.70\text{m}^2$
- $A_3 = 1.0 \times 0.9 = 0.9\text{m}^2$
- $A_4 = \dfrac{1.0 + 0.9}{2} \times 0.1 = 0.095\text{m}^2$
- $A_5 = \dfrac{0.9 + (0.9 + 5 \times 0.02)}{2} \times 5 = 4.75\text{m}^2$
- $A_6 = \dfrac{(5.55 - 2.0) + 5.55}{2} \times 0.1 = 0.455\text{m}^2$
- $A_7 = 5.55 \times 1.0 = 5.550\text{m}^2$
- $A_8 = \dfrac{0.5 + 0.7}{2} \times 0.5 = 0.30\text{m}^2$

$\sum A = 0.52 + 7.70 + 0.9 + 0.095 + 4.75 + 0.455 + 5.55 + 0.30 = 20.270\text{m}^2$

∴ 총콘크리트량 $= 20.270 \times 10 = 202.700\text{m}^3$

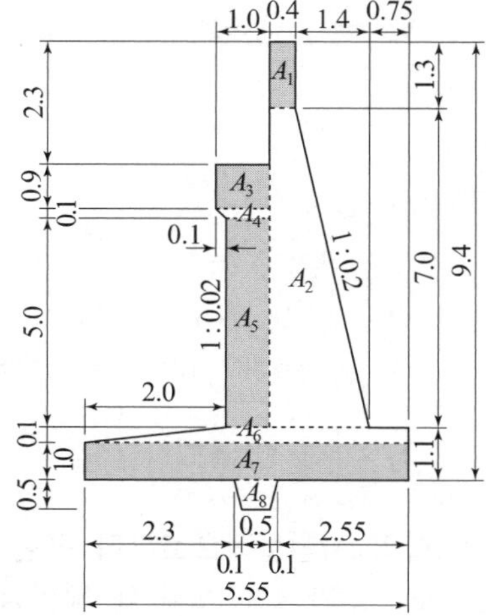

나.

- $A = 2.3\text{m}$
- $B = 0.9\text{m}$
- $C = \sqrt{0.1^2 + 0.1^2} = 0.1414\text{m}$
- $D = \sqrt{(5 \times 0.02)^2 + 5^2} = 5.001\text{m}$
- $E = 1.0\text{m}$
- $F = \sqrt{0.1^2 + 0.5^2} \times 2 = 1.0198\text{m}$
- $G = 1.1\text{m}$
- $H = \sqrt{(7 \times 0.2)^2 + 7^2} = 7.1386\text{m}$
- $I = 1.3\text{m}$
- 총거푸집길이

$\sum L = 2.3 + 0.9 + 0.1414 + 5.001 + 1.0 + 1.0198 + 1.1 + 7.1386 + 1.3 = 19.9008\text{m}$

- 측면도의 거푸집량 $= 19.9008 \times 10 = 199.008\text{m}^2$
- 양 마구리면의 거푸집량 $= 20.270 \times 2$(양단) $= 40.54\text{m}^2$

∴ 총거푸집량 $= 199.008 + 40.54 = 239.548\text{m}^2$

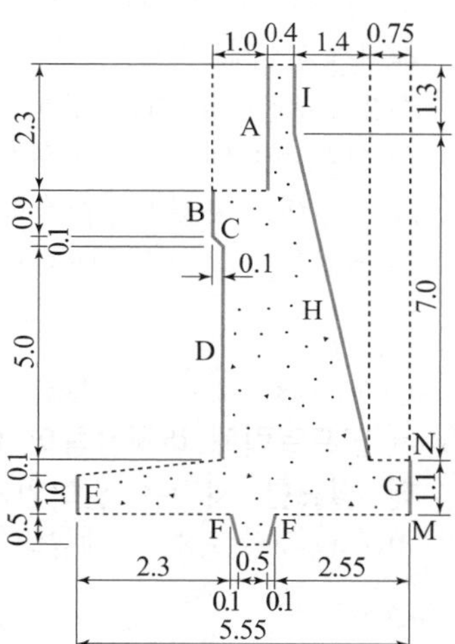

□□□ 17② 【3점】

10 직경 30cm 길이 12m의 말뚝이 점토지반에 설치되었다. 극한 지지력을 구하시오.
(단, $N_c{}'=9$, 점착계수 $\alpha=1.2$, 점착력 $c_u=10\text{kN/m}^2$이다.)

계산 과정) 답 : ______

해답 $Q_u=Q_p+Q_s$

- $Q_p=A_p c_u N_c'=\dfrac{\pi\times0.3^2}{4}\times10\times9=6.36\text{kN}$
- $Q_s=\pi\cdot D\cdot L\cdot\alpha\cdot c_u=(\pi\times0.3\times12)\times1.2\times10=135.72\text{kN}$

$\therefore\ Q_u=6.36+135.72=142.08\text{kN}$

□□□ 12②, 15④, 17②, 19③ 【3점】

11 22회의 시험실적으로부터 구한 압축강도의 표준편차가 4.5MPa이었고, 콘크리트의 품질기준강도(f_{cq})가 40MPa일 때 배합강도는?
(단, 표준편차의 보정계수는 시험횟수가 20회인 경우 1.08이고, 25회인 경우 1.03이다.)

계산 과정) 답 : ______

해답 $f_{cq}=40\text{MPa}\ >\ 35\text{MPa}$일 때

- 22회의 보정계수$=1.08-\dfrac{1.08-1.03}{25-20}\times(22-20)=1.06$
- 수정 표준편차 $s=4.5\times1.06=4.77\text{MPa}$
- $f_{cr}=f_{cq}+1.34s=40+1.34\times4.77=46.39\text{MPa}$
- $f_{cr}=0.9f_{cq}+2.33s=0.9\times40+2.33\times4.77=47.11\text{MPa}$

$\therefore$ 배합강도 $f_{cr}=47.11\text{MPa}$($\because$ 두 값 중 큰 값)

□□□ 03②, 06①②, 10④, 12②, 17②, 22② 【3점】

12 15ton 덤프트럭에 버킷용량이 1.0m³의 백호 1대로 토사를 적재하는 경우, 트럭 1대에 적재하는 데 필요한 시간은 얼마인가? (단, 굴착시 효율=1.0, 버킷계수는=0.9, 자연상태의 $\gamma_t=1.9\text{t/m}^3$, $L=1.2$, 적재장비 사이클 타임 20초)

계산 과정) 답 : ______

해답 적재시간 $C_{mt}=\dfrac{C_{ms}\cdot n}{60\cdot E_s}$

$q_t=\dfrac{T}{\gamma_t}\cdot L=\dfrac{15}{1.9}\times1.2=9.47\text{m}^3$

$n=\dfrac{q_t}{q\cdot k}=\dfrac{9.47}{1.0\times0.9}=10.52=11$회

$\therefore$ 적재시간 $C_{mt}=\dfrac{20\times11}{60\times1.0}=3.67$분

□□□ 04②, 17②, 21② 【4점】

13 **다음과 같은 연속기초의 극한지지력을 테르자기(Terzaghi)식을 이용하여 ①, ②의 경우에 대해 각각 구하시오.** (단, 점착력 $c=0.01\text{MPa}$, 내부마찰각 $\phi=15°$, $N_c=6.5$, $N_r=1.2$, $N_q=2.7$이며 전반전단파괴가 발생하며, 흙은 균질이다.)

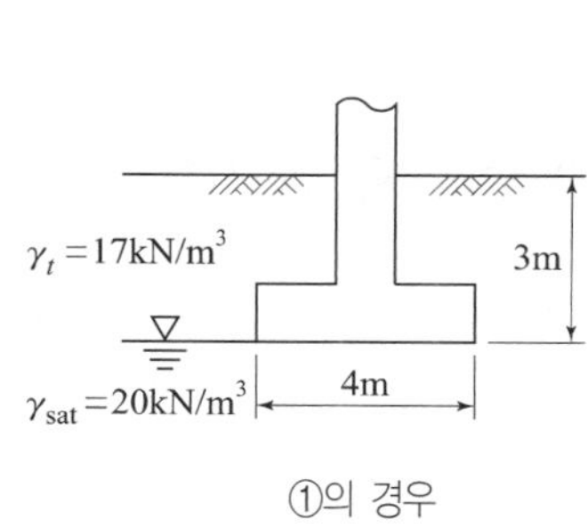

①의 경우

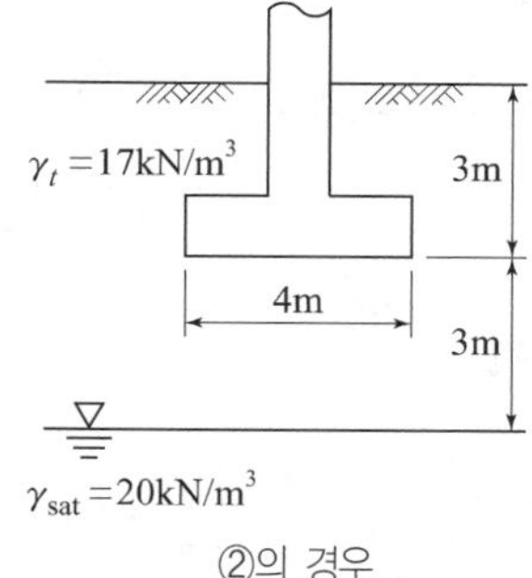

②의 경우

가. ①의 경우에 대하여 극한지지력을 구하시오.

계산 과정)　　　　　　　　　　답 :

나. ②의 경우에 대한 극한지지력을 구하시오.

계산 과정)　　　　　　　　　　답 :

해답 가. $q_u=\alpha cN_c+\beta\gamma_1 BN_r+\gamma_2 D_f N_q$

$c=0.01\text{MPa}=0.01\text{N/mm}^2=10\text{kN/m}^2$

$\therefore q_u=1.0\times10\times6.5+0.5\times(20-9.81)\times4\times1.2+17\times3\times2.7=227.16\text{kN/m}^2$

나. $d<B$인 경우

$q_u=\alpha cN_c+\beta\gamma_1 BN_r+\gamma_2 D_f N_q$ (연속기초 : $\alpha=1.0$, $\beta=0.5$)

• $\gamma_1=\gamma_{sub}+\dfrac{d}{B}(\gamma_t-\gamma_{sub})=(20-9.81)+\dfrac{3}{4}(17-(20-9.81))=15.3\text{kN/m}^3$

$\therefore q_u=1.0\times10\times6.5+0.5\times15.3\times4\times1.2+17\times3\times2.7=239.42\text{kN/m}^2$

□□□ 01①, 17② 【3점】

14 **도로나 댐공사에서 흙을 다질 때 탬핑롤러를 사용하는 경우가 많다. 탬핑롤러의 종류 3가지를 쓰시오.**

①　　　　　　②　　　　　　③

해답 ① 턴 풋 롤러(turn foot roller)
② 시프스 풋 롤러(sheeps foot roller)
③ 그리드 롤러(grid roller)
④ 태퍼 풋 롤러(tapper foot roller)

□□□ 10②, 15①, 17②, 20③ 【4점】

15 아래 그림과 같이 지표면에 100kN의 집중하중이 작용할 때 다음 물음에 답하시오. (단, 소수점 이하 넷째자리에서 반올림하시오.)

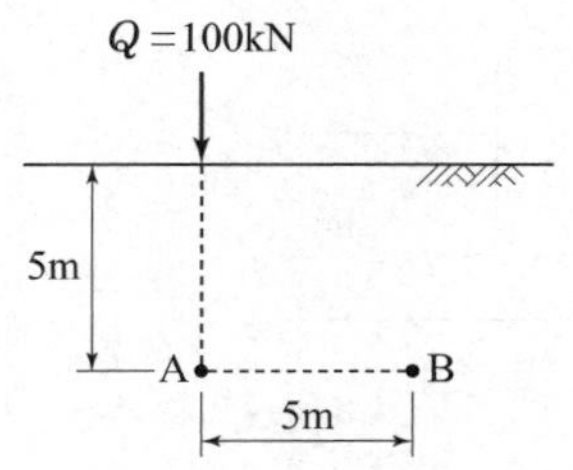

가. A점에서의 연직응력의 증가량을 구하시오.

계산 과정) 답 : ____________

나. B점에서의 연직응력의 증가량을 구하시오.

계산 과정) 답 : ____________

해답 가. $\Delta\sigma_A = \dfrac{3Q}{2\pi Z^2} = \dfrac{3\times 100}{2\pi\times 5^2} = 1.910\,\text{kN/m}^2$

나. $\Delta\sigma_B = \dfrac{3Q}{2\pi}\cdot\dfrac{Z^3}{R^5}$

• $R = \sqrt{x^2+z^2} = \sqrt{5^2+5^2} = 7.071$

$\Delta\sigma_B = \dfrac{3\times 100}{2\pi}\times\dfrac{5^3}{7.071^5} = 0.338\,\text{kN/m}^2$

□□□ 03①, 07①, 17②, 21① 【3점】

16 강상자형교(steel box girder bridge)는 얇은 강판을 상자형 단면으로 결합하여 외력에 저항하는 구조이다. 이러한 강상자형교를 box 단면의 구성형태에 따라 3가지로 분류하시오.

① ____________  ____________ ③ ____________

해답 ① 단실박스(single-cell box)

② 다실박스(multi-cell box)

③ 다중박스(multiple single-cell box)

□□□ 09④, 17② 【2점】

17 무근콘크리트 포장에서 줄눈이나 균열부에 단단한 입자가 침입하면 슬래브 팽창을 방해하게 된다. 이로 인해 국부적인 압축파괴를 일으켜 발생하는 균열을 무엇이라 하는가?

○

해답 스폴링(spalling)

□□□ 01①, 10①, 11④, 13①, 17②, 22② 【3점】

18 아래 그림과 같은 지층의 지표면에 40kN/m²의 압력이 작용할 때, 이로 인한 점토층의 압밀침하량을 구하시오. (단, 이 점토층은 정규압밀점토이다.)

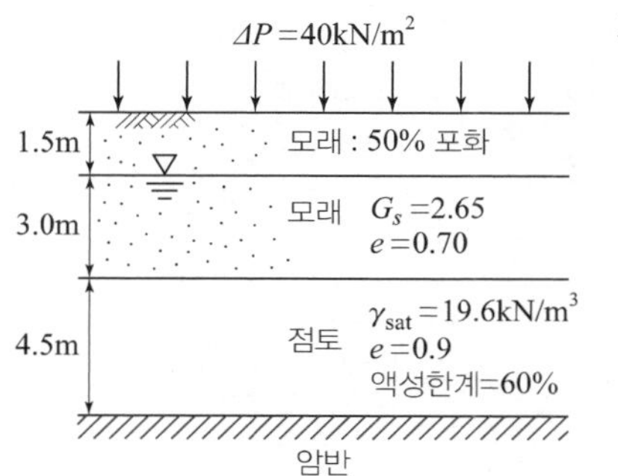

계산 과정)

답 :

해답 압밀침하량 $S=\dfrac{C_c H}{1+e_o}\log\left(\dfrac{P_o+\Delta P}{P_o}\right)$

- $C_c=0.009(W_L-10)=0.009(60-10)=0.45$
- 지하수위 이상의 모래의 단위중량 $\gamma_t=\dfrac{G_s+S\cdot e}{1+e}\gamma_w=\dfrac{2.65+0.5\times0.7}{1+0.7}\times9.81=17.31\text{kN/m}^3$
- 지하수위 이하 모래층 수중단위중량 $\gamma_{sub}=\dfrac{G_s-1}{1+e}\gamma_w=\dfrac{2.65-1}{1+0.7}\times9.81=9.52\text{kN/m}^3$
- 점토의 수중단위중량 $\gamma_{sub}=\gamma_{sat}-\gamma_w=19.6-9.81=9.79\text{kN/m}^3$
- 초기 유효연직압력 $P_o=\gamma_t H_1+\gamma' H_2+\gamma'\dfrac{H_3}{2}$
$=17.31\times1.5+9.52\times3+9.79\times\dfrac{4.5}{2}=76.55\text{kN/m}^2$

$\therefore\ S=\dfrac{0.45\times4.5}{1+0.9}\log\left(\dfrac{76.55+40}{76.55}\right)=0.1946\text{m}=19.46\text{cm}$

□□□ 17② 【3점】

19 터널의 방재설비 종류를 3가지만 쓰시오.

① ② ③

해답 ① 소화설비 ② 경보설비 ③ 피난설비 ④ 소화활동설비 ⑤ 비상전원설비

□□□ 09①, 10②, 14②, 17② 【3점】

20 압출공법(ILM : Incremental Launching Method)에 적용되는 압출방법 3가지를 쓰시오.

① ② ③

해답 ① Pulling 방법 ② Pushing 방법 ③ Lift and pushing 방법

□□□ 12②, 17② 【3점】

21 댐 여수로의 급경사수로를 유하한 고속류의 운동에너지를 감세시켜 하류하천에 안전하게 유하시키기 위한 시설을 감세공이라 한다. 이러한 감세공의 종류 3가지를 쓰시오.

① ______ ② ______ ③ ______

해답 ① 정수지형(stilling basin)
② 플립 버킷형(flip bucket)
③ 잠수 버킷형(submerged bucket)

□□□ 17② 【3점】

22 성토후 다짐을 하는 목적을 3가지만 쓰시오.

① ______ ② ______ ③ ______

해답 ① 흙의 강도를 증가시켜 지지력 향상
② 간극비를 감소시켜 투수계수를 감소
③ 압축성을 감소시켜 침하를 방지

□□□ 13①, 16②, 17②, 18② 【3점】

23 콘크리트의 경화나 강도발현을 촉진하기 위해 실시하는 양생을 촉진양생이라고 한다. 이러한 촉진양생법의 종류를 3가지만 쓰시오.

① ______ ② ______ ③ ______

해답 ① 증기양생 ② 오토클레이브 양생 ③ 전기양생
④ 온수양생 ⑤ 적외선 양생 ⑥ 고주파 양생

□□□ 00⑤, 04①, 05②, 11①, 15①, 17②, 20②, 23③ 【3점】

24 어느 암반지대에서 RQD의 평균값은 60, 절리군의 수는 6, 절리 거칠기계수는 2, 절리면의 변질계수는 2, 지하수 보정계수 J_w는 1, 응력저감계수 SRF는 1일 경우 Q값을 계산하시오.

계산 과정) 답 : ______

해답 $Q=\dfrac{\text{RQD}}{J_n}\cdot\dfrac{J_r}{J_a}\cdot\dfrac{J_w}{\text{SRF}}$

$=\dfrac{60}{6}\times\dfrac{2}{2}\times\dfrac{1}{1}=10$

□□□ 05①, 09①, 12①, 14④, 15①, 17② 【10점】

25 **다음의 작업리스트를 보고 아래 물음에 답하시오.**

작업명	선행작업	후속작업	표준상태		특급상태	
			작업일수	비용	작업일수	비용
A	–	B, C	3	30만원	2	33만원
B	A	D	2	40만원	1	50만원
C	A	E	7	60만원	5	80만원
D	B	F	7	100만원	5	130만원
E	C	G, H	7	80만원	5	90만원
F	D	G, H	5	50만원	3	74만원
G	E, F	I	5	70만원	5	70만원
H	E, F	I	1	15만원	1	15만원
I	G, H	–	3	20만원	3	20만원

가. Network(화살선도)를 작도하고, 표준상태에 대한 C.P를 표시하시오.

나. 공기를 3일 단축했을 때 추가로 소요되는 비용을 구하시오.

계산 과정)　　　　　　　　　　　　　　　　　　　　답 : ____________

해답 가.

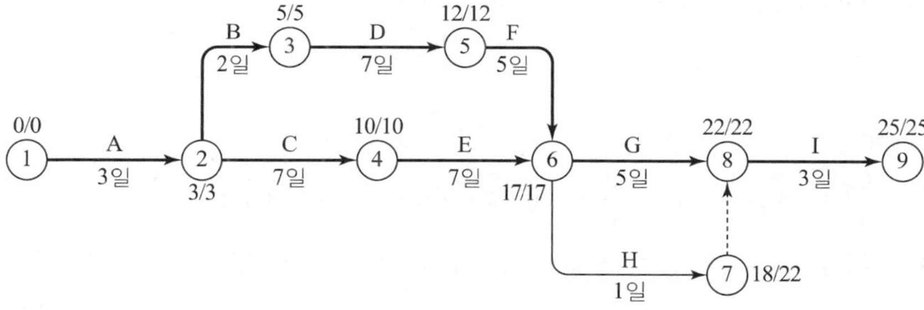

C.P : A→B→D→F→G→I
　　　A→C→E→G→I

나. 비용구배(만원/일)

$A=\dfrac{33-30}{3-2}=3$만원,　$B=\dfrac{50-40}{2-1}=10$만원,　$C=\dfrac{80-60}{7-5}=10$만원

$D=\dfrac{130-100}{7-5}=15$만원,　$E=\dfrac{90-80}{7-5}=5$만원,　$F=\dfrac{74-50}{5-3}=12$만원

단축단계	단축작업	단축일	비용경사(만원/일)	단축비용(만원)	추가비용 누계(만원)
1	A	1	3	3	3
2	B+E	1	10+5 = 15	15	18
3	E+F	1	5+12	17	35

∴ 추가 소요되는 비용 35만원

□□□ 91③, 97④, 99②, 01④, 08①, 17②, 20② 【6점】

26 그림과 같은 등고선을 가진 지형으로 굴착하여 아래 그림과 같은 도로 성토를 하려고 한다. 다음 물음에 답하시오. (단, $L=1.20$, $C=0.90$, 토량은 각주 공식을 사용하며, 등고선의 높이는 20m 간격이며 A_1의 면적은 1,400m^2, A_2의 면적은 950m^2, A_3의 면적은 600m^2, A_4의 면적은 250m^2, A_5의 면적은 100m^2, power shovel의 C_m은 20초, 디퍼계수는 0.95, 작업효율은 0.80, 1일 운전시간은 6시간, 유류 소모량은 4l/hr를 적용한다.)

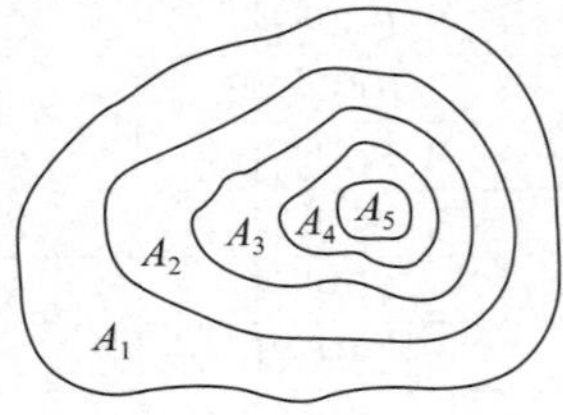

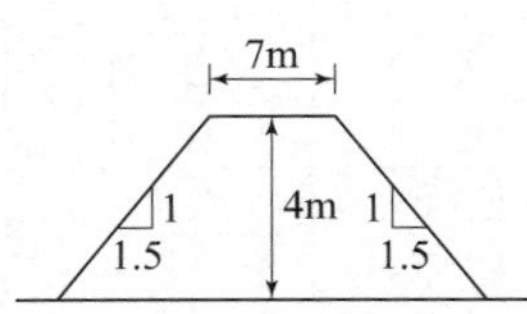

가. 도로 몇 m를 만들 수 있는가?

계산 과정) 답 :

나. 위의 그림과 같은 조건에서 1m^3 Power Shovel 5대가 굴착할 때 작업일수는 몇 일인가?

계산 과정) 답 :

다. power shovel의 총유류소모량은 얼마나 되겠는가?

계산 과정) 답 :

해답 가. 토량계산

- $Q_1 = \dfrac{h}{3}(A_1 + 4A_2 + A_3) = \dfrac{20}{3}(1{,}400 + 4 \times 950 + 600) = 38{,}666.67\text{m}^3$
- $Q_2 = \dfrac{h}{3}(A_3 + 4A_4 + A_5) = \dfrac{20}{3}(600 + 4 \times 250 + 100) = 11{,}333.33\text{m}^3$

  $\therefore\ Q = Q_1 + Q_2 = 38{,}666.67 + 11{,}333.33 = 50{,}000\text{m}^3$

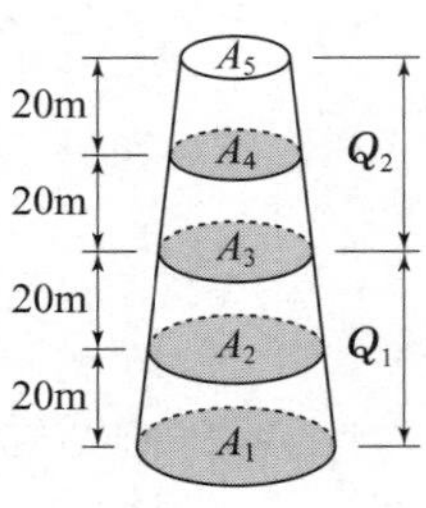

- 도로의 단면적 $A = \dfrac{7+19}{2} \times 4 = 52\text{m}^2$
- 도로의 길이$= \dfrac{\text{원지반 토량} \times C}{\text{도로 단면적}} = \dfrac{50{,}000 \times 0.90}{52} = 865.38\text{m}$

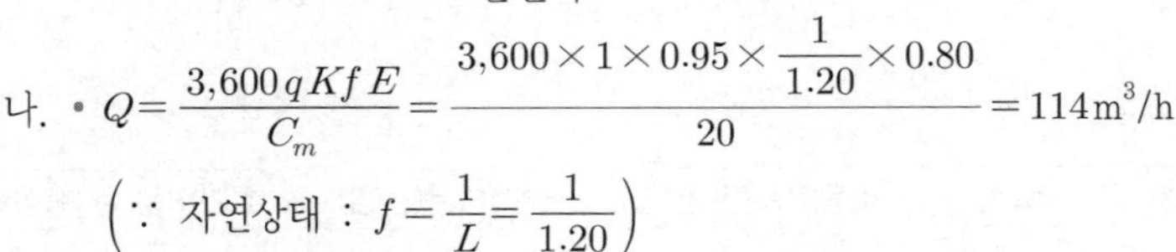

나. • $Q = \dfrac{3{,}600\,qKfE}{C_m} = \dfrac{3{,}600 \times 1 \times 0.95 \times \dfrac{1}{1.20} \times 0.80}{20} = 114\text{m}^3/\text{h}$

$\left(\because\ \text{자연상태 : } f = \dfrac{1}{L} = \dfrac{1}{1.20}\right)$

- 1일 작업일량$= 114(\text{m}^3/\text{hr}) \times 6(\text{hr/d}) \times 5(\text{대}) = 3{,}420\text{m}^3/\text{d}$

  $\therefore$ 작업일수$= \dfrac{50{,}000}{3{,}420} = 14.62$ $\quad\therefore$ 15일

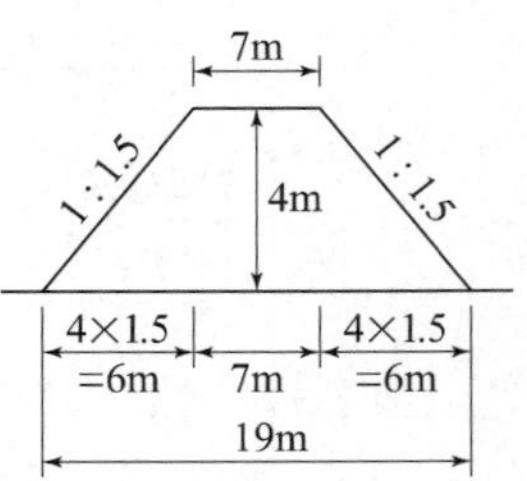

다. 총 유류소모량$= 4 \times 6 \times 14.62 \times 5 = 1{,}754.4l$

□□□ 94②, 96⑤, 97④, 98②, 99⑤, 00①, 04②, 06①, 10④, 11④, 12①, 14①, 17②, 21②, 22③ 【3점】

27 도로를 설계하기 위하여 5개 지점의 시료를 채취하여 각 지점에 있어서의 평균 CBR을 구하였다. 이때의 설계 CBR을 계산하시오.

- 각 지점의 평균 CBR : 6.8, 8.5, 4.8, 6.3, 7.2
- 설계 CBR 계산용 계수

개수(n)	2	3	4	5	6	7	8	9	10 이상
d_2	1.41	1.91	2.24	2.48	2.67	2.83	2.96	3.08	3.18

계산 과정)

답 : ____________

해답 설계 CBR=평균 CBR $-\dfrac{\text{CBR}_{\max}-\text{CBR}_{\min}}{d_2}$

- 평균 CBR $=\dfrac{\Sigma \text{CBR값}}{n}=\dfrac{6.8+8.5+4.8+6.3+7.2}{5}=6.72$

∴ 설계 CBR $=6.72-\dfrac{8.5-4.8}{2.48}=5.23$ ∴ 5

(∵ 설계 CBR은 소수점 이하는 절삭한다.)

국가기술자격 실기시험문제

2017년도 기사 제4회 필답형 실기시험(기사)

종 목	시험시간	형 별	성 명	수험번호
토목기사	**3시간**	B		

※ 수험자 인적사항 및 계산식을 포함한 답안 작성은 검은색 필기구만 사용하여야 하며, 그 외 연필류, 빨간색, 청색 등 필기구로 작성한 답안은 0점 처리됩니다.

□□□ 00④, 03①, 17④ 【3점】

01 그림과 같이 길이 10m, 직경 40cm의 원형말뚝이 점토지반에 설치되었다. 전주면마찰력을 α방법으로 구하시오.

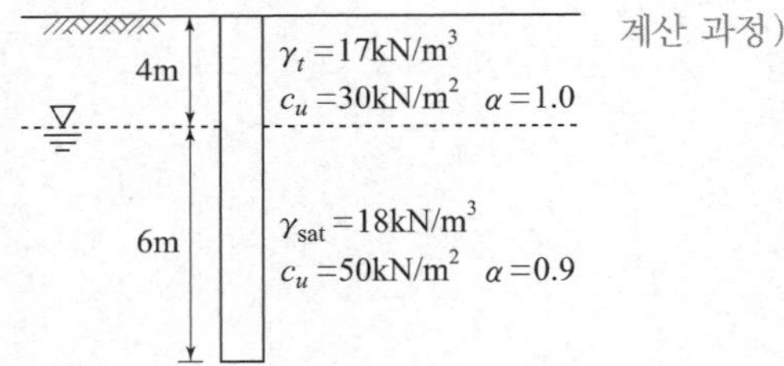

계산 과정)

답 : ______________

해답 $Q_s = \sum\alpha \cdot c_u \cdot P_s \cdot \triangle L \cdot A_s = f_{s1}A_{s1} + f_{s2}A_{s2}$

$= \alpha_1 c_u A_{s1} + \alpha_2 c_u A_{s2}$

$= (1\times 30)\times\pi\times 0.4\times 4 + (0.9\times 50)\times\pi\times 0.4\times 6 = 490.09\text{kN}$

□□□ 89②, 08④, 12①, 13④, 17④, 23② 【3점】

02 조절발파(controlled blasting) 공법의 종류를 4가지만 쓰시오.

① ______________ ② ______________

③ ______________ ④ ______________

해답 ① 라인 드릴링(line drilling) 공법
② 쿠션 블라스팅(cushion blasting) 공법
③ 스무스 블라스팅(smooth blasting) 공법
④ 프리 스플리팅(pre-splitting) 공법

□□□ 06③, 11①, 17④ 【4점】

03 콘크리트를 2층 이상으로 나누어 타설할 경우 상층의 콘크리트 타설은 원칙적으로 하층의 콘크리트가 굳기 시작하기 전에 해야 하며, 상층과 하층이 일체가 되도록 시공하여야 한다. 이러한 시공을 위하여 아래의 각 경우에 대한 답을 쓰시오.

가. 허용 이어치기 시간 간격을 두는 이유를 간단히 쓰시오.

○

나. 허용 이어치기 시간간격의 표준을 쓰시오.

① 외기온도가 25℃를 초과하는 경우 :

② 외기온도가 25℃ 이하인 경우 :

해답 가. 콜드 조인트(cold joint)의 예방을 위해서

나. ① 2시간　② 2.5시간

□□□ 08③, 10④, 11①, 14④, 17④ 【3점】

04 현장 토공에서 모래치환법에 의해 들밀도시험 결과가 다음 표와 같을 때 현장 흙의 다짐도를 구하시오.

【결 과】

- 시험구덩이에서 파낸 흙의 무게 : 1,600g
- 시험구덩이에서 파낸 흙의 함수비 : 20%
- 실험구멍에 채워진 표준모래의 무게 : 1,380g
- 실험구멍에 채워진 표준모래의 밀도 : 1.65g/cm^3
- 실험실에서 얻은 최대건조밀도 : 1.87g/cm^3

계산 과정)　　　　답 : ________

해답 다짐도 $R=\frac{\rho_d}{\rho_{d\max}}\times 100$

- 구멍의 체적 $V=\frac{W_s}{\rho_s}=\frac{1,380}{1.65}=836.36\text{cm}^3$
- 건조흙 무게 $W_s=\frac{W}{1+w}=\frac{1,600}{1+0.20}=1,333.33\text{g}$
- 건조밀도 $\rho_d=\frac{W_s}{V}=\frac{1,333.33}{836.36}=1.59\text{g/cm}^3$

$\therefore\ R=\frac{1.59}{1.87}\times 100=85.03\%$

□□□ 11②, 13④, 17④ 【6점】

05 **다음과 같은 지형에서 시공기준면을 15m로 성토하고자 할 때 다음 물음에 답하시오.**
(단, 격자점 숫자는 표고, 단위는 m)

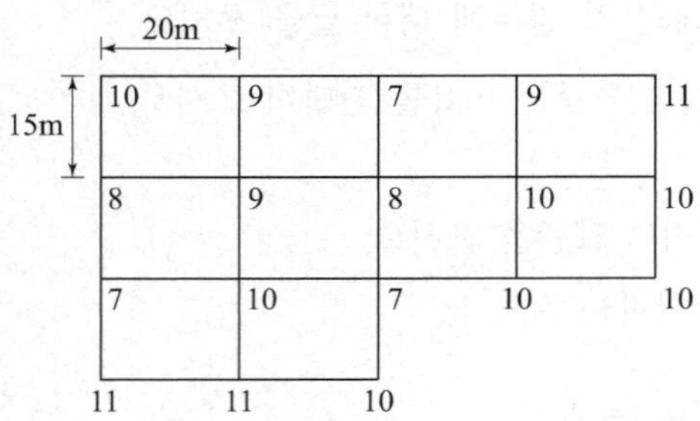

가. 성토에 필요한 운반토량을 구하시오. (단, $L = 1.25$, $C = 0.9$)

계산 과정) 답 : ______

나. 적재용량 8t의 덤프트럭으로 운반할 때 연대수를 구하시오.
(단, 굴착 흙의 단위중량 1.80t/m^3)

계산 과정) 답 : ______

해답 가. 성토량 $V = \dfrac{a \cdot b}{4}(\Sigma h_1 + 2\Sigma h_2 + 3\Sigma h_3 + 4\Sigma h_4)$

20m × 15m				
h_1 5	h_2 6	h_2 8	h_2 6	h_1 4
h_2 7	h_4 6	h_4 7	h_4 5	h_2 5
h_2 8	h_4 5	h_3 8	h_2 5	h_1 5
h_1 4	h_2 4	h_1 5		

- $\Sigma h_1 = \Sigma(15 - h_1) = 5+4+5+5+4 = 23\text{m}$
- $\Sigma h_2 = \Sigma(15 - h_2) = 6+8+6+5+5+4+8+7$
  $= 49\text{m}$
- $\Sigma h_3 = \Sigma(15 - h_3) = 8\text{m}$
- $\Sigma h_4 = \Sigma(15 - h_4) = 6+7+5+5 = 23\text{m}$
- 성토량 $V = \dfrac{20 \times 15}{4}(23 + 2 \times 49 + 3 \times 8 + 4 \times 23)$
  $= 17{,}775\text{m}^3$

∴ 성토에 필요한 운반토량 = 완성토량 × $\dfrac{L}{C}$

$$= 17{,}775 \times \frac{1.25}{0.9} = 24{,}687.5\text{m}^3$$

나. 연대수 $N = \dfrac{\text{운반토량}}{\text{트럭 적재량}}$(대)

- 덤프트럭 적재량 $= \dfrac{T}{\gamma_t} \times L = \dfrac{8}{1.80} \times 1.25 = 5.56\text{m}^3$

∴ $N = \dfrac{24{,}687.5}{5.56} = 4{,}440.2$ ∴ 4,441대

□□□ 96⑤, 98②, 99⑤, 12①, 17④, 21② 【3점】

06 도로연장 3km 건설구간에서 7지점의 시료를 채취하여 다음과 같은 CBR을 구하였다. 이 때의 설계 CBR은 얼마인가?

- 7지점의 CBR : 5.3, 5.7, 7.6, 8.7, 7.4, 8.6, 7.2
- 설계 CBR 계산용 계수

개수(n)	2	3	4	5	6	7	8	9	10 이상
d_2	1.41	1.91	2.24	2.48	2.67	2.83	2.96	3.08	3.18

계산 과정)　　　　　　　　　　　　　　　　　　　　　　　답 : ______________

해답 설계 CBR＝평균 CBR $-\dfrac{\text{CBR}_{max}-\text{CBR}_{min}}{d_2}$

- 평균 CBR＝$\dfrac{\sum \text{CBR값}}{n}=\dfrac{5.3+5.7+7.6+8.7+7.4+8.6+7.2}{7}=7.21$

$\therefore$ 설계 CBR $=7.21-\dfrac{8.7-5.3}{2.83}=6.01$　　$\therefore$ 6

($\because$ 설계 CBR은 소수점 이하는 절삭한다.)

□□□ 01①, 04④, 07①, 17④ 【8점】

07 다음과 같은 작업리스트가 있다. 아래 물음에 답하시오.

작업명	진행작업	후속작업	표준일수(일)	단축가능 일수(일)	1일 단축의 소요비용(만원/일)
A	−	B, C	6	2	5
B	A	D	8	1	7
C	A	F	10	2	3
D	B	E	6	2	4
E	D	G	4	1	8
F	C	G	7	1	9
G	E, F	−	5	2	10

가. New Work(화살선도)를 작도하고, 표준일수에 대한 C.P를 찾으시오.

나. 공사기간을 4일 단축하고자 하는 경우 최소의 여분출비(Extra Cost)를 계산하시오.

계산 과정)　　　　　　　　　　　　　　　　　　　　　　　답 : ______________

해답 가.

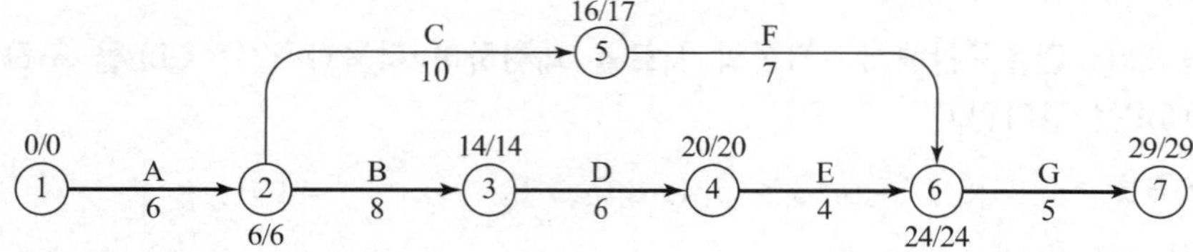

C.P : A→B→D→E→G

나.

단축단계	단축작업	단축일	비용경사(만원/일)	단축비용(만원)	추가비용 누계(만원)
1	D	1	4	4	4
2	A	2	5	10	14
3	C+D	1	3+4 = 7	7	21

∴ 여분출비 21만원

□□□ 98⑤, 10②, 17④ 【3점】

08 3m×3m 크기인 정사각형 기초를 마찰각 $\phi=20°$, $c=30\text{kN/m}^2$인 지반에 설치하였다. 흙의 단위중량 $\gamma=19\text{kN/m}^3$이고 안전율(F_s)이 3일 때, 기초의 허용하중을 구하시오.

(단, 기초의 깊이는 1m이고, 전반전단파괴가 일어난다고 가정하고, Terzaghi 공식을 사용하고, $\phi=20°$ 일 때 $N_c=18$, $N_r=5$, $N_q=7.5$)

계산 과정)

답 : ______________

해답 $q_a=\dfrac{Q_a}{A}=\dfrac{q_u}{F_s}$, $q_u=\alpha c N_c+\beta\gamma_1 B N_r+\gamma_2 D_f N_q$

- $\alpha=1.3$, $\beta=0.4$
- $q_u=1.3\times30\times18+0.4\times19\times3\times5+19\times1\times7.5$
  $=958.5\text{kN/m}^2$
- $q_a=\dfrac{958.5}{3}=319.5\text{kN/m}^2$

∴ 허용하중 $Q_a=q_a\cdot A=319.5\times3\times3=2875.5\text{kN}$

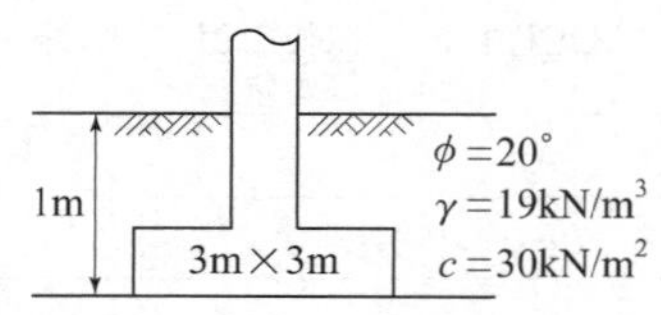

□□□ 17④, 22② 【3점】

09 도로교 신축이음장치의 종류를 3가지만 쓰시오.

① ______________ ② ______________ ③ ______________

해답 ① Monocell 조인트(맞댐조인트)
② NB 조인트(고무조인트)
③ 강핑거 조인트(강재조인트)
④ 레일 조인트(강재조인트)

□□□ 07②, 11④, 15④, 17④ 【3점】

10 **말뚝의 압축재하시험의 재하방법 3가지를 쓰시오.**

① ______ ② ______ ③ ______

해답 ① 정적재하시험
② 동적재하시험
③ SPLT(Simple Pile Loading Test)

□□□ 97①, 10①, 16④, 17④ 【3점】

11 **지하수위 저하공법은 크게 중력배수공법과 강제배수공법으로 나눌 수 있다. 여기서 강제배수공법의 종류를 3가지만 쓰시오.**

① ______ ② ______ ③ ______

해답 ① 웰포인트 공법
② 전기침투공법
③ 진공압밀공법

□□□ 11①, 15②, 17④, 21①② 【10점】

12 **아래 그림과 같은 옹벽의 안전율을 구하시오.**

(단, 지반의 허용지지력은 200kN/m^2, 뒤채움흙과 저판 아래의 흙의 단위중량은 18kN/m^3, 내부마찰각은 37°, 점착력은 0이고, 콘크리트의 단위중량은 24kN/m^{3}이다.)

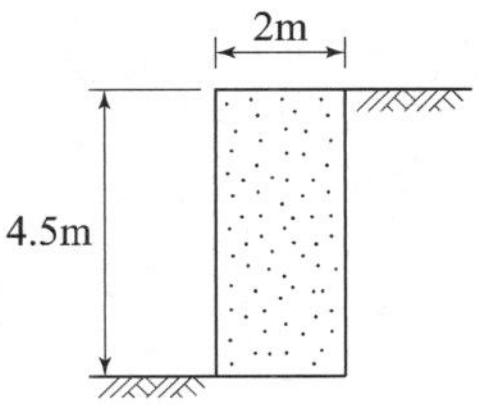

2m
4.5m

가. 전도에 대한 안전율은 구하시오.

계산 과정) 답 : ______

나. 활동에 대한 안전율 구하시오.

계산 과정) 답 : ______

다. 지지력에 대한 안전율을 구하시오.

계산 과정) 답 : ______

해답 ■ 방법 1

가. • 주동토압 $P_A = \frac{1}{2}K_a z^2 \gamma_t$

$= \frac{1}{2} \times \tan^2\left(45° - \frac{37°}{2}\right) \times 4.5^2 \times 18$

$= 45.3\text{kN/m}$

• 콘크리트의 총중량

$W = BH\gamma_c = 2 \times 4.5 \times 24 = 216\text{kN/m}$

• $y = \frac{1}{3} \times 4.5 = 1.5\text{m}$

$$F_s = \frac{M_r}{M_d} = \frac{W \cdot \frac{B}{2}}{P_A \cdot \frac{H}{3}}$$

$$= \frac{216 \times \frac{2}{2}}{45.3 \times \frac{4.5}{3}} = 3.18$$

나. $F_s = \frac{W\tan\phi}{P_A} = \frac{216\tan37°}{45.3} = 3.59$

다. $e = \frac{B}{2} - \frac{W \cdot \frac{B}{2} - P_A \cdot \frac{H}{3}}{W}$

$$= \frac{2}{2} - \frac{216 \times \frac{2}{2} - 45.3 \times \frac{4.5}{3}}{216}$$

$= 0.315\text{m}$

• $e = 0.315 < \frac{B}{6} = \frac{2}{6} = 0.333$

$$\sigma_{max} = \frac{W}{B}\left(1 + \frac{6e}{B}\right)$$

$$= \frac{216}{2}\left(1 + \frac{6 \times 0.315}{2}\right)$$

$= 210.06\text{kN/m}^2$

$$F_s = \frac{\sigma_a}{\sigma_{max}} = \frac{200}{210.06} = 0.95$$

■ 방법 2

가. $F_s = \frac{W \cdot a}{P_H \cdot y}$

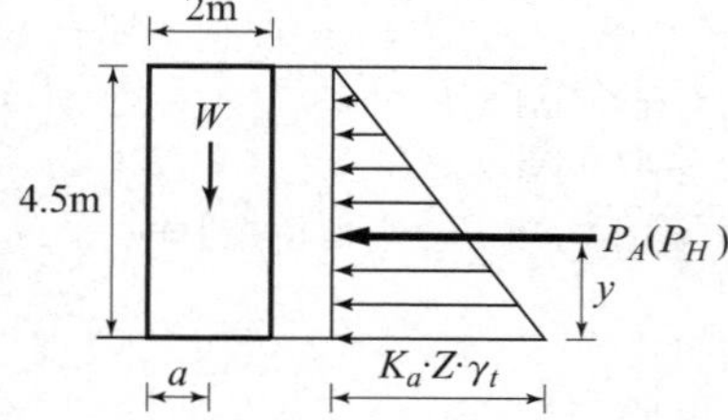

• 주동토압 : $P_A = \frac{1}{2}K_a z^2 \gamma_t$

$= \frac{1}{2} \times \tan^2\left(45° - \frac{37°}{2}\right) \times 4.5^2 \times 18$

$= 45.3\text{kN/m}$

• 콘크리트의 총중량

$W = 2 \times 4.5 \times 24 = 216\text{kN/m}$

• $a = 1\text{m}, \ y = \frac{1}{3} \times 4.5 = 1.5\text{m}$

$$\therefore F_s = \frac{216 \times 1}{45.3 \times 1.5} = 3.18$$

나. $F_s = \frac{W\tan\phi}{P_H} = \frac{216\tan37°}{45.3} = 3.59$

다. $F_s = \frac{\sigma_a}{\sigma_{max}}$

• 편심거리

$$e = \frac{B}{2} - \frac{W \cdot a - P_H \cdot y}{W}$$

$$= \frac{2}{2} - \frac{216 \times 1 - 45.3 \times 1.5}{216} = 0.315\text{m}$$

• 편심거리 $e = 0.315 < \frac{B}{6} = \frac{2}{6} = 0.333$이므로

• 최대지지력

$$\sigma_{max} = \frac{\sum V}{B}\left(1 + \frac{6e}{B}\right)$$

$$= \frac{216}{2}\left(1 + \frac{6 \times 0.315}{2}\right) = 210.06\text{kN/m}^2$$

$$\therefore F_s = \frac{200}{210.06} = 0.95$$

□□□ 10①, 11②, 14①④, 17④ 【8점】

13 주어진 반중력식 교대도면을 보고 다음 물량을 산출하시오. (단, 교대 전체길이는 10m 이며, 도면의 치수단위는 mm이다.)

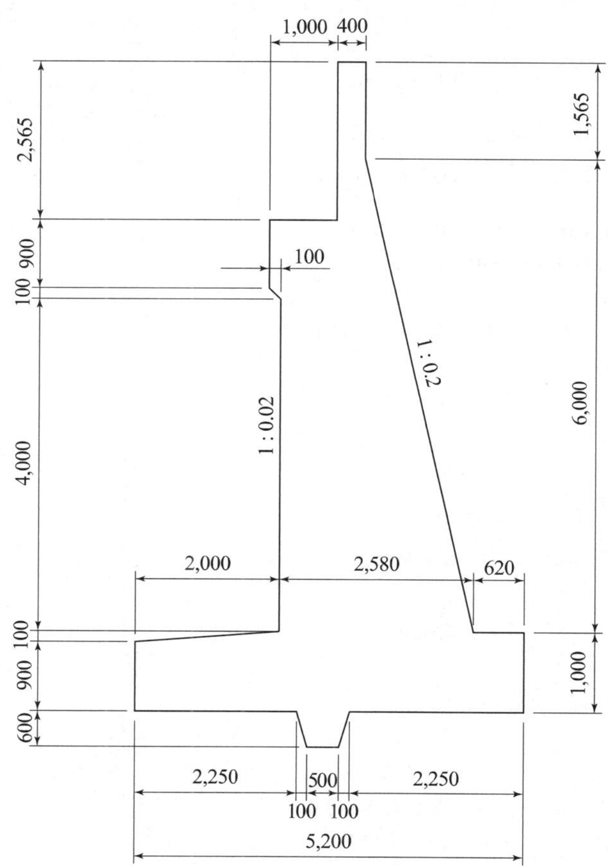

가. 교대의 전체 콘크리트량을 구하시오. (단, 소수점 이하 4째자리에서 반올림하시오.)

계산 과정)

답 : ______________

나. 교대의 전체 거푸집량을 구하시오.
(단, 돌출부(전단 Key)에 거푸집을 사용하며, 소수점 이하 4째자리에서 반올림하시오.)

계산 과정)

답 : ______________

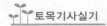

해답 가.

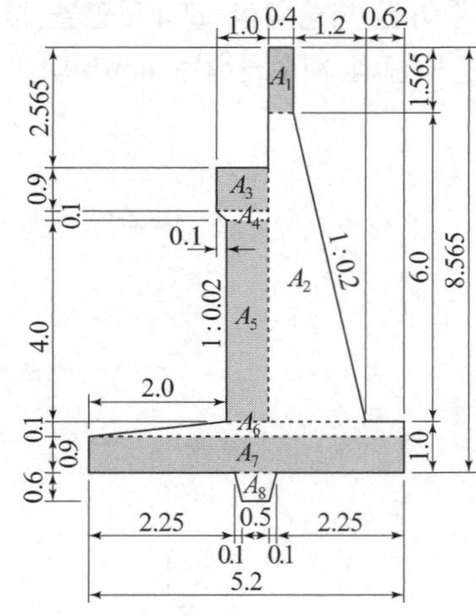

- $A_1 = 0.4 \times 1.565 = 0.626\,\text{m}^2$
- $A_2 = \dfrac{0.4 + (0.4 + 6.0 \times 0.2)}{2} \times 6.0 = 6.0\,\text{m}^2$
- $A_3 = 1.0 \times 0.9 = 0.9\,\text{m}^2$
- $A_4 = \dfrac{1.0 + 0.9}{2} \times 0.1 = 0.095\,\text{m}^2$
- $A_5 = \dfrac{0.9 + (0.9 + 4 \times 0.02)}{2} \times 4 = 3.76\,\text{m}^2$
- $A_6 = \dfrac{(5.2 - 2.0) + 5.2}{2} \times 0.1 = 0.42\,\text{m}^2$
- $A_7 = 5.2 \times 0.9 = 4.68\,\text{m}^2$
- $A_8 = \dfrac{0.5 + (0.5 + 0.1 \times 2)}{2} \times 0.6 = 0.36\,\text{m}^2$

$$\begin{aligned}\sum A &= 0.626 + 6.0 + 0.9 + 0.095 + 3.76 \\ &\quad + 0.420 + 4.68 + 0.36 \\ &= 16.841\,\text{m}^2\end{aligned}$$

$\therefore$ 총콘크리트량$= 16.841 \times 10 = 168.410\,\text{m}^3$

나.

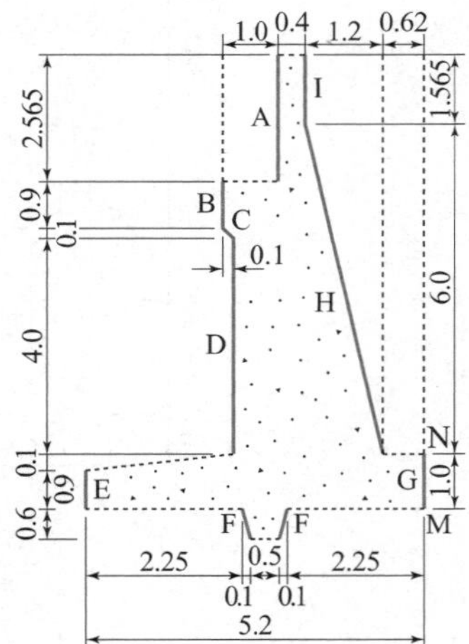

- $\text{A} = 2.565\,\text{m}$
- $\text{B} = 0.9\,\text{m}$
- $\text{C} = \sqrt{0.1^2 + 0.1^2} = 0.1414\,\text{m}$
- $\text{D} = \sqrt{(4 \times 0.02)^2 + 4^2} = 4.0008\,\text{m}$
- $\text{E} = 0.9\,\text{m}$
- $\text{F} = \sqrt{0.1^2 + 0.6^2} \times 2 = 1.2166\,\text{m}$
- $\text{G} = 1.0\,\text{m}$
- $\text{H} = \sqrt{(6 \times 0.2)^2 + 6^2} = 6.1188\,\text{m}$
- $\text{I} = 1.565\,\text{m}$
- 총거푸집길이

$$\begin{aligned}\sum L &= 2.565 + 0.9 + 0.1414 + 4.0008 + 0.9 \\ &\quad + 1.2166 + 1.0 + 6.1188 + 1.565 \\ &= 18.4076\,\text{m}\end{aligned}$$

- 측면도의 거푸집량$= 18.4076 \times 10 = 184.076\,\text{m}^2$
- 양 마구리면의 거푸집량$= 16.841 \times 2$(양단)$= 33.682\,\text{m}^2$

$\therefore$ 총거푸집량$= 184.076 + 33.682 = 217.758\,\text{m}^2$

□□□ 99⑤, 06②, 08④, 17④, 23③ 【3점】

14 **암거의 배열방식을 3가지만 쓰시오.**

① ______ ② ______ ③ ______

해답 ① 자연식 ② 빗식 ③ 차단식 ④ 집단식 ⑤ 어골식

□□□ 96③, 98②, 01③, 06①, 08④, 17④ 【3점】

15 **한 무한 자연사면의 경사가 20° 이고 경사방향으로 흐르는 지하수면이 지표면과 일치하여 지표면에서 5m 깊이에 암반층이 있다고 할 때 이 사면의 안전율은 얼마인가?**

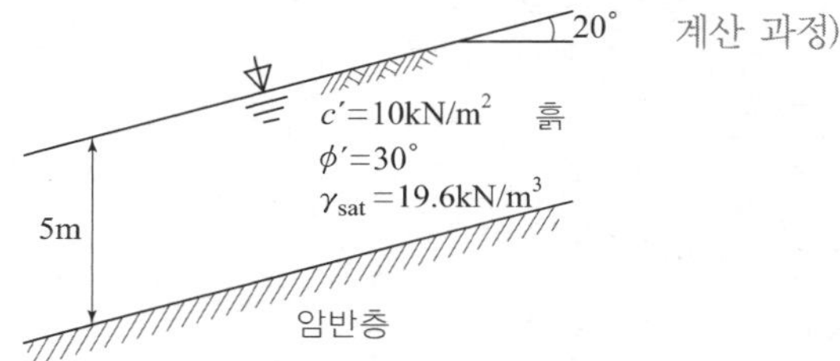

계산 과정)

답 : ______

해답 ■ 방법 1

$$F_s = \frac{c'}{\gamma_{sat} Z\cos\beta \cdot \sin\beta} + \frac{\gamma_{sub}\tan\phi}{\gamma_{sat}\tan\beta}$$

$$= \frac{10}{19.6\times 5\cos 20°\sin 20°} + \frac{(19.6-9.81)\times\tan 30°}{19.6\times\tan 20°}$$

$$= 0.317 + 0.792 = 1.11$$

■ 방법 2

$$\sigma = \gamma_{sat}\cdot Z\cos^2\beta = 19.6\times 5\cos^2 20°$$

$$= 86.54\text{kN/m}^2$$

$$\tau = \gamma_{sat}\cdot Z\sin\beta\cos\beta = 19.6\times 5\sin 20°\cos 20°$$

$$= 31.50\text{kN/m}^2$$

$$\mu = \gamma_w \cdot Z\cos^2\beta = 9.81\times 5\cos^2 20°$$

$$= 43.31\text{kN/m}^2$$

$$S = c' + (\sigma-\mu)\tan\phi$$

$$= 10 + (86.54-43.31)\tan 30° = 34.96\text{kN/m}^2$$

$$F_s = \frac{S}{\tau} = \frac{34.96}{31.50} = 1.11$$

□□□ 88③, 00④, 02②, 05①, 09②, 12④, 17④ 【3점】

16 **어떤 데이터의 히스토그램에서 하한규격치가 25.6MPa라 할 때, 평균치 27.6MPa, 표준편차 0.5MPa라면 공정능력지수는 얼마인가? (단, 이 규격은 편측규격이라 한다.)**

계산 과정)

답 : ______

해답 $C_p = \dfrac{\overline{x} - SL}{3\sigma} = \dfrac{27.6-25.6}{3\times 0.5} = 1.33$

□□□ 01①, 07④, 14④, 17④, 23③ 【3점】

17 그림과 같은 지반조건에서 유효증가하중이 200kN/m²일 때, 점토층의 1차 압밀침하량을 계산하시오. (단, 정규압밀점토로 가정하며, 압축지수는 경험식을 사용하며, LL은 액성한계임.)

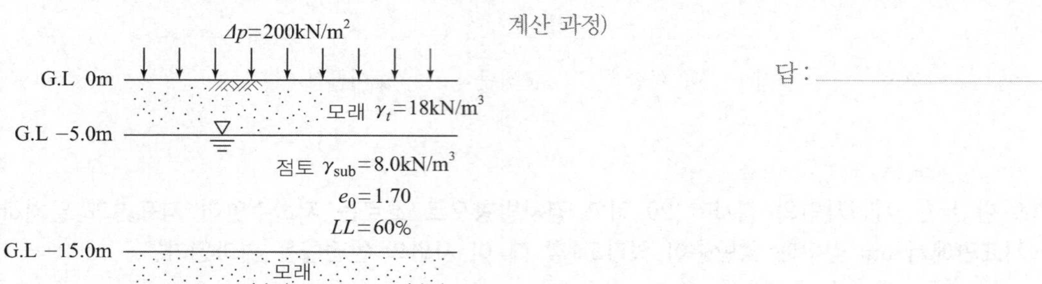

계산 과정)

답 :

해답 압밀 침하량 $S=\dfrac{C_cH}{1+e_0}\log\dfrac{P_2}{P_1}=\dfrac{C_cH}{1+e_0}\log\dfrac{P_1+\Delta P}{P_1}$

- $P_1=\gamma_t H_1+\gamma_{sub}\dfrac{H_2}{2}=18.0\times5+8.0\times\dfrac{(15-5)}{2}=130\text{kN/m}^2$
- $C_c=0.009(LL-10)=0.009(60-10)=0.45$

$\therefore\ S=\dfrac{0.45\times(15-5)}{1+1.70}\log\dfrac{130+200}{130}=0.6743\text{m}=67.43\text{cm}$

□□□ 89②, 99②, 03②, 07④, 09②, 11④, 13②, 17④ 【3점】

18 도로구조물 뒤채움작업을 80kg의 래머를 사용하여 다짐작업시의 작업량 Q(m³/hr)를 계산하시오. (단, 깔기두께(D) = 0.15m, 토량변화계수(f) = 0.7, 중복다짐횟수 P = 7회, 작업효율 E = 0.6, 1회당 유효다짐면적(A) = 0.0924m², 시간당 타격횟수(N) = 3,600회/h이다.)

계산 과정)

답 :

해답 $Q=\dfrac{A\cdot N\cdot H\cdot f\cdot E}{P}=\dfrac{0.0924\times3{,}600\times0.15\times0.7\times0.6}{7}=2.99\text{m}^3/\text{hr}$

□□□ 96③, 97①, 01③, 09④, 17④, 22① 【3점】

19 가물막이(Coffer Dam) 공사에서 Sheet pile식 공법의 종류 3가지를 쓰시오.

① ② ③

해답 ① 간이식 ② Ring Beam식
③ 한겹 sheet pile식 ④ 두겹 sheet pile식
⑤ Cell식

□□□ 10②, 13①, 14①, 16④, 17④, 21② 【3점】

20 **도로 노상의 지지력을 평가할 수 있는 현장시험 평가방법을 3가지만 쓰시오.**

① ______ ② ______ ③ ______

해답 ① CBR(CBR시험) ② K값(평판재하시험 ; PBT)
③ Cone값(콘관입시험 ; CPT) ④ N치(표준관입시험 ; SPT)

□□□ 10①, 17④, 18③ 【3점】

21 **주동말뚝은 말뚝머리에 기지(旣知)의 하중(수평력 및 모멘트)이 작용하는 반면에 수동말뚝은 어떤 원인에 의해 지반이 먼저 변형하고 그 결과 말뚝에 측방토압이 작용한다. 이러한 수동말뚝을 해석하는 방법을 3가지만 쓰시오.**

① ______ ② ______ ③ ______

해답 ① 간편법 ② 탄성법 ③ 지반반력법 ④ 유한요소법

□□□ 03②, 06②, 08④, 14①, 17④ 【3점】

22 **방파제(防波堤, break water)란 외곽시설(外郭施設)로 항내정온을 유지하고 선박의 항행을 원활히 하기 위해 축조된 항만구조물이다. 방파제의 구조형식에 따른 종류를 3가지만 쓰시오.**

① ______ ② ______ ③ ______

해답 ① 직립제 ② 경사제 ③ 혼성제

□□□ 17④, 22② 【3점】

23 **예민비를 간단히 설명하시오.**

○

해답 교란되지 않은 공시체의 일축 압축 강도와 다시 반죽한 공시체의 일축 압축 강도의 비

예민비 $s_t = \frac{q_u}{q_{ur}}$

여기서, q_u : 불교란 시료의 일축압축강도

q_{ur} : 교란시료의 일축압축강도

□□□ 00②, 10②, 13②, 16①, 17④ 【10점】

24 다음 표와 같은 설계조건 및 재료, 참고표를 이용하여 콘크리트를 배합설계 하여 아래 배합표를 완성 하시오.

【설계조건 및 재료】

- 물-시멘트비는 50%로 한다.
- 굵은골재는 최대치수 40mm의 부순돌을 사용한다.
- 양질의 공기연행제(AE제)를 사용하며 그 사용량은 시멘트 질량의 0.03%로 한다.
- 목표로 하는 슬럼프는 100mm, 공기량은 5%로 한다.
- 사용하는 시멘트는 보통포틀랜드시멘트로서 밀도는 $0.00315g/mm^3$이다.
- 잔골재의 표건밀도는 $0.0026g/mm^3$이고, 조립률은 2.85이다.
- 굵은골재의 표건밀도는 $0.0027g/mm^3$이다.

【배합설계 참고표】

굵은 골재 최대 치수 (mm)	단위 굵은 골재 용적 (%)	공기연행제를 사용하지 않은 콘크리트			공기 연행 콘크리트				
		갇힌 공기 (%)	잔골재율 S/a (%)	단위 수량 W (kg)	공기량 (%)	양질의 공기연행제를 사용한 경우		양질의 공기연행 감수제를 사용한 경우	
						잔골재율 S/a (%)	단위수량 W (kg/m^3)	잔골재율 S/a (%)	단위수량 W (kg/m^3)
15	58	2.5	53	202	7.0	47	180	48	170
20	62	2.0	49	197	6.0	44	175	45	165
25	67	1.5	45	187	5.0	42	170	43	160
40	72	1.2	40	177	4.5	39	165	40	155

주 1) 이 표의 값은 보통의 입도를 가진 잔골재(조립률 2.8 정도)와 부순돌을 사용한 물-시멘트비 55% 정도, 슬럼프 80mm 정도의 콘크리트에 대한 것이다.

2) 사용재료 또는 콘크리트의 품질이 주 1)의 조건과 다를 경우에는 위의 표의 값을 아래 표에 따라 보정한다.

구 분	S/a의 보정(%)	W의 보정(kg)
잔골재의 조립률이 0.1만큼 클(작을) 때마다	0.5 만큼 크게(작게) 한다.	보정하지 않는다.
슬럼프값이 10mm 만큼 클(작을) 때마다	보정하지 않는다.	1.2%만큼 크게(작게) 한다.
공기량이 1% 만큼 클(작을) 때마다	0.75만큼 작게(크게) 한다.	3%만큼 작게(크게) 한다.
물-시멘트비가 0.05클(작을) 때마다	1 만큼 크게(작게) 한다.	보정하지 않는다.
S/a가 1% 클(작을)때마다	보정하지 않는다.	1.5kg만큼 크게(작게)한다.

비고 : 단위 굵은 골재용적에 의하는 경우에는 모래의 조립률이 0.1만큼 커질(작아질)때마다 단위굵은 골재용적을 1만큼 작게(크게) 한다.

【답】 배합표

굵은골재 최대치수 (mm)	슬럼프 (mm)	공기량 (%)	W/B (%)	잔골재율 S/a(%)	단위량(kg/m³)				혼화제 단위량 (g/m³)
					물 (W)	시멘트 (C)	잔골재 (S)	굵은골재 (G)	
40	100	5	50						

해답

보정항목	배합 참고표	설계조건	잔골재율(S/a) 보정	단위수량(W)의 보정
굵은골재의 치수 40mm일 때			$S/a=39\%$	$W=165\text{kg}$
모래의 조립률	2.80	2.85(↑)	$\frac{2.85-2.80}{0.10}\times(+0.5)$ $=0.25\%(\uparrow)$	보정하지 않는다.
슬럼프값	80mm	100mm(↑)	보정하지 않는다.	$\frac{100-80}{10}\times 1.2=2.4\%(\uparrow)$
공기량	4.5	5(↑)	$\frac{5-4.5}{1}\times(-0.75)$ $=-0.375\%(\downarrow)$	$\frac{5-4.5}{1}\times(-3)$ $=-1.5\%(\downarrow)$
W/C	55%	50%(↓)	$\frac{0.55-0.50}{0.05}\times(-1)$ $=-1.0\%(\downarrow)$	보정하지 않는다.
S/a	39%	37.88%(↓)	보정하지 않는다.	$\frac{39-37.88}{1}\times(-1.5)$ $=-1.68\text{kg}(\downarrow)$
보정값			$S/a=39+0.25-0.375-1.0=37.88\%$	$165\left(1+\frac{2.4}{100}-\frac{1.5}{100}\right)-1.68=164.81\,\text{kg}$

- 단위수량 $W=164.81\text{kg}$
- 단위시멘트량 C : $\frac{W}{C}=0.50$, $\frac{164.81}{0.50}=329.62$ $\therefore\ C=329.62\,\text{kg}$
- 공기연행(AE)제 : $329.62\times\frac{0.03}{100}=0.0989\,\text{kg}=98.89\text{g/m}^3$
- 단위골재량의 절대체적

$$V_a=1-\left(\frac{\text{단위수량}}{1{,}000}+\frac{\text{단위 시멘트}}{\text{시멘트밀도}\times 1{,}000}+\frac{\text{공기량}}{100}\right)$$

$$=1-\left(\frac{164.81}{1{,}000}+\frac{329.62}{3.15\times 1{,}000}+\frac{5}{100}\right)=0.681\,\text{m}^3$$

- 단위 잔골재량

$$S=V_a\times S/a\times \text{잔골재밀도}\times 1{,}000$$

$$=0.681\times 0.3788\times 2.6\times 1{,}000=670.70\,\text{kg/m}^3$$

• 단위 굵은골재량

$G = V_g \times (1 - S/a) \times$ 굵은골재 밀도 $\times 1{,}000$

$= 0.681 \times (1 - 0.3788) \times 2.7 \times 1{,}000 = 1{,}142.20\,\text{kg/m}^3$

∴ 배합표

굵은골재 최대치수 (mm)	슬럼프 (mm)	W/C (%)	잔골재율 S/a(%)	단위량(kg/m³)				혼화제 단위량 (g/m³)
				물 (W)	시멘트 (C)	잔골재 (S)	굵은골재 (G)	
40	100	50	37.88	164.81	329.62	670.70	1,142.20	98.89

국가기술자격 실기시험문제

2018년도 기사 제1회 필답형 실기시험(기사)

종 목	시험시간	형 별	성 명	수험번호
토목기사	3시간	B		

※ 수험자 인적사항 및 계산식을 포함한 답안 작성은 검은색 필기구만 사용하여야 하며, 그 외 연필류, 빨간색, 청색 등 필기구로 작성한 답안은 0점 처리됩니다.

□□□ 18①, 22① 【3점】

01 **터널에 사용하고 있는 록볼트(rock bolt)의 인발시험 목적 2가지를 쓰시오.**

① ______________ ② ______________

해답 ① 지반과 록볼트의 정착력을 알기 위해서
② 볼트의 파단강도를 알기 위해서
③ 볼트와 충전재의 부착강도를 알기 위해서

□□□ 03②, 06②, 08④, 14①, 17④, 18① 【3점】

02 **방파제(防波堤, break water)란 외곽시설(外郭施設)로 항내정온을 유지하고 선박의 항행을 원활히 하기 위해 축조된 항만구조물이다. 방파제의 구조형식에 따른 종류를 3가지만 쓰시오.**

① ______________ ② ______________ ③ ______________

해답 ① 직립제 ② 경사제 ③ 혼성제

□□□ 05④, 07②, 09④, 11④, 15①, 18① 【3점】

03 **한중콘크리트 시공에서 비볐을 때의 콘크리트의 온도는 기상조건, 운반시간 등을 고려하여 타설할 때 소요의 콘크리트 온도가 얻어지도록 해야 한다. 비볐을 때의 콘크리트 온도 및 주위기온이 아래 표와 같을 때 타설이 끝났을 때의 콘크리트 온도를 계산하시오.**

- 비볐을 때의 콘크리트 온도 : 25℃
- 주위온도 : 3℃
- 비빈 후부터 타설이 끝났을 때까지의 시간 : 1시간 30분

계산 과정) 답 : ______________

해답 $T_2 = T_1 - 0.15(T_1 - T_0) \times t = 25 - 0.15(25-3) \times 1.5 = 20.05$ ℃

□□□ 00⑤, 06①, 08②, 11①, 18① 【3점】

04 두께가 3m인 정규압밀 점토층에서 시료를 채취하여 압밀시험을 실시하였다. 시험결과가 다음과 같을 때 이 점토층이 압밀도 60%에 이르는 데 걸리는 시간(일)을 구하시오.
(단, 배수조건은 일면배수이다.)

• 초기상태의 유효응력($\sigma_0{}'$) : 0.2kg/cm^2(20kN/m^2)	• 초기간극비(e_o) : 1.2
• 실험 후 유효응력(σ_1) : 0.4kg/cm^2(40kN/m^2)	• 실험 후 간극비(e_1) : 0.97
• 시험점토의 투수계수(K) : 3.0×10^{-7}cm/sec	• 60% 압밀시 시간계수(T_v) : 0.287

계산 과정) 답 :

해답 ■ [MKS] 단위

$$t_{60}=\frac{T_v\cdot H^2}{C_v}$$

• 압축계수

$$a_v=\frac{e_0-e_1}{\sigma_1-\sigma_0{}'}=\frac{1.2-0.97}{0.4-0.2}=1.15\text{cm}^2/\text{kg}$$

• 체적변화계수

$$m_v=\frac{a_v}{1+e_0}=\frac{1.15}{1+1.2}=0.523\text{cm}^2/\text{kg}$$

• 압밀계수

$$C_v=\frac{k}{m_v\rho_w}=\frac{3.0\times10^{-7}}{0.523\times1\times10^{-3}}$$
$$=5.736\times10^{-4}\text{cm}^2/\text{sec}$$

$$\therefore\ t_{60}=\frac{0.287\times300^2}{5.736\times10^{-4}}=45{,}031{,}380.75\text{sec}$$
$$=12{,}508.72\text{hr}=522\text{일}$$

■ [SI] 단위

$$t_{60}=\frac{T_v\cdot H^2}{C_v}$$

• 압축계수

$$a_v=\frac{e_0-e_1}{\sigma_1-\sigma_0{}'}=\frac{1.2-0.97}{40-20}=0.0115\text{m}^2/\text{kN}$$

• 체적변화계수

$$m_v=\frac{a_v}{1+e_0}=\frac{0.0115}{1+1.2}=5.227\times10^{-3}\text{m}^2/\text{kN}$$

• 압밀계수

$$C_v=\frac{k}{m_v\gamma_w}=\frac{3.0\times10^{-7}\times10^2}{5.227\times10^{-3}\times9.81}$$
$$=5.851\times10^{-4}\text{cm}^2/\text{sec}$$

$$\therefore\ t_{60}=\frac{0.287\times300^2}{5.851\times10^{-4}}=44{,}146{,}299.78\text{sec}$$
$$=12{,}262{,}86\text{hr}=511\text{일}$$

□□□ 91②, 94④, 02④, 05②, 07②, 11②, 13④, 18① 【3점】

05 Sand drain을 연약지반에 타설하는 방법을 3가지만 쓰시오.

① ______ ② ______ ③ ______

해답 ① 압축공기식 케이싱 방법 ② Water jet식 케이싱 방법
③ Rotary boring에 의한 방법 ④ Earth auger에 의한 방법

□□□ 92②, 94③, 97③, 00③, 04①, 10①, 11②, 15①, 17①, 18① 【3점】

06 탄성파 속도가 1,100m/s인 사암으로 된 수평한 지반을 1개의 리퍼날이 부착된 21ton급의 불도저($q_0=3.3\text{m}^3$)로 리핑하면서 작업을 할 때 1시간당 작업량을 본바닥토량으로 구하시오. (단, 소수 셋째자리에서 반올림하시오.)

【조 건】

• 1개 날의 1회 리핑 단면적 : 0.14m^2	• 리핑의 작업효율 : 0.9
• 작업거리 : 40m	• 리핑의 사이클타임 : $C_m=0.05l+0.33$
• 불도저의 작업효율 : 0.4	• 불도저의 구배계수 : 0.90
• 불도저의 사이클타임 : $C_m=0.037l+0.25$	• 토량변화율 : $L=1.6$, $C=1.1$

계산 과정)　　　　　　답 : ______

해답 조합 작업량 $Q=\dfrac{Q_D\times Q_R}{Q_D+Q_R}$

■ 리핑 작업량 $Q_R=\dfrac{60\cdot A_n\cdot l\cdot f\cdot E}{C_m}$

• $C_m=0.05l+0.33=0.05\times40+0.33=2.33$분

$\therefore\ Q_R=\dfrac{60\times0.14\times40\times1\times0.9}{2.33}=129.785\text{m}^3/\text{hr}$

(∵ 리퍼의 작업량은 본바닥토량이므로 $f=1$이다.)

■ 불도저 작업량 $Q_D=\dfrac{60\cdot(q_o\cdot\rho)\cdot f\cdot E}{C_m}$

• $C_m=0.037l+0.25=0.037\times40+0.25=1.73$분

$\therefore\ Q_D=\dfrac{60\times3.3\times0.90\times\dfrac{1}{1.6}\times0.4}{1.73}=25.751\text{m}^3/\text{hr}$

(∵ 불도저의 작업량은 흐트러진 토량에서 본바닥토량으로 환산하므로 $f=\dfrac{1}{L}$이다.)

$\therefore$ 조합 작업량 $Q=\dfrac{25.751\times129.785}{25.751+129.785}=21.49\text{m}^3/\text{hr}$

□□□ 95①, 00④, 05①, 07④, 13①, 17①, 18① 【3점】

07 concrete를 거푸집에 타설한 후부터 응결이 종결될 때까지에 발생하는 균열을 일반적으로 초기균열이라고 한다. 초기균열은 그 원인에 의하여 크게 나눌 수 있는데 3가지만 쓰시오.

① ______　② ______　③ ______

해답 ① 침하수축균열(침하균열)
② 플라스틱 수축균열(초기건조균열)
③ 거푸집 변형에 의한 균열
④ 진동 및 경미한 재하에 의한 균열

□□□ 03①, 10②, 13①, 18①, 21③ 【10점】

08 **다음 데이터를 이용하여 Normal time 네트워크 공정표를 작성하고 공기를 3일 단축할 때 최소의 추가공사비를 산출하시오.**

(단, ① Net Work 공정표 작성은 화살표 Net Work로 한다.
② 주공정선(Critical path)은 굵은 선 또는 이중선으로 한다.
③ 각 결합점에는 다음과 같이 표시한다.)

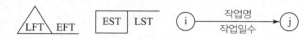

LFT EFT　EST LST　(i) —작업명 / 작업일수→ (j)

작업명 (activity)	정상비용		특급비용	
	공기(일)	공비(원)	공기(일)	공비(원)
A(0→1)	3	20,000	2	26,000
B(0→2)	7	40,000	5	50,000
C(1→2)	5	45,000	3	59,000
D(1→4)	8	50,000	7	60,000
E(2→3)	5	35,000	4	44,000
F(2→4)	4	15,000	3	20,000
G(3→5)	3	15,000	3	15,000
H(4→5)	7	60,000	7	60,000
계		280,000		334,000

가. Normal time 네트워크 공정표를 작성하시오.

나. 공기를 3일간 단축할 때 최소의 추가공사비를 구하시오.

계산 과정)　　　　답 : ____________

해답 가.

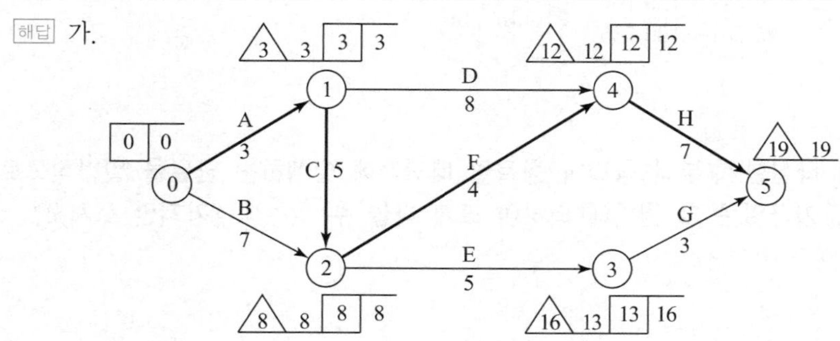

나. • 각 작업의 비용구배

$$A=\frac{26,000-20,000}{3-2}=6,000\text{원},\ B=\frac{50,000-40,000}{7-5}=5,000\text{원}$$

$$C=\frac{59,000-45,000}{5-3}=7,000\text{원},\ D=\frac{60,000-50,000}{8-7}=10,000\text{원}$$

$$F=\frac{20,000-15,000}{4-3}=5,000\text{원}$$

• 공기 1일 단축(18일) : F작업에서 1일 단축
직접비 : +5,000원 증가, 총추가비용 : +5,000원
• 공기 1일 단축 (17일) : A작업에서 1일 단축
직접비 : +6,000원 증가, 총추가비용 : +11,000원
• 공기 1일 단축 (16일) : (B+C+D)작업에서 각각 1일 단축
직접비 : (5,000+7,000+10,000)22,000원, 총추가비용 : 33,000원
∴ 최소 추가비용 : 33,000원

□□□ 93③, 99②, 01②, 02④, 04④, 05②, 08①, 11②, 18①, 22② 【3점】

09 점토층의 두께 5m, 간극비 1.4, 액성 한계 50%, 점토층 위에 유효 상재 압력이 $100kN/m^2$에서 $140kN/m^2$로 증가할 때의 침하량은 얼마인가?

계산 과정) 답 : ____________

해답 침하량 $S=\frac{C_c H}{1+e}\log\frac{P+\Delta P}{P}$

•압축지수 $C_C=0.009(W_L-10)=0.009(50-10)=0.36$

$$\therefore\ S=\frac{0.36\times5}{1+1.4}\log\frac{140}{100}=0.1096\,\text{m}=10.96\,\text{cm}$$

□□□ 18①, 20② 【6점】

10 흙의 다짐에 관한 다음 물음에 답하시오.

가. 흙 다짐의 정의를 간단히 설명하시오.

○

나. 흙 다짐의 기대되는 효과 3가지를 쓰시오.

① ____________ ② ____________ ③ ____________

해답 가. 입자간의 거리를 단축시켜 간극 내부의 공기를 제거하는 것
나. ① 흙의 전단강도 증가
② 침하량 감소
③ 투수성 저하
④ 지반의 지지력 증가

□□□ 03①, 08①, 12②, 15①, 18①, 20③, 23② 【18점】

11 주어진 도면 및 조건에 따라 다음 물량을 산출하시오.
(단, 주어진 도면의 치수는 축척에 맞지 않을 수 있으며, 주어진 치수로만 물량을 산출할 것)

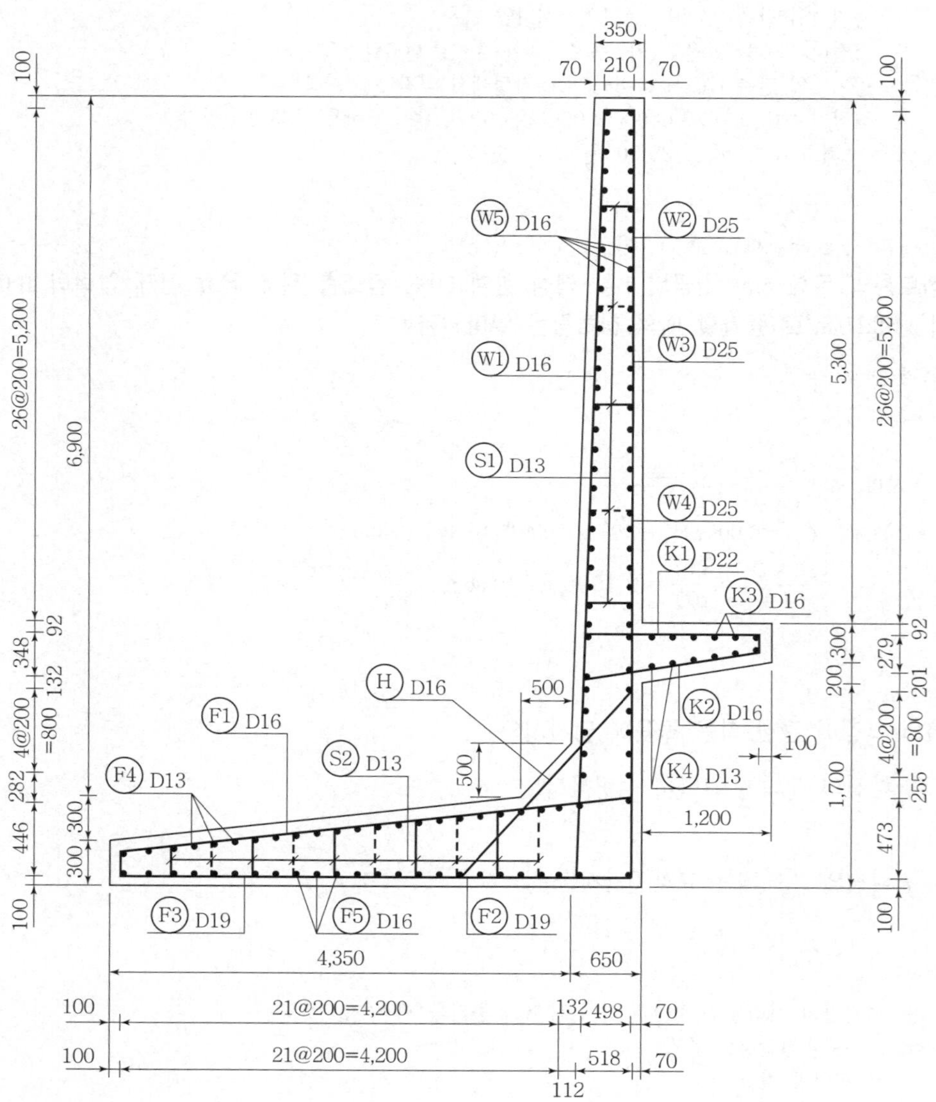

일 반 도

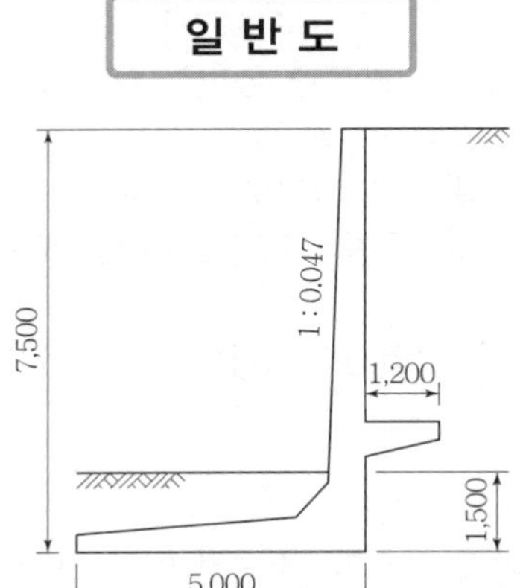
7,500
1 : 0.047
1,200
1,500
5,000

철 근 상 세 도

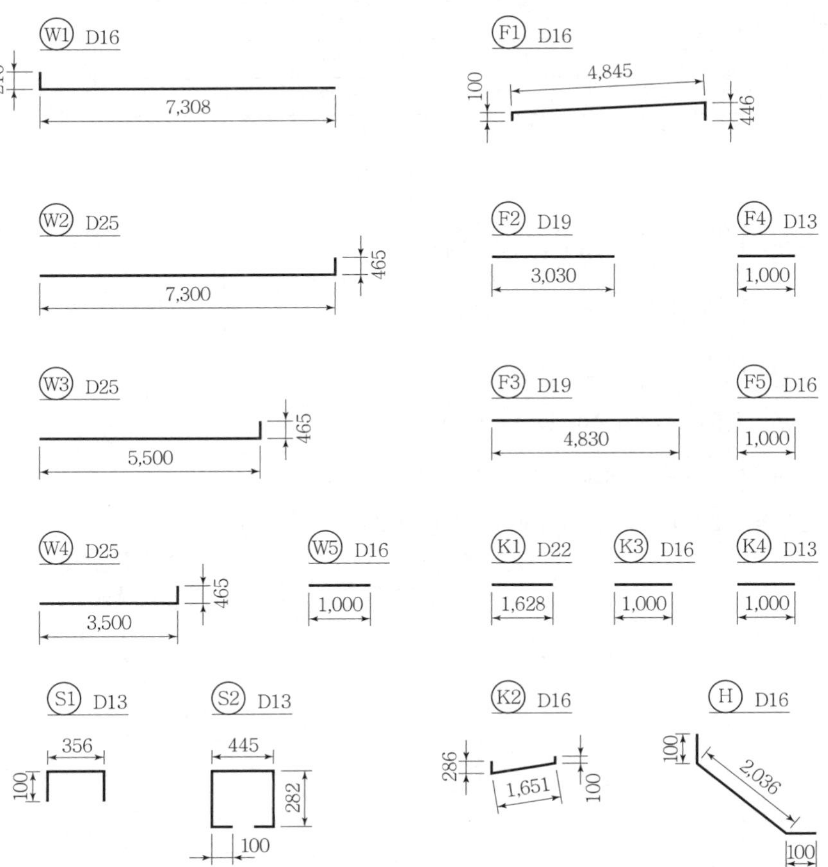
W1 D16
210
7,308
F1 D16
4,845
100
446
W2 D25
465
7,300
F2 D19
3,030
F4 D13
1,000
W3 D25
465
5,500
F3 D19
4,830
F5 D16
1,000
W4 D25
465
3,500
W5 D16
1,000
K1 D22
1,628
K3 D16
1,000
K4 D13
1,000
S1 D13
356
100
S2 D13
445
282
100
K2 D16
286
1,651
100
H D16
100
2,036
100

【조 건】

- W1, W4, H, K1, K2, K3, K4, F1, F2, F3 철근은 각각 200mm 간격으로 배근한다.
- W2, W3 철근은 각각 400mm 간격으로 배근한다.
- S1, S2 철근은 도면의 표시와 같이 지그재그로 배근한다.
- 물량산출에서 할증률은 무시하며 철근길이 계산에서 이음길이는 계산하지 않는다.

가. 길이 1m에 대한 콘크리트량을 구하시오. (단, 소수점 이하 4째자리에서 반올림)

계산 과정) 답 :

나. 길이 1m에 대한 거푸집량을 구하시오.
(단, 양측 마구리면은 계산하지 않으며, 소수점 이하 4째자리에서 반올림)

계산 과정) 답 :

다. 길이 1m에 대한 철근량 산출을 위한 철근물량표를 완성하시오.

기호	직경	길이(mm)	수량	총길이(mm)	기호	직경	길이(mm)	수량	총길이(mm)
W2					F4				
W5					S1				
H					S2				

해답 가.

- A면 $=\left(\dfrac{0.35+0.65}{2}\times 6.4\right)\times 1=3.2\text{m}^3$
- B면 $=\left(\dfrac{0.3+0.5}{2}\times 1.2\right)\times 1=0.48\text{m}^3$
- C면 $=\left(\dfrac{0.65+(0.5+0.65)}{2}\times 0.5\right)\times 1=0.45\text{m}^3$
- D면 $=\{(0.5+0.65)\times 0.6\}\times 1=0.69\text{m}^3$
- E면 $=\left(\dfrac{0.3+0.6}{2}\times 3.85\right)\times 1=1.733\text{m}^3$

$\Sigma V=3.2+0.48+0.45+0.69+1.733=6.553\text{m}^3$

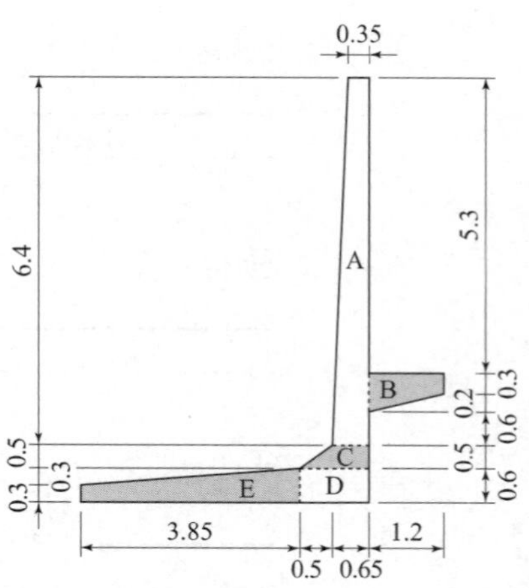

나.

- 저판 A면 $=0.3\times1=0.3\text{m}^2$
- 저판 B면 $=1.7\times1=1.7\text{m}^2$
- 헌치 C면 $=\sqrt{0.5^2+0.5^2}\times1=0.707\text{m}^2$
- 선반 D면 $=\sqrt{1.2^2+0.2^2}\times1=1.217\text{m}^2$
- 선반 E면 $=0.3\times1=0.3\text{m}^2$
- 벽체 F면 $=\sqrt{6.4^2+0.3008^2}\times1=6.407\text{m}^2$
  ($\because\ x=0.047\times6.4=0.3008\text{m}$)
- 벽체 G면 $=5.3\times1=5.3\text{m}^2$

∴ 면적 $=0.3+1.7+0.707+1.217+0.3+6.407+5.3$
$=15.931\text{m}^2$

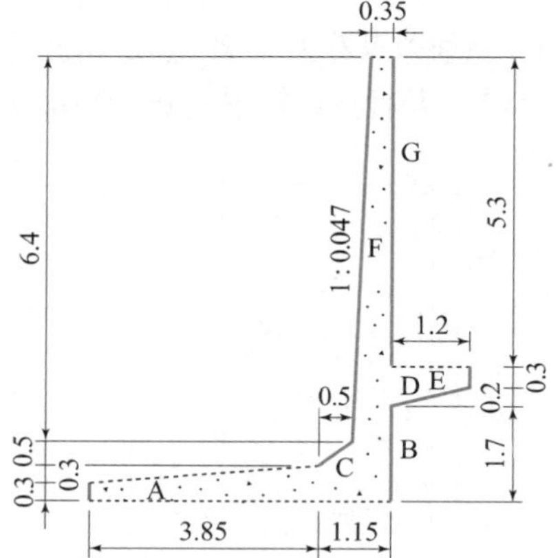

다.

기호	직경	길이(mm)	수량	총길이(mm)	기호	직경	길이(mm)	수량	총길이(mm)
W2	D25	7,765	2.5	19,413	F4	D13	1,000	24	24,000
W5	D16	1,000	68	68,000	S1	D13	556	12.5	6,950
H	D16	2,236	5	11,180	S2	D13	1,209	12.5	15,113

철근물량 산출근거

- $\text{W2}=\dfrac{\text{총길이}}{\text{철근간격}}=\dfrac{1{,}000}{400}=2.5$본
- W5=(철근간격+1)×2(벽체 전후면)$=(26+1+1+1+4+1)\times2=68$본
- $\text{H}=\dfrac{\text{총길이}}{\text{철근간격}}=\dfrac{1{,}000}{200}=5$본
- F4=철근간격+1$=(21+1+1)+1=24$본
- $\text{S1}=\dfrac{\text{단면도의 S1개수}}{(\text{W1의 간격})\times2}=\dfrac{5}{200\times2}\times1{,}000=12.5$본
- $\text{S2}=\dfrac{\text{단면도의 S2개수}}{(\text{F1의 간격})\times2}\times\text{옹벽 길이}=\dfrac{10}{400\times2}\times1{,}000=12.5$
  (∵ 한 칸 건너 지그재그로 배근)

□□□ 18①, 21③ 【3점】

12 지진 발생시 교량의 안전에 대하여 지진보호장치 3가지를 쓰시오.

① ____________ ② ____________ ③ ____________

해답 ① 받침보호장치 ② 점성댐퍼 ③ 낙교방지 장치 ④ 내진보강 탄성 받침장치

□□□ 08④, 14①, 18①, 19①, 21①, 23③ 【3점】

13 측량성과가 아래와 같고 시공기준면을 10m로 할 경우 총 토공량을 구하시오. (단, 격자점의 숫자는 표고이며, m 단위이다.)

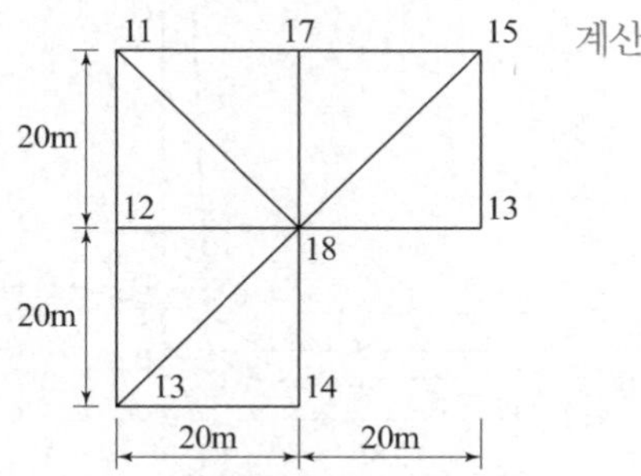

계산 과정)

답 :

해답 • 시공기준면과 각점 표고와의 차를 구하여 총토공량을 계산

$V=\frac{a \cdot b}{6}(\Sigma h_1+2\Sigma h_2+6\Sigma h_6)$

• $\Sigma h_1=\Sigma(h_1-10)=3+4=7\text{m}$

• $\Sigma h_2=\Sigma(h_2-10)=1+7+5+3+2=18\text{m}$

• $\Sigma h_6=\Sigma(h_6-10)=8\text{m}$

$\therefore V=\frac{20\times 20}{6}\times(7+2\times 18+6\times 8)=6{,}066.67\text{m}^3$

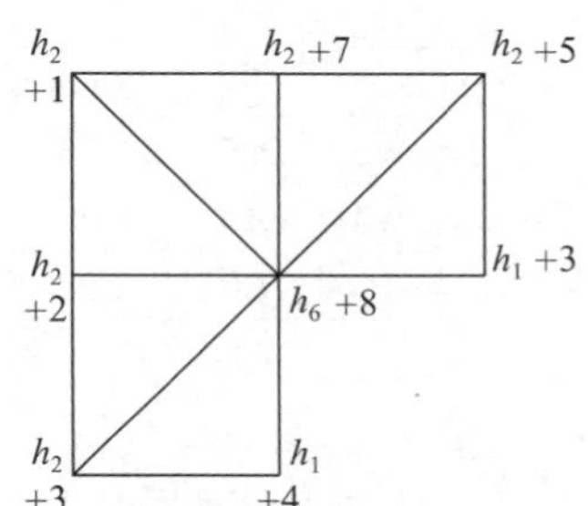

□□□ 07④, 09①, 10②, 18① 【3점】

14 흙의 노상재료 분류법으로서 흙의 성질을 숫자로 나타낸 것을 군지수(group index)라고 한다. 이러한 군지수를 구할 때 필요로 하는 지배요소 3가지를 쓰시오.

① ② ③

해답 ① No.200(0.075mm)체 통과율 ② 액성한계 ③ 소성지수

□□□ 89②, 13④, 18①, 20④ 【3점】

15 공기케이슨 공법과 비교하였을 때 오픈케이슨 공법의 시공상 단점을 3가지만 쓰시오.

① ② ③

해답 ① 선단의 연약토 제거 및 토질상태 파악이 어렵다.
② 큰 전석이나 장애물이 있는 경우 침하작업이 지연된다.
③ 굴착시 히빙이나 보일링 현상의 우려가 있다.
④ 경사가 있을 경우는 케이슨이 경사질 염려가 있다.
⑤ 저부 콘크리트가 수중시공이 되어 불충분하게 되기 쉽다.

□□□ 88①②, 98⑤, 99⑤, 00④, 04②, 09①, 11①, 14①, 18①, 20③, 23② 【3점】

16 그림과 같은 말뚝 하단의 활동면에 대한 히빙(heaving)현상에 대한 안전율을 구하시오.

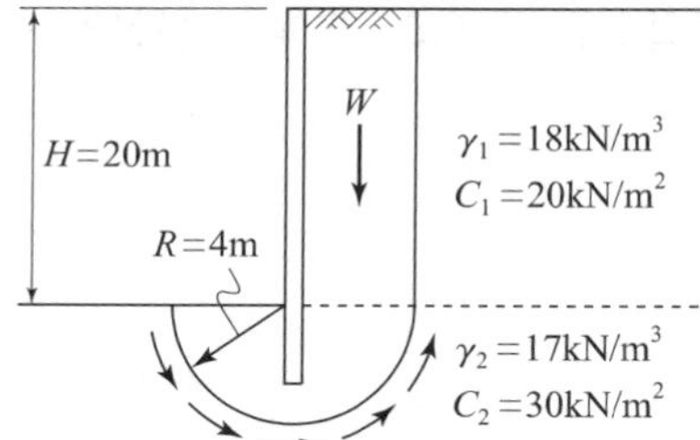

계산 과정)

답 :

해답 안전율 $F_s=\dfrac{M_r}{M_d}=\dfrac{C_1\cdot H\cdot R+C_2\cdot\pi\cdot R^2}{\dfrac{R^2}{2}(\gamma_1\cdot H+q)}$

- $M_d=\dfrac{4^2}{2}(18\times20+0)=2{,}880\text{kN}\cdot\text{m}$(Heaving을 일으키려는 Moment)
- $M_r=20\times20\times4+30\times\pi\times4^2=3{,}107.96\text{kN}\cdot\text{m}$(Heaving에 저항하는 Moment)

  $\therefore\ F_s=\dfrac{3{,}107.96}{2{,}880}=1.08$

□□□ 01①, 18①, 20② 【3점】

17 다음 콘크리트의 시방 배합을 현장 배합으로 환산하시오.

【시방 배합】

• 단위 수량 : 200kg/m^3	• 단위시멘트량 : 400kg/m^3
• 모래 : 800kg/m^3	• 자갈 : 1,500kg/m^3
• 모래의 표면수 : 5%	• 자갈의 표면수 : 1%
• 모래의 No 4(5mm)체 잔류량 : 4%	• 자갈의 No 4(5mm)체 통과량 : 5%

단위 수량 : ________, 단위모래량 : ________, 단위자갈량 : ________

해답 ① 입도에 의한 조정

- $S=800\text{kg},\ G=1{,}500\text{kg},\ a=4\%,\ b=5\%$
- 모래 $x=\dfrac{100S-b(S+G)}{100-(a+b)}=\dfrac{100\times800-5\times(800+1{,}500)}{100-(4+5)}=752.75\text{kg}$
- 자갈 $y=\dfrac{100G-a(S+G)}{100-(a+b)}=\dfrac{100\times1{,}500-4\times(800+1{,}500)}{100-(4+5)}=1{,}547.25\text{kg}$

② 표면수에 의한 조정

- 모래의 표면 수량$=752.75\times\dfrac{5}{100}=37.64\text{kg}$
- 자갈의 표면수량$=1{,}547.25\times\dfrac{1}{100}=15.47\text{kg}$

③ 현장 배합량

- 단위수량$=200-(37.64+15.47)=146.89\text{kg/m}^3$
- 단위 모래량$=752.75+37.64=790.39\text{kg/m}^3$
- 단위 자갈량$=1{,}547.25+15.47=1{,}562.72\text{kg/m}^3$

□□□ 92④, 94②, 96①④, 98②, 00⑤, 04④, 05④, 07④, 10②, 13④, 18① 【4점】

18 **어느 작업의 정상소요일수는 15일이며, 가장 빨리 끝낼 경우 12일이 소요되고 아무리 늦어도 20일 이내에는 끝낼 수 있다. 이 작업이 기대되는 소요일수를 구하고, 이때의 분산을 구하시오.**

가. 기대 소요일수를 구하시오.

계산 과정) 답 : ______

나. 분산을 구하시오.

계산 과정) 답 : ______

해답 가. $t_e = \dfrac{t_0 + 4t_m + t_p}{6} = \dfrac{12 + 4 \times 15 + 20}{6} = 15.33$일

나. $\sigma^2 = \left(\dfrac{b-a}{6}\right)^2 = \left(\dfrac{20-12}{6}\right)^2 = 1.78$

□□□ 91③, 96⑤, 99③, 00②, 01②, 02②, 05④, 07④, 09①, 13②, 18①, 22② 【3점】

19 **자연함수비 10%인 흙으로 성토하고자 한다. 시방서에는 다짐한 흙의 함수비를 15%로 관리하도록 규정하였을 때 매층마다 1m^2당 몇 l의 물을 살수해야 하는가?**

(단, 1층의 다짐두께는 20cm이고 토량변화율은 $C = 0.9$이며, 원지반 상태에서 흙의 단위중량은 18kN/m^3임.)

계산 과정) 답 : ______

해답 ■ 방법 1

• 1m^2당 완성토량(5회다짐)

$W = Ah\gamma_t = 1 \times 1 \times 0.2 \times 18 \times \dfrac{1}{0.9}$

$= 4\text{kN} = 4{,}000\text{N}$

• 흙입자 중량

$W_s = \dfrac{W}{1+w} = \dfrac{4{,}000}{1+0.10} = 3{,}636.36\text{N}$

• 함수비 10%일 때 물의 중량

$W_w = \dfrac{wW}{100+w} = \dfrac{10 \times 4{,}000}{100+10} = 363.64\text{N}$

• 함수비 15%일 때 물의 중량

$W_w = W_s w = 3{,}636.36 \times 0.15 = 545.45\text{N}$

$\therefore$ 살수량 $= 545.45 - 363.64 = 181.81\text{N}$

$= \dfrac{181.81 \times 10^{-3}}{9.81} = 0.01853\text{m}^3$

$= 18.55l$

■ 방법 2

• 1층의 원지반 상태의 단위체적

$V = 1 \times 1 \times 0.20 \times \dfrac{1}{0.9} = \dfrac{0.20}{0.9} = 0.222\text{m}^3$

• 0.222m^3당 흙의 중량

$W = \gamma_t V = 18 \times \dfrac{0.20}{0.9} = 4\text{kN}$

• 10%에 대한 물의 중량

$W_w = \dfrac{W \cdot w}{1+w} = \dfrac{4 \times 10}{100+10} = 0.3636\text{kN}$

• 15%에 대한 살수량

$0.3636 \times \dfrac{15-10}{10} = 0.1818\text{kN}$

$\therefore$ 살수량$= \dfrac{0.1818(\text{kN})}{9.81(\text{kN/m}^3)} = 0.01853\text{m}^3$

$= 18.53l$

$(\because 1\text{m}^3 = 1{,}000l)$

□□□ 03①, 04④, 06④, 11①, 14④, 18① 【3점】

20 **현장타설말뚝은 일반적으로 지지말뚝으로 사용되기 때문에 콘크리트를 타설할 때 공저에 슬라임(Slime)이 퇴적되어 있으면 침하 원인이 되고 말뚝으로서 기능이 현저하게 저하한다. 이 같은 슬라임을 제거하기 위한 방법을 3가지만 쓰시오.**

① ______ ② ______ ③ ______

해답 ① 샌드펌프 방법 ② 에어리프트 방법 ③ 석션펌프 방법 ④ 수중펌프 방법

□□□ 95⑤, 97④, 04①, 14④, 18① 【3점】

21 **중력식 댐의 시공 후 관리상 댐 내부에 설치하는 검사랑의 시공목적을 3가지만 쓰시오.**

① ______ ② ______ ③ ______

해답 ① 콘크리트 내부의 균열검사 ② 콘크리트 온도 측정 ③ 콘크리트 수축량 검사
④ 그라우팅공 이용 ⑤ 간극수압 측정 ⑥ 양압력 상태 검사

□□□ 11②, 18① 【2점】

22 **아래의 표에서 설명하는 사면보호공법의 명칭을 쓰시오.**

사면의 활동토체를 관통하여 부동지반까지 말뚝을 일렬로 시공함으로써 사면의 활동하중을 말뚝의 수평저항으로 받아 부동지반에 전달시키는 공법이다.

○

해답 억지말뚝공법

□□□ 96①, 98②, 99⑤, 18①, 22① 【3점】

23 **높은 교각이나 사이로, 수조 등의 공사에 사용하는 특수 거푸집으로 시공속도가 빠르고 이음이 없는 수밀성의 콘크리트 구조물을 만들 수 있는 대표적 특수 거푸집 공법 3가지를 쓰시오.**

① ______ ② ______ ③ ______

해답 ① Sliding form 공법
② Slip form공법
③ Travelling form 공법

□□□ 99①, 01①, 12②, 15②, 18①, 23② 【3점】

24 다음 그림과 같은 사면에서 AC는 가상파괴면을 나타낸다. 쐐기 ABC의 활동에 대한 안전율은 얼마인가?

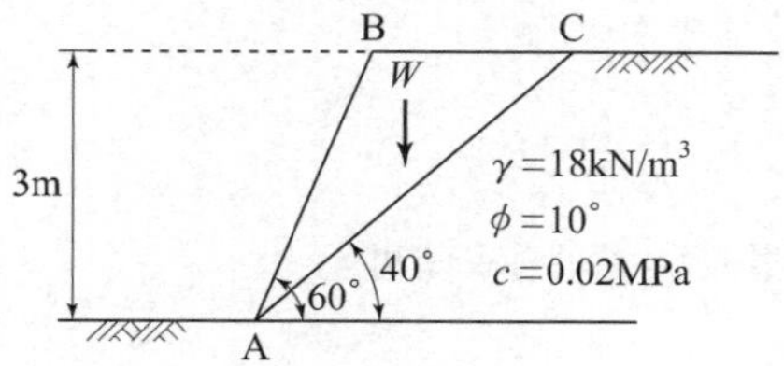

계산과정)

답 : ______________

해답 ■방법 1

안전율 $F=\dfrac{c\cdot L+W\cos\theta\cdot\tan\phi}{W\sin\theta}$

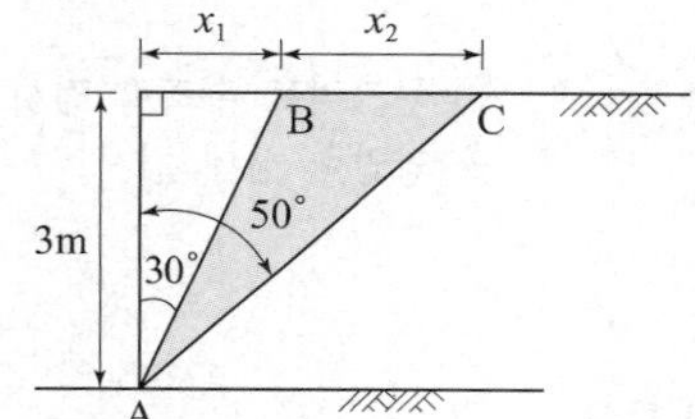

① $\overline{BC}$ 거리 계산

$x_1=3\tan 30°=1.732\text{m}$

$x_1+x_2=3\tan 50°=3.575\text{m}$

$\therefore\ \overline{BC}=x_2=3.575-1.732=1.843\text{m}$

② $\overline{AC}$ 거리 계산

$\overline{AC}=L=\dfrac{3}{\cos 50°}=4.667\text{m}$

$\left(\because\ \cos 50°=\dfrac{3}{\overline{AC}}\right)$

③ 파괴토사면 ΔABC의 중량 W

$W=\dfrac{3\times1.843}{2}\times18=49.76\text{kN/m}$

$\therefore\ F=\dfrac{20\times4.667+49.76\cos 40°\times\tan 10°}{49.76\sin 40°}$

$=3.13$

■방법 2

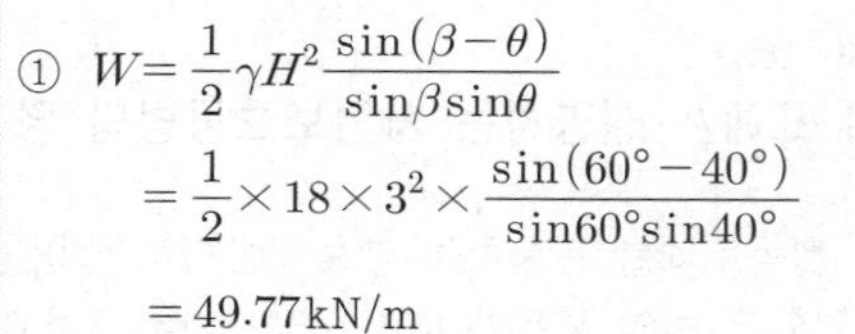

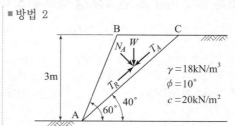

① $W=\dfrac{1}{2}\gamma H^2\dfrac{\sin(\beta-\theta)}{\sin\beta\sin\theta}$

$=\dfrac{1}{2}\times18\times3^2\times\dfrac{\sin(60°-40°)}{\sin60°\sin40°}$

$=49.77\text{kN/m}$

② $\overline{AC}$ 면의 법선과 접선 성분(전단저항력)

$N_A=W\cos\theta=49.77\cos 40°=38.13\text{kN/m}$

$T_A=W\sin\theta=49.77\sin 40°=31.99\text{kN/m}$

$T_R=\overline{AC}\cdot c+N_A\tan\phi$

$=\dfrac{H}{\sin\theta}\cdot c+N_A\tan\phi$

$=\dfrac{3}{\sin40°}\times20+38.13\tan10°$

$=100.07\text{kN/m}$

③ 안전율 $F_s=\dfrac{T_R}{T_A}=\dfrac{100.07}{31.99}=3.13$

참고 $0.02\text{N/mm}^2=0.02\text{MPa}=20\text{kN/m}^2$

□□□ 98④, 05①, 10④, 11④, 18①, 21①, 23② 【3점】

25 **3m×3m 크기의 정사각형 기초를 마찰각 $\phi = 20°$, 점착력 $c = 12\text{kN/m}^2$인 지반에 설치하였다. 흙의 단위중량 $\gamma = 18\text{kN/m}^3$이며, 기초의 근입깊이는 5m이다. 지하수위가 지표면에서 7m 깊이에 있을 때의 극한지지력을 Terzaghi 공식으로 구하시오.** (단, 지지력계수 $N_c = 17.7$, $N_q = 7.4$, $N_r = 5$이고, 흙의 포화단위중량은 20kN/m^3이다.)

계산 과정) 답 :

해답

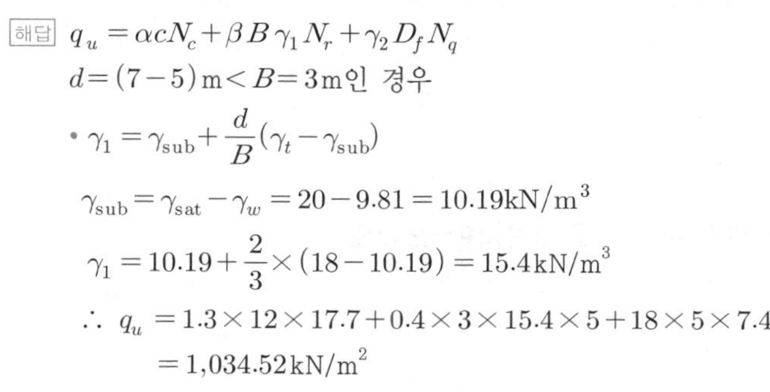

$q_u = \alpha c N_c + \beta B \gamma_1 N_r + \gamma_2 D_f N_q$

$d = (7-5)\text{m} < B = 3\text{m}$인 경우

- $\gamma_1 = \gamma_{\text{sub}} + \dfrac{d}{B}(\gamma_t - \gamma_{\text{sub}})$

$\gamma_{\text{sub}} = \gamma_{\text{sat}} - \gamma_w = 20 - 9.81 = 10.19\text{kN/m}^3$

$\gamma_1 = 10.19 + \dfrac{2}{3} \times (18 - 10.19) = 15.4\text{kN/m}^3$

$\therefore\ q_u = 1.3 \times 12 \times 17.7 + 0.4 \times 3 \times 15.4 \times 5 + 18 \times 5 \times 7.4$
$= 1{,}034.52\text{kN/m}^2$

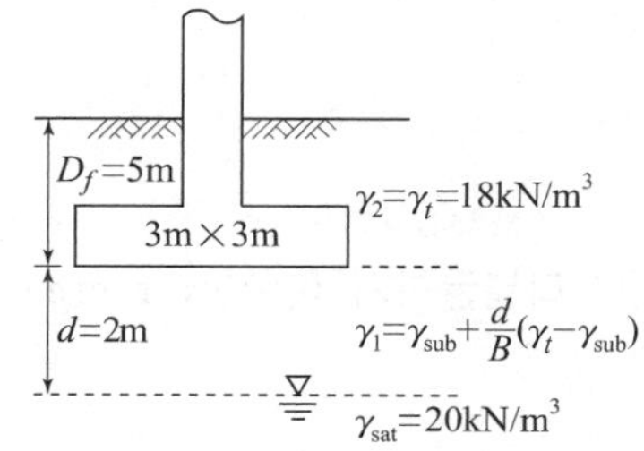

국가기술자격 실기시험문제

2018년도 기사 제2회 필답형 실기시험(기사)

종 목	시험시간	형 별	성 명	수험번호
토목기사	3시간	B		

※ 수험자 인적사항 및 계산식을 포함한 답안 작성은 검은색 필기구만 사용하여야 하며, 그 외 연필류, 빨간색, 청색 등 필기구로 작성한 답안은 0점 처리됩니다.

□□□ 17①, 18②, 23③ 【3점】

01 터널굴착시 여굴(over break)이 발생하는 원인을 3가지만 쓰시오.

① ______ ② ______ ③ ______

해답 ① 천공 및 발파의 잘못 ② 착암기 사용 잘못 ③ 전단력이 약한 토질 굴착시 발생

□□□ 87②, 91③, 93①, 02①, 03④, 08①, 11②, 14①, 18② 【3점】

02 연약지반상에 성토할 때 성토재료가 굵은 모래, 자갈, 암석과 같이 투수성이고, 기초지반 지지력이 크지 않은 경우 먼저 sand mat(부사)를 깔고 성토하는데 이때에 sand mat의 중요한 역할 3가지를 쓰시오.

① ______ ② ______ ③ ______

해답 ① 연약층 압밀을 위한 상부배수층을 형성
② 시공기계의 주행성을 확보
③ 지하배수층이 되어 지하수위를 저하
④ 지하수위 상승시 횡방향 배수로 성토지반의 연약화 방지

□□□ 04②, 09②, 13②, 18② 【3점】

03 PSC 교량에 사용되는 PS 강재의 정착방법 중에서 가장 보편적으로 쓰이는 정착방식들은 정착장치의 형식에 따라 3가지로 분류될 수 있다. 그 3가지를 쓰시오.

① ______ ② ______ ③ ______

해답 ① 쐐기식 ② 지압식 ③ 루프식

□□□ 06④, 08④, 09④, 10①, 11②, 17①, 18②, 22②, 23① 【6점】

04 콘크리트의 배합강도를 구하기 위한 시험횟수 16회의 콘크리트 압축강도 측정결과가 아래 표와 같고 품질기준강도가 28MPa일 때 아래 물음에 답하시오.

【압축강도 측정결과(단위 MPa)】

26.0	29.5	25.0	34.0	25.5	34.0	29.0
24.5	27.5	33.0	33.5	27.5	25.5	28.5
26.0	35.0					

가. 위 표를 보고 압축강도의 평균값을 구하시오.

계산 과정) 답 :

나. 압축강도 측정결과 및 아래의 표를 이용하여 배합강도를 구하기 위한 표준편차를 구하시오.

【시험횟수가 29회 이하일 때 표준편차의 보정계수】

시험횟수	표준편차의 보정계수	비고
15	1.16	이 표에 명시되지 않은 시험횟수에 대해서는 직선보간한다.
20	1.08	
25	1.03	
30 또는 그 이상	1.00	

계산 과정) 답 :

다. 배합강도를 구하시오.

계산 과정) 답 :

해답 가. 평균값 $\bar{x}=\dfrac{\sum X_i}{n}=\dfrac{464}{16}=29\,\text{MPa}$

나. 편차제곱합 $S=\sum(X_i-\bar{x})^2$

$$S=(26-29)^2+(29.5-29)^2+(25.0-29)^2+(34-29)^2+(25.5-29)^2$$
$$+(34-29)^2+(29-29)^2+(24.5-29)^2+(27.5-29)^2+(33-29)^2$$
$$+(33.5-29)+(27.5-29)^2+(25.5-29)^2+(28.5-29)^2+(26-29)^2$$
$$+(35-29)^2=206$$

• 표준편차 $s=\sqrt{\dfrac{S}{n-1}}=\sqrt{\dfrac{206}{16-1}}=3.71\,\text{MPa}$

• 16회의 보정계수 $=1.16-\dfrac{1.16-1.08}{20-15}\times(16-15)=1.144$

∴ 수정 표준편차 $s=3.71\times1.144=4.24\,\text{MPa}$

다. $f_{cq}=28\text{ MPa}\leq 35\,\text{MPa}$인 경우

• $f_{cr}=f_{cq}+1.34s=28+1.34\times4.24=33.68\,\text{MPa}$

• $f_{cr}=(f_{cq}-3.5)+2.33s=(28-3.5)+2.33\times4.24=34.38\,\text{MPa}$

∴ 배합강도 $f_{cr}=34.38\,\text{MPa}$(∵ 두 값 중 큰 값)

□□□ 85①③, 87③, 02②, 10②, 18② 【3점】

05 어떤 도저(Dozer)가 폭 3.58m의 철제 브레이드(Blade)를 달고 속도 5.9km/hr의 3단기어로 작업하고 있다. 이때 블레이드의 효율이 72%라면 폭 7.62m, 길이 100m의 면적에서 제거작업을 할 경우 필요한 작업시간(분)을 구하시오.

계산 과정)

답 : ______________

해답 작업시간 = 1회 왕복시간 × 왕복횟수

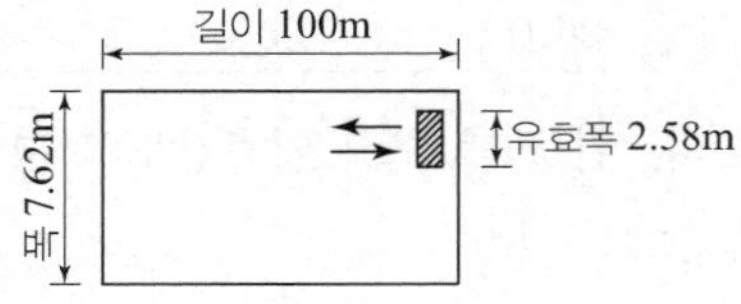

- Blade의 유효폭 = 3.58 × 0.72 = 2.58m
- 통과횟수(왕복) $= \dfrac{\text{작업지역폭}}{\text{블레이드의 유효폭}}$

  $= \dfrac{7.62}{2.58} = 2.95 \quad \therefore 3$ 회

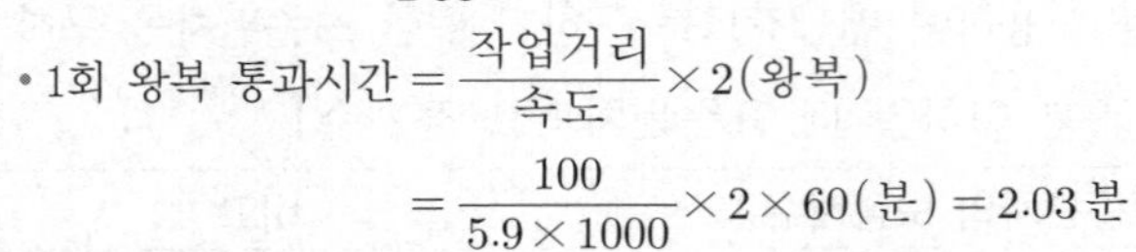

- 1회 왕복 통과시간 $= \dfrac{\text{작업거리}}{\text{속도}} \times 2(\text{왕복})$

  $= \dfrac{100}{5.9 \times 1000} \times 2 \times 60(\text{분}) = 2.03$ 분

∴ 작업시간 = 1회 통과시간 × 통과횟수 = 2.03 × 3 = 6.09분

□□□ 93③, 99⑤, 08④, 09①, 18② 【3점】

06 구획정리를 위한 측량결과값이 그림과 같은 경우 계획고 10.00m로 하기 위한 토량은? (단위 : m)

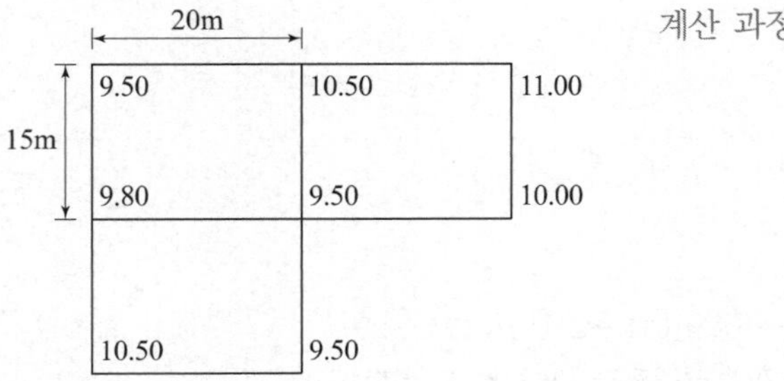

계산 과정)

답 : ______________

해답 $V = \dfrac{a \cdot b}{4}(\Sigma h_1 + 2\Sigma h_2 + 3\Sigma h_3)$

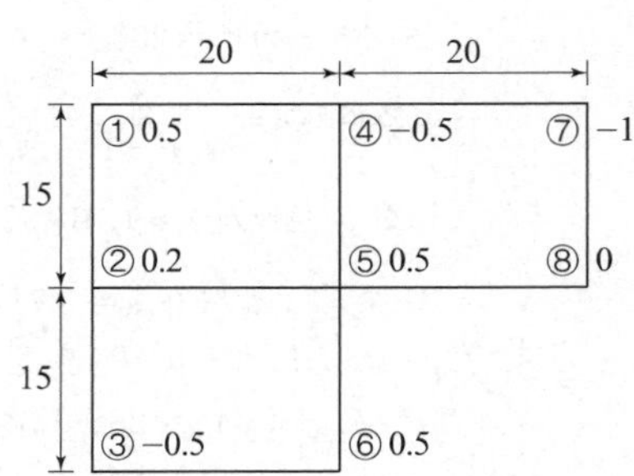

- $\Sigma h_1 = \Sigma(10 - h_1) = 0.5 - 0.5 + 0.5 - 1 + 0 = -0.5\text{m}$
  (∵ 측점 ①, ③, ⑥, ⑦, ⑧)
- $\Sigma h_2 = \Sigma(10 - h_2) = 0.2 - 0.5 = -0.3\text{m}$
  (∵ 측점 ②, ④)
- $\Sigma h_3 = 0.5\text{m}$(∵ 측점 ⑤)

$\therefore \ V = \dfrac{20 \times 15}{4}(-0.5 - 0.3 \times 2 + 0.5 \times 3) = 30\text{m}^3$

□□□ 91③, 96⑤, 99③, 00②, 01②, 02②, 05④, 07④, 09①, 13②, 18①②, 22② 【3점】

07 자연함수비 12%인 흙으로 성토하고자 한다. 시방서에는 다짐한 흙의 함수비를 16%로 관리하도록 규정하였을 때 매층마다 $1m^2$당 몇 l의 물을 살수해야 하는가?
(단, 1층의 다짐두께는 20cm이고 토량변화율은 $C=0.9$이며, 원지반 상태에서 흙의 단위중량은 $18kN/m^3$임.)

계산 과정) 답 : ______________

해답 ■ 방법 1

• $1m^2$당 흙의 중량

$$W = Ah\gamma_t = 1\times1\times0.20\times18\times\frac{1}{0.9}$$
$$= 4kN = 4{,}000N$$

• 흙입자 중량

$$W_s = \frac{W}{1+w} = \frac{4{,}000}{1+0.12} = 3{,}571.43N$$

• 함수비 12%일 때 물의 중량

$$W_w = \frac{wW}{100+w} = \frac{12\times4{,}000}{100+12} = 428.57N$$

• 함수비 16%일 때 물의 중량

$$W_w = W_s w = 3{,}571.43\times0.16 = 571.43N$$

∴ 살수량 $= 571.43 - 428.57 = 142.86N$

$$= \frac{142.86\times10^{-3}}{9.81}$$
$$= 0.01456m^3 = 14.56l$$

■ 방법 2

• 1층의 원지반 상태의 단위체적

$$V = 1\times1\times0.20\times\frac{1}{0.9} = \frac{0.20}{0.9} = 0.222m^3$$

• $0.222m^3$당 흙의 중량

$$W = \gamma_t V = 18\times\frac{0.20}{0.9} = 4kN = 4{,}000N$$

• 12%에 대한 물의 중량

$$W_s = \frac{W\cdot w}{100+w} = \frac{4{,}000\times12}{100+12} = 428.57N$$

• 16%에 대한 살수량

$$428.57\times\frac{16-12}{12} = 142.86N$$

$$\therefore \frac{142.86\times10^{-3}}{9.81} = 0.01456m^3 = 14.56l$$

□□□ 10①, 18② 【3점】

08 1.5m×1.5m의 정사각형 독립확대기초가 $c=10kN/m^2$, $\gamma=19kN/m^3$인 지반에 설치되어 있다. 기초의 깊이는 지표면 아래 1m에 있고 지하수위에 대한 영향이 없을 때 얕은 기초의 극한지지력을 Terzaghi의 방법으로 구하시오. (단, 국부전단파괴가 발생하는 지반이며, $N_c=12$, $N_q=1.8$, $N_r=8$이다.)

계산 과정) 답 : ______________

해답 $q_u = \alpha cN_c + \beta\gamma_1 BN_r + \gamma_2 D_f N_q$

• 국부전단파괴의 점착력

$$c' = \frac{2}{3}c = \frac{2}{3}\times10 = \frac{20}{3}kN/m^2$$

$$\therefore q_u = 1.3\times\frac{20}{3}\times12 + 0.4\times19\times1.5\times8 + 19\times1\times1.8 = 229.4kN/m^2$$

※ 주의 : 국부전단파괴시 점착력(c')은 $\frac{2}{3}c$적용

□□□ 07①, 09②, 11④, 18②, 20③, 22③ 【3점】

09 다음과 같은 높이 7m인 토류벽이 있다. 토류벽 배면지반은 포화된 점성토지반 위에 사질토 지반을 형성하고 있다. 이때 토류벽에 가해지는 전 주동토압을 구하시오.

(단, 지하수위는 점성토지반 상부에 위치하며, 벽마찰각은 무시한다.)

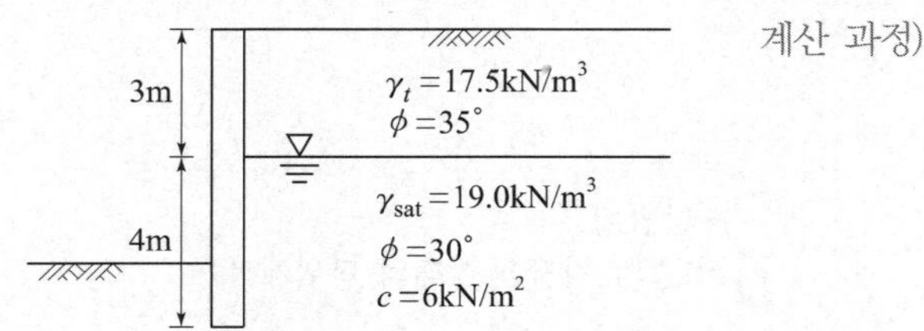

계산 과정)

답 :

해답 주동토압 $P_A = \frac{1}{2}\gamma_1 H_1^2 K_{a1} + \gamma_1 H_1 H_2 K_{a2} + \frac{1}{2}\gamma_{sub} H_2^2 K_{a2} + \frac{1}{2} r_w H_2^2 - 2cH_2\sqrt{K_{a2}}$

- 사질토지반 $K_{a1} = \tan^2\left(45° - \frac{\phi}{2}\right) = \tan^2\left(45° - \frac{35°}{2}\right) = 0.271$
- 점성토지반 $K_{a2} = \tan^2\left(45° - \frac{\phi}{2}\right) = \tan^2\left(45° - \frac{30°}{2}\right) = \frac{1}{3}$
- $\frac{1}{2}\gamma_1 H_1^2 K_{a1} = \frac{1}{2} \times 17.5 \times 3^2 \times 0.271 = 21.34\text{kN/m}$
- $\gamma_1 H_1 H_2 K_{a2} = 17.5 \times 3 \times 4 \times \frac{1}{3} = 70\text{kN/m}$
- $\frac{1}{2}\gamma_{sub} H_2^2 K_{a2} = \frac{1}{2} \times (19.0 - 9.81) \times 4^2 \times \frac{1}{3} = 24.51\text{kN/m}$
- $\frac{1}{2}\gamma_w H_2^2 = \frac{1}{2} \times 9.81 \times 4^2 = 78.48\text{kN/m}$
- $2cH_2\sqrt{K_{a2}} = 2 \times 6 \times 4 \times \sqrt{\frac{1}{3}} = 27.71\text{kN/m}$

$\therefore P_A = 21.34 + 70 + 24.51 + 78.48 - 27.71 = 166.62\text{kN/m}$

□□□ 05④, 18② 【3점】

10 유수전환시설은 크게 가물막이 방법과 가배수로를 시공하는 방법으로 나눌 수 있다. 이 때 시공방법에 따른 가물막이 방법의 종류 3가지만 쓰시오.

① ② ③

해답 ① 전면식 가물막이 ② 부분식 가물막이 ③ 단계 가물막이

□□□ 85①, 16②, 18②, 19③, 22② 【3점】

11 말뚝의 지지력을 산정하는 방법 3가지를 쓰시오.

① ② ③

해답 ① 동역학적 공식에 의한 방법 ② 정역학적 공식에 의한 방법 ③ 정재하시험에 의한 방법

□□□ 95④, 97④, 99②, 00③, 06①, 10④, 13①, 18② 【3점】

12 다음과 같이 배치된 말뚝 A, 말뚝 B에 작용하는 하중을 계산하시오.
(단, 말뚝의 부마찰력, 군항의 효과, 기초와 흙 사이에 작용하는 토압은 무시한다.)

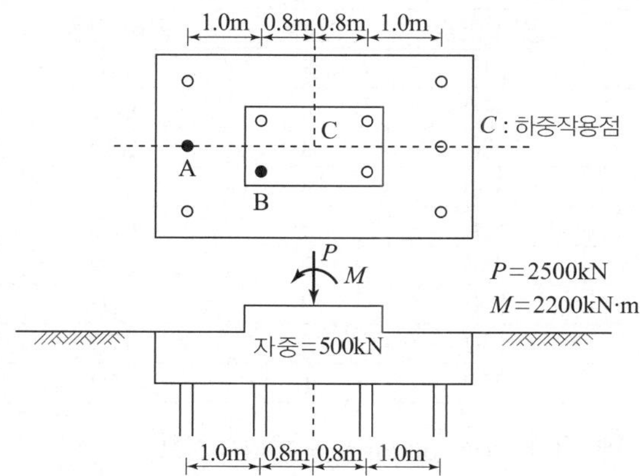

계산 과정)

[답] 말뚝 A : ____________

말뚝 B : ____________

해답 ■ 방법 1

$$P_m = \frac{Q}{n} \pm \frac{M_y \cdot x}{\Sigma x^2} \pm \frac{M_x \cdot y}{\Sigma y^2}$$

• $Q = 2{,}500 + 500 = 3{,}000\,\text{kN}$

$$\therefore\ P_A = \frac{3{,}000}{10} - \frac{2{,}200 \times (-1.8)}{1.8^2 \times 6 + 0.8^2 \times 4} + 0$$
$$= 300 + 180 = 480\,\text{kN}$$

$$\therefore\ P_B = \frac{3{,}000}{10} - \frac{2{,}200 \times (-0.8)}{1.8^2 \times 6 + 0.8^2 \times 4} + 0$$
$$= 300 + 80 = 380\,\text{kN}$$

■ 방법 2

$$P_m = \frac{Q}{n} + \frac{M_y \cdot x}{\Sigma x^2} + \frac{M_x \cdot y}{\Sigma y^2}$$

• $Q = 2{,}500 + 500 = 3{,}000\,\text{kN},\ n = 10$

• $x^2 = 1.8^2 \times 6 = 19.44\,\text{m}^2$

• $x^2 = 0.8^2 \times 4 = 2.56\,\text{m}^2$

$$\therefore\ P_A = \frac{3{,}000}{10} + \frac{2{,}200 \times 1.8}{19.44 + 2.56} + 0$$
$$= 300 + 180 = 480\,\text{kN}$$

$$\therefore\ P_B = \frac{3{,}000}{10} + \frac{2{,}200 \times 0.8}{19.44 + 2.56} + 0$$
$$= 300 + 80 = 380\,\text{kN}$$

□□□ 92③, 96④, 99④, 18② 【3점】

13 팽창성 지반에 기초를 건설할 때 공사방법으로 흙을 치환하는 것과 팽창성 흙의 성질을 변화시키는 두 방법을 생각할 수 있다. 그 중 후자의 방법에 대해서 네 가지만 쓰시오.

① ____________ ② ____________

③ ____________ ④ ____________

해답 ① 다짐공법 ② 살수공법(침수법 : prewetting)
③ 차수벽 설치(수분 흡수방지벽 공법) ④ 흙의 안정처리(지반의 안정처리)

□□□ 96②, 98②, 00④, 09②, 11①, 14①, 18②, 22② 【10점】

14 다음과 같은 작업 List가 있다. 아래 물음에 답하시오.

작업명	선행작업	후속작업	표 준		특 급	
			일수	공비(만원)	일수	공비(만원)
A	–	B, C	6	210	5	240
B	A	D, E	4	450	2	630
C	A	F, G	4	160	3	200
D	B	G	3	300	2	370
E	B	H	2	600	2	600
F	C	I	7	240	5	340
G	C, D	I	5	100	3	120
H	E	I	4	130	2	170
I	F, G, H	–	2	250	1	350

가. Net Work(화살선도)를 작도하고, 표준일수에 대한 Critical Path를 나타내시오.

나. 작업 List의 빈칸을 채우시오.

작업명	공비증가율 (만원/일)	개 시		완 료		여유시간		
		EST	LST	EFT	LFT	TF	FF	DF
A								
B								
C								
D								
E								
F								
G								
H								
I								

다. 총공기에 대한 간접비가 2천만원인데 표준일수를 단축하는 경우 1일당 80만원씩 감소한다고 할 때 최적공비와 그때의 총공사비를 구하시오.

계산 과정)　　　　　　[답] 최적공비 : ________________, 총공사비 : ________________

해답 가.

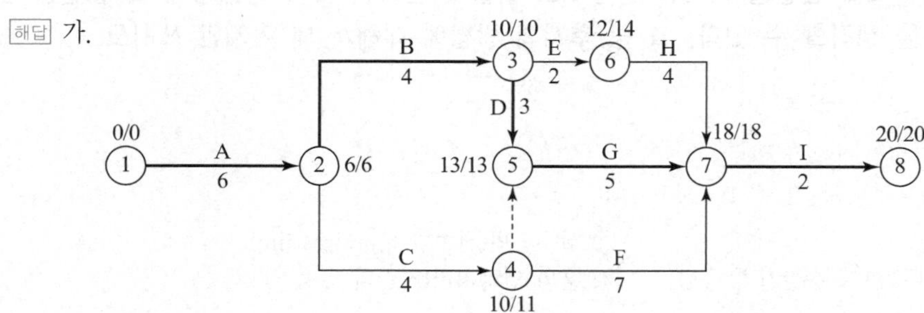

C.P : A → B → D → G → I

나.

작업명	비용구배 $= \dfrac{\text{특급비용} - \text{표준비용}}{\text{표준공기} - \text{특급공기}}$	개시		완료		여유시간		
		EST	LST	EFT	LFT	TF	FF	DF
A	$\dfrac{240-210}{6-5}$ = 30만원/일	0	0	6	6	0	0	0
B	$\dfrac{630-450}{4-2}$ = 90만원/일	6	6	10	10	0	0	0
C	$\dfrac{200-160}{4-3}$ = 40만원/일	6	7	10	11	1	0	1
D	$\dfrac{370-300}{3-2}$ = 70만원/일	10	10	13	13	0	0	0
E	불가	10	12	12	14	2	0	2
F	$\dfrac{340-240}{7-5}$ = 50만원/일	10	11	17	18	1	1	0
G	$\dfrac{120-100}{5-3}$ = 10만원/일	13	13	18	18	0	0	0
H	$\dfrac{170-130}{4-2}$ = 20만원/일	12	14	16	18	2	2	0
I	$\dfrac{350-250}{2-1}$ = 100만원/일	18	18	20	20	0	0	0

다.

작업명	단축일수	비용구배	20	19	18	17	16
A	1	$\dfrac{240-210}{6-5}$ = 30만원/일			1		
B	2	$\dfrac{630-450}{4-2}$ = 90만원/일					
C	1	$\dfrac{200-160}{4-3}$ = 40만원/일				1	
D	1	$\dfrac{370-300}{3-2}$ = 70만원/일					
E	불가	−					
F	2	$\dfrac{340-240}{7-5}$ = 50만원/일					
G	2	$\dfrac{120-100}{5-3}$ = 10만원/일		1		1	
H	2	$\dfrac{170-130}{4-2}$ = 20만원/일					
I	1	$\dfrac{350-250}{2-1}$ = 100만원/일					1
직접비(만원)			2,440	2,450	2,480	2,530	2,630
간접비(만원)			2,000	1,920	1,840	1,760	1,680
총공사비(만원)			4,440	4,370	4,320	4,290	4,310

∴ 최적공기 : 17일, 총공사비 : 4,290만원

□□□ 91③, 99②, 05②, 18② 【3점】

15 **흐트러진 상태의 $L=1.15$, 단위중량이 1.7t/m^3인 토사를 싣기는 1.34m^3의 Payloader 1대를 사용하고 운반은 8t 덤프트럭을 사용하여 운반로 10km인 공사현장까지 운반하고자 한다. 이때, 조합토공에 있어서 덤프트럭의 소요대수를 구하시오.**

(단, Payloader 사이클 타임(C_m)=44.4초, 버킷계수(K)=1.15, 작업효율(E_s)=0.7이고, 덤프트럭의 적재시 주행속도=15km/hr, 공차시 주행속도=20km/hr, t_1 =0.5분, t_2 =0.4분, 작업효율(E_t)=0.9이다.)

계산 과정) 　　　　　　　　　　　　　　　　　　답 : ______

해답 $M=\dfrac{E_s}{E_t}\times\dfrac{60(T_1+t_1+T_2+t_2+t_3)}{C_{ms}\cdot n}+\dfrac{1}{E_t}$

- $q_t=\dfrac{T}{\gamma_t}\cdot L=\dfrac{8}{1.7}\times 1.15=5.41\,\text{m}^3$
- $n=\dfrac{q_t}{q\cdot k}=\dfrac{5.41}{1.34\times 1.15}=3.51\,\text{회}=4\,\text{회}$
- $T_1=\dfrac{D}{V_1}\times 60=\dfrac{10}{15}\times 60=40\,\text{분}$
- $T_2=\dfrac{D}{V_2}\times 60=\dfrac{10}{20}\times 60=30\,\text{분}$

$\therefore\ M=\dfrac{0.7}{0.9}\times\dfrac{60(40+0.5+30+0.4)}{44.4\times 4}+\dfrac{1}{0.9}$

$=19.74 \qquad \therefore\ 20\,\text{대}$

□□□ 03②, 08②, 18② 【3점】

16 **공정관리기법 중 기성고 공정곡선의 장점 3가지만 쓰시오.**

① ______ ② ______ ③ ______

해답 ① 예정과 실적의 차이를 파악하기 쉽다.
② 전체 공정과 시공속도를 파악하기 쉽다.
③ 작성이 쉽다.

□□□ 13①, 16②, 17②, 18② 【3점】

17 **콘크리트의 경화나 강도발현을 촉진하기 위해 실시하는 양생을 촉진양생이라고 한다. 이러한 촉진양생법의 종류를 3가지만 쓰시오.**

① ______ ② ______ ③ ______

해답 ① 증기양생 ② 오토클레이브 양생 ③ 전기양생
④ 온수양생 ⑤ 적외선 양생 ⑥ 고주파 양생

□□□ 99①, 02③, 05①, 07②, 09④, 13①, 18②, 21② 【18점】

18 주어진 도면 및 조건에 따라 다음 물량을 산출하시오. (단, 주어진 도면의 치수는 축척에 맞지 않을 수 있으며, 주어진 치수로만 물량을 산출할 것)

【조 건】

- W1, W2, W3, W4, W5, W6, F1, F3, F4, K2 철근은 각각 200mm 간격으로 배근한다.
- F2, K1, H 철근은 각각 100mm 간격으로 배근한다.
- S1, S2, S3 철근은 지그재그로 배근한다.
- 옹벽의 돌출부(전단 Key)에는 거푸집을 사용하는 경우로 계산한다.
- 물량산출에서 할증률 및 마구리는 없는 것으로 하고 상세도에 표시되어 있지 않은 이음길이는 계산하지 않는다.

단 면 도 (N.S) (단 위 : mm)

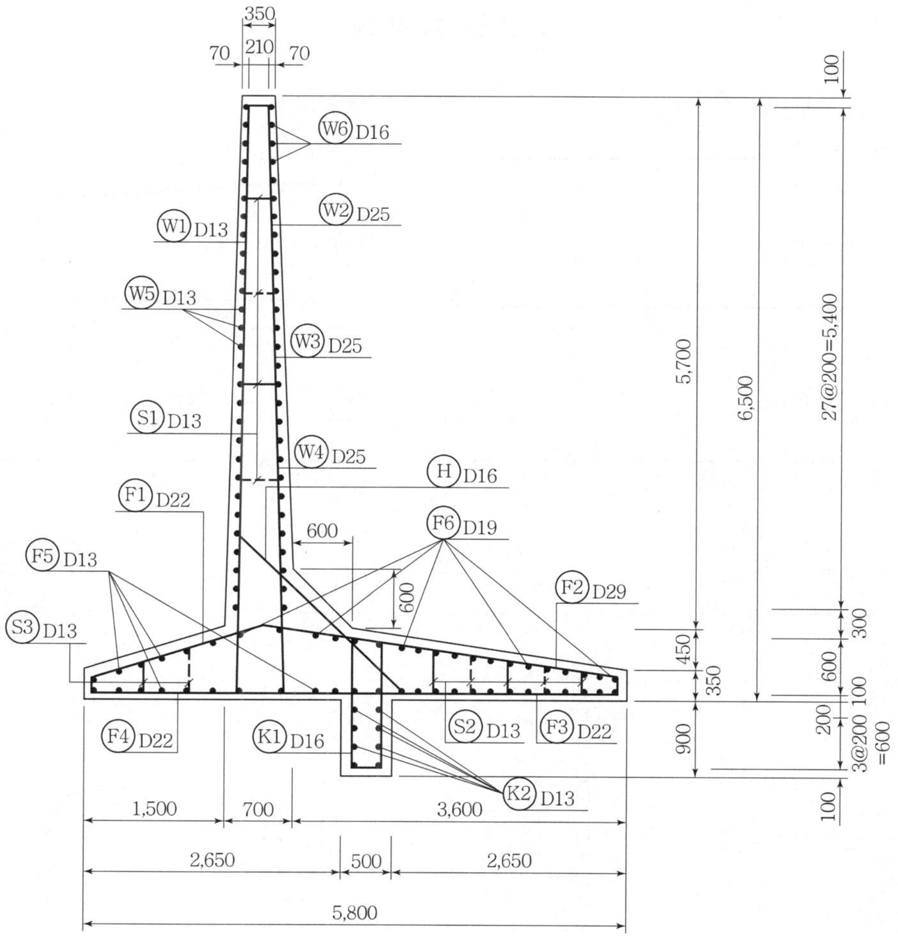

350
70 210 70
W6 D16
W2 D25
W1 D13
W5 D13
W3 D25
S1 D13
W4 D25
H D16
F1 D22
F6 D19
F5 D13
600
600
F2 D29
S3 D13
F4 D22
K1 D16
S2 D13
F3 D22
K2 D13
100
5,700
6,500
27@200=5,400
300
450
600
350
100
200
900
3@200 =600
100
1,500 700 3,600
2,650 500 2,650
5,800

일 반 도

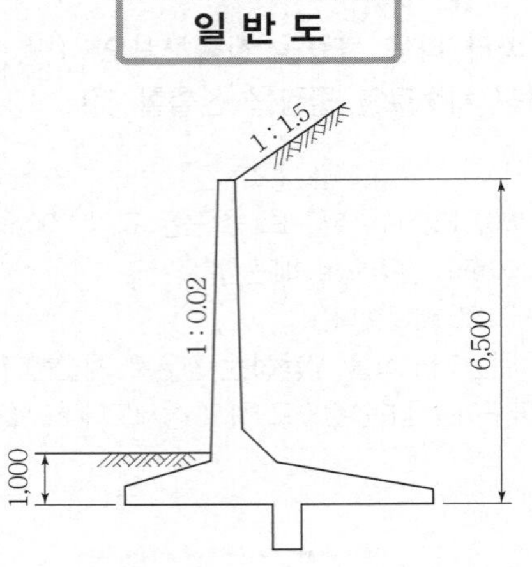
1 : 1.5
1 : 0.02
6,500
1,000

철 근 상 세 도

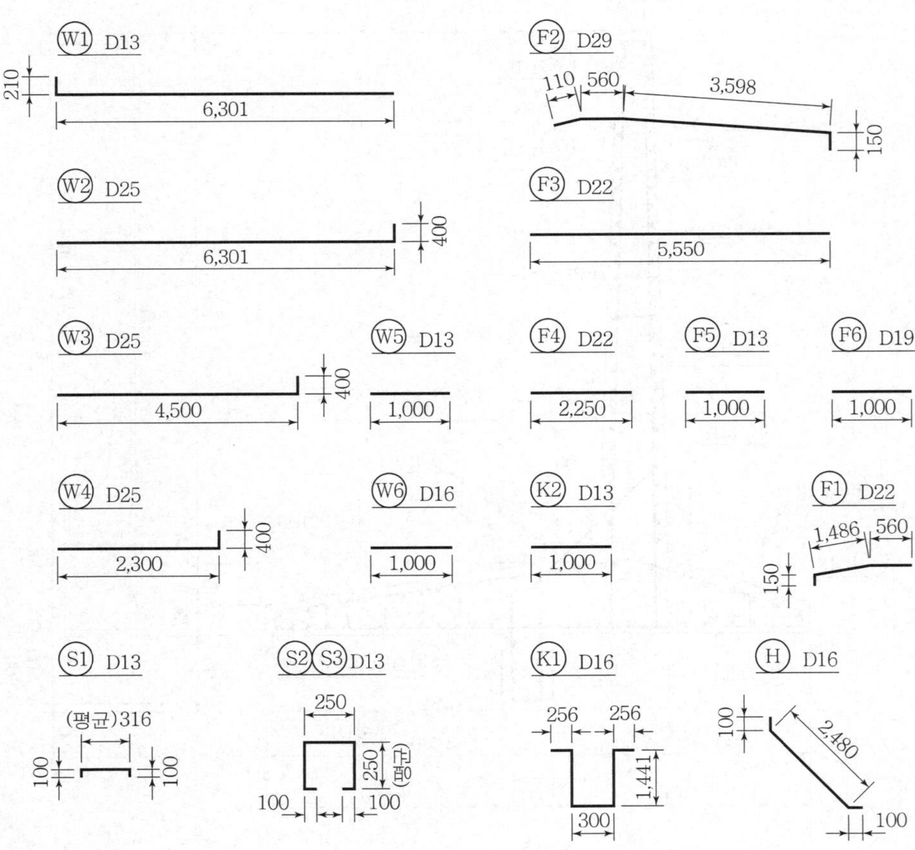
W1 D13
210
6,301
F2 D29
110
560
3,598
150
W2 D25
400
6,301
F3 D22
5,550
W3 D25
400
4,500
W5 D13
1,000
F4 D22
2,250
F5 D13
1,000
F6 D19
1,000
W4 D25
400
2,300
W6 D16
1,000
K2 D13
1,000
F1 D22
1,486
560
150
S1 D13
(평균)316
100
100
S2 S3 D13
250
250
(평균)
100
100
K1 D16
256
256
1,441
300
H D16
100
2,480
100

가. 길이 1m에 대한 콘크리트량을 구하시오. (단, 소수점 이하 4째자리에서 반올림 하시오.)

계산 과정)

답 :

나. 길이 1m에 대한 거푸집량을 구하시오. (단, 소수점 이하 4째자리에서 반올림 하시오.)

계산 과정)

답 :

다. 길이 1m에 대한 철근물량표를 완성하시오.

기호	직경	길이(mm)	수량	총길이(mm)	기호	직경	길이(mm)	수량	총길이(mm)
W1					K1				
F1					K2				
F5					S2				

해답 가. 콘크리트량

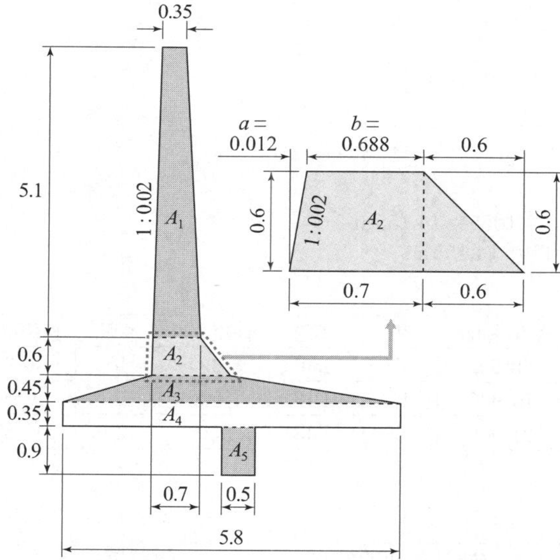

- $a = 0.02 \times 0.6 = 0.012\,\text{m}$
- $b = 0.70 - 0.02 \times 0.6 = 0.688\,\text{m}$
- $A_1 = \dfrac{0.35 + (0.7 - 0.6 \times 0.02)}{2} \times 5.1 = 2.6469\,\text{m}^2$
- $A_2 = \dfrac{(0.7 - 0.6 \times 0.02) + (0.7 + 0.6)}{2} \times 0.6 = 0.5964\,\text{m}^2$
- $A_3 = \dfrac{(0.7 + 0.6) + 5.8}{2} \times 0.45 = 1.5975\,\text{m}^2$
- $A_4 = 0.35 \times 5.8 = 2.03\,\text{m}^2$
- $A_5 = 0.9 \times 0.5 = 0.45\,\text{m}^2$

$\therefore\ V = (\Sigma A_i) \times 1 = (2.6469 + 0.5964 + 1.5975 + 2.03 + 0.45) \times 1 = 7.321\,\text{m}^3$

나.

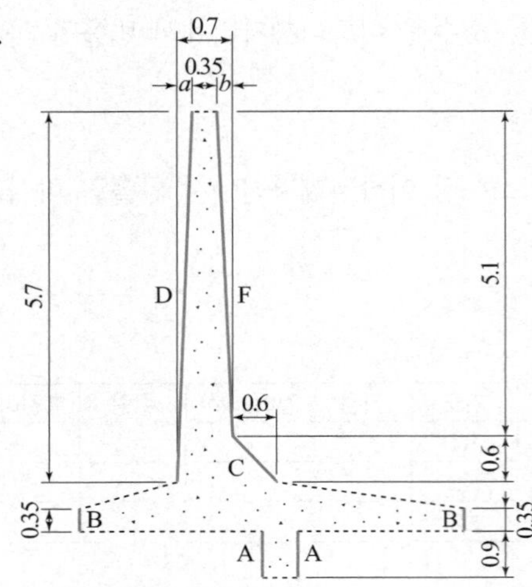

- $a = 0.02 \times 5.7 = 0.114\,\text{m}$
- $b = 0.7 - (0.114 + 0.35) = 0.236\,\text{m}$
- $A = 0.9 \times 2 = 1.8\,\text{m}$
- $B = 0.35 \times 2 = 0.70\,\text{m}$
- $C = \sqrt{0.6^2 + 0.6^2} = 0.8485\,\text{m}$
- $D = \sqrt{5.7^2 + 0.114^2} = 5.7011\,\text{m}$
- $F = \sqrt{5.1^2 + 0.236^2} = 5.1055\,\text{m}$

$\sum L = 1.8 + 0.70 + 0.8485 + 5.7011 + 5.1055 = 14.155\,\text{m}$

$\therefore$ 면적 $= \sum L \times 1(\text{m}) = 14.155 \times 1 = 14.155\,\text{m}^2$

다. 철근물량표

기호	직경	길이(mm)	수량	총길이(mm)	기호	직경	길이(mm)	수량	총길이(mm)
W1	D13	6,511	5	32,555	K1	D16	3,694	10	36,940
F1	D22	2,196	5	10,980	K2	D13	1,000	8	8,000
F5	D13	1,000	31	31,000	S2	D13	950	12.5	11,875

철근물량 산출근거

기호	직경	길이(mm)	수량	총길이(mm)	수량산출
W1	D13	210+6,301 = 6,511	5	32,555	$\frac{1}{0.200} = 5$본
F1	D22	150+1,486+560=2,196	5	10,980	$\frac{1}{0.200} = 5$본
F5	D13	1,000	31	31,000	31본(단면도에 수작업)
K1	D16	256×2+300+1,441×2 = 3,694	10	36,940	$\frac{1}{0.100} = 10$본
K2	D13	1,000	8	8,000	단면도에서 수작업(Key 부분)
S2	D13	(100+250)×2+250 = 950	12.5	11,875	$\frac{5}{0.200 \times 2} \times 1 = 12.5$본 또는 $400 : 5 = 1,000 : x$ $\therefore x = 12.5$

□□□ 01①, 10①, 11④, 13①, 14②, 17②, 18②, 22② 【4점】

19 아래 같은 지층 위에 성토로 인한 등분포하중 $q = 50\text{kN/m}^2$이 작용할 때 다음 물음에 답하시오. (단, 점토층은 정규압밀점토이며, W_L은 액성한계이다.)

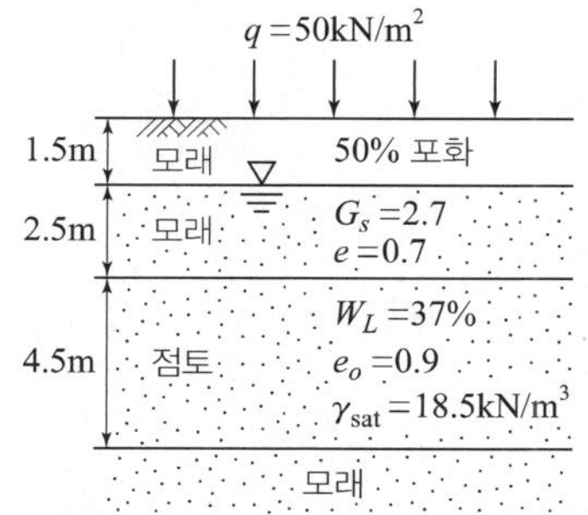

가. 점토층 중앙의 초기 유효연직압력(P_o)을 구하시오.

계산 과정) 답 :

나. 점토층의 압밀침하량을 구하시오.

계산 과정) 답 :

해답 가. 초기 유효연직압력 $p_o = \gamma_t H_1 + \gamma_{\text{sub}} H_2 + \gamma_{\text{sub}} \dfrac{H_3}{2}$

- 지하수위 이상인 모래층 단위중량 $\gamma_t = \dfrac{G_s + Se}{1+e}\gamma_w = \dfrac{2.7 + 0.5 \times 0.7}{1 + 0.7} \times 9.81 = 17.60\text{kN/m}^3$
- 지하수위 이하 모래층 수중단위중량 $\gamma_{\text{sub}} = \dfrac{G_s - 1}{1+e}\gamma_w = \dfrac{2.7 - 1}{1 + 0.7} \times 9.81 = 9.81\text{kN/m}^3$
- 점토층 수중단위중량 $\gamma_{\text{sub}} = \gamma_{\text{sat}} - \gamma_w = 18.5 - 9.81 = 8.69\text{kN/m}^3$

$\therefore P_o = 17.60 \times 1.5 + 9.81 \times 2.5 + 8.69 \times \dfrac{4.5}{2} = 70.48\text{kN/m}^2$

나. 압밀침하량 $S = \dfrac{C_c H}{1 + e_o}\log\left(\dfrac{P_o + \Delta P}{P_o}\right)$

- $C_c = 0.009(W_L - 10) = 0.009(37 - 10) = 0.243$

$\therefore S = \dfrac{0.243 \times 4.5}{1 + 0.9}\log\left(\dfrac{70.48 + 50}{70.48}\right) = 0.1340\text{m} = 13.40\text{cm}$

□□□ 95③, 96①, 01③, 02②, 09④, 18②, 23③ 【3점】

20 보강토 옹벽의 구성은 크게 3요소로 이루어진다. 그 3가지는 무엇인지 쓰시오.

① ② ③

해답 ① 전면판(skin plate) ② 보강재(strip bar) ③ 뒤채움 흙(back fill)

□□□ 18② 【2점】

21 점성토의 공학적 특성은 다짐시 높은 다짐에너지로 다지면 강도가 오히려 저하해 비경제적이며 건조단위중량도 증가하지 않은 상태로 되는 현상을 무엇이라 하는가?

○

해답 과도전압 또는 과다짐(over compaction)

□□□ 98②, 03①, 05②, 11②, 14①, 18② 【3점】

22 **다음과 같이 점토지반에 직경이 10m, 자중이 40,000kN인 물탱크가 설치되어 있다. 극한지지력에 대한 안전율(F_s)이 3일 때 최대로 채울 수 있는 물의 높이는 얼마인가?** (단, $N_c = 5.14$)

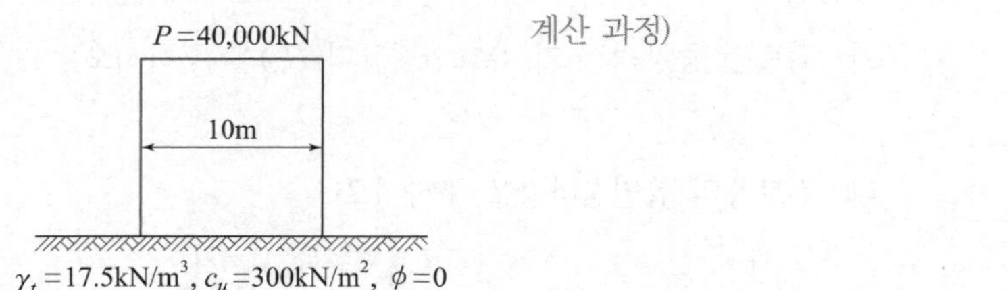

계산 과정)

답 :

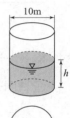

해답 허용하중 $Q_a = Q + \left(\dfrac{\pi D^2}{4} h\right)\gamma_w$(물탱크의 허용하중=물탱크중량+물의 중량)

- 극한지지력 $q_u = \alpha c N_c + \beta \gamma_1 B N_\gamma + \gamma_2 D_f N_q$($\phi = 0$이면 $N_r = 0$, $D_f = 0$)
  $= 1.3 \times 300 \times 5.14 + 0 + 0 = 2{,}004.6\text{kN/m}^2$
- 허용지지력 $q_a = \dfrac{q_u}{F_s} = \dfrac{2{,}004.6}{3} = 668.2\text{kN/m}^2$
- $668.2 \times \dfrac{\pi \times 10^2}{4} = 40{,}000 + \left(\dfrac{\pi \times 10^2}{4} h\right) \times 9.81$

$\therefore$ 물의 높이 $h = 16.20\text{m}$

참고 SOLVE 사용

□□□ 84②, 89②, 04①, 06②, 07②, 10②, 14②, 18②, 20① 【3점】

23 **퍼트(PERT) 기법에 의한 공정관리방법에서 낙관적인 시간이 7일 정상적인 시간이 9일, 비관적 시간이 23일 때 공정상의 기대시간(Expected time)은 얼마인가?**

계산 과정)

답 :

해답 $t_e = \dfrac{t_o + 4t_m + t_p}{6} = \dfrac{7 + 4 \times 9 + 23}{6} = 11$일

□□□ 96①, 98③, 08④, 11②, 12④, 16①, 18② 【3점】

24 **직경 30cm 평판재하시험에서 작용압력이 300kPa일 때 침하량이 20mm라면, 직경 1.5m의 실제 기초에 300kPa의 압력이 작용할 때 사질토지반에서의 침하량의 크기는 얼마인가?**

계산 과정)

답 :

해답 침하량 $S_F = S_P\left(\dfrac{2B_F}{B_F + B_P}\right)^2 = 20 \times \left(\dfrac{2 \times 1.5}{1.5 + 0.3}\right)^2 = 55.56\text{ mm}$($\because$ 사질토지반)

□□□ 94③, 98①, 04①, 07①, 09②, 18② 【3점】

25 숏크리트의 shotting 방법은 건식방법과 습식방법이 있다. 그중 건식방법의 단점을 3가지만 쓰시오.

① ______________ ② ______________ ③ ______________

해답 ① 분진발생이 많다. ② 반발(rebound)량이 많다. ③ 작업원의 숙련도에 품질이 좌우된다.

국가기술자격 실기시험문제

2018년도 기사 제3회 필답형 실기시험(기사)

종 목	시험시간	형 별	성 명	수험번호
토목기사	3시간	B		

※ 수험자 인적사항 및 계산식을 포함한 답안 작성은 검은색 필기구만 사용하여야 하며, 그 외 연필류, 빨간색, 청색 등 필기구로 작성한 답안은 0점 처리됩니다.

□□□ 18③ 【6점】

01 댐 콘크리트에서 사용되는 아래의 용어에 대한 정의를 간단히 쓰시오.

가. 매스콘크리트(mass concrete)의 정의를 쓰시오.

○

나. 빈배합콘크리트(lean mixture concrete)의 정의를 간단히 쓰시오.

○

다. 프리캐스트콘크리트(precast concrete)의 정의를 간단히 쓰시오.

○

해답 ① 부재 또는 구조물의 치수가 커서 시멘트의 수화열에 의한 온도상승 및 강하를 고려하여 설계·시공해야 하는 콘크리트

② 콘크리트를 배합할 때 시멘트 양이 골재량에 비하여 상대적으로 적게 배합된 콘크리트

③ 콘크리트가 굳은 후에 제자리에 옮겨 놓거나 또는 조립하는 콘크리트 부재

□□□ 14①, 18③ 【3점】

02 연약지반 개량공법 중 강제치환공법의 단점 3가지만 쓰시오.

① ________ ② ________ ③ ________

해답 ① 잔류침하가 예상된다.

② 개량효과의 확실성이 없다.

③ 이론적이며 정량적인 설계가 어렵다.

④ 균일하게 치환하기가 어렵다.

⑤ 압출에 의한 사면선단의 팽창이 일어난다.

□□□ 94④, 99④, 00⑤, 06④, 15①④, 18③, 22①③ 【3점】

03 그림과 같이 연직하중과 모멘트를 받는 구형기초의 극한하중과 안전율을 Terzaghi 공식을 이용하여 구하시오. (단, $N_c=37.2$, $N_q=22.5$, $N_r=19.7$이다.)

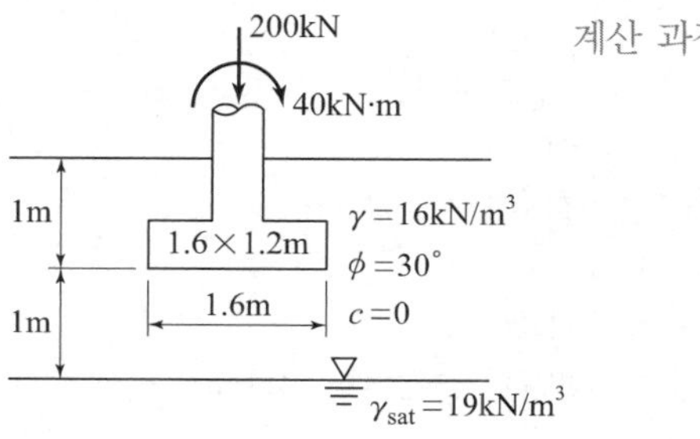

계산 과정)

[답] 극한하중 : ________, 안전율 : ________

해답 안전율 $F_s=\dfrac{Q_u}{Q_a}$

- 편심거리 $e=\dfrac{M}{Q}=\dfrac{40}{200}=0.2\text{m}$
- 유효길이 $L'=L-2e=1.6-2\times0.2=1.2\text{m}$
- $d<B$ (1m < 1.2m)인 경우

$$\gamma_1=\gamma_{\text{sub}}+\frac{d}{B}(\gamma_t-\gamma_{\text{sub}})$$

$$=(19-9.81)+\frac{1}{1.2}\{16-(19-9.81)\}=14.87\text{kN/m}^2$$

- $q_u=\alpha c N_c+\beta\gamma_1 B N_r+\gamma_2 D_f N_q$

$$=0+0.4\times14.87\times1.2\times19.7+16\times1\times22.5$$

$$=500.61\text{kN/m}^2$$

- 극한하중 $Q_u=q_u A=q_u\cdot B'\cdot L$

$$=500.61\times(1.2\times1.2)=720.88\text{kN}$$

$$\therefore\ F_s=\frac{720.88}{200}=3.60$$

□□□ 00②, 05④, 08①, 18③, 21① 【3점】

04 도로곡선부의 평면선형을 설계함에 있어서 곡선반경이 710m, 설계속도가 120km/hr일 때의 최소편구배를 계산하시오. (단, 타이어와 노면의 횡방향 미끄럼 마찰계수는 0.10임.)

○

해답 $R=\dfrac{V^2}{127(f+i)}$ 에서 $710=\dfrac{120^2}{127(0.10+i)}$

$\therefore\ i=0.06=6\%$

참고 SOLVE 사용

□□□ 05①, 06②, 09②, 14④, 18③, 21② 【3점】

05 **다음 지반조건으로 지반굴착을 할 경우 이에 설치한 지반앵커(Ground Anchor)의 정착장 (L)을 구하시오.** (안전율은 1.5 적용)

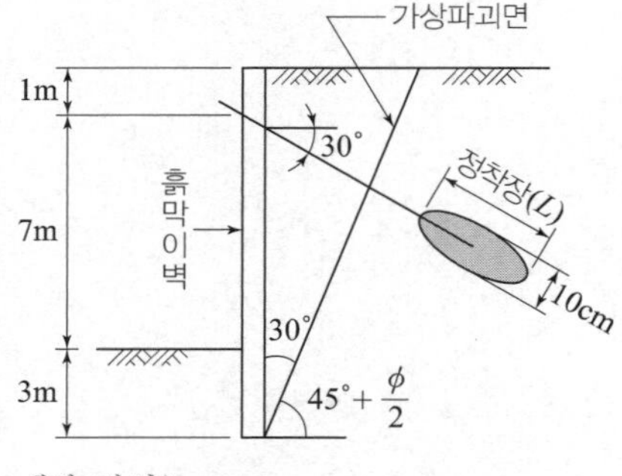

【조 건】

- 앵커반력 : 250kN
- 정착부의 주면마찰저항 : 0.2MPa
- 천공직경 : 10cm
- 설치각도 : 수평과 30°
- H-Pile 설치간격(앵커설치간격) : 2.0m

계산 과정)

앵거설치간격 : 2.0m

답 : ______________

해답 정착장 $L=\dfrac{T\cdot F_s}{\pi D\tau}$

- 앵커축력 $T=\dfrac{P\cdot a}{\cos\alpha}=\dfrac{250\times 2}{\cos 30°}=577.35\,\text{kN}$
- 주면마찰저항 $\tau=0.2\text{MPa}=0.2\text{N/mm}^2=200\text{kN/m}^2$
- 천공직경 $D=10\,\text{cm}=0.1\,\text{m}$ $\therefore\ L=\dfrac{577.35\times 1.5}{\pi\times 0.1\times 200}=13.78\,\text{m}$

□□□ 93③, 99②, 01②, 02④, 04④, 05②, 11②, 15④, 18③ 【3점】

06 **연약점토층의 두께가 10m인 현장 지반에서 시료를 채취하여 압밀시험을 실시하였다. 이 때 압밀 시험한 결과 하중강도가 2.4kg/cm²(240kN/m²)에서 3.6kg/cm²(360kN/m²)으로 증가할 때, 간극비는 1.8에서 1.2로 감소하였다. 이 지반 위에 단위중량 2.0t/m³(20kN/m³)인 성토재를 5m 성토할 때 최종침하량을 구하시오.** (단, 원지반의 간극비(e_o)는 2.2이다.)

계산 과정)

답 : ______________

해답 $S=m_v\Delta PH=\dfrac{a_v}{1+e_o}\cdot\Delta P\cdot H$

- $a_v=\dfrac{e_1-e_2}{P_2-P_1}=\dfrac{1.8-1.2}{360-240}=5\times 10^{-3}\text{m}^2/\text{kN}$
- $\Delta P=20\times 5=100\text{kN/m}^2$
- $H=10\text{m}$
- $m_v=\dfrac{a_v}{1+e_o}=\dfrac{5\times 10^{-3}}{1+2.2}=1.56\times 10^{-3}\text{m}^2/\text{kN}$

$\therefore\ S=1.56\times 10^{-3}\times 100\times 10=1.56\text{m}$

□□□ 01②, 03②, 07①, 10②, 11②, 14①, 18③ 【3점】

07 **한 사질토 사면의 경사가 23°로 측정되었다. 지표면으로부터 5m깊이에 암반층이 존재하며 사면흙을 채취하여 토질시험을 한 결과 $c=0$, $\phi=35^\circ$, $\gamma_{sat}=19.0\text{kN/m}^3$였다. 갑자기 폭우가 쏟아져 지하수위가 지표면과 일치한 상태에서 침투가 발생한다면 이 때 사면의 안전율은 얼마인가?**

계산 과정)

답 : ______________

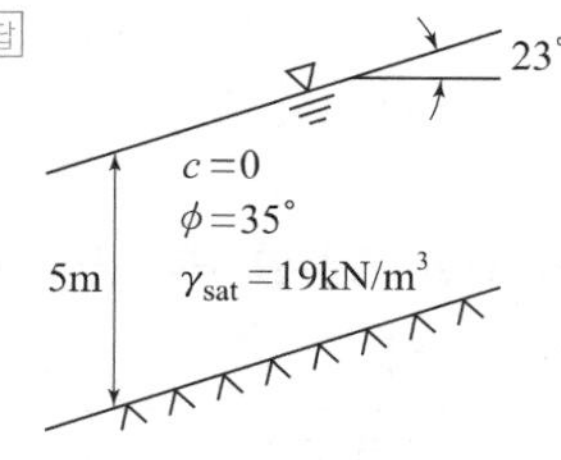

지하수위가 지표면과 일치할 때 : $F_s=\dfrac{\gamma_{sub}}{\gamma_{sat}}\cdot\dfrac{\tan\phi}{\tan i}$

- $\gamma_{sub}=\gamma_{sat}-\gamma_w=19.0-9.81=9.19\text{kN/m}^3$

$\therefore\ F_s=\dfrac{9.19}{19.0}\times\dfrac{\tan35^\circ}{\tan23^\circ}=0.80$

□□□ 12②, 14①, 15④, 18③, 21②, 22② 【3점】

08 **아래 그림과 같은 옹벽에서 인장균열이 발생한 후의 옹벽에 작용하는 전체 주동토압을 구하시오.** (단, 인장균열 위의 토압은 무시하고 상재하중으로 고려하여 계산하시오.)

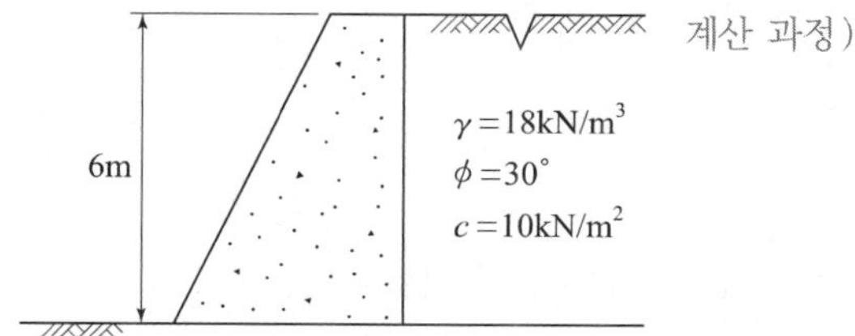

계산 과정)

답 : ______________

해답 $P_A=\dfrac{1}{2}\gamma(H-z_o)^2K_A+\gamma z_o(H-z_o)K_A$

- 인장균열 깊이

$$z_o=\frac{2c}{\gamma_t}\tan\left(45^\circ+\frac{\phi}{2}\right)=\frac{2\times10}{18}\times\tan\left(45^\circ+\frac{30^\circ}{2}\right)=1.925\text{m}$$

- $K_A=\tan^2\left(45^\circ-\dfrac{\phi}{2}\right)=\tan^2\left(45^\circ-\dfrac{30^\circ}{2}\right)=\dfrac{1}{3}$

$$\therefore\ P_A=\frac{1}{2}\times18\times(6-1.925)^2\times\frac{1}{3}+18\times1.925\times(6-1.925)\times\frac{1}{3}$$
$$=49.82+47.07=96.89\text{kN/m}$$

□□□ 11②, 18③, 22②, 23③ 【8점】

09 **콘크리트의 압축강도 측정결과가 다음과 같을 때 배합설계에 적용할 표준편차를 구하고 호칭강도(f_{cn})가 40MPa일 때 콘크리트의 배합강도를 구하시오.**

【압축강도 측정결과(단위 MPa)】

44	40	45	48	37	36	45	40
35	47	42	40	46	36	35	40

가. 위표를 보고 압축강도의 평균값을 구하시오.

계산 과정)　　　　　　　　　　　　　　　　　　답 : ______

나. 압축강도 측정결과 및 아래의 표를 이용하여 배합강도를 구하기 위한 표준편차를 구하시오.

【시험횟수가 29회 이하일 때 표준편차의 보정계수】

시험횟수	표준편차의 보정계수	비고
15	1.16	이 표에 명시되지 않은 시험횟수에 대해서는 직선보간 한다.
20	1.08	
25	1.03	
30 이상	1.00	

계산 과정)　　　　　　　　　　　　　　　　　　답 : ______

다. 배합강도를 구하시오.

계산 과정)　　　　　　　　　　　　　　　　　　답 : ______

해답 가. 평균값 $\bar{x}=\dfrac{\sum x}{n}=\dfrac{656}{16}=41\text{MPa}$

나. • 표준편제곱합 $S=\sum(x_i-\bar{x})^2$

$$=(44-41)^2+(40-41)^2+(45-41)^2+(48-41)^2+(37-41)^2$$
$$+(36-41)^2+(45-41)^2+(40-41)^2+(35-41)^2+(47-41)^2$$
$$+(42-41)^2+(40-41)^2+(46-41)^2+(36-41)^2+(35-41)^2$$
$$+(40-41)^2=294\text{MPa}$$

• 표준편차 $s=\sqrt{\dfrac{\sum(x_i-\bar{x})^2}{n-1}}=\sqrt{\dfrac{294}{16-1}}=4.43\text{MPa}$

• 16회의 보정계수$=1.16-\dfrac{1.16-1.08}{20-15}\times(16-15)=1.144\text{MPa}$

∴ 수정 표준편차$=4.43\times1.144=5.07\text{MPa}$

다. $f_{cn}=40\text{MPa} > 35\text{MPa}$인 경우(큰 값)

$f_{cr}=f_{cn}+1.34s=40+1.34\times5.07=46.79\text{MPa}$

$f_{cr}=0.9f_{cn}+2.33s=0.9\times40+2.33\times5.07=47.81\text{MPa}$

∴ 두 값 중 큰 값 $f_{cr}=47.81\text{MPa}$

□□□ 96⑤, 99③, 00⑤, 03②, 05②, 08②, 10①, 11①, 13②, 16④, 18③ 【3점】

10 그림에서와 같이 강널말뚝(steel sheet pile)으로 지지된 모래지반의 굴착에서 지하수의 분출로 인하여 예상되는 파이핑(piping)에 대한 안전율을 계산하시오.

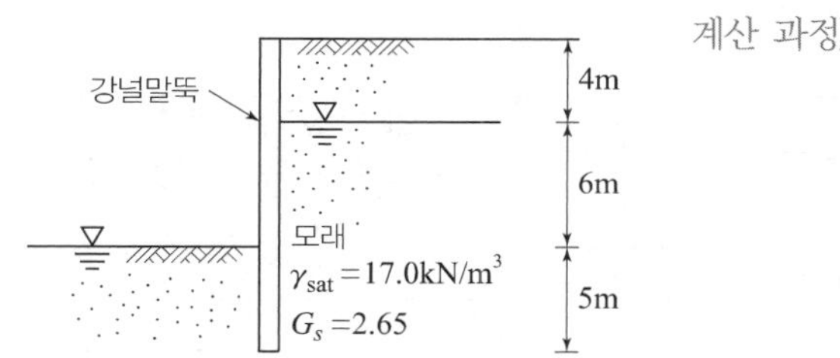

계산 과정)

답 :

해답 $F_s=\dfrac{(\Delta h+2d)\gamma_{sub}}{\Delta h\cdot\gamma_w}=\dfrac{(6+2\times5)(17.0-9.81)}{6\times9.81}=1.95$

□□□ 96③, 98②, 00③, 02④, 18③ 【3점】

11 깊이 20m이고 폭이 30cm인 정방형 철근콘크리트 말뚝이 두꺼운 균질한 점토층에 박혀있다. 이 점토의 전단강도는 60kN/m^2이고, 단위중량은 18kN/m^3이며, 부착력은 점착력의 0.9배이다. 지하수위는 지표면과 일치한다. 극한지지력을 구하시오.
(단, $N_c=9$, $N_q=1$)

계산 과정)

답 :

해답 극한지지력 $Q_u=q_p\cdot A_p+A_s f_s=q_p\cdot A_p+4BLf_s$

- 선단지지력 $q_p=c\cdot N_c+\gamma_{sub}\cdot D_f\cdot N_q$
  $\tau=c+\bar{\sigma}\tan\phi$에서 $\tau=c$, $c=60\text{kN/m}^2$ ($\because$ 점토층 $\phi=0$)
  $\therefore\ q_p=60\times9+(18-9.81)\times20\times1=703.8\text{kN/m}^2$
- 주면마찰계수 $f_s=0.9c=0.9\times60=54\text{kN/m}^2$
  $\therefore\ Q_u=703.8\times(0.3\times0.3)+4\times0.30\times20\times54$
  $=1,359.34\text{kN}$

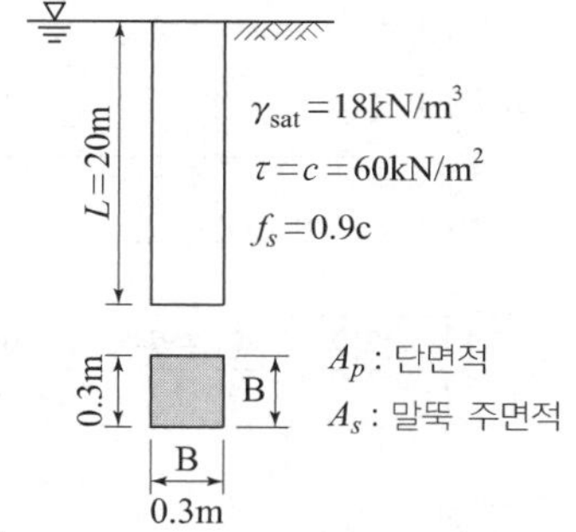

□□□ 93③, 94①, 96②, 98①, 99①③, 03①, 04①, 07②, 17①, 18③, 20①, 22①②, 23② 【3점】

12 아스팔트 포장 중 실코트(seal coat)의 중요한 목적 3가지만 쓰시오.

① ______ ② ______ ③ ______

해답 ① 표층의 노화방지 ② 포장 표면의 방수성 ③ 포장 표면의 미끄럼 방지
④ 포장 표면의 내구성 증대 ⑤ 포장면의 수밀성 증대

□□□ 04①, 06②, 08④, 12④, 16①, 18③ 【10점】

13 **다음의 작업리스트를 이용하여 아래 물음에 답하시오.**

(단, 표준일수에 대한 간접비가 60만원이고 1일 단축 시 5만원씩 감소하며, 표준일수에 대한 직접비는 60만원이다.)

작업명	선행작업	후속작업	표준일수	특급일수	1일 단축하는 데 필요한 직접비용 증가액(만원/일)
A	−	B, C	5	2	6
B	A	E	4	2	4
C	A	F	6	4	7
D	−	G	5	4	5
E	B	H	6	3	8
F	C	−	4	3	5
G	D	H	7	5	8
H	E, G	−	5	3	9

가. Network(화살선도)를 작도하고 표준일수에 대한 C.P를 구하시오.

나. 최적공기와 그때의 총공사비를 구하시오.

계산 과정) [답] 최적공기 : ______, 총공사비 : ______

해답 가.

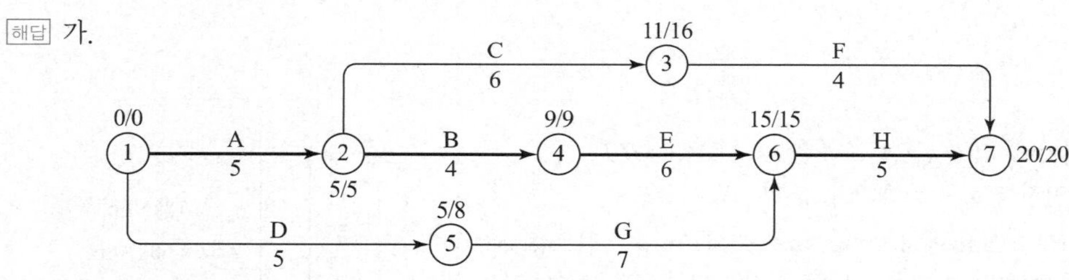

CP : A → B → E → H

나.

작업명	단축일수	비용경사	20	19	18	17	16
A	3	6만원				1	
B	2	4만원		1	1		
C	2	7만원					
D	1	5만원					
E	3	8만원					
F	1	5만원					
G	2	8만원					
H	2	9만원					1
직 접 비(만원)			60	64	68	74	83
간 접 비(만원)			60	55	50	45	40
총공사비(만원)			120	119	118	119	123

∴ 최적공기 : 18일, 총공사비 : 118만원

□□□ 88③, 89②, 94②, 97①, 01②, 03①, 04②④, 07①, 09①, 12①, 13①②, 16①, 18③ 【6점】

14 버킷 용량 3.0m³의 쇼벨과 15ton 덤프트럭을 사용하여 토공사를 하고 있다. 아래 조건에 따라 다음 물음에 답하시오.

- 흙의 단위중량 : $1.8t/m^3$
- 토량변화율(L) : 1.2
- 쇼벨의 버킷계수 : 1.1
- 사이클타임 : 30초
- 쇼벨의 작업효율 : 0.5
- 덤프트럭의 사이클타임 : 30분
- 덤프트럭의 작업효율 : 0.8
- 덤프트럭의 사이클타임 중 상차시간 : 2분
- 덤프트럭 1대를 적재하는 데 필요한 셔블의 사이클 횟수 : 3

가. 쇼벨의 시간당 작업량은 얼마인가?

계산 과정) 답 : ______

나. 덤프트럭의 시간당 작업량은 얼마인가?

계산 과정) 답 : ______

다. 쇼벨 1대당 덤프트럭의 소요대수는 얼마인가?

계산 과정) 답 : ______

해답 가. $Q_S = \dfrac{3{,}600 \cdot q \cdot K \cdot f \cdot E}{C_m} = \dfrac{3{,}600 \times 3.0 \times 1.1 \times \dfrac{1}{1.2} \times 0.5}{30} = 165\,m^3/hr$

나. $Q_t = \dfrac{60 \cdot q_t \cdot f \cdot E}{C_m} = \dfrac{60 \cdot q_t \cdot \dfrac{1}{L} \cdot E}{C_m}$

• $q_t = \dfrac{T}{\gamma_t} \cdot L = \dfrac{15}{1.8} \times 1.2 = 10\,m^3$

$\therefore\ Q_s = \dfrac{60 \times 10 \times \dfrac{1}{1.2} \times 0.8}{30} = 13.33\,m^3/hr$

다. $N = \dfrac{Q_S}{Q_t} = \dfrac{165}{13.33} = 12.38$ 대 $\therefore$ 13 대

□□□ 92②, 94③, 00②, 03④, 04④, 07②, 10④, 11①, 14②, 17①, 18③, 19③, 21①, 22③, 23① 【3점】

15 PS 콘크리트 교량 건설공법 중 동바리를 사용하지 않는 현장타설공법의 종류 3가지를 쓰시오.

① ______ ② ______ ③ ______

해답 ① FCM(캔틸레버공법)
② MSS(이동식 지보공법)
③ ILM(연속압출공법)

□□□ 00②, 02②, 18③ 【3점】

16 어떤 도저(dozer)가 폭 3.58m의 철제 블레이드(blade)를 달고 속도 5.9km/hr의 3단기어로 작업하고 있다. 이때 블레이드의 효율이 72%라면, 폭 30m, 길이 100m의 면적에서 제거작업을 할 경우, 필요한 작업시간은 몇 분인가?
(단, 후진속도는 7km/hr이다.)

계산 과정)　　　　　　　　　　　　　　　　　　답 : ____________

해답
- 작업시간=1회 왕복시간×왕복횟수
- Blade의 유효폭 $= 3.58 \times 0.72 = 2.58\text{m}$
- 통과횟수 $= \dfrac{\text{작업지역의 폭}}{\text{블레이드의 유효폭}} = \dfrac{30}{2.58} = 11.63$

  ∴ 12회

- 1회 왕복통과시간 $= \dfrac{\text{작업거리}}{\text{속도}}$

$$= \left(\frac{100}{5{,}900} + \frac{100}{7{,}000}\right) \times 60(\text{분}) = 1.87\text{분}$$

∴ 작업시간=1회 통과시간×통과횟수 $= 1.87 \times 12$
$= 22.44$분

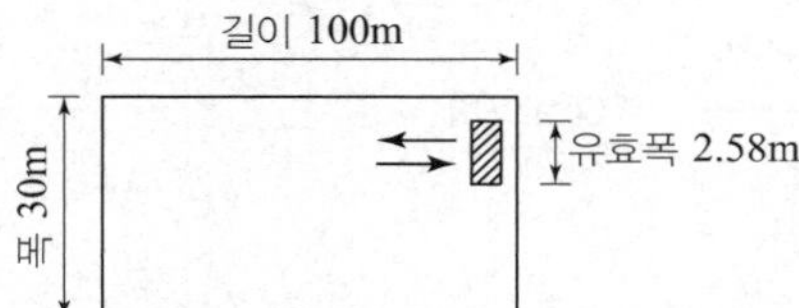

□□□ 95⑤, 97④, 04①, 14④, 18③ 【3점】

17 중력식 댐의 시공 후 관리상 댐 내부에 설치하는 검사랑의 시공목적을 3가지만 쓰시오.

① ____________　② ____________　③ ____________

해답 ① 콘크리트 내부의 균열검사　② 콘크리트 온도 측정　③ 콘크리트 수축량 검사
④ 그라우팅공 이용　⑤ 간극수압 측정　⑥ 양압력 상태 검사

□□□ 18③ 【3점】

18 공정관리법 중 공정표의 종류 3가지만 쓰시오.

① ____________　② ____________　③ ____________

해답 ① 막대 공정표　② 기성고 공정표　③ Net Work 공정표

□□□ 10②, 11④, 17①, 18③, 20① 【8점】

19 아래 그림과 같은 2연암거의 일반도를 보고 다음 물량을 산출하시오.
(단, 도면 치수의 단위는 mm이다.)

일반도

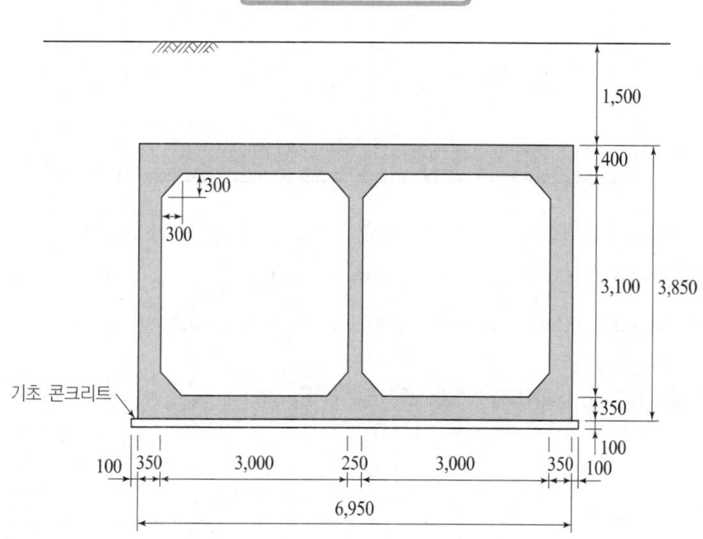

가. 암거길이 1m에 대한 콘크리트량을 산출하시오.
(단, 기초 콘크리트량도 포함하며, 소수점 이하 4째자리에서 반올림하시오.)

계산 과정)　　　　　　　　　　　　　　　　　　　　　　　답 : ____________

나. 암거길이 1m에 대한 거푸집량을 산출하시오.
(단, 양쪽 마구리면은 무시하며, 기초 거푸집량도 포함하며, 소수점 이하 4째자리에서 반올림하시오.)

계산 과정)　　　　　　　　　　　　　　　　　　　　　　　답 : ____________

다. 암거길이 1m에 대한 터파기량을 산출하시오.
(단, 지형상태는 일반도와 같으며 터파기는 기초 콘크리트 양끝에서 0.6m 여유폭을 두고 비탈기울기는 1 : 0.5로 하며, 소수점 이하 4째자리에서 반올림하시오.)

계산 과정)　　　　　　　　　　　　　　　　　　　　　　　답 : ____________

해답 가.

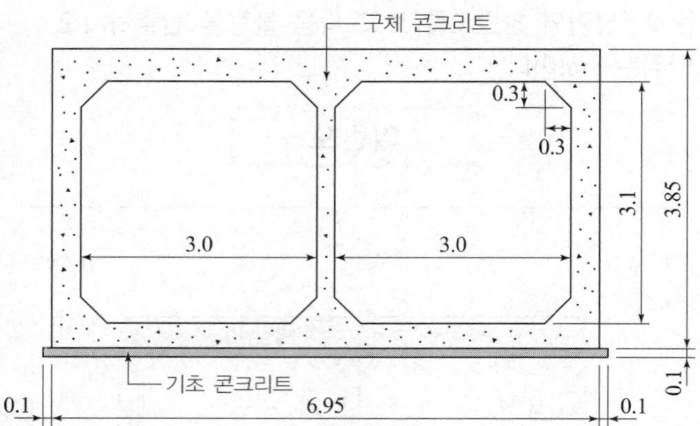

기초콘크리트량$=(6.95+0.1\times2)\times0.1\times1(\text{m})=0.715\text{m}^3$

암거 콘크리트$=[6.95\times3.85-3.100\times3.000\times2+\dfrac{1}{2}\times0.3\times0.3\times8]\times1\text{m}$

$=8.518\text{m}^3$

총 콘크리트량$=0.715+8.518=9.233\text{m}^3$

나.

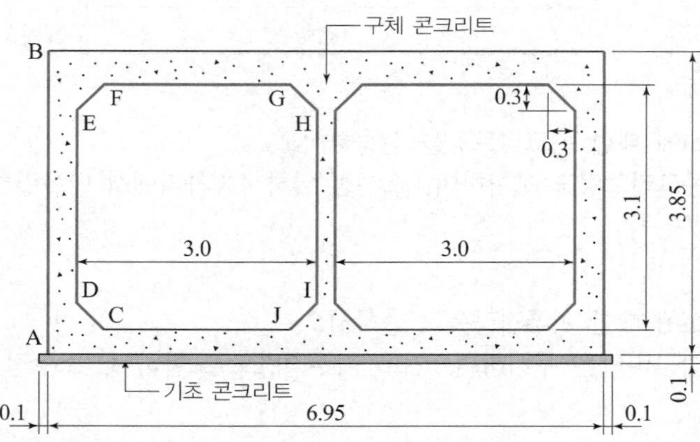

기초 거푸집량$=0.100\times2\times1(\text{m})=0.200\text{m}^2$

암거 거푸집량$=3.85\times2+(3.100-0.300\times2)\times4+(3.000-0.300\times2)\times2+\sqrt{0.3^2+0.3^2}\times8$

$=25.894\text{m}$

$\therefore$ 총거푸집량$=0.200+25.894=26.094\text{m}^2$

다.

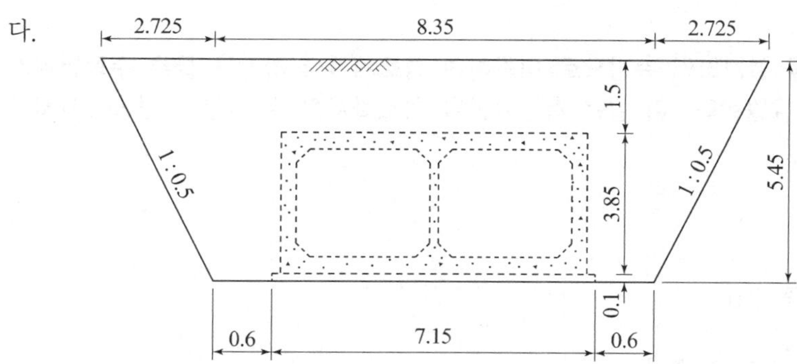

기초 터파기량 밑면 : $0.6+0.100+6.95+0.100+0.6=8.35\text{m}$

기초 터파기량 위면 : $8.35+(1.5+3.85+0.1)\times0.5\times2=13.8\text{m}$

암거 더파기량 : $\dfrac{(8.35+13.8)}{2}\times(1.5+3.85+0.1)\times1(\text{m})=60.359\text{m}^3$

□□□ 10①, 17④, 18③ 【3점】

20 주동말뚝은 말뚝머리에 기지(旣知)의 하중(수평력 및 모멘트)이 작용하는 반면에 수동말뚝은 어떤 원인에 의해 지반이 먼저 변형하고 그 결과 말뚝에 측방토압이 작용한다. 이러한 수동말뚝을 해석하는 방법을 3가지만 쓰시오.

① ________ ② ________ ③ ________

해답 ① 간편법 ② 탄성법 ③ 지반반력법 ④ 유한요소법

□□□ 01②, 18③ 【3점】

21 콘크리트 균열에 대한 보수기법의 종류를 4가지만 쓰시오.

① ________ ② ________

③ ________ ④ ________

해답 ① 에폭시 주입법 ② 봉합법 ③ 짜깁기법
④ 보강철근 이용방법 ⑤ 그라우팅 ⑥ 드라이패킹

□□□ 05①, 18③, 23① 【2점】

22 아스팔트 포장의 단점인 소성변형(Rutting)에 대한 저항성이 우수한 포장공법으로 아스팔트 바인더(Asphalt Binder) 자체의 물성에 따른 혼합물 개념보다는 골재의 맞물림 효과를 최대로 하여 기존 밀입도 아스팔트 혼합물의 단점을 개선한 공법은?

○ ________

해답 SMA(stone mastic asphalt) 포장공법

□□□ 03④, 12④, 18③, 22② 【3점】

23 연약지반상에 교대를 설치하면 측방으로 이동하여 성토체가 침하함은 물론 수평변위가 생겨 포장파손 등 문제점을 유발한다. 이 같은 측방유동을 최소화시킬 수 있는 방안을 3가지만 기술하시오.

① ________ ② ________ ③ ________

해답 ① 뒤채움재 편재하중 경감
② 배면토압 경감
③ 압밀촉진에 의한 지반강도 증대
④ 화학반응에 의한 지반강도 증대
⑤ 치환에 의한 지반개량

□□□ 03②, 18③ 【3점】

24 모래지반에서 지하수위 이하를 굴착할 때 흙막이공의 기초깊이에 비해서 배면의 수위가 너무 높으면 굴착저면의 모래입자가 지하수와 더불어 분출하여 굴착저면이 마치 물이 끓는 상태와 같이 되는 현상을 보일링(boiling) 또는 퀵 샌드(quick sand)라고 하는데 이러한 보일링 현상을 방지하기 위한 대책 3가지를 쓰시오.

① ________ ② ________ ③ ________

해답 ① 지하수위를 저하시킨다.
② 흙막이의 근입깊이를 깊게 한다.
③ 차수성 높은 흙막이를 설치한다.
④ 굴착 저면을 고결시킨다.

□□□ 00③, 18③ 【3점】

25 다음 (　) 안에 알맞는 말을 넣으시오.

> 댐 공사 시 기초암반의 비교적 얇은 부분의 절리를 충전시켜 댐 기초의 변형을 억제하고 지지력을 증가시키기 위해 기초 전반에 걸쳐 격자형으로 그라우팅을 하는데, 이것을 (①)이라고 하며, 기초암반의 지수성을 높여서 시공 중 침수에 의한 공사의 지연을 막기 위한 그라우팅을 (②)이라고 한다.

① ________ ② ________

해답 ① 압밀 그라우팅(consolidation grouting)
② 커튼 그라우팅(curtain grouting)

□□□ 04②, 06②, 09④, 10①, 13①, 18③, 21③ 【3점】

26 그림과 같은 지형에서 절·성토량이 균형을 이루는 지반고를 구하시오. (단, 토량변화율은 무시하고, 격자점의 숫자는 지반고를 나타내며 단위는 m이다.)

(격자 1칸: 가로 10m, 세로 5m)

2.8	3.5	3.1	3.3
3.0	4.2	3.7	3.5
3.8	4.4	4.0	4.3
3.6	3.9	4.1	

계산 과정)

답 :

해답 $H=\dfrac{V}{A\times n}$

h_1	h_2	h_2	h_1
h_2	h_4	h_4	h_2
h_2	h_4	h_3	h_1
h_1	h_2	h_1	

- $V=\dfrac{a\cdot b}{4}(\Sigma h_1+2\Sigma h_2+3\Sigma h_3+4\Sigma h_4)$
- $\Sigma h_1=2.8+3.3+4.3+4.1+3.6=18.1\,\text{m}$
- $\Sigma h_2=3.5+3.1+3.5+3.9+3.8+3.0=20.8\,\text{m}$
- $\Sigma h_3=4.0\,\text{m}$
- $\Sigma h_4=4.2+3.7+4.4=12.3\,\text{m}$

$\therefore\ V=\dfrac{5\times 10}{4}\times(18.1+2\times 20.8+3\times 4.0+4\times 12.3)=1{,}511.25\,\text{m}^3$

$\therefore\ H=\dfrac{1{,}511.25}{(5\times 10)\times 8}=3.78\,\text{m}$

국가기술자격 실기시험문제

2019년도 기사 제1회 필답형 실기시험(기사)

종 목	시험시간	형 별	성 명	수험번호
토목기사	3시간	B		

※ 수험자 인적사항 및 계산식을 포함한 답안 작성은 검은색 필기구만 사용하여야 하며, 그 외 연필류, 빨간색, 청색 등 필기구로 작성한 답안은 0점 처리됩니다.

□□□ 00③, 02①, 06②, 14④, 19① 【6점】

01 그림과 같은 유한사면에서 사면파괴가 한 평면을 따라 발생한다면(Culmann의 가정) 사면의 임계높이, 활동에 대한 안전율이 2가 되도록 사면높이 H를 구하시오.

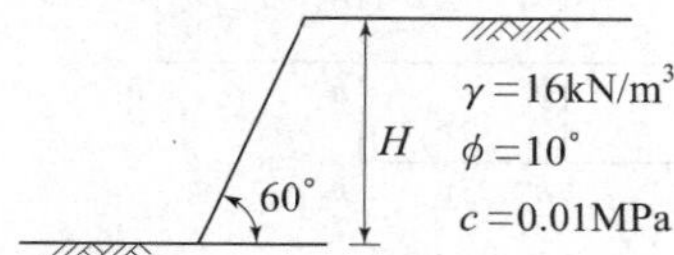

가. 사면의 임계높이를 구하시오.

계산 과정) 답 : ____________

나. 활동에 대한 안전율이 2가 되도록 사면높이 H를 구하시오.

계산 과정) 답 : ____________

해답 가. $H_c=\dfrac{4c}{\gamma_t}\left[\dfrac{\sin\beta\cos\phi}{1-\cos(\beta-\phi)}\right]$

• $c=0.01\text{MPa}=0.01\text{N/mm}^2=10\text{kN/m}^2$

$$H_c=\frac{4\times10}{16}=\left[\frac{\sin60°\cos10°}{1-\cos(60°-10°)}\right]=5.97\text{m}$$

나. $F_s=F_c=F_\phi=2$에서 $F_c=\dfrac{C}{C_d}=2$

$$C_d=\frac{C}{F_c}=\frac{C}{F_s}=\frac{10}{2}=5\text{kN/m}^2$$

$F_\phi=\dfrac{\tan\phi}{\tan\phi_d}=2$에서 $\phi_d=\tan^{-1}\left(\dfrac{\tan10°}{2}\right)=5.038°$

$$\therefore\ H=\frac{4C_d}{\gamma}\left[\frac{\sin\beta\cos\phi_d}{1-\cos(\beta-\phi_d)}\right]=\frac{4\times5}{16}\left[\frac{\sin60°\cos5.038°}{1-\cos(60°-5.038°)}\right]=2.53\text{m}$$

□□□ 99④, 04④, 07②, 14①, 19① 【6점】

02 어떤 골재를 이용하여 시방배합을 수행한 결과 단위시멘트 320kg/m^3, 단위수량 165kg/m^3, 단위 잔골재 650kg/m^3, 단위 굵은 골재 1,200kg/m^{3}가 얻어졌다. 이 골재의 현장 야적상태가 다음 표와 같을 때 이를 이용하여 현장배합설계를 수행하여 단위수량, 현장 잔골재량, 현장 굵은 골재량을 구하시오.

잔골재		굵은골재	
체	잔류량(g)	체	잔류량(g)
5mm	20	40mm	10
2.5mm	55	30mm	120
1.2mm	120	25mm	150
0.6mm	145	20mm	160
0.3mm	110	15mm	180
0.15mm	35	10mm	220
0.07mm	15	5mm	140
팬	0	팬	20
표면수 = 3%		표면수 = −1%	

가. 단위수량을 구하시오.

계산 과정)　　　　　　　　　　　　　　답 : ______________

나. 단위 잔골재량을 구하시오.

계산 과정)　　　　　　　　　　　　　　답 : ______________

다. 단위 굵은골재량을 구하시오.

계산 과정)　　　　　　　　　　　　　　답 : ______________

해답 가. • 5mm체 가적 잔골재율$= \dfrac{\text{잔류량}}{\Sigma\text{잔골재량}} = \dfrac{20}{500} \times 100 = 4\%$

• 5mm체 굵은골재 가적잔류율$= \dfrac{\text{잔류량}}{\Sigma\text{굵은 골재량}} \times 100 = \dfrac{980}{1,000} \times 100 = 98\%$

• 5mm체 통과 굵은골재량$= 100 - \text{가적잔류율} = 100 - 98 = 2\%$

• $a = 4\%,\ b = 2\%$

∴ 단위수량$= 165 - (19.56 - 11.98) = 157.42\text{kg/m}^3$

나. • 잔골재량 $X = \dfrac{100S - b(S+G)}{100-(a+b)}$

$$= \frac{100 \times 650 - 2(650 + 1,200)}{100-(4+2)} = 652.13\text{kg/m}^3$$

• 잔골재 표면수량$= 652.13 \times \dfrac{3}{100} = 19.56\text{kg/m}^3$

∴ 단위 잔골재량$= 652.13 + 19.56 = 671.69\text{kg/m}^3$

다. • 굵은골재량 $Y=\dfrac{100G-a(S+G)}{100-(a+b)}$

$=\dfrac{100\times1{,}200-4(650+1{,}200)}{100-(4+2)}=1{,}197.87\text{kg/m}^3$

• 굵은골재의 표면수량$=1{,}197.87\times\dfrac{-1}{100}=-11.98\text{kg/m}^3$

∴ 단위 굵은골재량$=1{,}197.87-11.98=1{,}185.89\text{kg/m}^3$

□□□ 10①, 12④, 19①, 21① 【3점】

03 옹벽이라 함은 흙의 붕괴를 방지하기 위하여 흙을 지지할 목적으로 절취, 성토비탈면에 축조하는 구조물이다. 이때의 옹벽의 안정성 검토항목 중 3가지만 쓰시오.

① ______ ② ______ ③ ______

해답 ① 전도에 대한 안정 ② 활동에 대한 안정 ③ 지반지지력에 대한 안정

□□□ 08④, 14①, 18①, 19①, 21① 【3점】

04 측량성과가 아래와 같고 시공기준면을 10m로 할 경우 총 토공량을 구하시오. (단, 격자점의 숫자는 표고이며, m 단위이다.)

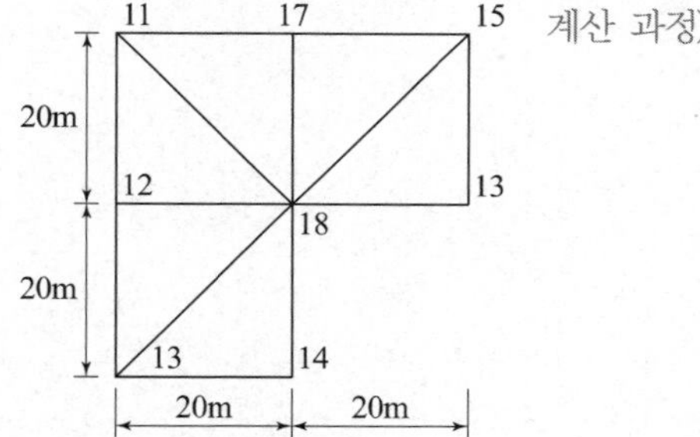

계산 과정)

답 : ______

해답 • 시공기준면과 각점 표고와의 차를 구하여 총토공량을 계산

$V=\dfrac{a\cdot b}{6}(\Sigma h_1+2\Sigma h_2+6\Sigma h_6)$

• $\Sigma h_1=\Sigma(h_1-10)=3+4=7\text{m}$

• $\Sigma h_2=\Sigma(h_2-10)=1+7+5+3+2=18\text{m}$

• $\Sigma h_6=\Sigma(h_6-10)=8\text{m}$

$\therefore V=\dfrac{20\times20}{6}\times(7+2\times18+6\times8)=6{,}066.67\text{m}^3$

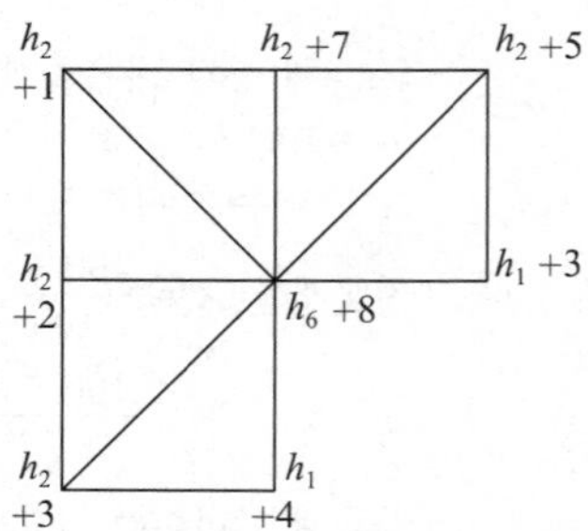

□□□ 19①, 21③ 【3점】

05 다음의 도로포장에 관련된 명칭을 각각 기입하시오.

A. 콘크리트 포장 슬래브의 포설, 다짐, 표면 끝손질 등의 기능을 겸비하여 거푸집을 설치하지 않고 연속적으로 포설하는 장비는 무엇인가?

○

B. 입도조정공법이나 머캐덤공법 등으로 시공된 기층의 방수성을 높이고, 그 위에 포설하는 아스팔트 혼합물층과의 부착을 잘되게 하기위하여 기층위에 역청재료를 살포하는 것을 무엇이라 하는가?

○

C. 아스팔트 포장의 기층으로서 사용하는 시멘트 콘크리트 슬래브를 무엇이라 하는가?

○

해답 A. 슬림 폼 페이버(slip form paver)
B. 프라임코트(Prime coat)
C. 화이트베이스(white base)

□□□ 04①, 05④, 08①, 15④, 19① 【3점】

06 도심지 굴착공사 중 계측관리시 아래 그림에서 빈칸에 해당하는 계측기기를 쓰시오.

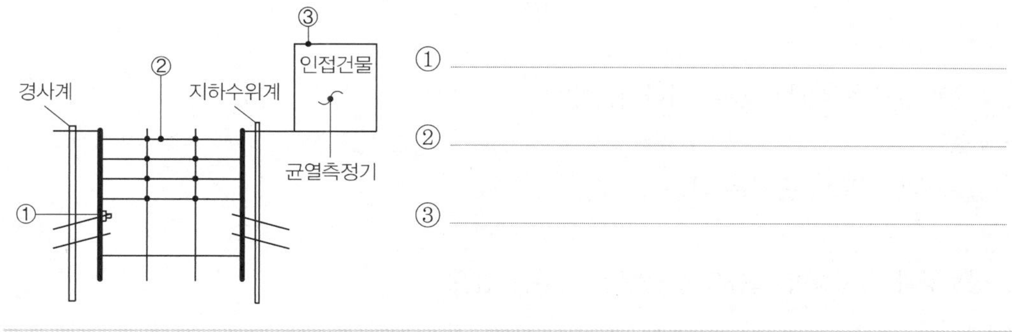

해답 ① 하중계 ② 변형률계 ③ 건물경사계

□□□ 99②, 19① 【4점】

07 아스팔트 품질시험의 종류 4가지를 쓰시오.

① ________ ② ________

해답 ① 침입도 시험 ② 신도시험 ③ 점도시험
④ 비중시험 ⑤ 연화점 시험 ⑥ 마샬안정도시험

□□□ 85②, 92③, 19① 【3점】

08 **그레이더를 사용하여 도로연장 20km의 정지작업을 한다. 2단 기어속도(6km/hr)로 1회, 3단 기어속도(10km/hr)를 2회, 4단 기어속도(15km/hr)로 2회 통과작업을 행할 때, 소요작업시간은? (단, 기계의 작업효율 0.7)**

계산 과정)　　　　　　　　　　　　　　　　　　　　　　　　　　　　답 : ____________

해답 평균작업속도 $V_m = \dfrac{1\times6+2\times10+2\times15}{1+2+2} = 11.2\text{km/h}$

$\therefore$ 소요작업시간 $H = \dfrac{\text{통과횟수}\times\text{작업거리}}{\text{작업속도}\times\text{작업효율}}$

$= \dfrac{5\times20}{11.2\times0.7} = 12.76$시간

□□□ 92③, 95①, 97①, 19① 【4점】

09 **다음 그림은 토적곡선(mass curve)을 나타낸 것이다. 다음 물음에 답하시오.**

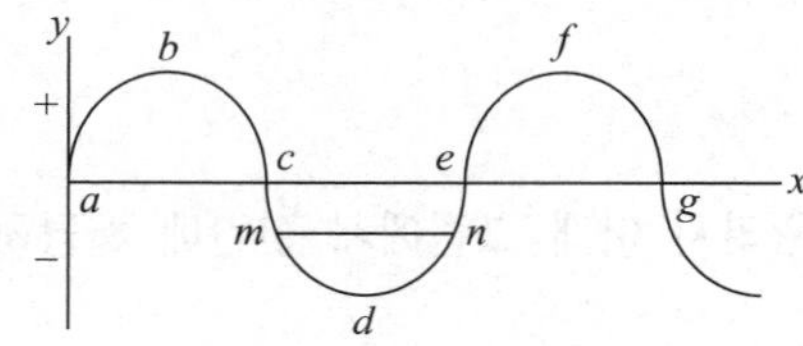

가. x축과 y축은 각각 무엇을 나타내는가?

- x축 :　　　　　　　　　　　• y축 :

나. 절토에서 성토로 옮기는 점은?

-

다. 성토량과 절토량이 처음으로 균형을 이루는 점은?

-

라. 선분 $\overline{mn}$이 x축과 평행을 이룰 때 구간 내의 성토량과 절토량은 어떠한가?

-

해답 가. x축 : 거리, y축 : 누가토량

나. b, f

다. c

라. 같다.

□□□ 98③, 00③, 13④, 19①, 23③ 【10점】

10 다음의 작업리스트에서 Net Work(화살선도)를 작도하고, 공사기간을 6일 단축했을 때 추가로 소요되는 최소비용을 구하시오.

작업명	작업일수	선행작업	단축가능일수(일)	비용경사(원/일)
A	5일	없음	1	60,000
B	7일	A	1	40,000
C	10일	A	1	70,000
D	9일	B	2	60,000
E	12일	C	2	50,000
F	6일	D	2	80,000
G	4일	E, F	2	100,000

가. Net Work(화살선도)를 작도하시오.

나. 공사기간을 6일 단축했을 때 추가로 소요되는 최소비용을 구하시오.

계산 과정)　　　　　　　　　　　　　　　　답 :

해답 가.

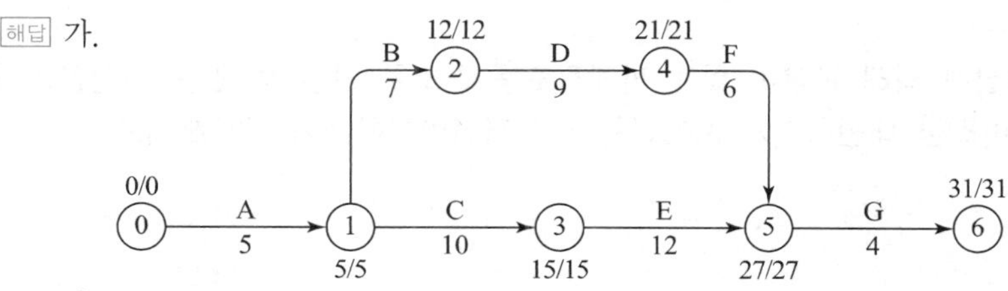

나.

작업명	단축가능 일수(일)	비용경사 (원/일)	31	30	29	28	27	26	25
A	1	60,000		1					
B	1	40,000			1				
C	1	70,000							1
D	2	60,000						1	1
E	2	50,000			1			1	
F	2	80,000							
G	2	100,000				1	1		
추가비용(만원)				6	9	10	10	11	13
추가비용 합계(만원)				6	15	25	35	46	59

∴ 최소비용 : 59만원

□□□ 19①, 23① 【4점】

11 점성토 지반의 개량공법 4가지를 쓰시오.

① ______ ② ______

③ ______ ④ ______

해답 ① 샌드드레인공법 ② 페이퍼드레인공법
③ 프리로딩공법 ④ 침투압공법
⑤ 생석회말뚝공법

□□□ 97②, 19① 【2점】

12 강봉이나 강봉띠 또는 토목섬유 등으로 옹벽에서 흙의 마찰저항을 증가시킬 목적으로 사용되는 공법은?

○

해답 보강토 공법

□□□ 93③, 97③, 12①, 16②, 19① 【3점】

13 교량의 내진설계는 지진에 의해 교량이 입는 피해정도를 최소화 시킬 수 있는 내진성을 확보하기 위해 실시한다. 이러한 내진설계시 사용하는 내진해석방법을 3가지만 쓰시오.

① ______ ② ______ ③ ______

해답 ① 등가정적 해석법(equivalent load analysis)
② 스펙트럼 해석법(spectrum analysis)
③ 시간이력 해석법(time history analysis)

□□□ 05②, 13①, 19① 【3점】

14 도로 토공현장에서 다짐도를 판정하는 방법을 5가지만 쓰시오.

① ______ ② ______ ③ ______

④ ______ ⑤ ______

해답 ① 건조밀도로 규정하는 방법 ② 포화도와 공극률로 규정하는 방법
③ 강도 특성으로 규정하는 방법 ④ 다짐기계, 다짐횟수로 규정하는 방법
⑤ 변형 특성으로 규정하는 방법

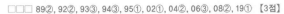

□□□ 89②, 92②, 93③, 94③, 95①, 02①, 04②, 06③, 08②, 19① 【3점】

15 **풍화 파쇄작용을 받는 상태의 사암을 천공할 목적으로 굴착기로 표준암을 천공하니 55cm/min의 천공속도를 얻었다. 이 파쇄대의 사암을 같은 경으로 천공장 3.0m, 천공본수 15본을 1대의 착암기로 암반을 천공하는 데 소요되는 총천공시간을 구하시오.**
(단, $\alpha = 0.65$, 저항력계수 $C_1 = 1.35$, 작업조건계수 $C_2 = 0.6$으로 함.)

계산 과정) 답 : ____________

해답 총천공시간 $t = \dfrac{\text{천공장 } L}{\text{천공속도 } V_T}$

- $V_T = \alpha(C_1 \times C_2) \times V = 0.65 \times (1.35 \times 0.60) \times 55 = 28.96\text{cm/min}$

  ∴ 총천공시간 $t = \dfrac{300 \times 15}{28.96} = 155.39\text{분} = 2.59\text{시간}$

□□□ 84①, 15④, 19① 【4점】

16 **어떤 콘크리트 공사현장에서 슬럼프시험결과 및 관리한계 계수표는 아래와 같다. 【슬럼프 시험의 결과】 표의 빈칸을 채우고 【관리한계 계수표】를 참고하여 다음 물음에 답하시오.**

【압축강도 시험의 결과】

조번호	측정값(cm)				계 Σx	각 조의 평균치($\bar{x}$)	범위 R
	x_1	x_2	x_3	x_4			
1	6.1	5.5	6.4	6.0			
2	6.4	5.5	6.7	6.2			
3	6.0	6.6	5.7	6.1			
4	6.5	5.5	6.6	6.2			
5	6.4	5.6	6.3	6.1			

【관리한계 계수표】

n	A_2	D_3	D_4
2	1.880	−	3.267
3	1.023	−	2.575
4	0.729	−	2.282
5	0.577	−	2.115

가. $\overline{X}$ 관리도의 상한관리한계(UCL)과 하한관리한계(LCL)를 구하시오.

계산 과정)

【답】 상한관리한계(UCL) : ____________, 하한관리한계(LCL) : ____________

나. R관리도의 상한관리한계(UCL)과 하한관리한계(LCL)를 구하시오.

계산 과정)

【답】 상한관리한계(UCL) : ______________, 하한관리한계(LCL) : ______________

해답 가.

조번호	측정값(cm)				계 $\sum x$	각 조의 평균치 $(\overline{x})$	범위 R
	x_1	x_2	x_3	x_4			
1	6.1	5.5	6.4	6.0	24.0	6.0	0.9
2	6.4	5.5	6.7	6.2	24.8	6.2	1.2
3	6.0	6.6	5.7	6.1	24.4	6.1	0.9
4	6.5	5.5	6.6	6.2	24.8	6.2	1.1
5	6.4	5.6	6.3	6.1	24.4	6.1	0.8

$\overline{\mathrm{X}} = \frac{\sum \overline{\mathrm{x}}}{n} = \frac{30.6}{5} = 6.12\mathrm{cm}$, $\overline{\mathrm{R}} = \frac{\sum R}{n} = \frac{4.9}{5} = 0.98\mathrm{cm}$

- 상한 관리 한계(UCL)$= \overline{\mathrm{X}} + A_2\overline{\mathrm{R}} = 6.12 + 0.729 \times 0.98 = 6.83\mathrm{cm}$
- 하한 관리 한계(LCL)$= \overline{\mathrm{X}} - A_2\overline{\mathrm{R}} = 6.12 - 0.729 \times 0.98 = 5.41\mathrm{cm}$

나 • UCL$= D_4\overline{\mathrm{R}} = 2.282 \times 0.98 = 2.24\mathrm{cm}$

• LCL$= D_3 = 0$

□□□ 96④, 19① 【2점】

17 철도, 수도, 도로 등의 횡단, 기타 개착공법(open cut)이 곤란한 경우에 사용하는 것이며, 소구경의 강관을 입갱 사이에 삽입하거나 또는 당김으로써 토층에 관을 매설하는 이 공법은?

○

해답 프론트잭킹공법(front jacking method)

□□□ 96①, 93④, 19① 【2점】

18 교량의 상부 구조물을 교대 또는 제1교각의 후방에 설치한 주형 제작장에서 프리캐스트 세그먼트를 연속적으로 제작하여 직선 또는 일정 곡률반지름의 교량을 가설하는 공법을 무엇이라 하는가?

○

해답 압출공법(ILM 공법 : Incremental Launching Method)

□□□ 94④, 99④, 00⑤, 06④, 15①④, 19① 【4점】

19 다음 그림과 같이 연직하중과 모멘트를 받는 정사각형 기초의 극한 지지력과 안전율을 Terzaghi 공식을 이용하여 구하시오.

(단, $N_c=37.2$, $N_q=22.5$, $N_r=19.7$이다. 기초지반은 균일한 점토지반으로 $\phi=30°$, $c=0$, $\gamma_t=16\text{kN/m}^3$, $\gamma_{sat}=19\text{kN/m}^3$)

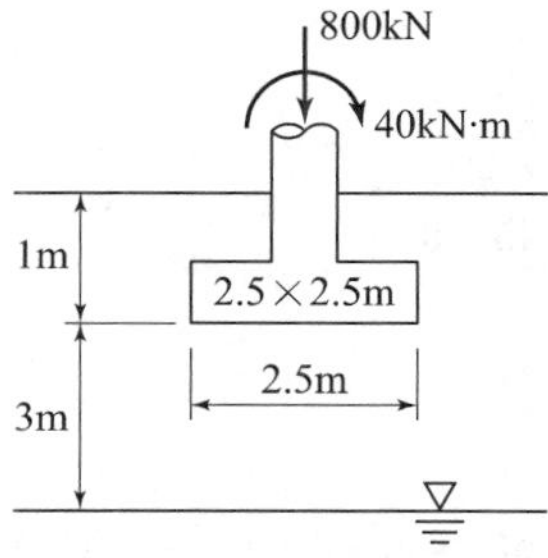

가. 극한 지지력을 구하시오.

계산 과정) 답 :

나. 안전율을 구하시오.

계산 과정) 답 :

해답 가. $q_u=\alpha c N_c+\beta\gamma_1 B N_r+\gamma_2 D_f N_q$

- 편심거리 $e=\dfrac{M}{Q}=\dfrac{40}{800}=0.05\text{m}$
- 기초의 유효크기
  유효폭 $B'=B-2e=2.5-2\times0.05=2.4\text{m}$
  유효폭 $L'=L=2.5\text{m}$
  ∴ 직사각형

$\alpha=1+0.3\dfrac{B}{L}=1+0.3\times\dfrac{2.4}{2.5}=1.288$

$\beta=0.5-0.1\dfrac{B}{L}=0.5-0.1\times\dfrac{2.4}{2.5}=0.404$

- $d\geq B$ (3m>2.4m)인 경우 지하수위 무시
  $\gamma_1=\gamma_t=16\text{kN/m}^3$, $\gamma_2=\gamma_t=16\text{kN/m}^3$
  $\therefore\ q_u=0+0.404\times16\times2.4\times19.7+16\times1\times22.5$
  $=665.62\text{kN/m}^2$
  ($\therefore\ c=0$)

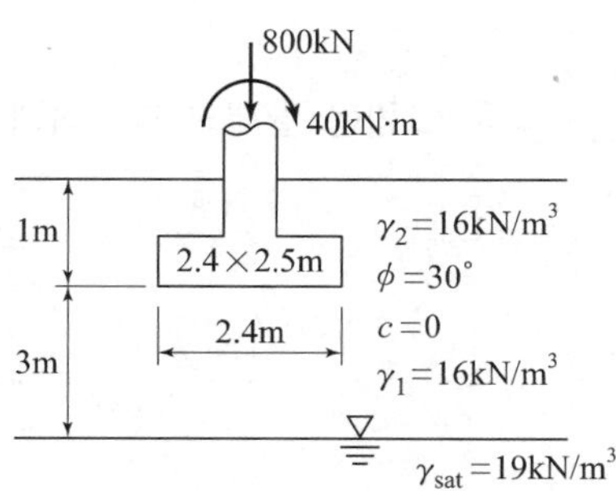

나. 안전율 $F_s=\dfrac{Q_u}{Q_a}$

- 극한하중 $Q_u=q_u A=q_u\cdot B'\cdot L$
  $=665.62\times(2.4\times2.5)=3{,}993.72\text{kN}$

$\therefore\ F_s=\dfrac{3{,}993.72}{800}=4.99$

□□□ 04④, 10①, 19① 【3점】

20 **전체 심도 5m의 시추작업을 통해 획득한 6개 암석코어의 길이는 각각 145cm, 35cm, 120cm, 50cm, 45cm, 95cm이었고 풍화토 시료도 함께 산출되었다. 시추대상 암반에 대한 코어회수율을 계산하시오.**

계산 과정)　　　　　　　　　　　　　　　　　　　　　　　　　답 : ______________

해답 $\text{회수율} = \dfrac{\text{회수된 코어의 길이}}{\text{굴착된 암석의 이론적 길이}} \times 100$

$= \dfrac{145+35+120+50+45+95}{500} \times 100 = 98\%$

□□□ 04②, 08④, 15②, 19① 【3점】

21 **필댐(fill dam)의 필터재(filter)의 역할을 3가지 쓰시오.**

① ______________　② ______________　③ ______________

해답 ① 물만 통과시키고 토립자의 유출방지
② 역학적 완충역할
③ 코어재의 자기치유작용을 지원

□□□ 00①, 05②, 19① 【4점】

22 **다음 그림은 골재의 함수상태를 나타낸 그림이다. (　　) 안에 알맞은 말을 적어 넣으시오.**

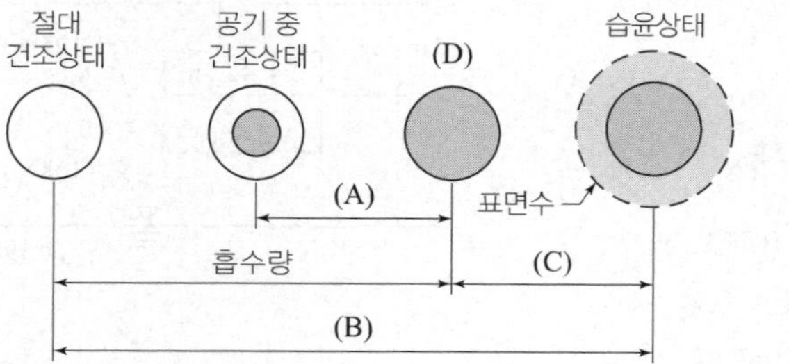

A :
B :
C :
D :

해답 A : 유효흡수량　　　B : 함수량
C : 표면수량　　　D : 표면건조 포화상태

□□□ 00③, 01②, 04①, 07①, 09②, 12④, 16②, 19①, 21③ 【18점】

23 주어진 도면 및 조건에 따라 다음 물량을 산출하시오. (단, 주어진 도면의 치수는 축척에 맞지 않을 수 있으며, 주어진 치수로만 물량을 산출할 것)

단 면 도 (단위 : mm)

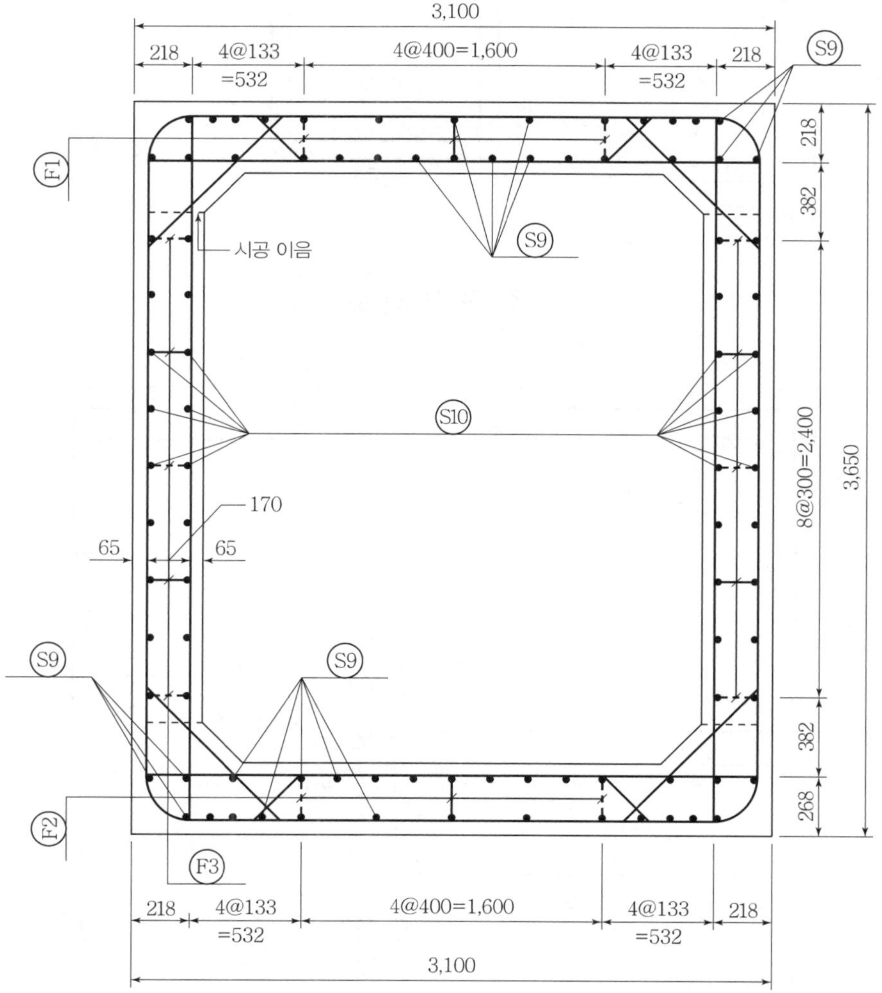

일반도

4,000
300
200
200
3,000
300
2,500
300
200
350
100
기초 콘크리트

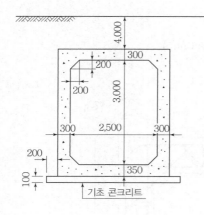

주철근조립도

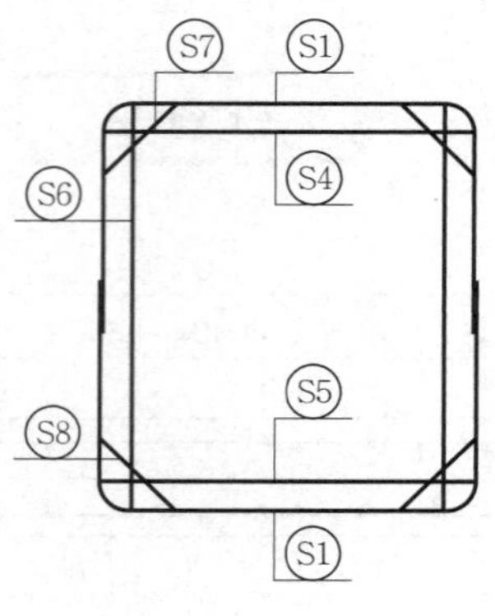

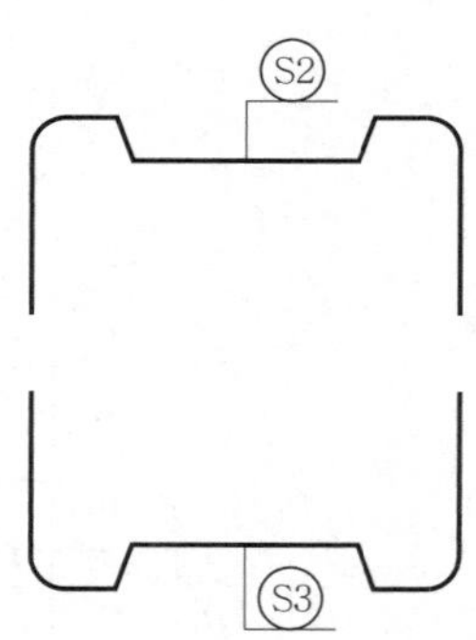

철근상세도

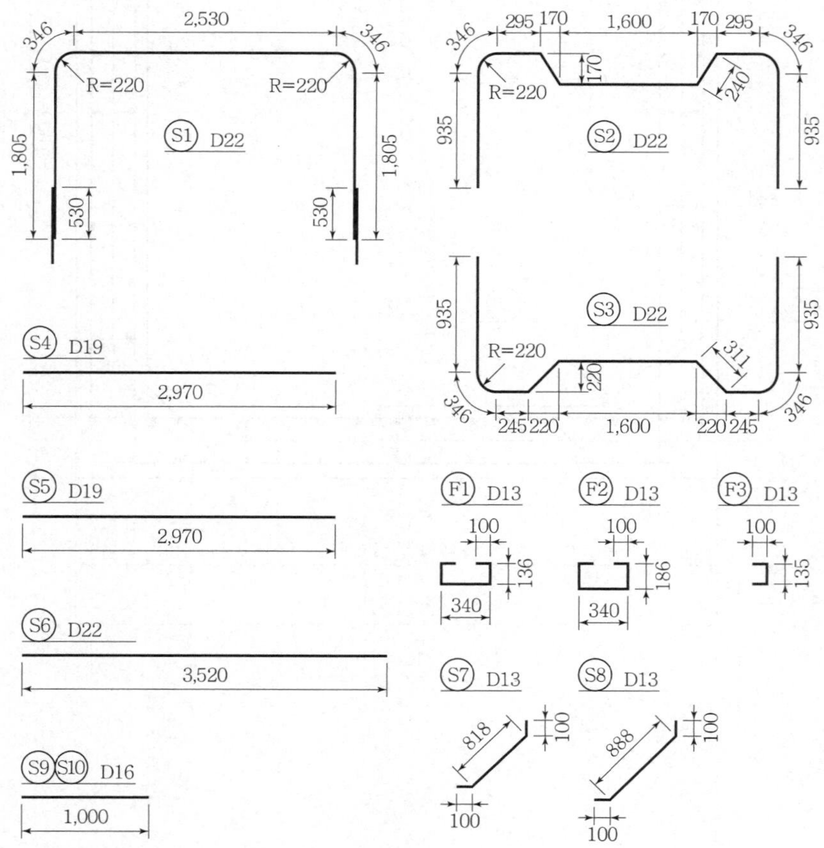

【조 건】

- S1～S8 철근은 300mm 간격으로 배치되어 있다.
- F1, F2, F3 철근은 300mm 간격으로 지그재그로 배치되어 있다.
- 철근의 이음과 할증은 무시한다.
- 지형상태는 일반도와 같으며 터파기는 기초 콘크리트 양끝에서 100cm 여유폭을 두고 비탈기울기는 1 : 0.5로 한다.
- 거푸집량의 계산에서 마구리면은 무시한다.

가. 길이 1m에 대한 기초와 구체의 콘크리트량을 구하시오. (단, 소수 넷째자리에서 반올림하시오.)

① 기초 콘크리트량 :

② 구체 콘크리트량 :

나. 길이 1m에 대한 거푸집량을 구하시오. (단, 소수 넷째자리에서 반올림하시오.)

계산 과정)

답 :

다. 길이 1m에 대한 터파기량을 구하시오. (단, 소수 넷째자리에서 반올림하시오.)

계산 과정)

답 :

라. 길이 1m에 대한 철근량을 산출하기 위한 다음 철근물량표를 완성하시오. (단, 소수 셋째자리에서 반올림하시오.)

기호	직경	길이(mm)	수량	총길이(mm)	기호	직경	길이(mm)	수량	총길이(mm)
S1					S9				
S7					F1				

정답 가. ① $V_1 = 3.5 \times 0.1 \times 1 = 0.350\text{m}^3$

② $\left\{(3.1 \times 3.65) - (2.5 \times 3.0) + \frac{1}{2} \times 0.2 \times 0.2 \times 4\right\} \times 1 = 3.895\text{m}^3$

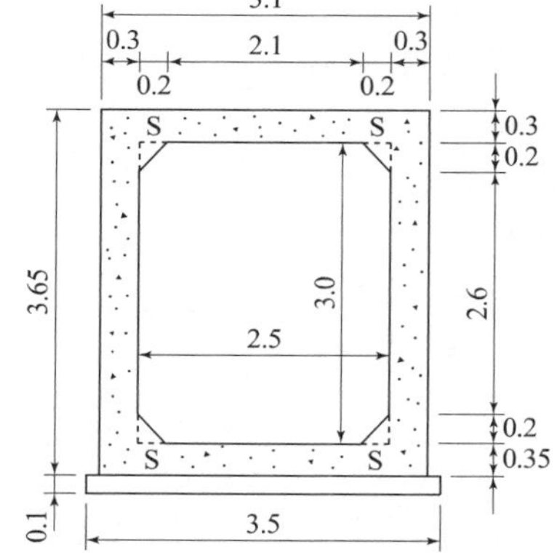

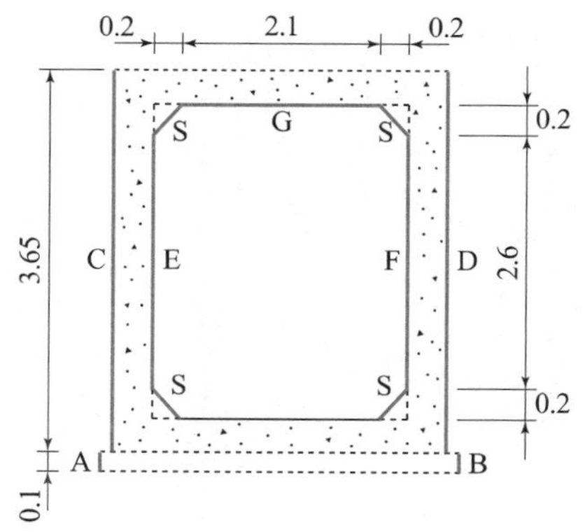

나. A면 $= 0.1\text{m}$ B면 $= 0.1\text{m}$ C면 $= 3.65\text{m}$ D면 $= 3.65\text{m}$
E면 $= 2.60\text{m}$ F면 $= 2.60\text{m}$ G면 $= 2.10\text{m}$

$S = \sqrt{0.20^2 + 0.20^2} \times 4 = 1.1314\text{m}$

$\therefore$ 총거푸집길이 $= 0.1 \times 2 + 3.65 \times 2 + 2.60 \times 2 + 2.10 + 1.1314 = 15.9314\text{m}$

$\therefore$ 총거푸집량 $=$ 총거푸집길이 $\times$ 단위길이 $= 15.9314 \times 1 = 15.931\text{m}^2$

다.

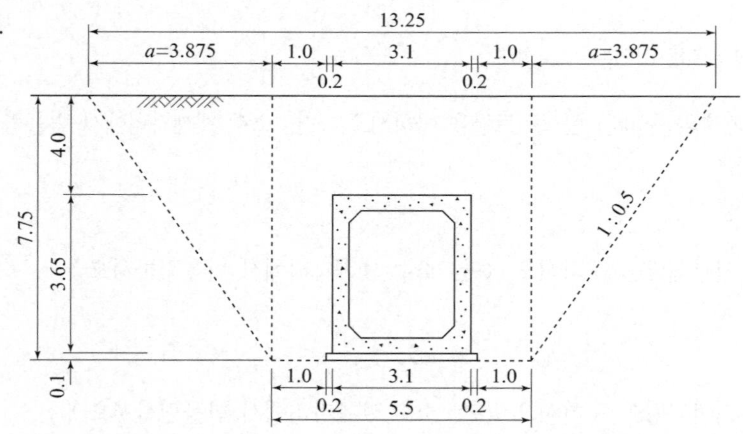

$a = 7.75 \times 0.5 = 3.875\text{m}$

$b = 1.0 + 0.2 + 3.1 + 0.2 + 1.0 = 5.5\text{m}$

$\therefore$ 터파기량 $= \left(\dfrac{13.25 + 5.50}{2} \times 7.75 \right) \times 1 = 72.656\text{m}^3$

라.

기호	직경	길이(mm)	수량	총길이(mm)	기호	직경	길이(mm)	수량	총길이(mm)
S1	D22	6,832	6.67	45,569	S9	D16	1,000	56	56,000
S7	D13	1,018	6.67	6,790	F1	D13	812	5	4,060

국가기술자격 실기시험문제

2019년도 기사 제2회 필답형 실기시험(기사)

종 목	시험시간	형 별	성 명	수험번호
토목기사	3시간	B		

※ 수험자 인적사항 및 계산식을 포함한 답안 작성은 검은색 필기구만 사용하여야 하며, 그 외 연필류, 빨간색, 청색 등 필기구로 작성한 답안은 0점 처리됩니다.

□□□ 98④, 01①, 05①, 07②, 19②, 23② 【3점】

01 다음과 같은 모래 지반에 위치한 댐의 piping에 대한 안전율을 구하시오.
(단, safe weighted creep ratio는 6.0)

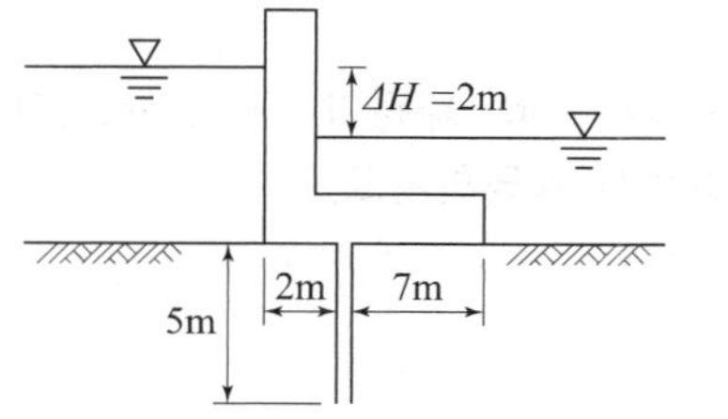

계산 과정)

답 :

해답 ■ 크리프비 $CR = \frac{L_w}{h_1 - h_2} = \frac{2D + \frac{L}{3}}{\Delta H}$

- $L_w = 2 \times 5 + \frac{2+7}{3} = 13$
- $\Delta H = 2\text{m}$
- 크리프비 $CR = \frac{13}{2} = 6.5$

$\therefore\ F = \frac{6.5}{6.0} = 1.08$

□□□ 19② 【2점】

02 아스팔트 포장시 기존의 포장면 또는 아스팔트 안정처리기층에 역청재료를 살포하여 그 위에 포설할 아스팔트 혼합물층과 부착성을 높이는 것을 무엇이라고 하는가?

○

해답 택코트(tack coat)

□□□ 91③, 94②, 96③, 19② 【3점】

03 연약지반 처리공법 중 Vertical Drain 공법으로서는 Paper Drain과 Sand Drain을 많이 사용하고 있으나, 근래에는 시공상과 공기 및 재료구득의 난이 등으로 인하여 Paper Drain 공법 채택이 증가하고 있다. Paper Drain 공법이 Sand Drain 공법과 비교하여 유리한 점 5가지를 쓰시오.

① ______ ② ______ ③ ______

④ ______ ⑤ ______

해답 ① 공사비가 저렴하다.
② 시공속도가 빠르다.
③ 배수효과가 양호하다.
④ Drain 단면이 깊이 방향에 대해서 일정하다.
⑤ 타설에 의해서 주변 지반을 교란하지 않는다.

□□□ 93④, 00①, 06①, 19② 【3점】

04 표준관입시험(S.P.T)기의 split spoon sampler의 외경이 50.8mm, 내경이 34.93mm이다. 면적비를 구하고, 왜 이 S.P.T 시료를 교란된 시료로 간주하는지 설명하시오.

가. 면적비 :

나. 판단 :

해답 가. $A_r = \dfrac{D_w^{\,2} - D_e^{\,2}}{D_e^{\,2}} \times 100\% = \dfrac{50.8^2 - 34.93^2}{34.93^2} \times 100 = 111.51\%$

나. $111.51\% > 10\%$

∴ 교란된 시료

□□□ 93②, 19② 【3점】

05 Asphalt 혼합물의 Marshall 안정도 시험에 대한 아래 내용 중 ( )에 들어갈 알맞은 수치를 쓰시오.

> • 공시체를 (①)분 동안 수조 속에 침수시켜, 가열 아스팔트 공시체 온도가 (②)℃로 유지하도록 한다.
> • 재하 잭 혹은 분당 (③)mm의 비율로 움직이는 시험기 두부를 가진 시험기로 공시체의 일정한 비율로 하중을 가한다.

① ______ ② ______ ③ ______

해답 ① 30 ② 60±1 ③ 50.8

□□□ 96②, 07①, 11②, 14②, 19② 【4점】

06 뒤채움 지표면에 재하중이 없는 높이 6m의 옹벽에 작용하는 지진력에 의한 전체 주동토압이 Mononobe－Okabe 이론에 의해 $P_{AC}=160\text{kN/m}$, 정적인 상태의 전체주동토압이 $P_A=100\text{kN/m}$일 때, 지진력에 의한 전체 주동토압의 작용위치를 구하시오.

계산 과정)　　　　　　　　　　　　　　　　　　　답 : ________

해답 합력위치 $\bar{Z}=\dfrac{(0.6H)(\triangle P_{AC})+\dfrac{H}{3}(P_A)}{P_{AC}}$

- 지진토압 $P_{AC}=160\text{kN/m}$
- 전 토압 $P_A=100\text{kN/m}$
- 토압증가량 $\triangle P_{AC}=160-100=60\text{kN/m}$

$\therefore\ \bar{Z}=\dfrac{(0.6\times 6)\times 60+\dfrac{6}{3}\times 100}{160}=2.6\text{m}$

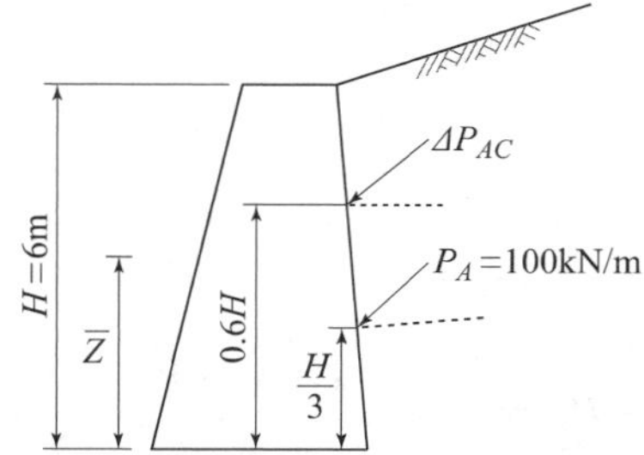

□□□ 87②③, 19② 【3점】

07 사암(砂岩)을 착공(着工)하는데 착공속도 $V_T=45\text{cm/min}$이다. 이때 표준암을 착공하는 순속도는 얼마인가? (단, $C_1=1.50$, $C_2=0.8$, $\alpha=0.5$)

해답 $V_T=\alpha(C_1\times C_2)\times V$에서

$\therefore\ V=\dfrac{V_T}{\alpha(C_1\times C_2)}=\dfrac{45}{0.5(1.50\times 0.8)}=75\text{cm/min}$

□□□ 03④, 19② 【3점】

08 어느 불도저의 1회 굴착압토량이 3.6m^3이며 토량변화율(L)은 1.25, 작업효율은 0.6, 평균 굴착압토거리 60m, 전진속도 30m/분, 후진속도는 60m/분, 기어변속시간 및 가속시간이 0.5분일 때, 이 불도저 운전 1시간당의 작업량은 본바닥토량으로 얼마인가?

계산 과정)　　　　　　　　　　　　　　　　　　　답 : ________

해답 $Q=\dfrac{60\cdot q\cdot f\cdot E}{C_m}$

$C_m=\dfrac{l}{V_1}+\dfrac{l}{V_2}+t=\dfrac{60}{30}+\dfrac{60}{60}+0.5=3.5$분

$\therefore\ Q=\dfrac{60\times 3.6\times\dfrac{1}{1.25}\times 0.6}{3.5}=29.62\text{m}^3/\text{h}$

□□□ 94③, 96①, 19②, 22③ 【8점】

09 다음 옹벽에서 전도 및 활동에 대한 안정을 검토하시오.

(단, 안전율은 모두 2.0 이상이어야 한다.)

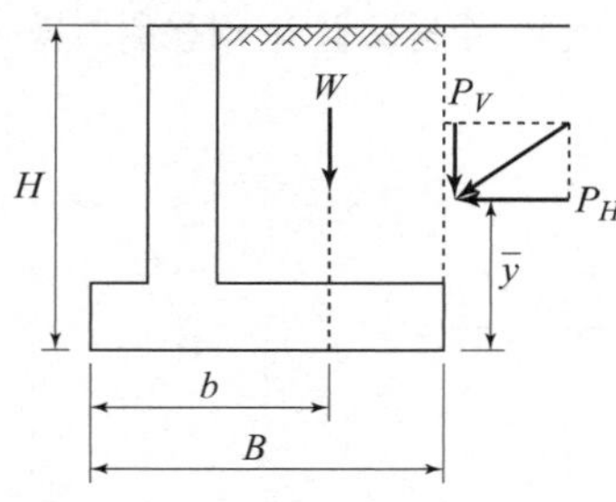

【조 건】

• $c=0$	• W(옹벽자중+저판위의 흙의 무게)=240kN/m
• $P_H=200$kN/m	• $P_V=100$kN/m
• B=4m	• $b=2.5$m
• $h=6$m	• $\bar{y}=2$m
• μ(옹벽저판과 기초와의 마찰계수)=0.5	

가. 전도에 대한 안정검토 :

계산 과정)

답 :

나. 활동에 대한 안정검토 :

계산 과정)

답 :

해답 가. 전도에 대한 안정검토

$$F_S=\frac{W\cdot b+P_V\cdot B}{P_H\cdot \bar{y}}$$

$$=\frac{240\times2.5+100\times4}{200\times2.0}=2.5\ >\ 2.0\quad \therefore \text{안정}$$

나. 활동에 대한 안정검토

$$F_S=\frac{(W+P_V)\mu+c\cdot B}{P_H}=\frac{(240+100)\times0.5+0\times4}{200}=0.85<2.0\quad \therefore \text{불안정}$$

□□□ 01②, 19② 【3점】

10 댐의 기초처리 공사 시 Grouting 공사의 주입재료를 3가지만 쓰시오.

① ② ③

해답 ① 시멘트 용액 ② 벤토나이트와 점토 용액
③ 아스팔트 용액 ④ 약액

□□□ 14④, 16④, 19② 【3점】

11 **이미 경화한 매시브한 콘크리트 위에 슬래브를 타설할 때 부재 평균 최고온도와 외기온도와의 균형시의 온도차가 12.8℃ 발생하였을 때 아래의 표를 이용하여 온도균열 발생확률을 구하면? (단, 간이법 적용)**

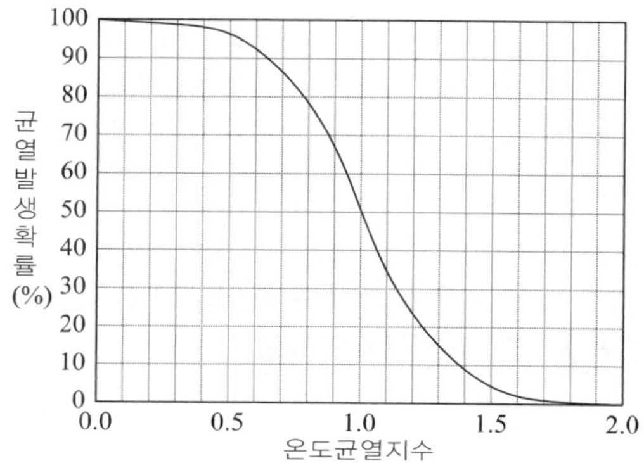

해답 온도균열지수 $I_{cr} = \dfrac{10}{R \cdot \Delta T_o}$

- 이미 경화된 콘크리트 위에 콘크리트를 타설할 때 : $R = 0.60$
- 부재의 최고 평균온도와 외기온도와의 온도차 : $\Delta T_o = 12.8$℃
- $I_{cr} = \dfrac{10}{0.60 \times 12.8} = 1.30$

∴ 온도균열지수 1.30에 대응되는 균열발생확률은 약 15%이다.

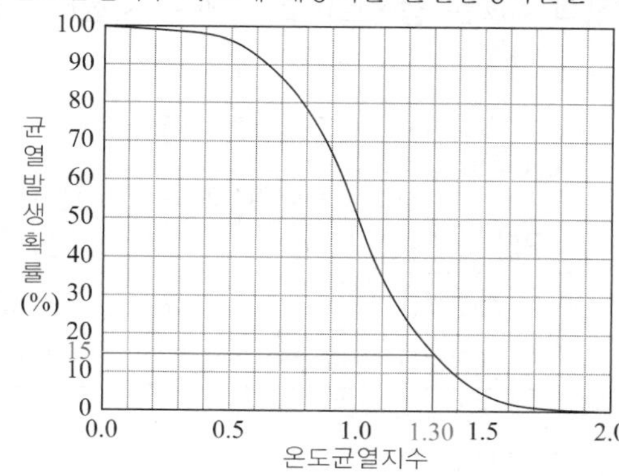

□□□ 96③④, 98②, 03③, 19②, 23① 【2점】

12 **암거 매설공법을 고속도로 및 철도하부로 횡단하여 암거구조물을 설치할 경우 개착공법에 의하지 않고 양측에 발진기지를 설치하여 함체를 직접 견인시켜 구조물 안으로 들어오는 토사를 굴착하여 소정의 구조물을 설치함으로써 상부교통에 지장을 주지 않고 시공하는 공법은?**

○

해답 프론트잭킹공법(frout jacking method)

□□□ 87③, 13④, 19② 【3점】

13 굳지 않은 콘크리트의 워커빌리티(Workability) 측정방법을 3가지 쓰시오.

① ______________ ② ______________ ③ ______________

해답 ① 슬럼프 시험(slump test) ② 흐름시험(flow test)
③ 구관입 시험(ball penetration test) ④ 리몰딩 시험(remolding test)
⑤ 비비시험(Vee-Bee test) ⑥ 다짐계수 시험(compacting factor test)

□□□ 04②, 06④, 19② 【3점】

14 콘크리트포장은 콘크리트 균열을 조절하기 위해 설치하는 줄눈 및 철근의 유무에 따라 그 종류가 구분되는데 그 종류를 3가지만 기술하시오.

① ______________ ② ______________ ③ ______________

해답 ① 무근 콘크리트포장(JCP) ② 철근 콘크리트포장(JRCP)
③ 연속철근 콘크리트포장(CRCP) ④ 프리스트레스 콘크리트포장(PCP)

□□□ 88②, 93④, 09②, 11④, 15①, 19② 【6점】

15 토취장(土取場)에서 원지반토량 2,000m³를 굴착한 후 8ton 덤프트럭으로 다음과 같은 단면의 도로를 축조하고자 한다. 이 토취장 흙의 40%는 점성토이고, 60%는 사질토일 때 아래의 물음에 답하시오.

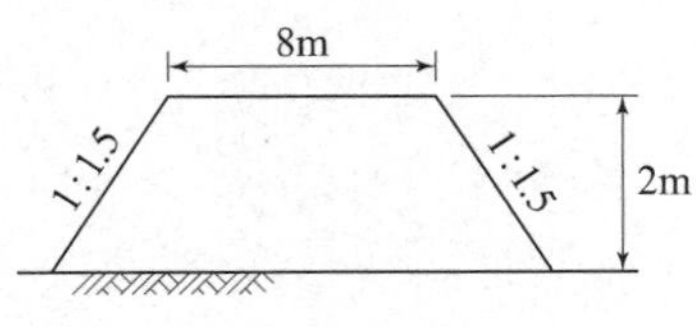

【굴착한 흙】

구분 \ 종류	토량환산계수 L	토량환산계수 C	자연상태의 단위중량
점성토	1.3	0.9	1.75t/m³
사질토	1.25	0.87	1.80t/m³

가. 운반에 필요한 8t 덤프트럭의 연대수를 구하시오.
(단, 덤프트럭은 적재중량만큼 싣는 것으로 한다.)

계산 과정) 답 : ______________

나. 시공가능한 도로의 길이(m)를 산출하시오.
(단, 도로의 시점 및 종점의 끝단은 수직으로 가정한다.)

계산 과정) 답 : ______________

다. 전체 토량을 상차하는 데 소요되는 장비의 가동시간을 계산하시오.
(사용장비 : 버킷용량 $0.9m^3$의 back hoe, 버킷계수 0.9, 효율 0.7, 사이클타임 21초)

계산 과정) 답 :

해답 가. ■ 토질상태

토질	원지반 상태의 토질	다져진 상태의 토량
점성토	$2,000 \times 0.40 = 800m^3$	$800 \times 0.9 = 720m^3$
사질토	$2,000 \times 0.60 = 1,200m^3$	$1,200 \times 0.87 = 1,044m^3$
총토량	$800 + 1,200 = 2,000m^3$	$720 + 1,044 = 1,764m^3$

■ $N = \dfrac{\text{자연상태 토량}(m^3)}{\text{적재량}(kN)} \times \gamma_t$

• 점성토 $N_1 = \dfrac{800}{8} \times 1.75 = 175$ 대

• 사질토 $N_2 = \dfrac{1,200}{8} \times 1.80 = 270$ 대

∴ 연대수 $N = 175 + 270 = 445$ 대

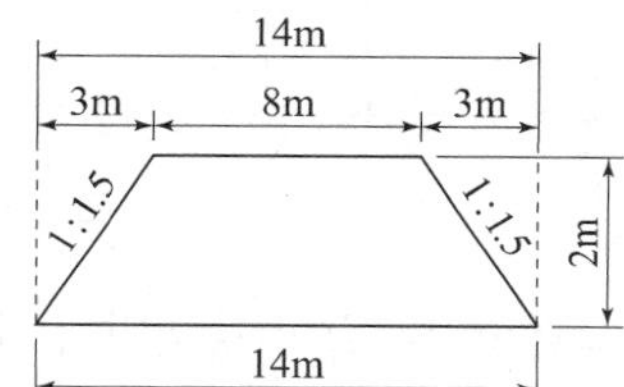

나. 도로단면적$= \dfrac{8+14}{2} \times 2 = 22m^2$ ($\because$ $2 \times 1.5 + 8 + 2 \times 1.5 = 14m$)

∴ 도로길이$= \dfrac{\text{다져진 상태의 토량}}{\text{도로단면적}} = \dfrac{1,764}{22} = 80.18m$

다. $Q = \dfrac{3,600 \cdot q \cdot K \cdot f \cdot E}{C_m}$

$$= \frac{3,600 \times 0.9 \times 0.9 \times \left(\dfrac{1}{1.3 \times 0.4 + 1.25 \times 0.6}\right) \times 0.7}{21} = 76.54m^3/hr$$

∴ 장비의 가동시간$= \dfrac{2,000}{76.54} = 26.13$시간

□□□ 89①, 95①, 19② 【3점】

16 트럭과 굴착기를 조합하여 작업을 한다. 이런 경우에는 트럭의 적당한 대수를 준비해 두어야 한다. 이때 왕복과 사토(捨土)에 요하는 시간이 30분, 원위치에 도착하였을 때부터 싣기를 완료한 후 출발할 때까지의 시간이 5분이라면 굴착기가 쉬지 않고 작업할 수 있는 여유 대수는 얼마인가?

계산 과정) 답 :

해답 트럭의 여유 대수 $N = \dfrac{T_1}{T_2} + 1 = \dfrac{30}{5} + 1 = 7$ 대

($\because$ 6대 운반하는 동안 1대는 적재)

□□□ 07②, 10②, 13④, 16①, 19②, 22①, 23② 【6점】

17 **아래 그림과 같이 6.0m의 연직옹벽에 연속적인 강우로 뒤채움 흙이 완전 포화되어 있다. 뒤채움 흙은 포화밀도 $\gamma_{sat}=19.8\text{kN/m}^3$, 내부마찰각 $\phi=38°$ 인 사질토이며, 벽면마찰각 $\delta=15°$ 이다. 이때 Coulomb의 주동토압계수는 0.219 이고 파괴면이 수평면과 55° 라고 가정할 경우 아래의 물음에 답하시오.** (단, 물의 단위중량 $\gamma_w=9.81\text{kN/m}^3$)

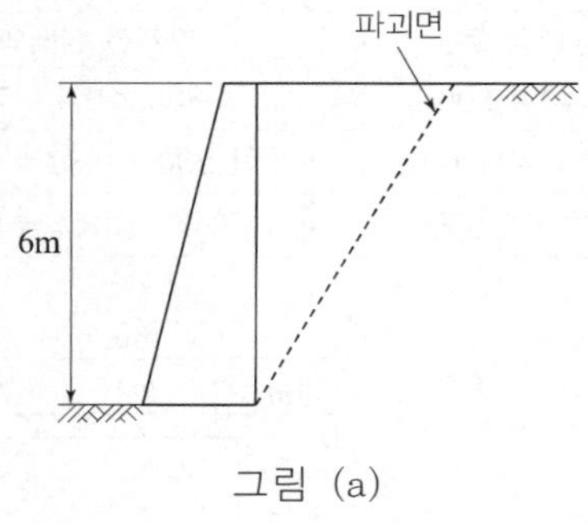

그림 (a)

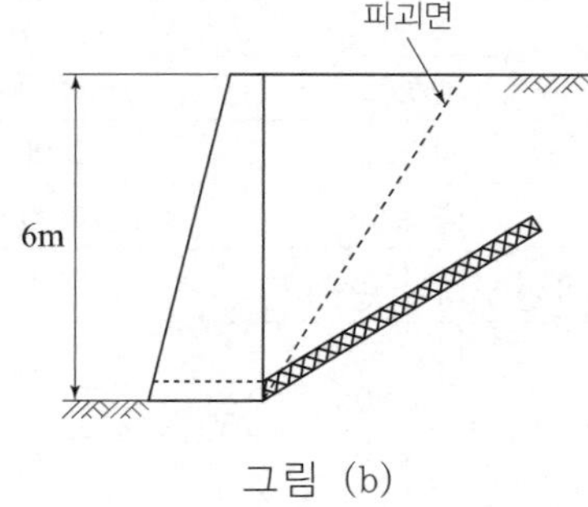

그림 (b)

가. 그림 (a)와 같이 옹벽면에 배수구가 없을 경우 옹벽에 작용하는 전 주동토압을 구하시오.

계산 과정) 답 : ____________

나. 그림 (b)와 같이 파괴면 아래쪽에 배수구를 경사지게 설치했을 경우 옹벽에 작용하는 전 주동토압을 구하시오.

계산 과정) 답 : ____________

해답 가. $P_A=\frac{1}{2}\gamma_{sub}H^2C_a+\frac{1}{2}\gamma_{\omega}H^2$

$=\frac{1}{2}\times(19.8-9.81)\times 6^2\times 0.219+\frac{1}{2}\times 9.81\times 6^2$

$=39.38+176.58=215.96\text{kN/m}$

나. $P_A=\frac{1}{2}\gamma_{sat}H^2C_a$

$=\frac{1}{2}\times 19.8\times 6^2\times 0.219$

$=78.05\text{kN/m}$

□□□ 19② 【2점】

18 **하류측의 하천이나 하수도시설의 유하능력이 부족하게 되는 경우 일단 유출우수를 저류하여 조정을 하기 위한 시설은?**

해답 우수조정지

□□□ 04④, 19② 【8점】

19 다음과 같은 작업리스트가 있다. 아래 물음에 답하시오.

작업명	선행작업	후속작업	표준일수(일)	특급일수(일)	비용경사(만원/일)
A	–	B, C	4	3	5
B	A	D	8	7	3
C	A	F	10	9	7
D	B	E	10	8	6
E	D	G	5	3	8
F	C	G	13	11	10
G	E, F	–	6	4	10

가. New Work(화살선도)를 작도하시오.

나. 공사 완료기간을 27일로 지정했을 때, 추가 투입되는 직접비의 최소금액을 구하시오.

계산 과정)　　　　　　　　　　　　　　　　　　　　답 :

해답 가.

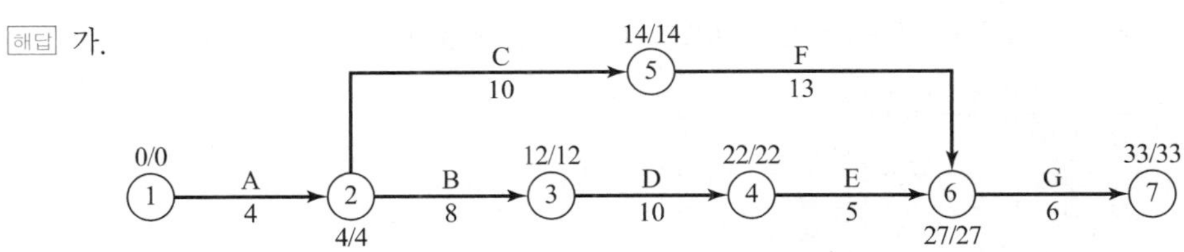

나.

작업명	단축 가능일수	비용경사 (만원/일)	33일 (정상)	32일 (-1)	31일 (-2)	30일 (-3)	29일 (-4)	28일 (-5)	27일 (-6)
A	1	5		1					
B	1	3			1				
C	1	7			1				
D	2	6						1	1
E	2	8							
F	2	10						1	1
G	2	10				1	1		
추가비용(만원)			0	5	10	10	10	16	16
추가비용누계(만원)			0	5	15	25	35	51	67

∴ 직접비의 최소금액 : 67만원

□□□ 89①, 19② 【3점】

20 도로공사의 성토작업시 노체시공의 현장 품질관리시험종목 중 가장 중요한 것을 3가지만 쓰시오.

① ______________ ② ______________ ③ ______________

해답 ① 흙의 함수량 시험 ② 현장밀도시험
③ 평판재하시험 ④ 다짐시험

참고 노상의 시공시험 : 함수량 시험, 현장밀도시험, 평판재하시험, 프로프 롤링

□□□ 99①, 19② 【4점】

21 기초의 폭(B)이 6m 길이(L)가 12m인 직사각형 기초가 있다. 이 기초의 근입심도는 3.5m 이고 지하수위는 1.5m 아래에 있다. 기초지반의 흙은 단위중량이 18.5kN/m^{3}인 사질토로서 $c=6\text{kN/m}^3$, $\phi=22°$ 일 때 지반의 허용지지력(kN/m^2)을 구하시오.
(단, 물의 단위중량 $\gamma_w=9.81\text{kN/m}^3$, $\phi=22°$ 일 때 $N_c=21.1$, $N_r=11.6$, $N_q=13.5$)

계산 과정) 답 : ______________

해답 $0 \le D_1 \le D_f$인 경우(지하수위가 기초의 근입깊이 D_f 사이에 있을 때)

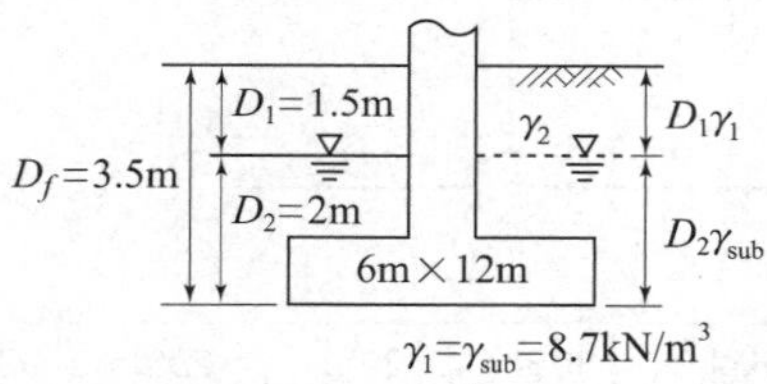

- $q_u=\alpha c N_c+\beta\gamma_1 B N_\gamma+\gamma_2 D_f N_q$
  $=\alpha c N_c+\beta\gamma_{sub} B N_r+\gamma_2 D_f N_q$
- $\alpha=1+0.3\dfrac{B}{L}=1+0.3\times\dfrac{6}{12}=1.15$
- $\beta=0.5-0.1\dfrac{B}{L}=0.5-0.1\times\dfrac{6}{12}=0.45$
- $\gamma_1=\gamma_t-\gamma_w=\gamma_{sub}=18.5-9.81=8.69\text{kN/m}^3$
- $\gamma_2 D_f=D_1\gamma_t+D_2\gamma_{sub}=1.5\times18.5+2\times8.69=45.13\text{kN/m}^2$
  $q_u=1.15\times6\times21.1+0.45\times8.69\times6\times11.6+45.13\times13.5$
  $=1{,}027.02\text{kN/m}^2$

$\therefore\ q_a=\dfrac{q_u}{F_s}=\dfrac{1{,}027.02}{3}=342.34\text{kN/m}^2$

□□□ 11①, 13④, 16①, 19② 【8점】

22 주어진 역T형 교대 도면을 보고 다음 물량을 산출하시오. (단, 교대 전체길이는 10.3m이며, 도면의 치수단위는 mm이며, 소수점 이하 4째자리에서 반올림하시오.)

측 면 도

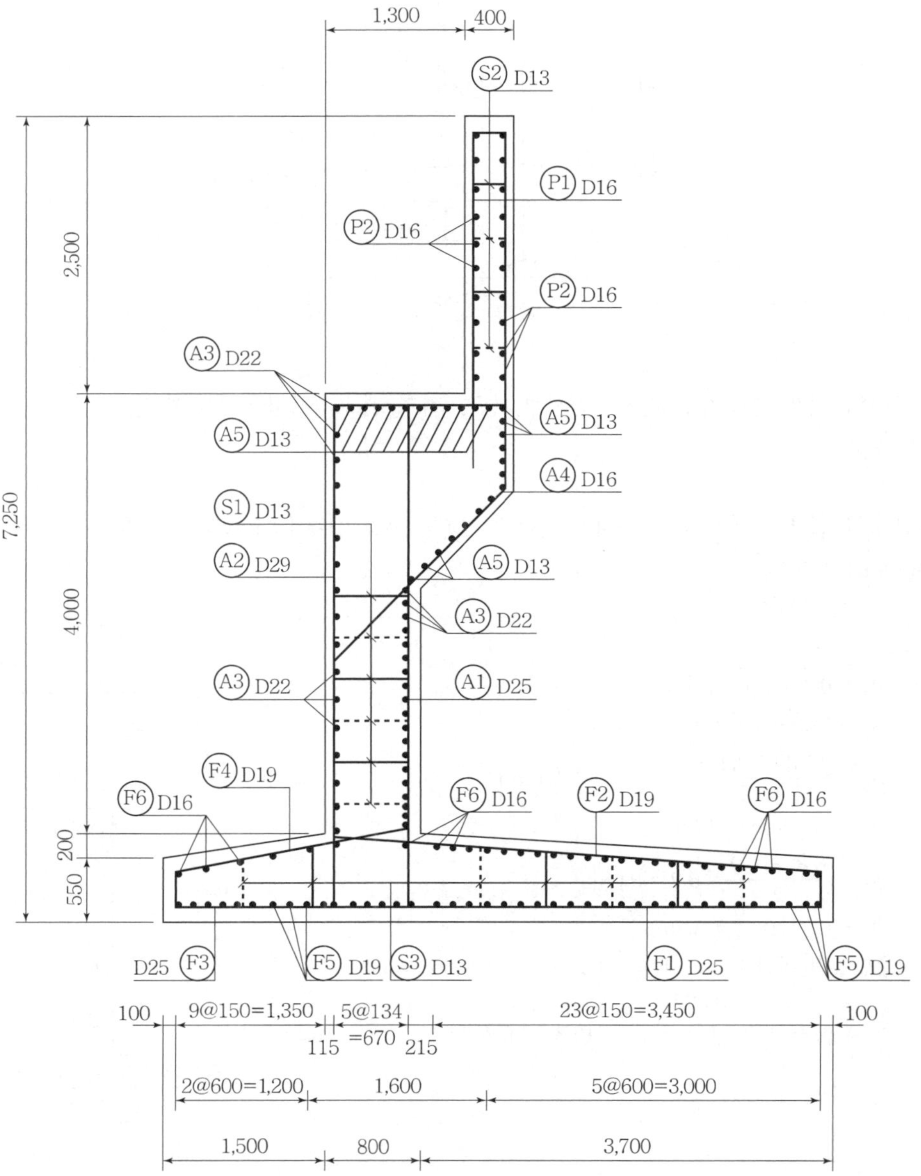

일 반 도

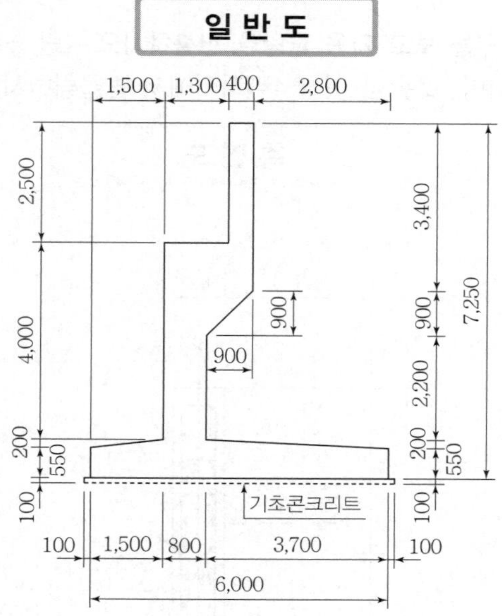

가. 교대의 전체 콘크리트량을 구하시오. (단, 기초 콘크리트량은 무시한다.)

계산 과정)

답 :

나. 교대의 전체 거푸집량을 구하시오. (단, 기초 콘크리트에 사용되는 거푸집량은 무시한다.)

계산 과정)

답 :

해답 가.

- $A_1 = 0.4 \times 2.5 = 1.0\text{m}^2$
- $A_2 = (1.3 + 0.4) \times 0.9 = 1.53\text{m}^2$
- $A_3 = \dfrac{(1.30 + 0.4) + 0.8}{2} \times 0.9 = 1.125\text{m}^2$
- $A_4 = 2.2 \times 0.8 = 1.76\text{m}^2$
- $A_5 = \dfrac{0.80 + 6.0}{2} \times 0.2 = 0.68\text{m}^2$
- $A_6 = 6.0 \times 0.55 = 3.30\text{m}^2$

총단면적 $\Sigma A = 1.0 + 1.53 + 1.125 + 1.76 + 0.68 + 3.30$
$= 9.395\text{m}^2$

$\therefore$ 총콘크리트량 $V = 9.395 \times 10.3 = 96.769\text{m}^3$

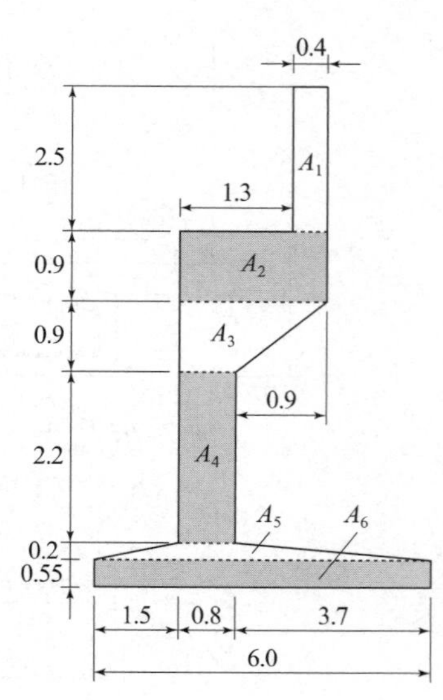

나.
- A = 2.5m
- B = 3.4m
- C = 4.0m
- D = $\sqrt{0.9^2+0.9^2}=1.2728\text{m}$
- E = 2.2m
- F = 0.55×2 = 1.10m

총거푸집길이 $\sum L=2.5+3.4+4.0+1.2728+2.2+1.10$
$=14.4728\text{m}$

마구리면=9.395×2 = 18.79m^2

∴ 총거푸집량 $\sum A=14.4728\times 10.3+18.79$
$=167.860\text{m}^2$

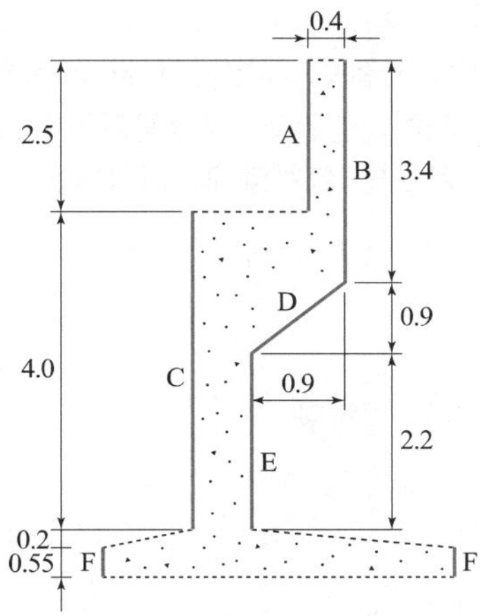

□□□ 06④, 19② 【4점】

23 그림과 같은 모래지반에 지표면으로부터 2m지점에 지하수위가 있을 때 지표면으로 부터의 5m지점의 전단강도를 구하시오. (단, 내부마찰각 30°, 점착력=0)

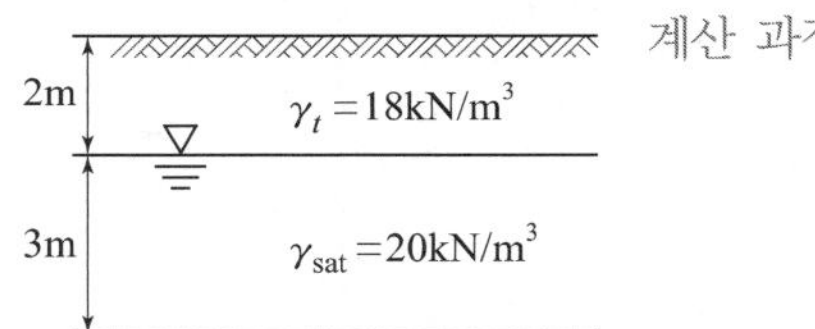

계산 과정)

답 :

해답 전단강도 $\tau=c+\bar{\sigma}\tan\phi$
- 유효응력 $\bar{\sigma}=2\times 18+3\times(20-9.81)=66.67\text{kN/m}^2$

∴ $\tau=0+66.57\tan 30°=38.43\text{kN/m}^2$

□□□ 92①, 19②, 22② 【4점】

24 다음 용어에 관한 정의를 간단히 쓰시오.

가. 최적심도(最適深度)

○

나. 누두지수(漏斗指數)

○

해답 가. 분화구가 최대 체적을 가질 때의 장약 깊이
나. 누두공의 형상을 나타내는 지수

$$n=\frac{R}{W}$$

여기서, W : 최소저항선(장약깊이), R : 누두 반경(누두공 반지름)

□□□ 96①, 98③, 05①, 08④, 14②, 19② 【4점】

25 **사질토 지반에서 30cm×30cm 크기의 재하판을 이용하여 평판 재하 시험을 실시하였다. 재하시험결과 극한지지력이 240kPa, 침하량이 10mm이었다. 실제 3m×3m의 크기의 실제 기초를 설치할 때 예상되는 극한 지지력과 침하량을 구하시오.**

가. 극한 지지력

계산 과정) 답 : ______

나. 침하량

계산 과정) 답 : ______

해답 가. $q_{u(F)} = q_{u(P)} \times \frac{B_F}{B_P} = 240 \times \frac{3}{0.3} = 2{,}400\,\text{kPa}$

나. $S_F = S_P \times \left(\frac{2B_F}{B_F + B_P} \right)^2 = 10 \times \left(\frac{2 \times 3}{3 + 0.3} \right)^2 = 33.06\,\text{mm}$

참고 $1\,\text{t/m}^2 = 10\,\text{kN/m}^2 = 10\,\text{kPa}$

국가기술자격 실기시험문제

2019년도 기사 제3회 필답형 실기시험(기사)

종 목	시험시간	형 별	성 명	수험번호
토목기사	3시간	B		

※ 수험자 인적사항 및 계산식을 포함한 답안 작성은 검은색 필기구만 사용하여야 하며, 그 외 연필류, 빨간색, 청색 등 필기구로 작성한 답안은 0점 처리됩니다.

□□□ 86②, 19③ 【4점】

01 현장 다짐시 최대 건조단위중량 $\gamma_{d\max}=19.51\text{kN/m}^3$이였다. 다짐도를 95%로 정했을때 흙의 건조단위중량을 구하고, 이 흙의 비중을 2.70, 함수비 13%라 할 때 포화도(S_r)를 구하시오. (단, 물의 단위중량 $\gamma_w=9.81\text{kN/m}^3$, 소수 3자리에서 반올림하시오.)

가. 건조 단위중량을 구하시오.

계산 과정)　　　　　　　　　　　　　　　　　　답 : ______

나. 포화도를 구하시오.

계산 과정)　　　　　　　　　　　　　　　　　　답 : ______

해답 ■ 다짐도 $C_d=\dfrac{\gamma_d}{\gamma_{d\max}}\times 100$에서

• $\gamma_d=\dfrac{\text{다짐도}(\%)}{100}\times\gamma_{d\max}=\dfrac{95}{100}\times 19.51=18.53\text{kN/m}^3$

• $e=\dfrac{\gamma_w G_s}{\gamma_d}-1=\dfrac{9.81\times 2.7}{18.53}-1=0.429$

■ $S_r\cdot e=G_s\cdot w$에서

$\therefore\ S_r=\dfrac{G_s\cdot w}{e}=\dfrac{2.7\times 13}{0.429}=81.82\%$

□□□ 85①, 16②, 18②, 19③, 22② 【3점】

02 말뚝의 지지력을 산정하는 방법 3가지를 쓰시오.

① ______　② ______　③ ______

해답 ① 동역학적 공식에 의한 방법　② 정역학적 공식에 의한 방법　③ 정재하시험에 의한 방법

□□□ 96③, 02④, 19③ 【3점】

03 어느 지역의 월평균기온이 아래 표와 같다. 데라다(寺田)의 공식을 이용하여 동결깊이를 구하시오. (단, 정수 $C=4.0$으로 한다.)

월	월평균기온(℃)
11	3.5
12	−7.8
1	−9.6
2	−4.2
3	−1.1

계산 과정)　　　　답 : ______

해답 동결깊이 $Z=C\sqrt{F}$

- 동결지수 F=(영하온도(θ)×지속일수(t))의 총합
  $=7.8\times31+9.6\times31+4.2\times28+1.1\times31=691.1$℃ · days

$\therefore\ Z=4.0\sqrt{691.1}=105.16\text{cm}$

□□□ 01①, 06④, 09②, 14④, 19③, 23③ 【3점】

04 도로 포장을 설계하기 위해 다음과 같이 CBR을 구하였다. 포장설계를 위한 설계 CBR을 구하시오. (단, CBR계수에 상관되는 계수(d_2)는 2.83을 적용한다.)

4.6　3.9　5.9　4.8　7.0　3.3　4.8

계산 과정)　　　　답 : ______

해답 설계 CBR＝평균 CBR $-\dfrac{\text{CBR}_{\max}-\text{CBR}_{\min}}{d_2}$

- 평균 CBR $=\dfrac{\Sigma\text{CBR값}}{n}=\dfrac{4.6+3.9+5.9+4.8+7.0+3.3+4.8}{7}=4.9$

$\therefore$ 설계 CBR $=4.9-\dfrac{7.0-3.3}{2.83}=3.59$　　$\therefore\ 3$

(∵ 설계 CBR은 소수점 이하는 절삭한다.)

□□□ 11④, 19③ 【3점】

05 필댐의 종류를 3가지만 쓰시오.

① ______　② ______　③ ______

해답 ① 흙댐(earth fill dam)　② 록필댐(rock fill dam)　③ 토석댐(earth rock fill dam)

□□□ 96③, 01③, 06④, 10②, 14②, 16④, 19③ 【3점】

06 그림과 같은 중력식 옹벽의 전도(overturning)에 대한 안전율을 계산하시오.
(단, 콘크리트의 단위중량은 23kN/m³이고, 옹벽전면에 작용하는 수동토압은 무시한다.)

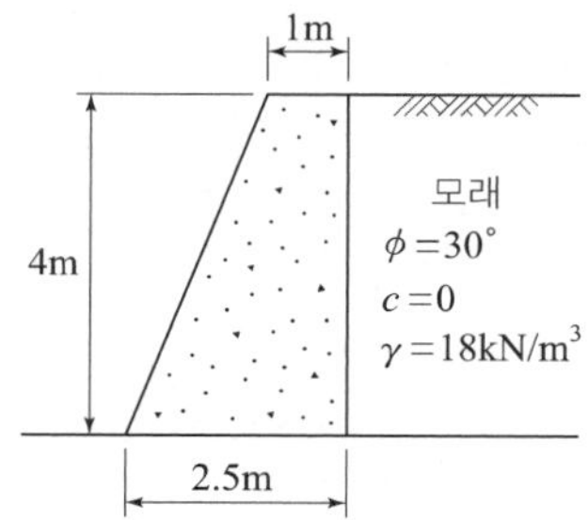

계산 과정)

답 :

해답 $F_s = \dfrac{W\cdot b + P_v\cdot E}{P_A\cdot y} = \dfrac{W\cdot b + 0}{P_A\cdot y}$ (∵ 수동토압 P_v는 무시)

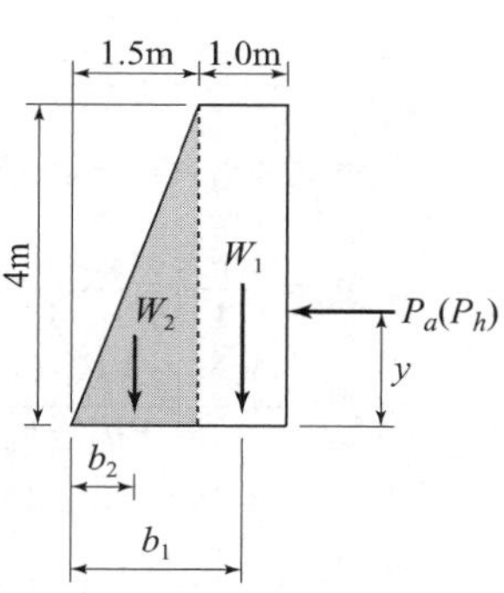

- $P_A = \dfrac{1}{2}\gamma H^2 \tan^2\left(45° - \dfrac{\phi}{2}\right) = \dfrac{1}{2}\times 18\times 4^2 \tan^2\left(45° - \dfrac{30°}{2}\right) = 48\text{kN/m}$
- $W = W_1 + W_2$
- $W_1 = 1\times 4\times 23 = 92\text{kN/m}$
- $W_2 = \dfrac{1}{2}\times(2.5-1)\times 4\times 23 = 69\text{kN/m}$
- $W\cdot b = W_1 b_1 + W_2 b_2 = 92\times(1.5+0.5) + 69\times\left(1.5\times\dfrac{2}{3}\right) = 253\text{kN}$
- $y = 4\times\dfrac{1}{3} = \dfrac{4}{3}\text{m}$

$\therefore\ F_s = \dfrac{253}{48\times\dfrac{4}{3}} = 3.95$

□□□ 92②, 03①, 12④, 13④, 19③ 【4점】

07 폭이 10cm, 두께 0.3cm인 Paper drain(Card Board)을 이용하여 점토지반에 0.60m간격으로 정사각형 배치로 설치하였다면, Sand drain이론의 등가환산원(등가원)의 직경(d_w)과 영향원의 직경(d_e)를 각각 구하시오.

가. 등가환산원의 직경(d_w)

계산 과정)

답 :

나. 영향원의 직경(d_e)

계산 과정)

답 :

해답 가. $d_w = \alpha\dfrac{2(A+B)}{\pi} = 0.75\times\dfrac{2(10+0.3)}{\pi} = 4.92\text{cm}$

나. $d_e = 1.13d = 1.13\times 0.60 = 0.678\text{m} = 67.8\text{cm}$

□□□ 93③, 94②, 97④, 99①, 00②, 01③, 03④, 07④, 10①②, 12④, 13①, 19③, 21①, 23① 【3점】

08 그림과 같이 표준관입값이 다른 3종의 모래지층으로 되어 있는 기초지반에 지름 30cm, 길이 12m의 콘크리트말뚝을 박았을 때 말뚝의 허용지지력을 안전율 3으로 하여 Meyerhof의 공식으로 구하시오.

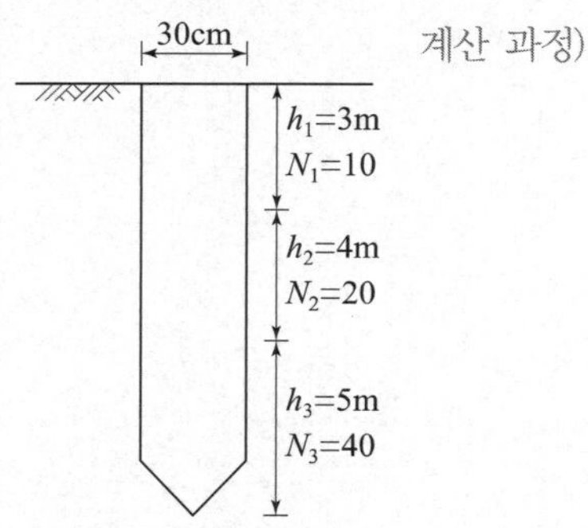

계산 과정)

답 :

해답 극한지지력 $Q_u = 40 \cdot N_3 \cdot A_p + \frac{1}{5}\overline{N} \cdot A_f$

- $A_p = \frac{\pi d^2}{4} = \frac{\pi \times 0.3^2}{4} = 0.071\,\text{m}^2$
- $N = \frac{N_1 h_1 + N_2 h_2 + N_3 h_3}{h_1 + h_2 + h_3} = \frac{10 \times 3 + 20 \times 4 + 40 \times 5}{3+4+5} = 25.833$
- $A_f = \pi d l = \pi \times 0.3 \times 12 = 11.310\,\text{m}^2$

$\therefore\ Q_u = 40 \times 40 \times 0.071 + \frac{1}{5}(25.833 \times 11.310) = 172.034\text{t}$

$\therefore$ 허용지지력 $Q_a = \frac{Q_u}{3} = \frac{172.034}{3} = 57.34\text{t}$

※ SI단위로 변경하면 57.34t = 573.4kN, 1t = 9.8kN = 10kN

□□□ 93③, 19③ 【2점】

09 터널 보링기 중에는 암석 굴착공법 중 디스크 커터(disk cutter)라고 부르는 주판알과 같은 커터를 다수 부착한 대원반을 막장면에 눌러 회전하면서 커터의 쐐기력으로 암면을 갈아서 전단파괴 하는 것이 있다. 압축강도가 100 ~ 150MPa 정도까지의 암석에 적합한 이 기계는?

○

해답 로빈스형(robins type) 터널 보링기

□□□ 87②, 19③ 【5점】

10 오른쪽 토적도(mass curve)에서 다음의 빈칸을 채우시오.

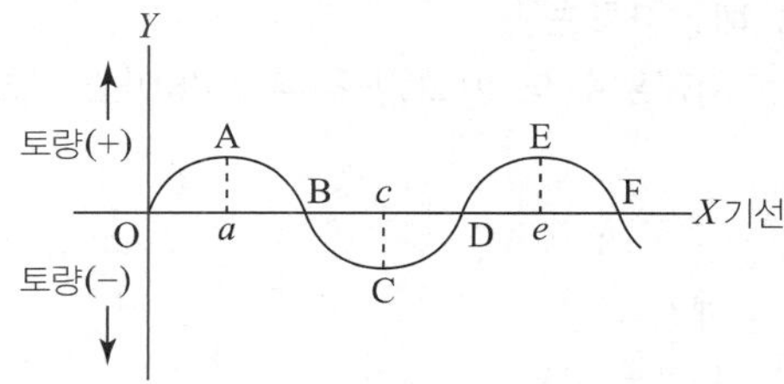

가. 토적곡선의 절토부분은 (　　)이다.
　토적곡선의 성토부분은 (　　)이다.

나. 토적곡선에서 절토·성토의 경계를 표시하는 점은 (　　)이다.

다. 기선 OX상에서 토량의 이동이 없는 부분은(　　)이다.

라. 토적곡선이 기선 OX보다 아래에서 끝날 때는 토량이 (　)하다.

해답 가. OA, CE/AC, EF
나. A, C, E
다. B, D, F
라. 부족

□□□ 95⑤, 97②, 19③, 22② 【6점】

11 $c=20\text{kN/m}^2$, $\phi=15°$, $\gamma_t=17\text{kN/m}^3$**인 지반에** 3.0×3.0m**의 정사각형 기초가 근입깊이** 2m**에 놓여있고 지하수위 영향은 없다. 이 때 이 정사각형 기초의 극한 지지력과 총허용하중을 구하시오.** (단, Terzaghi의 지지력공식을 이용하고 안전율은 3이고, $N_c=6.5$, $N_r=1.1$, $N_q=4.7$)

가. 극한 지지력을 구하시오.

계산 과정)　　　　　　　　　　　　　　　　답 : ____________

나. 기초지반이 받을 수 있는 총허용하중을 구하시오.

계산 과정)　　　　　　　　　　　　　　　　답 : ____________

해답 가. $q_u=\alpha cN_c+\beta\gamma_1 BN_r+\gamma_2 D_f N_q$
• 정사각형의 형상계수 $\alpha=1.3$, $\beta=0.4$
$q_u=1.3\times20\times6.5+0.4\times17\times3\times1.1+17\times2.0\times4.7$
$=351.24\text{kN/m}^2$

나. $q_a=\dfrac{q_u}{F_s}=\dfrac{351.24}{3}=117.08\text{kN/m}^2$
$\therefore\ Q_{all}=q_a\times A=117.08\times3\times3=1{,}053.72\text{kN}$

□□□ 12②, 15④, 17②, 19③ 【3점】

12 **22회의 시험실적으로부터 구한 압축강도의 표준편차가 4.5MPa이었고, 콘크리트의 품질기준강도(f_{cq})가 40MPa일 때 배합강도는?**
(단, 표준편차의 보정계수는 시험횟수가 20회인 경우 1.08이고, 25회인 경우 1.03이다.)

계산 과정) 답 : ______

해답 $f_{cq}=40\text{MPa}>35\text{MPa}$ 일 때

- 22회의 보정계수$=1.08-\dfrac{1.08-1.03}{25-20}\times(22-20)=1.06$(∵ 직선보간)
- 수정 표준편차 $s=4.5\times1.06=4.77\text{MPa}$
- $f_{cr}=f_{cq}+1.34s=40+1.34\times4.77=46.39\text{MPa}$
- $f_{cr}=0.9f_{cq}+2.33s=0.9\times40+2.33\times4.77=47.11\text{MPa}$

∴ 배합강도 $f_{cr}=47.11\text{MPa}$(∵ 두 값 중 큰 값)

□□□ 05①, 09①, 12①, 14④, 15①, 19③ 【10점】

13 **다음 작업 List를 가지고 화살선도를 그리고, 표준일수에 대한 Critical Path를 구하고 총공사비(직접비+간접비)가 가장 적게 들기 위한 최적공기를 구하시오.**
(단, 간접비는 1일당 20만원이 소요됨)

작업명	선행작업	후속작업	표준상태		특급상급	
			작업일수	비용(만원)	작업일수	비용(만원)
A	—	B, C	3	30	2	33
B	A	D	2	40	1	50
C	A	E	7	60	5	80
D	B	F	7	100	5	130
E	C	G, H	7	80	5	90
F	D	G, H	5	50	3	74
G	E, F	I	5	70	5	70
H	E, F	I	1	15	1	15
I	G, H	—	3	20	3	20
				465		562

가. 표준일수에 대한 화살선도를 그리고, Critical Path를 구하시오.

나. 총공사비가 가장 적게 들기 위한 최적공기를 구하시오.

계산 과정) 답 : ______

해답 가. 화살선도

C.P : A→B→D→F→G→I

A→C→E→G→I

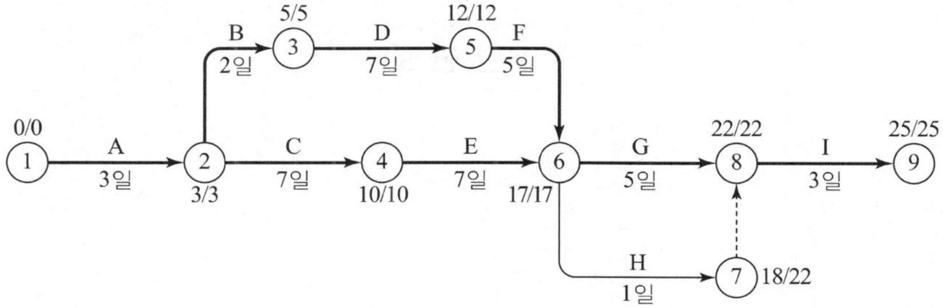

5/5 12/12
B D F
2일 7일 5일
0/0 22/22 25/25
A C E G I
3일 7일 7일 5일 3일
3/3 10/10 17/17
H 18/22
1일

나.

작업명	단축 가능일수	비용구배= $\frac{\text{특급비용}-\text{표준비용}}{\text{표준공기}-\text{특급공기}}$	25	24	23	22	21
A	1	$\frac{33-30}{3-2}=3$만원/일		1			
B	1	$\frac{50-40}{2-1}=10$만원/일			1		
C	2	$\frac{80-60}{7-5}=10$만원/일					1
D	2	$\frac{130-100}{7-5}=15$만원/일					
E	2	$\frac{90-80}{7-5}=5$만원/일			1	1	
F	2	$\frac{74-50}{5-3}=12$만원/일				1	1
G	–	–					
H	–	–					
I	–	–					
직접비(만원)			465	465	468	483	500
추가비용(만원)				3	15	17	22
간접비(25일×20만원 = 500만원)			500	480	460	440	420
총공사비(만원)			965	948	943	940	942

∴ 최적공기 : 22일

□□□ 10②, 19③ 【2점】

14 **콘크리트댐은 높은 수화열 발생으로 인해 온도균열을 유발하여 시공관리가 복잡하다. 이러한 문제점을 개선하기 위해 슬럼프(Slump)가 낮은 빈배합 콘크리트를 덤프트럭으로 운반, 불도저로 포설하고 진동롤러로 다져 콘크리트댐을 축조하는 형식을 무엇이라 하는가?**

○

해답 롤러다짐 콘크리트댐(RCCD : Roller Compacted Concrete Dam)

□□□ 01①, 02②, 04②, 06②, 09①, 10④, 13②, 15②, 19③, 20④, 22② 【18점】

15 주어진 도면 및 조건에 따라 다음 물량을 산출하시오. (단, 주어진 도면의 치수는 축척에 맞지 않을 수 있으며, 주어진 치수로만 물량을 산출하며, 도면의 치수단위는 mm이다.)

단면도

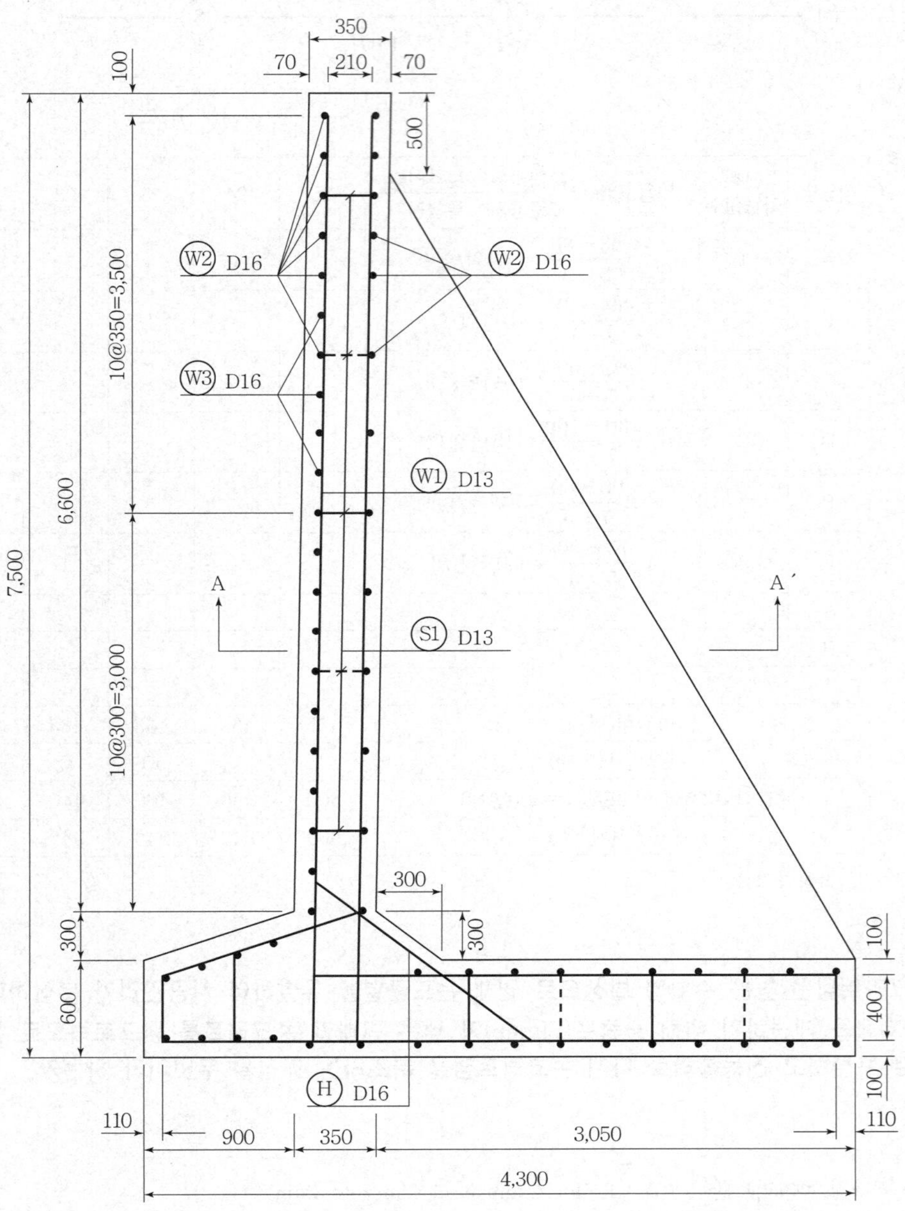

측면도

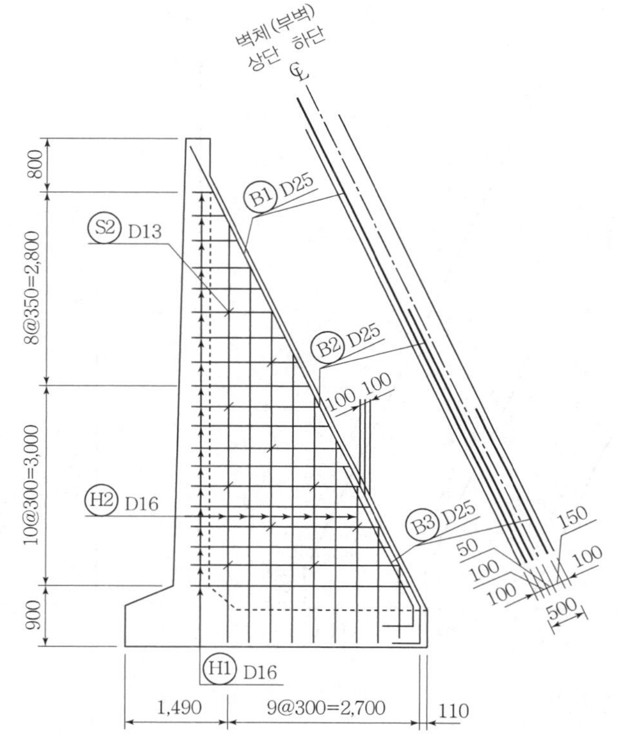

일반도

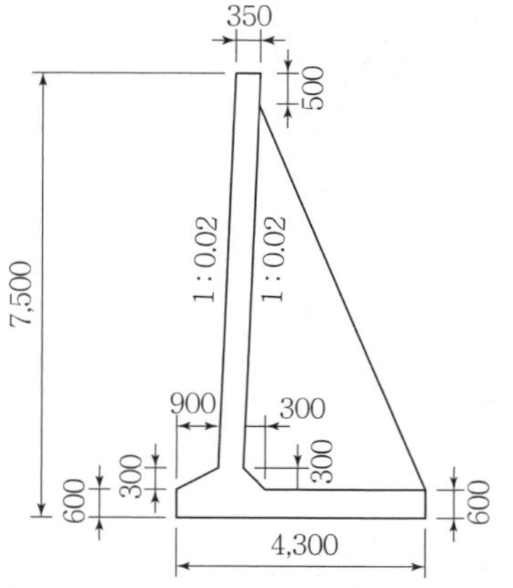

A－A'단면도

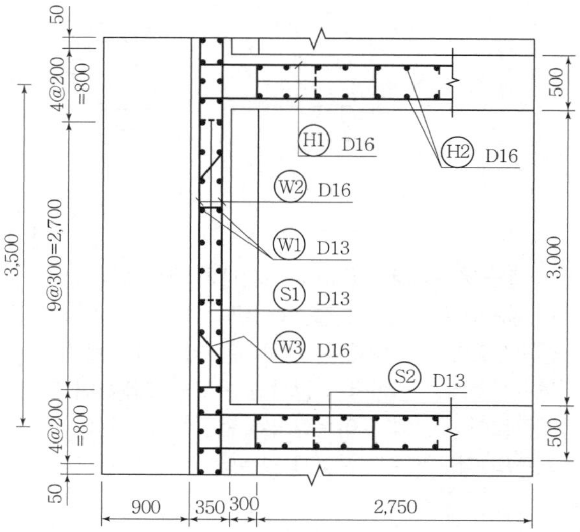

철근상세도

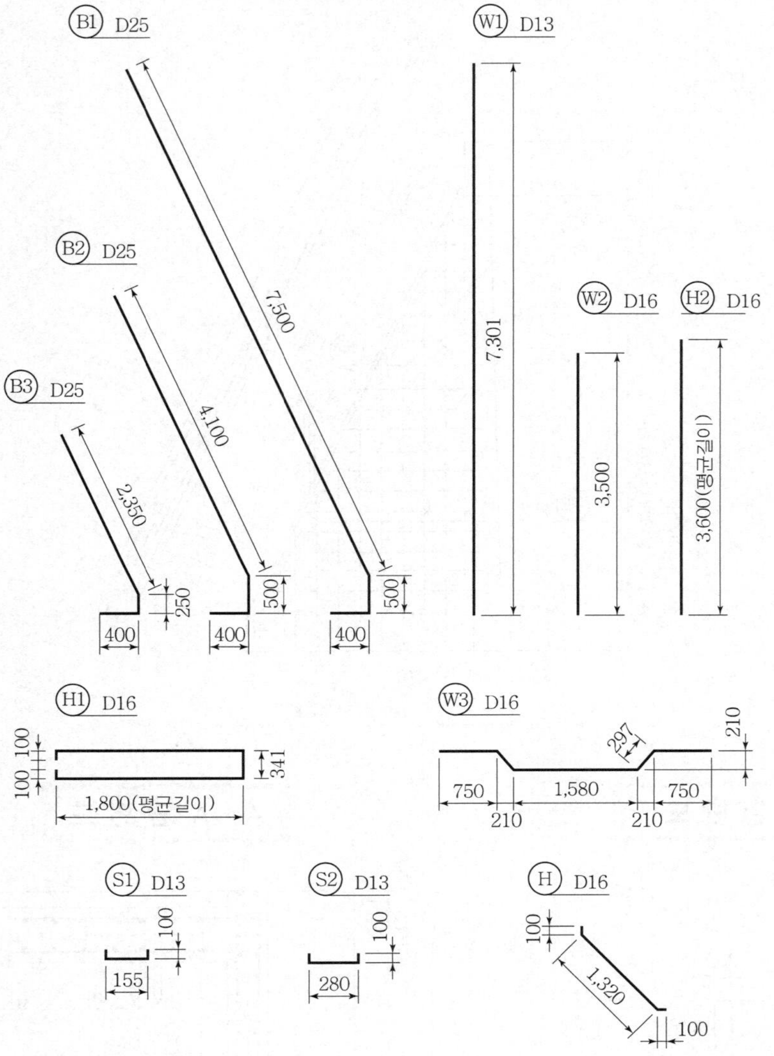

B1 D25: 7,500, 500, 400
B2 D25: 4,100, 500, 400
B3 D25: 2,350, 250, 400
W1 D13: 7,301
W2 D16: 3,500
H2 D16: 3,600(평균길이)
H1 D16: 100, 100, 100, 341, 1,800(평균길이)
W3 D16: 297, 210, 750, 1,580, 750, 210, 210
S1 D13: 100, 155
S2 D13: 100, 280
H D16: 100, 1,320, 100

【조 건】

- S1 철근은 지그재그(Zigzag)로 배치되어 있다.
- H 철근의 간격은 W1 철근과 같다.
- 물량산출에서 할증률 및 마구리는 없는 것으로 한다.
- 물량산출에서 전면벽의 경사를 반드시 고려해야 한다. (일반도 참조)
- 철근길이 계산에서 이음길이는 계산하지 않는다.
- 저판의 철근량은 계산하지 않는다.

가. 부벽을 포함하는 옹벽길이 3.5m에 대한 콘크리트량을 구하시오.
(단, 전면벽의 경사를 고려하여야 하며, 소수점 이하 4째자리에서 반올림하시오.)

계산 과정)　　　　　　　　　　　　　　　　　　　　　　　　　　답 :

나. 부벽을 포함하는 옹벽길이 3.5m에 대한 전체 거푸집량을 구하시오.
(단, 전면벽의 경사를 고려하여야 하며, 소수점 이하 4째자리에서 반올림하시오.)

계산 과정)　　　　　　　　　　　　　　　　　　　　　　　　　　답 :

다. 부벽을 포함하는 옹벽 길이 3.5m에 대한 철근 물량표를 완성하시오.

기호	직경	길이(mm)	수량	총길이(mm)	기호	직경	길이(mm)	수량	총길이(mm)
W1					H1				
W3					B1				
H					S1				

해답 가.

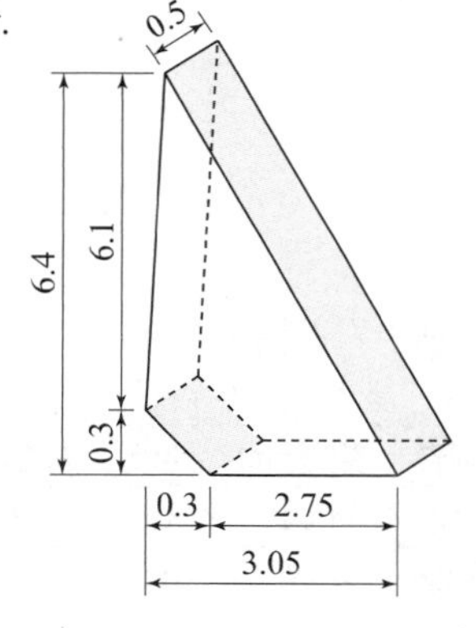

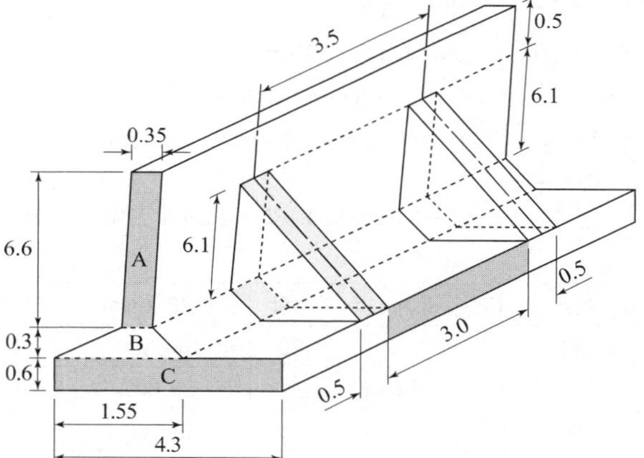

■1개의 부벽에 대한 콘크리트량

$$\left(\frac{3.05+0.122}{2}\times 6.4-\frac{0.122\times 6.1}{2}-\frac{0.3\times 0.3}{2}\right)\times 0.50=4.8667\text{m}^3$$

$(\because\ 6.1\times 0.02=0.122\text{m})$

■옹벽에 대한 콘크리트량

- $A=0.35\times 6.6=2.310\text{m}^2$
- $B=\dfrac{0.35+1.55}{2}\times 0.30=0.285\text{m}^2$
- $C=4.30\times 0.6=2.58\text{m}^2$

$\therefore\ (2.310+0.285+2.58)\times 3.5=18.1125\text{m}^3$

$\therefore$ 총콘크리트량$=4.8667+18.1125=22.979\text{m}^3$

나.

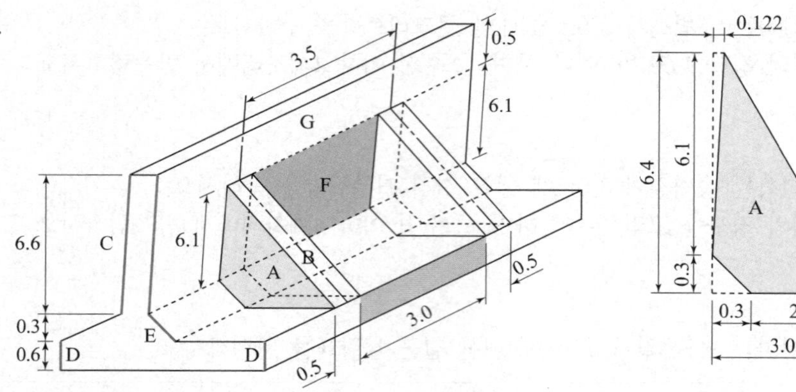

■ 1개의 부벽에 대한 거푸집량

• A면$=\left\{\left(\dfrac{0.122+3.05}{2}\right)\times 6.4-\left(\dfrac{0.3\times 0.3}{2}\right)-\left(\dfrac{6.1\times 0.122}{2}\right)\right\}\times 2=19.467\text{m}^2$

• B면$=\sqrt{6.4^2+(3.05-0.122)^2}\times 0.5=3.519\text{m}^2$

• C면$=\sqrt{6.6^2+(6.6\times 0.02)^2}\times 3.5=23.105\text{m}^2$

• D면$=0.6\times 2\times 3.5=4.2\text{m}^2$

• E면$=\sqrt{0.3^2+0.3^2}\times 3=1.273\text{m}^2$

• F면$=\sqrt{6.1^2+0.122^2}\times 3.0=18.304\text{m}^2$

• G면$=\sqrt{0.5^2+0.01^2}\times 3.5=1.750\text{m}^2(\because\ 0.5\times 0.02=0.01\text{m})$

∴ 총거푸집량

$\sum A=19.467+3.519+23.105+4.2+1.273+18.304+1.750=71.618\text{m}^2$

다.

기호	직경	길이(mm)	수량	총길이(mm)	기호	직경	길이(mm)	수량	총길이(mm)
W1	D13	7,301	26	189,826	H1	D16	4,141	19	78,679
W3	D16	3,674	8	29,392	B1	D25	8,400	2	16,800
H	D16	1,520	13	19,760	S1	D13	355	10	3,550

□□□ 92②, 94③, 00②, 03④, 04④, 07②, 10④, 11①, 14②, 17①, 18③, 19③, 21①, 22③, 23① 【3점】

16 **PS 콘크리트 교량 건설공법 중 동바리를 사용하지 않는 현장타설공법의 종류 3가지를 쓰시오.**

① ______________ ② ______________ ③ ______________

해답 ① FCM(캔틸레버공법)

② MSS(이동식 지보공법)

③ ILM(연속압출공법)

□□□ 03①, 12①②, 19③ 【3점】

17 다음 그림에서 (A)의 흙을 굴착하여 (B), (C)에 성토하고 난 후의 남은 흙의 양은 얼마인가? (단, 점토의 토량변화율 C＝0.92, 모래의 토량변화율 C＝0.9)

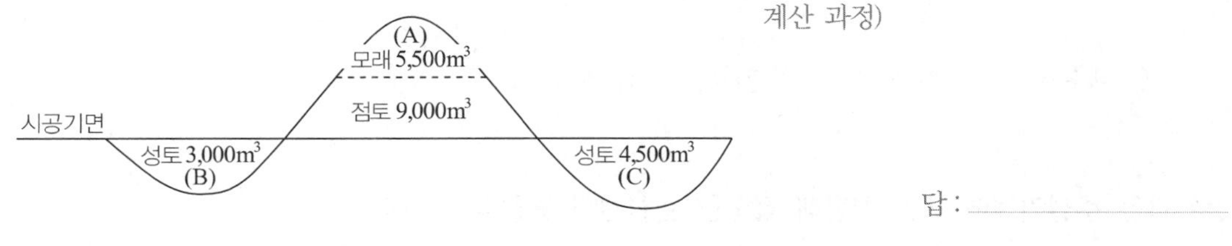

계산 과정)

답 :

해답
- 자연상태의 성토량 $= 3{,}000 + 4{,}500 = 7{,}500\,\text{m}^3$
- 모래의 완성토량 $= 5{,}500 \times 0.9 = 4{,}950\ \text{m}^3$
- 성토부족량 $= 7{,}500 - 4{,}950 = 2{,}550\ \text{m}^3$

$\therefore$ 남은 토량 $= 9{,}000 - 2{,}550 \times \dfrac{1}{0.92} = 6{,}228.26\,\text{m}^3$(본바닥토량을 기준)

□□□ 02①, 13①, 19③ 【2점】

18 급경사 수로를 유하한 고속류의 운동에너지를 감세시켜 하류하천에 안전하게 유하시키기 위한 시설로 댐 하류단의 세굴이나 침식 등 인근 구조물에 피해를 주지 않도록 설치하는 시설물의 명칭을 쓰시오.

계산 과정)

답 :

해답 감세공(Energy Dissipator)

□□□ 02②, 05④, 12①, 15①, 19③, 22③ 【3점】

19 댐 건설을 위해 댐 지점의 하천수류를 전환시키는 댐의 유수전환방식을 3가지 쓰시오.

① ______ ② ______ ③ ______

해답 ① 반하천 체절공 ② 가배수 터널공 ③ 가배수로 개거공

□□□ 96④, 19③ 【3점】

20 댐 콘크리트 배합설계시 물시멘트비를 결정할 때 반드시 고려해야 하는 기본항목을 3가지 쓰시오.

① ______ ② ______ ③ ______

해답 ① 소요강도 ② 내구성 ③ 수밀성

□□□ 85③, 92③, 93③, 95④, 00⑤, 06①②, 07①, 09④, 12②, 15④, 19③, 20④ 【3점】

21 토목시공에서 사용하고 있는 토목섬유의 주요 기능을 4가지만 쓰시오.

① ______ ② ______ ③ ______ ④ ______

해답 ① 배수기능 ② 여과기능 ③ 분리기능 ④ 보강기능

□□□ 15②, 19③ 【4점】

22 다음 준설기계에 대한 설명에 적합한 준설선의 명칭을 쓰시오.

가. 준설과 매립을 동시에 신속하게 시공할 수 있고 해저 토사를 회전형 Cutter로 깎아 펌프로 흡입하여 매립지로 배송(排送)하는 준설선

○

나. 자항식 펌프 준설선에서 선체의 일부에 토창을 설치하여 토운선을 사용하지 않고 제거한 토사를 적재하였다가 사토장까지 항행하여 토사를 버리는 준설선

○

다. 해저의 암반이나 암초를 쇄암추나 쇄암기의 끝에 특수한 강철로 된 날끝을 달아 암석을 파쇄하는 준설선

○

라. 파워 셔블(power shovel)을 대선에 설치해 사암이나 혈암 등의 수중에 적합한 준설선

○

해답 가. 펌프 준설선(pump dredger) 나. 호퍼 준설선(hopper dredger)
다. 쇄암 준설선(rock cutte dredger) 라. 디퍼 준설선(dipper dredger)

□□□ 17①, 19③, 23③ 【3점】

23 흙의 애터버그(Atterberg)한계의 종류 3가지를 쓰시오.

① ______ ② ______ ③ ______

해답 ① 액성한계 ② 소성한계 ③ 수축한계

□□□ 19③ 【4점】

24 다음은 암반층의 무엇을 말하는지 쓰시오.

암반내에 규칙적으로 깨져있는 불연속면으로 현저하게 움직인 면이 없는 것을 (①)이라 하며, 불연속면을 따라 현하게 움직인 불연속면을 (②)이라 한다.

해답 절리(節理, joint), 단층(斷層, fault)

국가기술자격 실기시험문제

2020년도 기사 제1회 필답형 실기시험(기사)

종 목	시험시간	형 별	성 명	수험번호
토목기사	**3시간**	B		

※ 수험자 인적사항 및 계산식을 포함한 답안 작성은 검은색 필기구만 사용하여야 하며, 그 외 연필류, 빨간색, 청색 등 필기구로 작성한 답안은 0점 처리됩니다.

□□□ 00④, 04④, 13④, 20① 【4점】

01 지반조사 시추현장에서 다음과 같은 크기의 암석시료를 코어채취기로부터 채취하였다. 회수율과 암질지수(RQD)의 값을 구하시오. (단, 굴착된 암석의 코어배럴 진행길이는 2.0m이다.)

코어 번호	1	2	3	4	5	6	7	8	9
코어 크기(cm)	10.5	16.5	6.0	8.5	3.9	18.0	20.5	3.0	5.5
개 수	1	2	1	1	1	1	2	1	2

가. 회수율을 구하시오.

계산 과정) 답 : ______

나. 암질지수(RQD)를 구하시오.

계산 과정) 답 : ______

해답 가. $\text{회수율} = \dfrac{\text{회수된 코어의 길이}}{\text{굴착된 암석의 이론적 길이}} \times 100$

$$= \frac{10.5 + 16.5 \times 2 + 6.0 + 8.5 + 3.9 + 18.0 + 20.5 \times 2 + 3.0 + 5.5 \times 2}{200} \times 100$$

$$= 67.45\%$$

나. $\text{RQD} = \dfrac{\Sigma 10\text{cm 길이 이상 회수된 코어길이}}{\text{굴착된 암석의 이론적 길이}} \times 100$

$$= \frac{10.5 + 16.5 \times 2 + 18 + 20.5 \times 2}{200} \times 100 = 51.25\%$$

□□□ 85③, 92③, 93③, 95④, 00⑤, 06①②, 07①, 09④, 12②, 19③, 20① 【4점】

02 토목시공에서 사용하고 있는 토목섬유의 주요 기능을 4가지만 쓰시오.

① ______ ② ______ ③ ______ ④ ______

해답 ① 배수기능 ② 여과기능 ③ 분리기능 ④ 보강기능

□□□ 05④, 08②, 11④, 15④, 20①, 22③ 【6점】

03 다음 그림과 같은 유선망에서 단위폭(1m)당 1일 침투유량을 구하고, 점 A에서 간극수압을 계산하시오. (단, 수평방향 투수계수 $k_h = 5.0 \times 10^{-4}$cm/sec, 수직방향 투수계수 $k_v = 8.0 \times 10^{-5}$cm/sec)

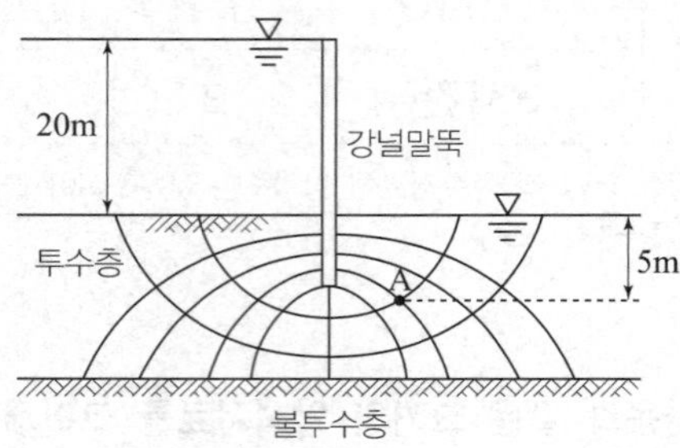

가. 단위폭(1m)당 1일 침투수량을 구하시오.

계산 과정) 답 : ______

나. A점의 간극수압을 구하시오.

계산 과정) 답 : ______

해답 가. $Q = kH\dfrac{N_f}{N_d}$

- $k = \sqrt{k_h \cdot k_v} = \sqrt{(5.0 \times 10^{-4}) \times (8.0 \times 10^{-5})}$
  $= 2 \times 10^{-4}\text{cm/sec} = 2 \times 10^{-6}\text{m/sec}$

$\therefore\ Q = 2.0 \times 10^{-6} \times 20 \times \dfrac{3}{10} \times 1 = 12 \times 10^{-6}\ \text{m}^3/\text{sec}$

$= 12 \times 10^{-6} \times 60 \times 60 \times 24 = 1.04\text{m}^3/\text{day}$

나. • 전수두 $h_t = \dfrac{N_d'}{N_d}h = \dfrac{3}{10} \times 20 = 6\text{m}$

- 위치수두 $h_e = -5\text{m}$
- 압력수두 $h_p = h_t - h_e = 6 - (-5) = 11\text{m}$

$\therefore$ 간극수압 $u_p = \gamma_w h_p = 9.81 \times 11 = 107.91\text{kN/m}^2$

□□□ 04④, 06②, 10①, 14④, 20① 【4점】

04 장대교량에 사용되는 사장교는 주부재인 케이블의 교축방향 배치방식에 따라 크게 4가지로 분류되는데 이를 쓰시오.

① ______ ② ______ ③ ______ ④ ______

해답 ① 부채형(fan type) ② 하프형(harp type) ③ 스타형(star type) ④ 방사형(radiating type)

□□□ 92①, 20① 【5점】

05 토량의 변화율이 다음과 같을 경우, 답란에 빈칸을 채우시오.

$$L = \frac{\text{흐트러진 토량}}{\text{자연상태의 토량}}, \quad C = \frac{\text{다진 후의 토량}}{\text{자연상태의 토량}}$$

기준이 되는 토량(q) \ 구하는 토량(Q)	자연상태의 토량	흐트러진 토량	다진 후의 토량
자연상태의 토량			
흐트러진 토량			

해답

기준이 되는 토량(q) \ 구하는 토량(Q)	자연상태의 토량	흐트러진 토량	다진 후의 토량
자연상태의 토량	1	L	C
흐트러진 토량	$\frac{1}{L}$	$\frac{L}{L}=1$	$\frac{C}{L}$

□□□ 89②, 98③, 07①, 11②, 17②, 20①, 23① 【3점】

06 그림과 같은 방파제의 활동에 대한 안전율을 계산하시오.

(단, 파고(H)=3.0m, 케이슨 단위중량(w)=20kN/m^3, 해수 단위중량(w')=10kN/m^3, 마찰계수(f)=0.6, 파압공식(P)=1.5$w'H$(kN/m^2))

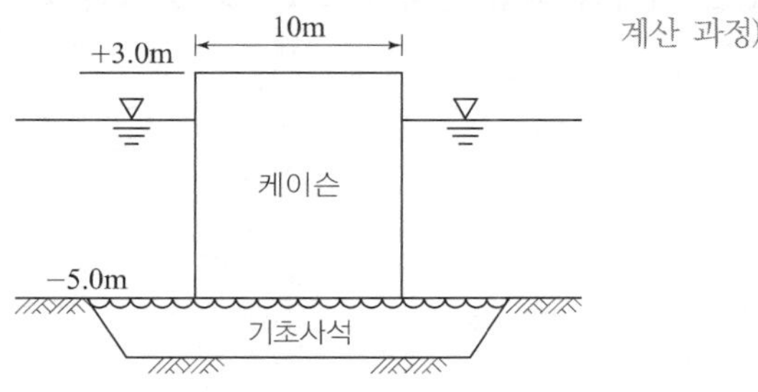

계산 과정)

답 : ______________

해답 안전율 $F_s = \frac{f \cdot W}{P_h}$

- 파압 $P = 1.5w'H = 1.5 \times 10 \times 3.0 = 45\text{kN/m}^2$
- 수평력 P_h =파압×케이슨 높이$= 45 \times (5+3) = 360\text{kN/m}$
- 연직력 W=케이슨의 자중−케이슨의 부력
  $= (3+5) \times 10 \times 20 - (3+5) \times 10 \times 10 = 800\text{kN/m}$

∴ 안전율 $F_s = \frac{f \cdot W}{P_h} = \frac{0.6 \times 800}{360} = 1.33$

□□□ 92①, 97②, 06①, 20① 【3점】

07 모래지반상에 그림과 같이 작은 Dam을 축조할 때 Piping 작용을 막기 위한 시판(矢板)의 최소깊이 D를 구하시오. (단, Creep는 12임.)

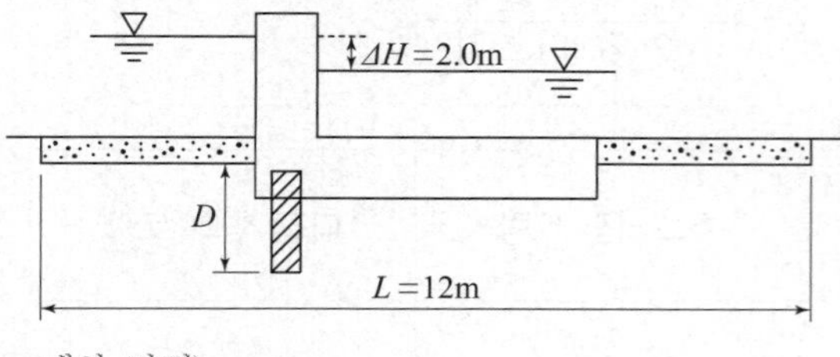

계산 과정)　　　　　　　　　　　　　　　　　　답 :

해답 크리프비 $C=\dfrac{2D+\dfrac{L}{3}}{\Delta H}$

- 가중 크리프 거리 $L_W=2D+\dfrac{L}{3}$
- 유효 수두 $\Delta H=2.0\text{m}$
- 크리프비 $12=\dfrac{2D+\dfrac{12}{3}}{2}$　　　$\therefore\ D=10\text{m}$

참고 SOLVE 사용

□□□ 88③, 92③, 12④, 20① 【5점】

08 벤토나이트 안정액을 사용하여 벽면을 보호하면서 지반을 굴착하고 공내에 철근 콘크리트 벽을 구축하여 토압과 수압에 모두 견딜 수 있는 흙막이 벽의 명칭을 쓰고, 이 흙막이 벽의 장점을 3가지만 쓰시오.

가. 이 흙막이벽의 명칭을 쓰시오.

○

나. 이 흙막이벽의 장점 3가지를 쓰시오.

①　　　　　　②　　　　　　③

해답 가. 지하연속벽(Slurry wall)

나. ① 암반을 포함한 대부분의 지반에서 시공 가능하다.
② 벽체의 강성이 높고, 지수성이 좋다.
③ 영구구조물로 이용된다.
④ 소음 진동이 적어 도심지 공사에 적합하다.
⑤ 토지경계선까지 시공이 가능하다.
⑥ 최대 100m 이상 깊이 까지 시공 가능하다.

□□□ 89①, 94④, 05①, 09②, 12④, 17①, 20① 【3점】

09 아래 그림과 같이 연약토층 위에 있는 사면의 복합활동 파괴면에 대한 안전율을 구하시오.

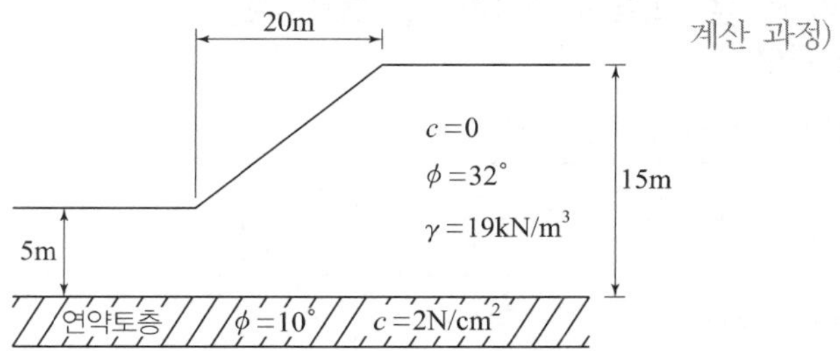

계산 과정)

답 :

해답 안전율 $F_s = \dfrac{c \cdot L + W\tan\phi + P_p}{P_a}$

- $P_a = \dfrac{\gamma H^2}{2}\tan^2\left(45° - \dfrac{\phi}{2}\right) = \dfrac{19 \times 15^2}{2}\tan^2\left(45° - \dfrac{32°}{2}\right) = 656.77\text{kN/m}$
- $P_p = \dfrac{\gamma H^2}{2}\tan^2\left(45° + \dfrac{\phi}{2}\right) = \dfrac{19 \times 5^2}{2}\tan^2\left(45° + \dfrac{32°}{2}\right) = 772.96\text{kN/m}$
- $c = 2\text{N/cm}^2 = 20\text{kN/m}^2$
- $c \cdot L = 20 \times 20 = 400\text{kN/m}^2$
- $W\tan\phi = \dfrac{15+5}{2} \times 20 \times 19\tan 10° = 670.04\text{kN/m}$

$\therefore\ F_s = \dfrac{400 + 670.04 + 772.96}{656.77} = 2.81$

□□□ 87②, 03②, 20① 【5점】

10 모래지반에서 지하수위 이하를 굴착할 때 흙막이공의 기초깊이에 비해서 배면의 수위가 너무 높으면 굴착저면의 모래 입자가 지하수와 더불어 분출하여 굴착저면이 마치 물이 끓는 상태와 같이 되는 현상을 무엇이라 하며, 이 현상의 방지대책 3가지를 쓰시오.

가. 이 현상을 무엇이라 하는가?

○

나. 이 현상의 방지대책 3가지를 쓰시오.

① ② ③

해답 가. 보일링(boiling)현상

나. ① 지하수위를 저하시킨다.
② 흙막이의 근입깊이를 깊게 한다.
③ 차수성 높은 흙막이를 설치한다.
④ 굴착 저면을 고결시킨다.

□□□ 06④, 09④, 10④, 12②④, 20①, 23③ 【6점】

11 배합강도 결정을 위한 콘크리트의 압축강도 측정결과가 다음과 같을 때 배합설계에 적용할 표준편차를 구하고 호칭강도가 45MPa일 때 콘크리트의 배합강도를 구하시오.
(단, 소수점 이하 셋째자리에서 반올림하시오.)

【압축강도 측정결과(MPa)】

48.5	40	45	50	48	42.5	54	51.5
52	40	42.5	47.5	46.5	50.5	46.5	47

가. 배합강도 결정에 적용할 표준편차를 구하시오.
(단, 시험횟수가 15회일 때 표준편차의 보정계수는 1.16이고, 20회일 때는 1.08이다.)

계산 과정) 답 : ______

나. 배합강도를 구하시오.

계산 과정) 답 : ______

해답 가. • 평균값 $\overline{x} = \dfrac{\Sigma X_i}{n} = \dfrac{752}{16} = 47\text{MPa}$

• 편차 제곱합 $S = \Sigma(X_i - \overline{x})^2$

$$S = (48.5-47)^2+(40-47)^2+(45-47)^2+(50-47)^2+(48-47)^2+(42.5-47)^2 +(54-47)^2+(51.5-47)^2+(52-47)^2+(40-47)^2+(42.5-47)^2+(47.5-47)^2 +(46.5-47)^2+(50.5-47)^2+(46.5-47)^2+(47-47)^2 = 262$$

• 표준편차 $s = \sqrt{\dfrac{S}{n-1}} = \sqrt{\dfrac{262}{16-1}} = 4.18\text{MPa}$

• 16회의 보정계수 $= 1.16 - \dfrac{1.16-1.08}{20-15} \times (16-15) = 1.144$

$\therefore$ 수정 표준편차 $s = 4.18 \times 1.144 = 4.78\text{MPa}$

나. $f_{cn} = 45\text{MPa} > 35\text{MPa}$일 때

$f_{cr} = f_{cn} + 1.34s = 45 + 1.34 \times 4.78 = 51.41\text{MPa}$

$f_{cr} = 0.9f_{cn} + 2.33s = 0.9 \times 45 + 2.33 \times 4.78 = 51.64\text{MPa}$

$\therefore f_{cr} = 51.64\text{MPa}$($\because$ 두 값 중 큰 값)

□□□ 94②, 00②, 05①, 08②, 09②, 14②, 16①, 20① 【3점】

12 Sand drain 공법에서 U_v(연직방향 압밀도)=0.95, U_h(수평향 압밀도)=0.20인 경우, 수직·수평방향을 고려한 압밀도(U)는 얼마인가?

계산 과정) 답 : ______

해답 $U = \{1-(1-U_h)(1-U_v)\} \times 100$
$= \{1-(1-0.20)(1-0.95)\} \times 100 = 96\%$

□□□ 03②, 05④, 08①, 20① 【10점】

13 아래 작업 List를 가지고 화살선도를 그리고 표준일수에 대한 Critical Path를 구하고, 이 작업의 공기를 3일 단축되었을 때 추가되는 최소비용을 구하시오.

작업명	선행작업	후속작업	표준		특급	
			일수	직접비(만원)	일수	간접비(만원)
A	–	C, D	4	21	3	28
B	–	E, F	8	40	6	56
C	A	E, F	6	50	4	60
D	A	H	9	54	7	60
E	B, C	G	4	50	1	110
F	B, C	H	5	15	4	24
G	E	–	3	15	3	15
H	D, F	–	7	60	6	75

가. 표준일수에 대한 화살선도를 그리고, Critical Path를 구하시오.

나. 정상공사기간을 3일 단축시 발생되는 최소추가비용을 구하시오.

계산 과정) 답 :

해답 가.

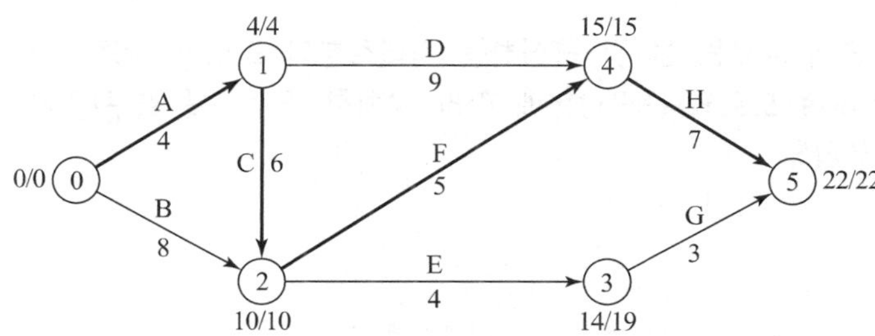

또는

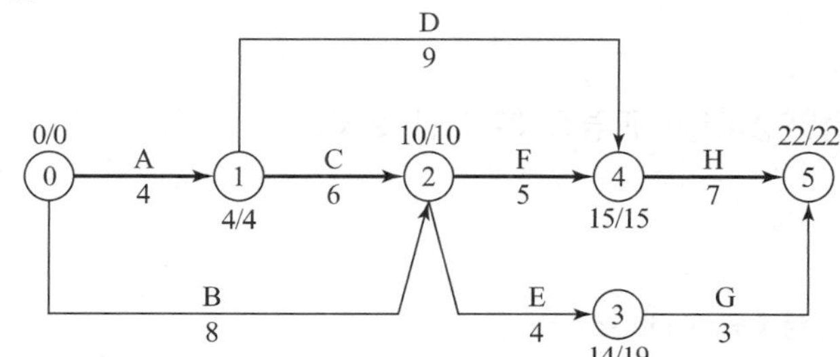

C.P : A→C→F→H

나.

작업명	단축 가능일수	비용구배＝ $\frac{\text{특급비용}-\text{표준비용}}{\text{표준공기}-\text{특급공기}}$	22 (정상)	21 (−1)	20 (−2)	19 (−3)	18 (−4)
A	1	$\frac{28-21}{4-3}=7$					
B	2	$\frac{56-40}{8-6}=8$					
C	2	$\frac{60-50}{6-4}=5$		1	1		
D	2	$\frac{60-54}{9-7}=3$				1	
E	3	$\frac{110-50}{4-1}=20$					
F	1	$\frac{24-15}{5-4}=93$				1	
G	−	−					
H	1	$\frac{75-60}{7-6}=15$					1
추가비용				5	5	12	15
총추가비용				5	10	22	37

∴ 최소추가비용 : 22만원

□□□ 11②, 20①, 23② 【3점】

14 **도로의 배수에서 노면에 흐르는 물 및 근접하는 지대로부터 도로면에 흘러 들어오는 물을 집수하고, 배수하기 위하여 도로의 종단방향에 따라 설치한 배수구를 측구(側溝)라 한다. 측구의 형식을 3가지만 쓰시오.**

① ________ ② ________ ③ ________

해답 ① L형 측구 ② U형 측구 ③ V형 측구 ④ 산마루형 측구

□□□ 92①②, 99④, 03①, 12②, 20① 【3점】

15 **널말뚝에 사용되는 일반적인 Anchor 종류를 3가지만 쓰시오.**

① ________ ② ________ ③ ________

해답 ① 앵커판(anchor plate)과 앵커보(deadman)
② 타이백(tie back)
③ 수직앵커말뚝
④ 경사말뚝으로 지지되는 앵커보

□□□ 11④, 20① 【3점】

16 터널굴착 시 여굴(over break)량을 감소시키는 방안을 3가지만 쓰시오.

① ______ ② ______ ③ ______

해답 ① 천공의 위치, 각도를 정확하게 해 준다.
② 지발뇌관을 사용
③ 조절폭파공법을 적용
④ 발파 후에 조속한 초기보강을 실시
⑤ 연약지반이 예상되는 경우에는 선진그라우팅을 실시
⑥ 장약길이를 길게 하고 폭발의 지름을 작게 하여 폭발력을 저하시킨다.

□□□ 92②, 02②, 07②, 09④, 13①, 20① 【4점】

17 부마찰력이란 하향의 마찰력에 의해 말뚝을 아래쪽으로 끌어 내리는 힘을 말한다. 이 같은 부마찰력의 발생원인을 4가지만 쓰시오.

① ______ ② ______

③ ______ ④ ______

해답 ① 말뚝의 타입지반이 압밀진행 중인 경우 ② 상재하중이 말뚝과 지표에 작용하는 경우
③ 지하수위의 저하로 체적이 감소하는 경우 ④ 점착력 있는 압축성 지반일 경우

□□□ 84②, 89②, 04①, 06②, 07②, 10②, 14②, 18②, 20① 【3점】

18 PERT기법에 의한 공정관리 방법에서 낙관적인 시간이 7일 정상적인 시간이 9일, 비관적 시간이 23일 때 공정상의 기대시간(Expected time)은 얼마인가?

계산 과정) 답 : ______

해답 $t_e = \dfrac{t_o + 4t_m + t_p}{6} = \dfrac{7 + 4 \times 9 + 23}{6} = 11$일

□□□ 16②, 20①, 21① 【3점】

19 매스콘크리트에서는 구조물에 필요한 기능 및 품질을 손상시키지 않도록 온도균열을 제어하기 위한 적절한 조치를 강구해야 한다. 온도 균열을 억제하기 위한 방법을 3가지만 쓰시오.

① ______ ② ______ ③ ______

해답 ① 냉수나 얼음을 사용하는 방법 ② 냉각한 골재를 사용하는 방법
③ 액체질소를 사용하는 방법

□□□ 12②, 17①, 20① 【8점】

20 **아래 그림과 같은 지반에서 다음 물음에 답하시오.** (단, 물의 단위중량 $\gamma_w = 9.81\text{kN/m}^3$이다)

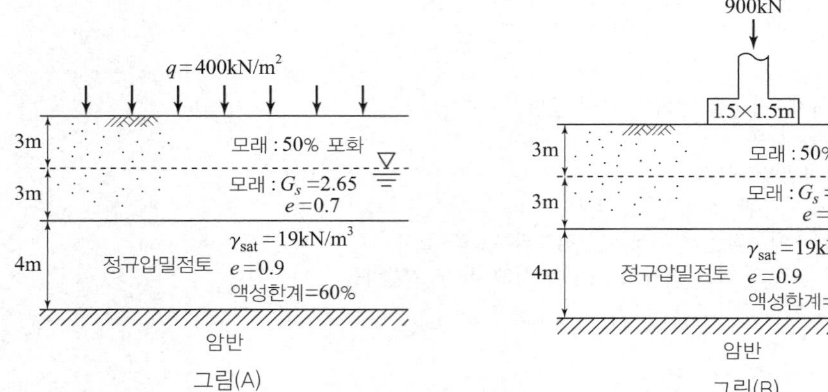

그림(A) 그림(B)

가. 그림(A)와 같이 지표면에 400kN/m^2의 무한히 넓은 등분포하중이 작용하는 경우 압밀침하량을 구하시오.

계산 과정) 답 : ______

나. 그림(B)와 같이 지표면에 설치한 정사각형 기초에 900kN의 하중이 작용하는 경우 압밀침하량을 구하시오. (단, 응력증가량 계산은 2 : 1 분포법을 사용하고, 평균유효응력 증가량 $(\Delta\sigma)$ 은 $(\Delta\sigma_t + 4\Delta\sigma_m + \Delta\sigma_b)/6$ 으로 구한다. 여기서, $\Delta\sigma_t$, $\Delta\sigma_m$, $\Delta\sigma_b$는 점토층의 상단부, 중간층, 하단부의 응력증가량이다.)

계산 과정) 답 : ______

해답 가. 압밀침하량 $\Delta H = \dfrac{C_c H}{1+e}\log\dfrac{P_2}{P_1}$

- $C_c = 0.009(W_L - 10) = 0.009(60-10) = 0.45$
- 모래 $\gamma_t = \dfrac{G_s + \dfrac{S\cdot e}{100}}{1+e}\cdot\gamma_w = \dfrac{2.65 + \dfrac{50\times 0.7}{100}}{1+0.7}\times 9.81 = 17.31\text{kN/m}^3$
- 모래 $\gamma_{\text{sub}} = \dfrac{G_s - 1}{1+e}\gamma_w = \dfrac{2.65-1}{1+0.7}\times 9.81 = 9.52\text{kN/m}^3$
- 정규압밀점토 $\gamma_{\text{sub}} = \gamma_{\text{sat}-}\gamma_w = 19 - 9.81 = 9.19\text{kN/m}^3$
- $P_1 = \gamma_t\cdot h_1 + \gamma_{\text{sub}}\cdot h_2 + \gamma_{\text{sub}}\cdot\dfrac{h_3}{2}$

  $= 17.31\times 3 + 9.52\times 3 + 9.19\times\dfrac{4}{2} = 98.87\text{kN/m}^3$
- $P_2 = P_1 + q = 98.87 + 400 = 498.87\text{kN/m}^3$

  $\therefore\ \Delta H = \dfrac{0.45\times 4}{1+0.9}\log\dfrac{498.87}{98.8} = 0.6659\text{m} = 66.59\text{cm}$

나. 압밀침하량 $\Delta H = \dfrac{C_c H}{1+e}\log\dfrac{P_1+\Delta\sigma}{P_1}$

- $\Delta\sigma_t = \dfrac{Q}{(B+z)^2} = \dfrac{900}{(1.5+6)^2} = 16\,\text{kN/m}^2$
- $\Delta\sigma_m = \dfrac{Q}{(B+z)^2} = \dfrac{900}{(1.5+8)^2} = 9.97\,\text{kN/m}^2$
- $\Delta\sigma_b = \dfrac{Q}{(B+z)^2} = \dfrac{900}{(1.5+10)^2} = 6.81\,\text{kN/m}^2$
- $\Delta\sigma = \dfrac{\Delta\sigma_t + 4\sigma_m + \Delta\sigma_b}{6} = \dfrac{16+4\times 9.97+6.81}{6} = 10.45\,\text{kN/m}^2$

$\therefore\ \Delta H = \dfrac{0.45\times 4}{1+0.9}\log\dfrac{98.87+10.45}{98.87} = 0.0413\,\text{m} = 4.13\,\text{cm}$

□□□ 10②, 11④, 17①, 18③, 20① 【8점】

21 아래 그림과 같은 2연암거의 일반도를 보고 다음 물량을 산출하시오.
(단, 도면 치수의 단위는 mm이다.)

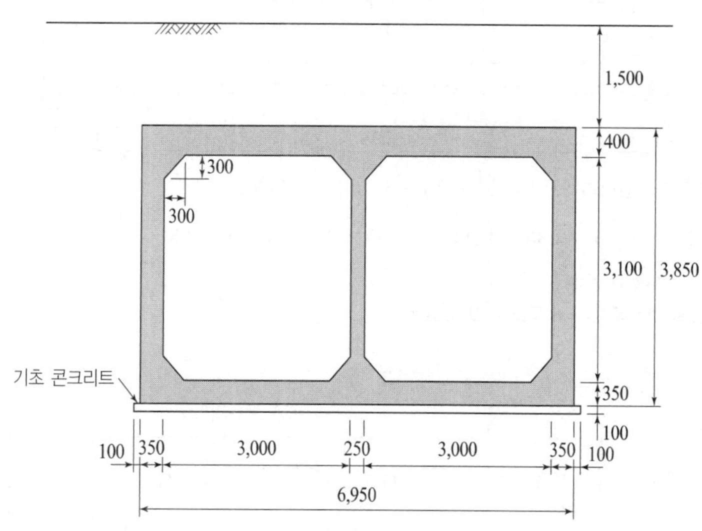

가. 암거길이 1m에 대한 콘크리트량을 산출하시오.
(단, 기초 콘크리트량도 포함하며, 소수점 이하 넷째자리에서 반올림하시오.)

계산 과정)

답 : ____________

나. 암거길이 1m에 대한 거푸집량을 산출하시오.
(단, 양쪽 마구리면은 무시하며, 기초 거푸집량은 포함되며, 소수점 이하 넷째자리에서 반올림하시오.)

계산 과정) 답 : ______

다. 암거길이 1m에 대한 터파기량을 산출하시오.
(단, 지형상태는 일반도와 같으며 터파기는 기초 콘크리트 양끝에서 0.6m 여유폭을 두고 비탈기울기는 1 : 0.5로 하며, 소수점 이하 넷째자리에서 반올림하시오.)

계산 과정) 답 : ______

해답 가.

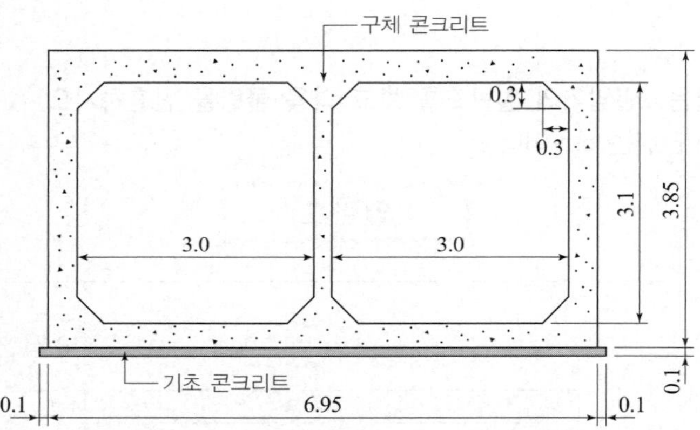

기초콘크리트량 $=(6.95+0.1\times 2)\times 0.1\times 1(\mathrm{m})=0.715\mathrm{m}^3$

암거 콘크리트 $=[6.95\times 3.85-3.100\times 3.000\times 2+\dfrac{1}{2}\times 0.3\times 0.3\times 8]\times 1\mathrm{m}$
$=8.518\mathrm{m}^3$

총 콘크리트량 $=0.715+8.518=9.233\mathrm{m}^3$

나.

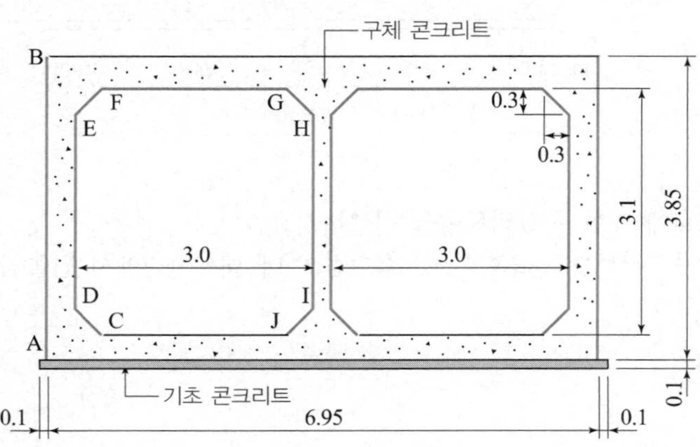

기초 거푸집량 $= 0.100 \times 2 \times 1(\text{m}) = 0.200\text{m}^2$

암거 거푸집량 $= 3.85 \times 2 + (3.100 - 0.300 \times 2) \times 4 + (3.000 - 0.300 \times 2) \times 2 + \sqrt{0.3^2 + 0.3^2} \times 8$
$= 25.894\text{m}$

$\therefore$ 총거푸집량 $= 0.200 + 25.894 = 26.094\text{m}^2$

다.

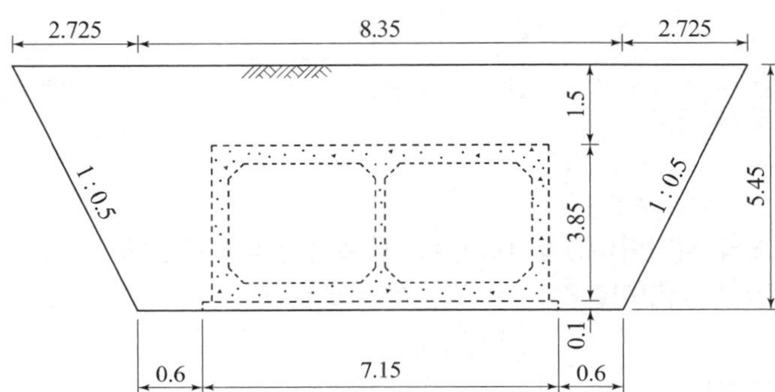

기초 터파기량 밑면 : $0.6 + 0.100 + 6.95 + 0.100 + 0.6 = 8.35\text{m}$

기초 터파기량 위면 : $8.35 + (1.5 + 3.85 + 0.1) \times 0.5 \times 2 = 13.8\text{m}$

암거 터파기량 : $\dfrac{(8.35 + 13.8)}{2} \times (1.5 + 3.85 + 0.1) \times 1(\text{m}) = 60.359\text{m}^3$

□□□ 93③, 94①, 96②, 98①, 99①③, 03①, 04①, 07②, 17①, 18③, 20①, 22①②, 23② 【3점】

22 아스팔트 포장 중 실코트(seal coat)의 중요한 목적 3가지만 쓰시오.

① ______ ② ______ ③ ______

해답 ① 표층의 노화방지 ② 포장 표면의 방수성 ③ 포장 표면의 미끄럼 방지
④ 포장 표면의 내구성 증대 ⑤ 포장면의 수밀성 증대

□□□ 20① 【2점】

23 도로포장에서 노상위에 위치하여 표층에서 전달되는 교통하중을 노상에 고르게 나누어 주는 중간부분으로 배수와 동상방지역할을 하는 포장구조체의 명칭을 쓰시오.

○

해답 보조기층(sub base course)

국가기술자격 실기시험문제

2020년도 기사 제2회 필답형 실기시험(기사)

종 목	시험시간	형 별	성 명	수험번호
토목기사	**3시간**	**B**		

※ 수험자 인적사항 및 계산식을 포함한 답안 작성은 검은색 필기구만 사용하여야 하며, 그 외 연필류, 빨간색, 청색 등 필기구로 작성한 답안은 0점 처리됩니다.

□□□ 91③, 94④, 99⑤, 03③, 08②, 15②, 20② 【3점】

01 그림과 같은 연속기초의 지지력(q_u)을 Terzaghi(테르자기)식으로 구하시오.
(단, 점착력 $c=10\text{kN/m}^2$, 내부마찰각 $\phi=15°$, $N_c=6.5$, $N_r=1.2$, $N_q=2.7$이다.)

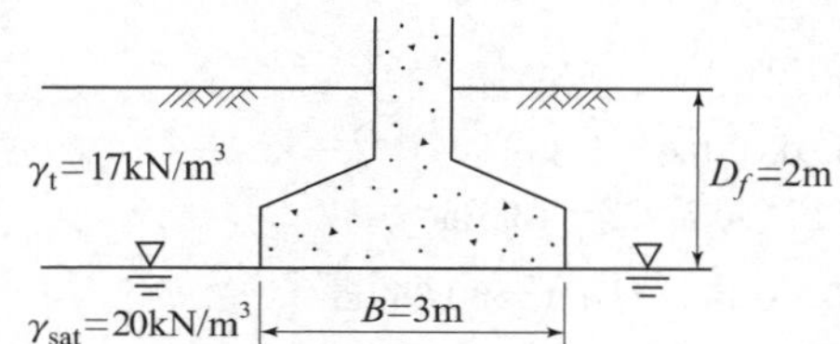

계산 과정)

답 :

해답 $q_u=\alpha cN_c+\beta\gamma_t BN_r+\gamma_2 D_f N_q$

$=1\times10\times6.5+0.5\times(20-9.81)\times3\times1.2+17\times2\times2.7$

$=175.14\text{kN/m}^2$

□□□ 00⑤, 04①, 05②, 11①, 15①, 20②, 23③ 【3점】

02 어느 암반지대에서 RQD의 평균값은 60%, 절리군의 수는 6, 절리 거칠기계수는 2, 절리면의 변질계수는 2, 지하수 보정계수 J_w는 1, 응력저감계수 SRF는 1일 경우 Q값을 계산하시오.

계산 과정)

답 :

해답 $Q=\dfrac{\text{RQD}}{J_n}\cdot\dfrac{J_r}{J_a}\cdot\dfrac{J_w}{\text{SRF}}=\dfrac{60}{6}\times\dfrac{2}{2}\times\dfrac{1}{1}=10$

□□□ 87②, 16①, 20② 【3점】

03 Rock bolt의 역할을 3가지만 쓰시오.

① ② ③

해답 ① 봉합효과 ② 보형성효과 ③ 내압효과
④ 아치형성효과 ⑤ 지반보강효과

□□□ 91③, 97④, 99②, 01④, 08①, 17②, 20② 【6점】

04 그림과 같은 등고선을 가진 지형으로 굴착하여 아래 그림과 같은 도로 성토를 하려고 한다. 다음 물음에 답하시오. (단, $L=1.20$, $C=0.90$, 토량은 각주 공식을 사용하며, 등고선의 높이는 20m 간격이며 A_1의 면적은 1,400m², A_2의 면적은 950m², A_3의 면적은 600m², A_4의 면적은 250m², A_5의 면적은 100m², power shovel의 C_m은 20초, 디퍼계수는 0.95, 작업효율은 0.80, 1일 운전시간은 6시간, 유류 소모량은 4l/hr를 적용한다.)

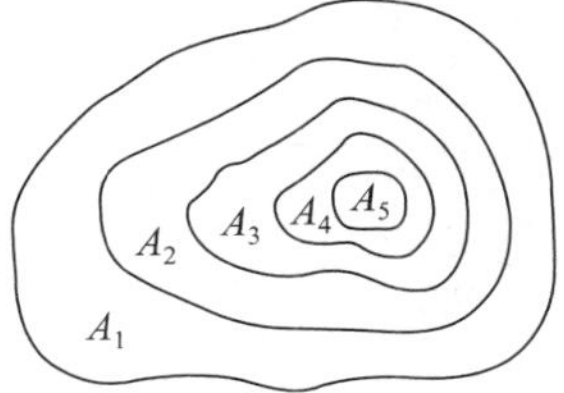

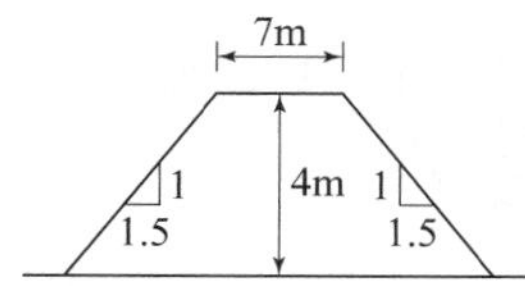

가. 도로 몇 m를 만들 수 있는가?

계산 과정) 답 :

나. 위의 그림과 같은 조건에서 1m³ Power Shovel 5대가 굴착할 때 작업일수는 몇 일인가?

계산 과정) 답 :

다. power shovel의 총유류소모량은 얼마나 되겠는가?

계산 과정) 답 :

해답 가. 토량계산

- $Q_1=\dfrac{h}{3}(A_1+4A_2+A_3)=\dfrac{20}{3}(1{,}400+4\times950+600)=38{,}666.67\text{m}^3$
- $Q_2=\dfrac{h}{3}(A_3+4A_4+A_5)=\dfrac{20}{3}(600+4\times250+100)=11{,}333.33\text{m}^3$

$\therefore\ Q=Q_1+Q_2=38{,}666.67+11{,}333.33=50{,}000\text{m}^3$

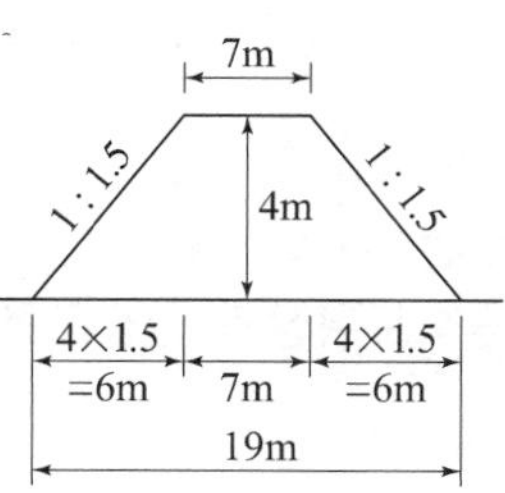

- 도로의 단면적 $A=\dfrac{7+19}{2}\times4=52\text{m}^2$
- 도로의 길이$=\dfrac{\text{원지반 토량}\times C}{\text{도로 단면적}}=\dfrac{50{,}000\times0.90}{52}=865.38\text{m}$

나. • $Q=\dfrac{3{,}600\,qKfE}{C_m}=\dfrac{3{,}600\times1\times0.95\times\dfrac{1}{1.20}\times0.80}{20}=114\text{m}^3/\text{h}$

$\left(\because\ \text{자연상태 : } f=\dfrac{1}{L}=\dfrac{1}{1.20}\right)$

- 1일 작업일량$=114(\text{m}^3/\text{hr})\times6(\text{hr/d})\times5(\text{대})=3{,}420\text{m}^3/\text{d}$

$\therefore$ 작업일수$=\dfrac{50{,}000}{3{,}420}=14.62$ $\therefore$ 15일

다. 총 유류소모량$=4\times6\times14.62\times5=1{,}754.4l$

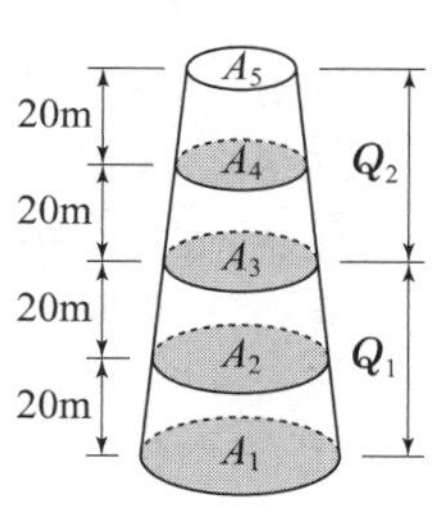

□□□ 94①, 97②, 00⑤, 20② 【4점】

05 그림과 같은 구형 유조탱크를 주유소에 묻고 나머지 흙은 660m^{2}의 마당에 고루 펴고 다지려 한다. 마당은 최소한 얼마나 더 높아지겠는가?

(단, $L=1.2$, $C=0.9$, 1평=3.33m^2, 구의 체적= $\frac{4}{3}\pi r^3$ 이다.)

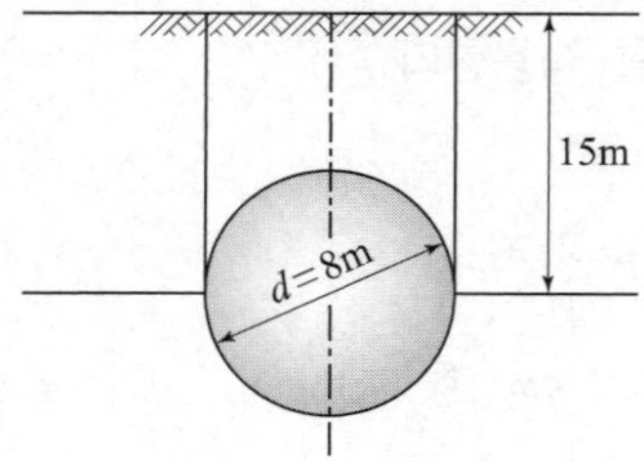

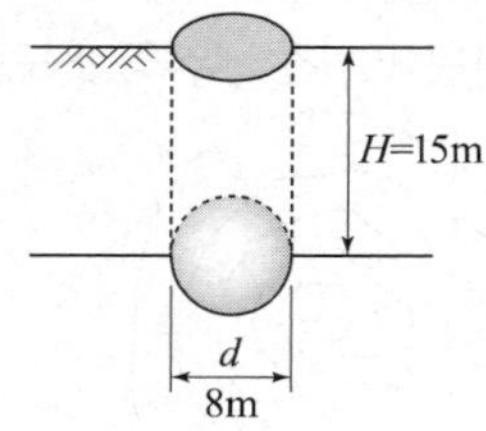

계산 과정)

답 :

해답
- 굴착토량 $= \frac{\pi d^2}{4} \cdot H + \frac{4}{3}\pi r^3 \times \frac{1}{2}$

  $= \frac{\pi 8^2}{4} \times 15 + \frac{4}{3} \times \pi \times 4^3 \times \frac{1}{2} = 888.02\text{m}^3$
- 유조탱크의 체적 $= \frac{4}{3}\pi r^3 = \frac{4}{3} \times \pi \times 4^3 = 268.08\text{m}^3$
- 메워야 할 흙 $= (888.02 - 268.08) \times \frac{1}{0.9} = 688.82\text{m}^3$
- 나머지 흙 $= 888.02 - 688.82 = 199.20\text{m}^3$(자연상태)

  ∴ 높아진 마당의 최소높이 $= \frac{199.20 \times 0.9}{660} = 0.27\text{m}$

□□□ 84②, 85②, 10④, 13④, 20② 【3점】

06 토취장의 선정조건을 3가지만 쓰시오.

① ② ③

해답
① 토질이 양호할 것
② 토량이 충분할 것
③ 싣기가 편리한 지형일 것
④ 성토장소를 향해서 하향구배 $\frac{1}{50} \sim \frac{1}{100}$ 정도를 유지할 것
⑤ 운반도로가 양호하며 장애물이 적고 유지가 용이할 것
⑥ 용수, 붕괴의 우려가 없고 배수에 양호한 지형일 것
⑦ 기계의 사용이 용이할 것

□□□ 98⑤, 14①, 20②, 21③ 【8점】

07 직경 30cm의 평판재하시험을 한 결과 침하량 25mm일 때 극한지지력이 300kPa이고, 침하량이 10mm이었다. 허용침하량이 25mm인 직경 1.2m의 실제 기초의 극한지지력과 침하량을 구하시오. (단, 점토지반과 사질토지반인 경우에 대하여 각각 구하시오.)

가. 점토지반인 경우에 대해서 구하시오.

① 극한지지력 :

② 침하량 :

나. 사질토지반인 경우에 대해서 구하시오.

① 극한지지력 :

② 침하량 :

해답 가. ① 극한지지력 $q_u = 300\,\text{kPa}$(∵ 재하판에 무관)

② 침하량 $S_F = S_P \times \dfrac{B_F}{B_P} = 10 \times \dfrac{1.2}{0.30} = 40\,\text{mm}$(∵ 재하판 폭에 비례)

나. ① 극한지지력 $q_{u(F)} = q_{u(P)} \times \dfrac{B_F}{B_P}$(∵ 재하판 폭에 비례)

$$= 300 \times \frac{1.2}{0.30} = 1{,}200\,\text{kN/m}^2 (\because\ 300\,\text{kPa} = 300\,\text{kN/m}^2)$$

② 침하량 $S_F = S_P \left(\dfrac{2B_F}{B_F + B_P} \right)^2$

$$= 10 \times \left(\frac{2 \times 1.2}{1.2 + 0.3} \right)^2 = 25.6\,\text{mm}$$(∵ 재하판에 무관)

□□□ 18①, 20② 【6점】

08 흙의 다짐에 관한 다음 물음에 답하시오.

가. 흙 다짐의 정의를 간단히 설명하시오.

○

나. 흙 다짐의 기대되는 효과 3가지를 쓰시오.

① ______________ ② ______________ ③ ______________

해답 가. 입자간의 거리를 단축시켜 간극 내부의 공기를 제거하는 것

나. ① 흙의 전단강도 증가

② 침하량 감소

③ 투수성 저하

④ 지반의 지지력 증가

□□□ 93②, 94③, 99②, 04①, 06①, 08②, 10①, 13②, 20② 【3점】

09 **단위시멘트량이 310kg/m³, 단위수량이 160kg/m³, 단위 잔골재량이 690kg/m³, 단위 굵은 골재량이 1,360kg/m³인 콘크리트의 시방배합을 아래 표의 현장 골재상태에 맞게 현장배합으로 환산하여 이때의 단위수량을 구하시오.**

【현장 골재상태】

- 잔골재가 5mm체에 남는 양 : 3.5%
- 잔골재의 표면수 : 4.6%
- 굵은골재가 5mm체를 통과하는 양 : 4.5%
- 굵은골재의 표면수 : 0.7%

계산 과정)

답 : ______

해답 ■ 입도에 의한 조정

- 잔골재량 $X = \dfrac{100S - b(S+G)}{100-(a+b)} = \dfrac{100 \times 690 - 4.5(690+1,360)}{100-(3.5+4.5)} = 649.73\text{kg/m}^3$
- 굵은골재량 $Y = \dfrac{100G - a(S+G)}{100-(a+b)} = \dfrac{100 \times 1,360 - 3.5(690+1,360)}{100-(3.5+4.5)}$ $= 1,400.27\text{kg/m}^3$

■ 표면수에 의한 조정

- 모래의 표면수량 $= 649.73 \times \dfrac{4.6}{100} = 29.89\text{kg/m}^3$
- 굵은골재의 표면수량 $= 1,400.27 \times \dfrac{0.7}{100} = 9.80\text{kg/m}^3$

$\therefore$ 단위수량 $= 160-(29.89+9.80) = 120.31\text{kg/m}^3$

□□□ 98③, 08①④, 10②, 12④, 13①, 14④, 16②, 20② 【3점】

10 **3m의 모래층 위에 10m 두께의 단단한 포화점토가 있고 모래는 피압상태에 있다. A점에서 히빙(heaving)현상이 일어나지 않은 최대깊이 H를 구하시오.**

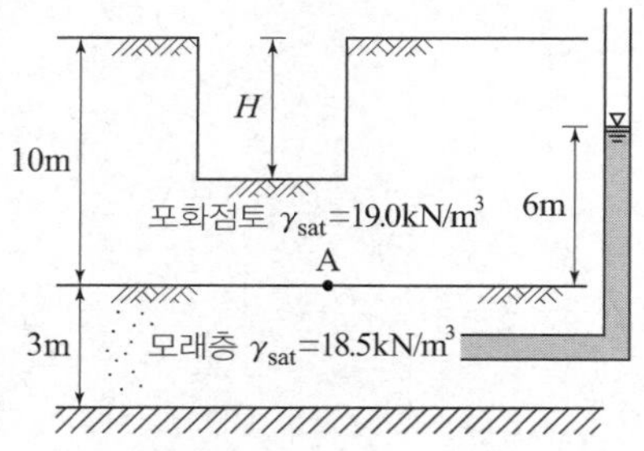

계산 과정)

답 : ______

해답 $H = \dfrac{H_1 \gamma_{sat} - \Delta h \gamma_w}{\gamma_{sat}}$

- $H_1 = 10\text{m}$
- $\Delta h = 6\text{m}$

$\therefore H = \dfrac{10 \times 19.0 - 6 \times 9.81}{19.0} = 6.90\text{m}$

$\overline{\sigma} = 0$일 때 히빙이 일어나지 않음

$\sigma = \gamma_{sat} \times (10 - H)$

$U = \gamma_w \times 6$

$\overline{\sigma} = 19 \times (10 - H) - 9.81 \times 6 = 0$

$\therefore H = 6.90\text{m}$ 참고 SOLVE 사용

□□□ 00②, 11②, 14②, 17①, 20② 【10점】

11 다음 작업리스트에서 네트워크 공정표를 작성하고, 각 작업의 여유시간을 구하시오.

작업명	선행작업	작업일수	비고
A	없음	4	① C.P는 굵은 선으로 표시하시오. ② 각 결합점에는 아래와 같이 표시하시오. △ LFT EFT / EST LST ③ 각 작업은 다음과 같다. (i) —작업명/작업일수→ (j)
B	A	6	
C	A	5	
D	A	4	
E	B	3	
F	B, C, D	7	
G	D	8	
H	E	6	
I	E, F	5	
J	E, F, G	8	
K	H, I, J	6	

가. 공정표를 작성하시오.

나. 여유시간을 구하시오.

작업명	TF	FF	DF
A			
B			
C			
D			
E			
F			
G			
H			
I			
J			
K			

해답 가.

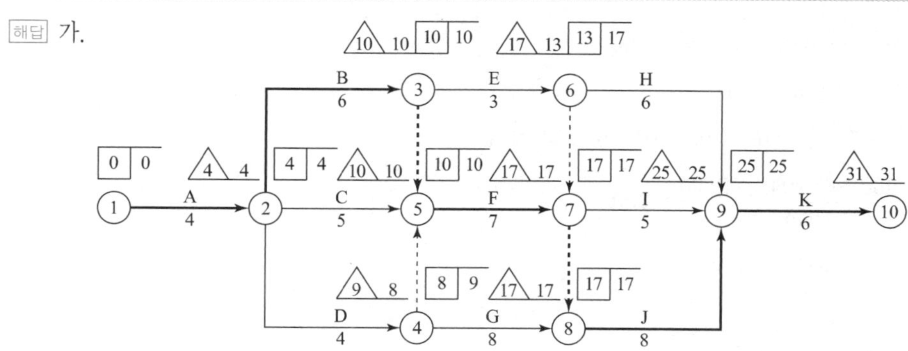

나.

작업명	TF	FF	DF
A	4−0−4=0	4−0−4=0	0−0 = 0
B	10−4−6=0	10−4−6=0	0−0=0
C	10−4−5=1	10−4−5=1	1−1=0
D	9−4−4=1	8−4−4=0	1−0=1
E	17−10−3=4	13−10−3=0	4−0=4
F	17−10−7=0	17−10−7=0	0−0=0
G	17−8−8=1	17−8−8=1	1−1=0
H	25−13−6=6	25−13−6=6	6−6=0
I	25−17−5=3	25−17−5=3	3−3=0
J	25−17−8=0	25−17−8=0	0−0=0
K	31−25−6=0	31−25−6=0	0−0=0

□□□ 89①, 94④, 05①, 09②, 12④, 17①, 20② 【3점】

12 아래 그림과 같이 연약토층 위에 있는 사면의 복합활동파괴면에 대한 안전율을 구하시오.

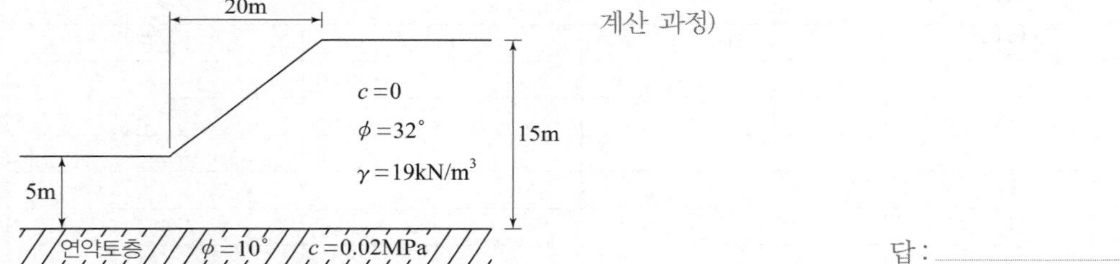

계산 과정)

답 :

해답 안전율 $F_s = \dfrac{c \cdot L + W\tan\phi + P_p}{P_a}$

- $P_a = \dfrac{\gamma H^2}{2}\tan^2\left(45° - \dfrac{\phi}{2}\right) = \dfrac{19 \times 15^2}{2}\tan^2\left(45° - \dfrac{32°}{2}\right) = 656.77\text{kN/m}$
- $P_p = \dfrac{\gamma H^2}{2}\tan^2\left(45° + \dfrac{\phi}{2}\right) = \dfrac{19 \times 5^2}{2}\tan^2\left(45° + \dfrac{32°}{2}\right) = 772.96\text{kN/m}$
- $c = 0.02\text{MPa} = 0.02\text{N/mm}^2 = 20\text{kN/m}^2$
- $c \cdot L = 20 \times 20 = 400\text{kN/m}$
- $W\tan\phi = \dfrac{15+5}{2} \times 20 \times 19\tan 10° = 670.04\text{kN/m}$

$\therefore\ F_s = \dfrac{400 + 670.04 + 772.96}{656.77} = 2.81$

□□□ 10①, 11②, 14①④, 17②, 20② 【8점】

13 주어진 반중력식 교대 도면을 보고 다음 물량을 산출하시오.
(단, 교대 전체길이는 10m이며, 도면의 치수단위는 mm이다.)

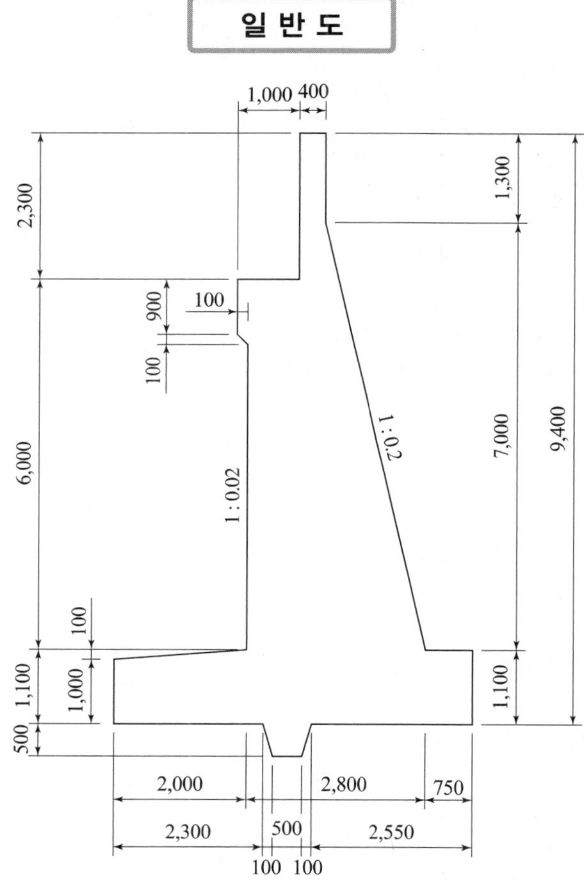

가. 교대의 전체 콘크리트량을 구하시오. (단, 소수 4째자리에서 반올림하시오.)

계산 과정)

답 :

나. 교대의 전체 거푸집량을 구하시오.
(단, 돌출부(전단 Key)에 거푸집을 사용하며, 소수 4째자리에서 반올림하시오.)

계산 과정)

답 :

해답 가.

- $A_1 = 0.4 \times 1.3 = 0.52\text{m}^2$
- $A_2 = \dfrac{0.4 + (0.4 + 7 \times 0.2)}{2} \times 7 = 7.70\text{m}^2$
- $A_3 = 1.0 \times 0.9 = 0.9\text{m}^2$
- $A_4 = \dfrac{1.0 + 0.9}{2} \times 0.1 = 0.095\text{m}^2$
- $A_5 = \dfrac{0.9 + (0.9 + 5 \times 0.02)}{2} \times 5 = 4.75\text{m}^2$
- $A_6 = \dfrac{(5.55 - 2.0) + 5.55}{2} \times 0.1 = 0.455\text{m}^2$
- $A_7 = 5.55 \times 1.0 = 5.550\text{m}^2$
- $A_8 = \dfrac{0.5 + 0.7}{2} \times 0.5 = 0.30\text{m}^2$

$\sum A = 0.52 + 7.70 + 0.9 + 0.095 + 4.75 + 0.455 + 5.55 + 0.30 = 20.270\text{m}^2$

$\therefore$ 총콘크리트량 $= 20.270 \times 10 = 202.700\text{m}^3$

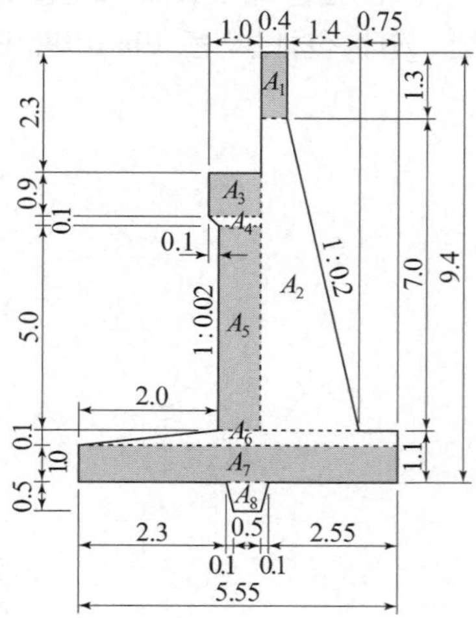

나.

- $A = 2.3\text{m}$
- $B = 0.9\text{m}$
- $C = \sqrt{0.1^2 + 0.1^2} = 0.1414\text{m}$
- $D = \sqrt{(5 \times 0.02)^2 + 5^2} = 5.001\text{m}$
- $E = 1.0\text{m}$
- $F = \sqrt{0.1^2 + 0.5^2} \times 2 = 1.0198\text{m}$
- $G = 1.1\text{m}$
- $H = \sqrt{(7 \times 0.2)^2 + 7^2} = 7.1386\text{m}$
- $I = 1.3\text{m}$
- 총거푸집길이

  $\sum L = 2.3 + 0.9 + 0.1414 + 5.001 + 1.0 + 1.0198 + 1.1 + 7.1386 + 1.3 = 19.9008\text{m}$
- 측면도의 거푸집량 $= 19.9008 \times 10 = 199.008\text{m}^2$
- 양 마구리면의 거푸집량 $= 20.270 \times 2$(양단) $= 40.54\text{m}^2$

$\therefore$ 총거푸집량 $= 199.008 + 40.54 = 239.548\text{m}^2$

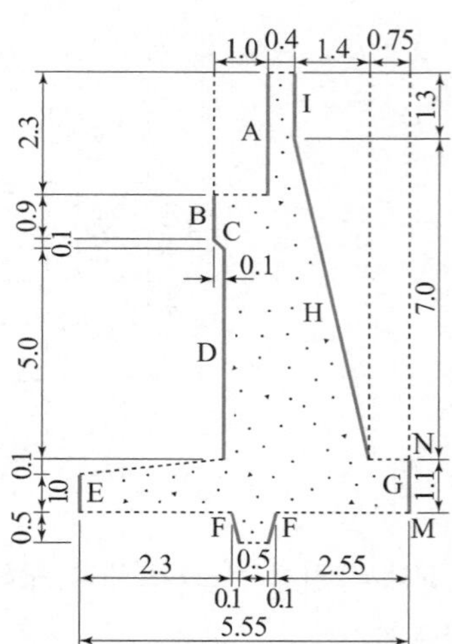

□□□ 10④, 14①, 20② 【3점】

14 **콘크리트의 호칭강도(f_{cn})는 40MPa이고, 27회의 압축강도시험으로부터 구한 표준편차는 5.0MPa이다. 아래 표를 참고하여 이 콘크리트의 배합강도를 구하시오.**

【시험횟수가 29회 이하일 때 표준편차의 보정계수】

시험횟수	표준편차의 보정계수	비고
15	1.16	이 표에 명시되지 않은 시험횟수에 대해서는 직선보간한다.
20	1.08	
25	1.03	
30 또는 그 이상	1.00	

계산 과정)　　　　　　　　　　　　　　　　　　　　　　　　　　답 : ______________

해답 • 시험회수 27회일 때의 표준편차의 보정계수

$$1.03-\frac{1.03-1.00}{30-25}\times(27-25)=1.018$$

• 표준편차 : $s=5\times1.018=5.09\text{MPa}$

• $f_{cn}=40\text{MPa} > 35\text{MPa}$인 경우

$f_{cr}=f_{cn}+1.34s=40+1.34\times5.09=46.82\text{MPa}$

$f_{cr}=0.9f_{cn}+2.33s=0.9\times40+2.33\times5.09=47.86\text{MPa}$

$\therefore f_{cr}=47.86\text{MPa}$(∵ 두 값 중 큰 값)

□□□ 93②, 94②, 02②, 06①, 07②, 20② 【3점】

15 **흙막이공의 흙막이벽 근입깊이 계산 시 가장 중요한 것 3가지만 쓰시오.**

① ______________ ② ______________ ③ ______________

해답 ① 토압에 대한 안정성 검토
② 히빙(heaving)에 대한 안정성 검토
③ 파이핑(piping)에 대한 안정성 검토

□□□ 09①, 11②, 15④, 20② 【3점】

16 **구조물 공사는 지하수가 배제된 상태에서 시공하거나 또는 원지반에 구조물 축조 후 주변을 성토하여 구조물을 완성하게 되면 지하수의 상승 등에 의해 양압력에 의한 피해가 발생한다. 이러한 구조물의 기초바닥에 작용하는 양압력(부력)에 저항하는 방법을 3가지 쓰시오.**

① ______________ ② ______________ ③ ______________

해답 ① 사하중에 의한 방법　② 부력 앵커시스템 방법　③ 영구배수처리방법

□□□ 05④, 15④, 20② 【3점】

17 터널 공사시 적용되는 터널보조공법이 종류를 3가지를 쓰시오.

① ______ ② ______ ③ ______

해답 ① 숏크리트 공법
② 록볼트 공법
③ 주입공법
④ 훠폴링(Fore Poling) 공법
⑤ 파이프 루프(Pipe Roof)공법
⑥ 강관 다단 그라우팅공법
⑦ 지하수위 저하공법
⑧ 동결공법

□□□ 99①, 00④, 04②, 07②④, 09②, 13①, 20②, 23② 【3점】

18 관암거의 직경이 20cm, 유속이 0.8m/sec, 암거길이가 300m일 때 원활한 배수를 위한 암거낙차를 Giesler 공식을 이용하여 구하시오.

계산 과정) 답 : ______

해답 유속 $V=20\sqrt{\dfrac{D\cdot h}{L}}$ 에서 $0.8=20\sqrt{\dfrac{0.20\times h}{300}}$

$\therefore\ h=2.40\text{m}$

참고 SOLVE 사용

□□□ 98②, 03①, 20② 【3점】

19 도심지에서 행해지는 지하굴착공사에서 안전을 목적으로 하는 계측기의 종류를 5가지만 쓰시오.

① ______ ② ______ ③ ______
④ ______ ⑤ ______

해답 ① 간극수압계 ② 토압계 ③ 지표침하계 ④ 건물경사계 ⑤ 변형률계

□□□ 99⑤, 06②, 08④, 17④, 20②, 23③ 【3점】

20 암거의 배열방식을 3가지만 쓰시오.

① ______ ② ______ ③ ______

해답 ① 자연식 ② 빗식 ③ 차단식 ④ 집단식 ⑤ 어골식

□□□ 11①, 20②, 23③ 【3점】

21 계획된 저수량 이상으로 댐에 유입하는 홍수량을 조절하여 댐의 안정을 위해 물을 조속히 배재하기 위한 여수로(Spill Way)의 종류를 3가지를 쓰시오. 자연하천으로 방류하는 중요한 구조물인 여수로의 종류를 4가지만 쓰시오.

① ②

③ ④

해답 ① 슈트식 여수로
② 측수로 여수로
③ 나팔관식 여수로
④ 사이펀 여수로
⑤ 댐마루 월류식 여수로

□□□ 94④, 98④, 12②, 20② 【4점】

22 콘크리트 압축강도를 시험하여 거푸집널의 해체시기를 결정하는 경우 그 기준을 나타내는 아래 표의 빈칸을 채우시오.

부재	콘크리트 압축강도(f_{cu})
기초, 보, 기둥, 벽 등의 측면	①
슬래브 및 보의 밑면, 아치 내면 (단층구조의 경우)	②

해답 ① 5MPa
② 설계기준 압축강도의 $\frac{2}{3}$배 이상(단, 최소 14MPa 이상)

□□□ 14②, 20② 【3점】

23 도로의 배수처리는 본체 및 도로구조의 기능 보존, 침투나 지하수 유입에 중요한 작용을 한다. 다음 배수시설 종류별 대표적인 것을 1가지씩만 쓰시오.

① 표면배수 :
② 지하배수 :
③ 횡단배수 :

해답 ① 측구, 집수정 ② 맹암거, 유공관 ③ 배수관, 암거

□□□ 98④, 01②, 03②, 06②, 13④, 20② 【3점】

24 동상현상이 발생하면 지면이 융기하게 되고 겨울철 토목공사에 많은 문제가 발생할 수 있다. 이러한 동상이 발생하기 쉬운 3가지 중요한 조건을 쓰시오.

① ____________ ② ____________ ③ ____________

해답 ① 동상을 받기 쉬운 흙이 존재할 것 ② 0℃ 이하의 온도가 오래 지속될 것
③ 물의 공급이 충분할 것

□□□ 20② 【3점】

25 흙댐(Earth Dam)의 안정조건 3가지를 쓰시오.

① ____________ ② ____________ ③ ____________

해답 ① 제체에 활동하지 않을 것
② 비탈면이 안정되어 있을 것
③ 기초지반이 압축에 대해서 안전할 것
④ 제체 및 기초지반이 투수에 안전할 것
⑤ 안정적 여유고를 확보하여 저수가 댐 마루를 월류하지 않을 것

국가기술자격 실기시험문제

2020년도 기사 제3회 필답형 실기시험(기사)

종　목	시험시간	형 별	성 명	수험번호
토목기사	**3시간**	**B**		

※ 수험자 인적사항 및 계산식을 포함한 답안 작성은 검은색 필기구만 사용하여야 하며, 그 외 연필류, 빨간색, 청색 등 필기구로 작성한 답안은 0점 처리됩니다.

□□□ 11④, 20③ 【3점】

01 콘크리트의 호칭강도가 24MPa이고, 이 현장에서 압축강도시험의 기록이 없는 경우 배합강도를 구하시오.

계산 과정)　　　　　　　　　　　　　　　　　　　　답 : ____________

해답 배합강도 $f_{cr} = f_{cn} + 8.5 = 24 + 8.5 = 32.5\,\text{MPa}$

□□□ 00①, 01②, 03④, 04②, 06④, 09②, 11①, 12④, 16④, 20③ 【3점】

02 굵은골재 최대치수 25mm, 단위수량 157kg, 물-시멘트비 50%, 슬럼프 80mm, 잔골재율 40%, 잔골재 표건밀도 2.60g/cm^3, 굵은골재 표건밀도 2.65g/cm^3, 시멘트 밀도 3.14g/cm^3, 공기량 4.5%일 때 콘크리트 1m^{3}에 소요되는 굵은골재량을 구하시오.

계산 과정)　　　　　　　　　　　　　　　　　　　　답 : ____________

해답 • $\dfrac{W}{C} = 50\%$에서

$\therefore$ 단위시멘트량 $C = \dfrac{157}{0.50} = 314\,\text{kg}$

• 단위골재의 절대체적

$$V_a = 1 - \left(\frac{\text{단위수량}}{1{,}000} + \frac{\text{단위시멘트량}}{\text{시멘트 밀도} \times 1{,}000} + \frac{\text{공기량}}{100}\right)$$

$$= 1 - \left(\frac{157}{1{,}000} + \frac{314}{3.14 \times 1{,}000} + \frac{4.5}{100}\right) = 0.698\,\text{m}^3$$

• 단위 굵은골재의 절대부피 = 단위골재의 절대체적 $\times \left(1 - \dfrac{S}{a}\right)$

$$= 0.698 \times (1 - 0.40) = 0.4188\,\text{m}^3$$

$\therefore$ 굵은 골재량 G = 단위 굵은골재의 절대부피 × 굵은골재 밀도 × 1,000

$$= 0.4188 \times 2.65 \times 1{,}000 = 1{,}109.82\,\text{kg/m}^3$$

□□□ 03①, 12①②, 20③ 【3점】

03 **다음 그림에서 (A)의 흙(모래 및 점토)을 굴착하여 (B), (C)에 성토하고 난 후의 남은 흙의 양은 얼마인가?** (단, 토량변화율은 모래에서 $C=0.8$, 점토에서 $C=0.9$이고, 모래 굴착 후 점토를 굴착한다.)

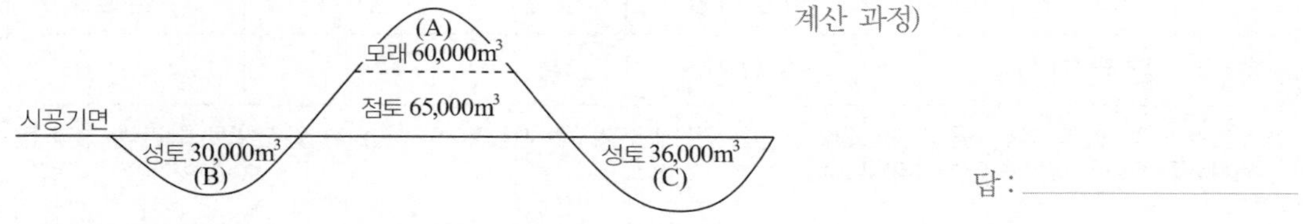

계산 과정)

답 : ______________

해답 • 성토량 $=30{,}000+36{,}000=66{,}000\text{m}^3$

• 모래의 완성토량 $=60{,}000\times0.8=48{,}000\text{ m}^3$

• 성토부족량 $=66{,}000-48{,}000=18{,}000\text{m}^3$

∴ 남은 토량 $=65{,}000-18{,}000\times\dfrac{1}{0.9}=45{,}000\text{m}^3$(본바닥토량을 기준)

□□□ 94①, 97①, 04①, 12①, 17①, 20③ 【3점】

04 **하천토공을 위한 횡단측량 결과 다음 그림과 같은 결과를 얻었다. Simpson 제1법칙에 의한 횡단면적을 구하시오.** (단, 그림의 수치단위는 m이다.)

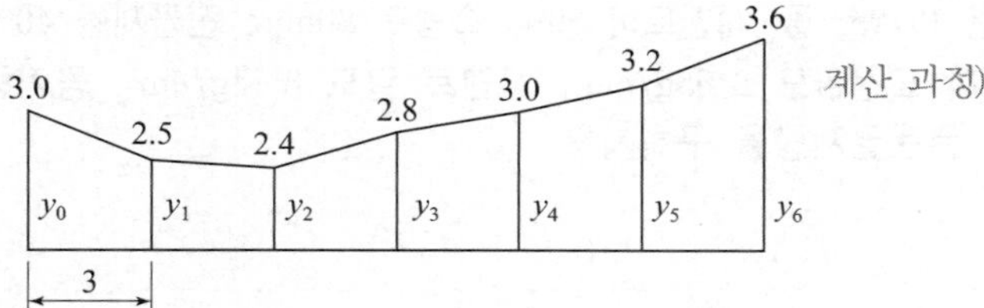

계산 과정)

답 : ______________

해답 $A=\dfrac{d}{3}(y_o+y_6+4\Sigma y\text{홀수}+2\Sigma y\text{나머지 짝수})$ ($\because$ 홀수 : y_1, y_3, y_5, 짝수 : y_2, y_4)

$=\dfrac{3}{3}\{3.0+3.6+4\times(2.5+2.8+3.2)+2\times(2.4+3.0)\}=51.40\text{m}^2$

□□□ 96④, 17②, 20③ 【3점】

05 **차량이 곡선부를 주행할 때 원심력으로 인하여 곡선부 바깥쪽으로 미끄러지거나 전도할 위험이 있으므로 최소곡선반경을 산정하여 차량이 안전하고 쾌적하게 주행할 수 있도록 하고 있다. 다음의 주어진 값을 적용하여 최소곡선반경(R)을 구하시오.**

(조건 : 설계속도 : 100km/hr, 횡방향 미끄럼마찰계수(f)=0.11, 편구배(i) : 6%)

계산 과정)

답 : ______________

해답 $R=\dfrac{V^2}{127(f+i)}=\dfrac{100^2}{127(0.11+0.06)}=463.18\text{m}$

□□□ 02①, 08①, 09③, 11②, 16②, 20③, 23③ 【3점】

06 **다음과 같은 모양의 중력식 옹벽을 설치하려고 한다. 흙의 단위중량 $\gamma_t = 17.5\text{kN/m}^3$, 내부마찰각 $\phi = 31°$, 점착력 $c = 0$, 콘크리트의 단위중량 $\gamma_c = 24\text{kN/m}^3$일 때 옹벽의 전도(over turning)에 대한 안전율을 Rankine의 식을 이용하여 계산하시오.**
(단, 옹벽 전면에 작용하는 수동토압은 무시한다.)

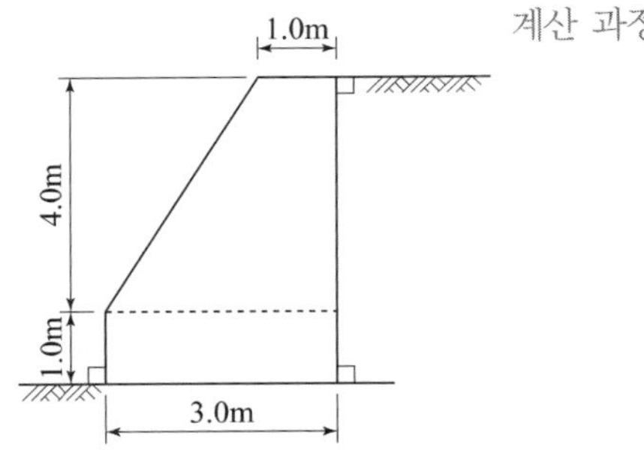

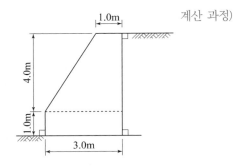

계산 과정)

답 : ______________

해답 $F_s = \dfrac{M_r}{M_o} = \dfrac{W \cdot b + P_v \cdot B}{P_A \cdot \text{y}} = \dfrac{W \cdot b + 0}{P_A \cdot \text{y}}$ (∵ 수동토압 P_v는 무시)

- $P_A = \dfrac{1}{2}\gamma_t H^2 \tan^2\left(45 - \dfrac{\phi}{2}\right)$

  $= \dfrac{1}{2} \times 17.5 \times 5^2 \tan^2\left(45 - \dfrac{31°}{2}\right) = 70.02\,\text{kN/m}$

  $\therefore\ M_o = P_A \cdot y = (70.02 \times 1) \times \dfrac{5}{3} = 116.7\,\text{kN} \cdot \text{m}$

- $M_r = W \times b = W_1 \cdot y_1 + W_2 \cdot y_2 + W_3 \cdot y_3$

  $W_1 = \left(\dfrac{1}{2} \times 2 \times 4\right) \times 24 = 96\text{kN/m}$

  $W_2 = 1 \times 4 \times 24 = 96\text{kN/m}$

  $W_3 = (3 \times 1) \times 24 = 72\text{kN/m}$

  $\therefore\ M_r = \left[96 \times 2 \times \dfrac{2}{3} + 96 \times (2 + 0.5) + 72 \times 1.5\right] \times 1$

  $= 476\,\text{kN} \cdot \text{m}$

  $\therefore$ 안전율 $F_s = \dfrac{M_r}{M_o} = \dfrac{476}{116.7} = 4.08$

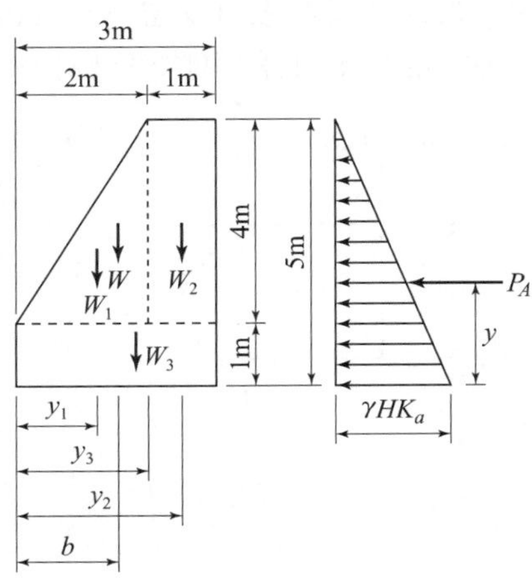

□□□ 98③, 00③, 01①, 15②, 20③ 【6점】

07 NATM 공법을 이용한 터널시공시 막장의 안정과 지하수 처리를 위하여 보조공법의 채택이 필수적이다. 막장면 안정공법 3가지와 지하수처리대책공법 3가지를 쓰시오.

가. 막장면 안정공법 3가지를 쓰시오.

① ______ ② ______ ③ ______

나. 지하수 처리대책공법 3가지를 쓰시오.

① ______ ② ______ ③ ______

해답 가. ① 훠폴링(Forepoling)공법
② 미니 파이프 루프(Mini Pipe Roof)공법
③ 스틸 시트파일(steel Sheet Pile)공법
④ 강관다단그라우팅 공법

나. ① 물빼기공
② Well point공법
③ 약액주입공법
④ 압기공법

□□□ 10②, 15①, 17②, 20③ 【4점】

08 아래 그림과 같이 지표면에 100kN의 집중하중이 작용할 때 다음 물음에 답하시오. (단, 소수점 이하 넷째자리에서 반올림하시오.)

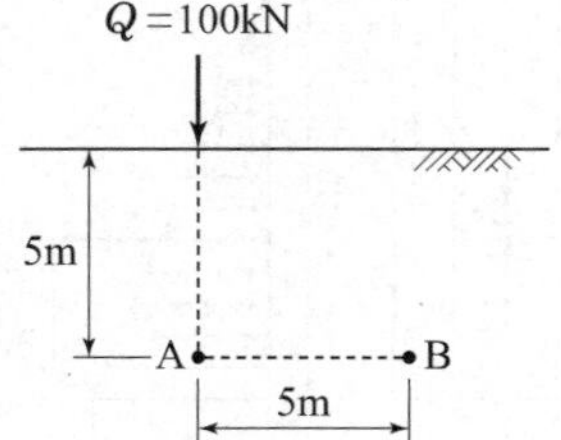

가. A점에서의 연직응력의 증가량을 구하시오.

계산 과정) 답 : ______

나. B점에서의 연직응력의 증가량을 구하시오.

계산 과정) 답 : ______

해답 가. $\Delta\sigma_A = \dfrac{3Q}{2\pi Z^2} = \dfrac{3\times 100}{2\pi \times 5^2} = 1.910\text{kN/m}^2$

나. $\Delta\sigma_B = \dfrac{3Q}{2\pi}\cdot\dfrac{Z^3}{R^5}$

• $R = \sqrt{x^2+z^2} = \sqrt{5^2+5^2} = 5\sqrt{2} = 7.071$

$\Delta\sigma_B = \dfrac{3\times 100}{2\pi}\times\dfrac{5^3}{7.071^5} = 0.338\text{kN/m}^2$

참고 또는 $\Delta\sigma_B = \dfrac{3\times 100}{2\pi}\times\dfrac{5^3}{(5\sqrt{2})^5} = 0.338\text{kN/m}^2$

□□□ 07①, 09②, 11④, 18②, 20③, 22③ 【3점】

09 다음과 같은 높이 7m인 토류벽이 있다. 토류벽 배면지반은 포화된 점성토지반 위에 사질토 지반을 형성하고 있다. 이때 토류벽에 가해지는 전 주동토압을 구하시오.
(단, 지하수위는 점성토지반 상부에 위치하며, 벽마찰각은 무시한다.)

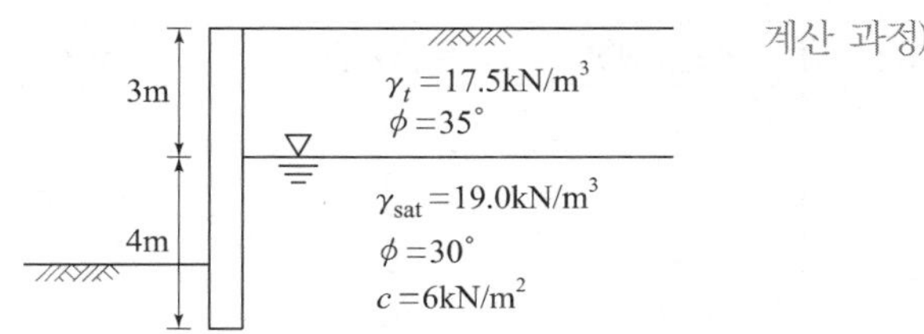

계산 과정)

답 :

해답 주동토압 $P_A = \frac{1}{2}\gamma_1 H_1^2 K_{a1} + \gamma_1 H_1 H_2 K_{a2} + \frac{1}{2}\gamma_{sub} H_2^2 K_{a2} + \frac{1}{2}\gamma_w H_2^2 - 2cH_2\sqrt{K_{a2}}$

- 사질토지반 $K_{a1} = \tan^2\left(45° - \frac{\phi}{2}\right) = \tan^2\left(45° - \frac{35°}{2}\right) = 0.271$
- 점성토지반 $K_{a2} = \tan^2\left(45° - \frac{\phi}{2}\right) = \tan^2\left(45° - \frac{30°}{2}\right) = \frac{1}{3}$
- $\frac{1}{2}\gamma_1 H_1^2 K_{a1} = \frac{1}{2} \times 17.5 \times 3^2 \times 0.271 = 21.34\text{kN/m}$
- $\gamma_1 H_1 H_2 K_{a2} = 17.5 \times 3 \times 4 \times \frac{1}{3} = 70\text{kN/m}$
- $\frac{1}{2}\gamma_{sub} H_2^2 K_{a2} = \frac{1}{2} \times (19.0 - 9.81) \times 4^2 \times \frac{1}{3} = 24.51\text{kN/m}$
- $\frac{1}{2}\gamma_w H_2^2 = \frac{1}{2} \times 9.81 \times 4^2 = 78.48\text{kN/m}$
- $2cH_2\sqrt{K_{a2}} = 2 \times 6 \times 4 \times \sqrt{\frac{1}{3}} = 27.71\text{kN/m}$

$\therefore\ P_A = 21.34 + 70 + 24.51 + 78.48 - 27.71 = 166.62\text{kN/m}$

□□□ 96④, 02①, 20③ 【3점】

10 1.5m×1.5m의 크기인 정방형 기초가 마찰각 $\phi = 20°$, $c = 15.5\text{kN/m}^2$인 지반에 위치해 있다. 흙의 단위중량 $\gamma = 18.2\text{kN/m}^3$이고, 안전율이 3일 때, 기초상의 허용 전하중을 결정하시오.
(단, 기초깊이는 1m이고, 전반전단파괴가 일어난다고 가정하고, $N_c = 17.7$, $N_q = 7.4$, $N_r = 5$이다.)

계산 과정)

답 :

해답 허용 전하중 $Q_a = q_a \times A$

- 극한 지지력 $q_u = \alpha c N_c + \beta \gamma_1 B N_r + \gamma_2 D_f N_q$
$= 1.3 \times 15.5 \times 17.7 + 0.4 \times 18.2 \times 1.5 \times 5 + 18.2 \times 1 \times 7.4$
$= 545.94\text{kN/m}^2$
- 허용 지지력 $q_a = \frac{q_u}{F_s} = \frac{545.94}{3} = 181.98\text{kN/m}^2$

$\therefore\ Q_a = 181.98 \times 1.5 \times 1.5 = 409.46\text{kN}$

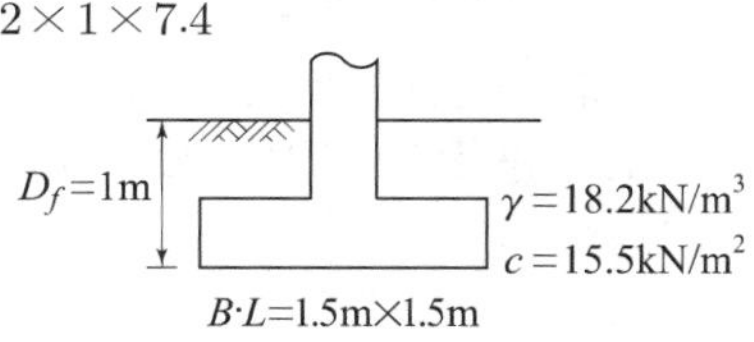

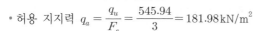

□□□ 96③, 99③, 00⑤, 11④, 15②, 20③ 【10점】

11 다음과 같은 공정표에서 임계공정선(CP)을 구하고, 정상공사기간과 공사비용, 정상공사기간을 4일 줄일 때 발생하는 추가비용의 최소치를 계산하시오.

(단, 기간의 단위는 '일' 이며 비용의 단위는 '만원' 이다.)

node	공정명	정상기간	정상비용	특급기간	특급비용
0-2	A	3	15	3	15
0-4	B	5	20	4	25
2-6	D	6	36	5	43
2-8	F	8	40	6	50
4-6	E	7	49	5	65
4-10	G	9	27	7	33
6-8	H	2	10	1	15
6-10	C	2	16	1	25
10-12	K	4	28	3	38
8-12	J	3	24	3	24

가. 네트워크 공정표를 작성하고 임계공정선(CP)를 구하시오.

계산 과정) 답 :

나. 정상공사기간과 공사비용을 구하시오.

계산 과정) 답 :

다. 정상공사기간을 4일 줄일 때 발생하는 추가비용의 최소치를 구하시오.

계산 과정) 답 :

해답 가.

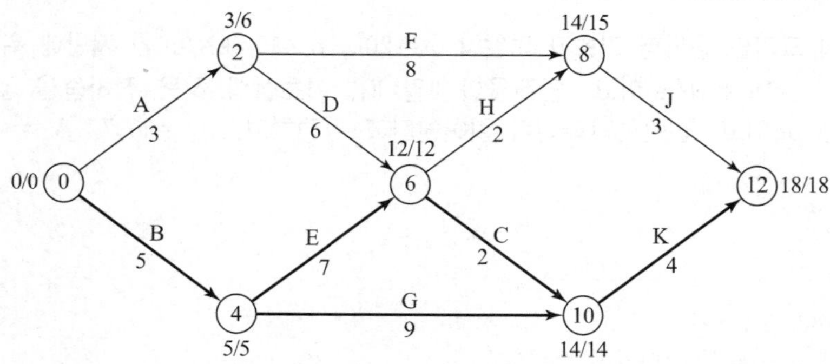

C.P : B→E→C→K, B→G→K

나. 정상공사기간 : 18일

공사비용 : 15+20+36+40+49+27+10+16+28+24=265만원

다.

작업명	단축가능 일수	비용경사(일/만원)= $\frac{\text{특급비용}-\text{표준비용}}{\text{표준공기}-\text{특급공기}}$	18	17	16	15	14
A	0	0					
B	1	$\frac{25-20}{5-4}=5$		1			
D	1	$\frac{43-36}{6-5}=7$					
F	2	$\frac{50-40}{8-6}=5$					
E	2	$\frac{65-49}{7-5}=8$				1	1
G	2	$\frac{33-27}{9-7}=3$				1	1
H	1	$\frac{15-10}{2-1}=5$					
C	1	$\frac{25-16}{2-1}=9$					
k	1	$\frac{38-28}{4-3}=10$			1		
J	0	0					
추가비용				5	10	11	11
단축시 추가비용 합계				5	15	26	37

∴ 추가비용의 최소값 : 37만원

□□□ 11④, 15①, 20③④ 【2점】

12 **유수(流水)의 흐름방향과 유속을 제어하여 하안, 제방의 침식현상을 방지하기 위해 호안이나 하안 전면부에 설치하는 구조물을 무엇이라 하는가?**

○

해답 수제(水制 : spur, dike groin)

□□□ 11④, 20③, 23② 【3점】

13 **교량의 교대에 많이 사용되는 구조형식을 5가지만 쓰시오.**

① ________ ② ________ ③ ________

④ ________ ⑤ ________

해답 ① 중력식 ② 반중력식 ③ 역T형식 ④ 뒷부벽식 ⑤ 라멘식

□□□ 84①②③, 87③, 88②, 91③, 93②, 97②, 98⑤, 03④, 12④, 15④, 20③ 【3점】

14 불도저를 이용한 작업에서 운반거리가 60m, 전진 속도 2.4km/hr, 후진 속도는 3.0km/hr, 기어 변속 시간 18초, 굴착압토량이 3.0m^3, 토량 변화율(L)은 1.25, 작업 효율은 0.8일 때 1시간당 작업량을 자연상태로 구하시오.

계산 과정)　　　　　　　　　　　　　　　　　　　　　　　　　　　　답 :

해답 $Q=\dfrac{60\cdot q\cdot f\cdot E}{C_m}=\dfrac{60\cdot q\cdot \dfrac{1}{L}\cdot E}{C_m}$

• $C_m=\dfrac{l}{V_1}+\dfrac{l}{V_2}+t=\left(\dfrac{60}{2400}+\dfrac{60}{3000}\right)\times 60+\dfrac{18}{60}=3$분 ($\because$ 2.4km/hr=2400m/hr)

$\therefore\ Q=\dfrac{60\times 3.0\times \dfrac{1}{1.25}\times 0.8}{3.0}=38.4\text{m}^3/\text{h}$

□□□ 17②, 20③ 【6점】

15 다음에 답하시오.

가. 사운딩의 정의에 대해 간단히 설명하시오.

○

나. 정적사운딩의 종류 3가지를 쓰시오.

①　　　　　　②　　　　　　③

해답 가. rod에 붙인 어떤 저항체를 지중에 넣어 타격, 관입, 인발 및 회전할 때의 흙의 전단강도를 측정하는 원위치 시험

나. ① 베인(Vane) 시험기
② 이스키 메터
③ 스웨덴식 관입 시험기
④ 휴대용 원추 관입 시험기
⑤ 화란식 원추 관입 시험기

□□□ 93④, 13④, 20③ 【2점】

16 댐의 기초암반을 침투하는 물을 방지하기 위하여 지수의 목적으로 댐의 축방향 기초 상류부에 병풍모양으로 시멘트 용액 또는 벤토나이트와 점토의 혼합용액을 주입하는 공법을 쓰시오.

○

해답 커튼 그라우팅(Curtain grouting)

□□□ 88①②, 92④, 96③, 97③, 98⑤, 99⑤, 00④, 02③, 04②, 08④, 09①, 11①, 14①, 20③, 23② 【6점】

17 다음 히빙(heaving)현상에 대한 물음에 답하시오.

가. 그림과 같은 말뚝 하단의 활동면에 대한 히빙현상에 대한 안전을 검토하시오.

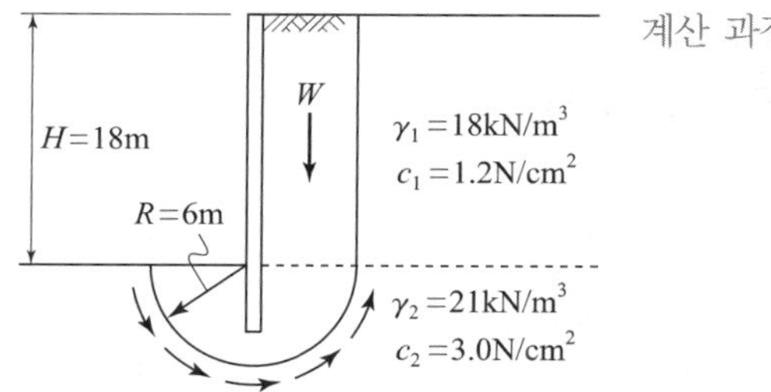

계산 과정)

답 : ______________

나. 히빙(heaving)이 발생할 우려가 있는 지반의 방지대책을 3가지만 쓰시오.

① ______________ ② ______________ ③ ______________

해답 가. 안전율 $F_s = \dfrac{M_r}{M_d} = \dfrac{C_1 \cdot H \cdot R + C_2 \cdot \pi \cdot R^2}{\dfrac{R^2}{2}(\gamma_1 \cdot H + q)}$

- $c_1 = 1.2\text{N/cm}^2 = 12\text{kN/m}^2$
- $c_2 = 3.0\text{N/cm}^2 = 30\text{kN/m}^2$
- $M_d = \dfrac{6^2}{2}(18 \times 18 + 0) = 5{,}832\text{kN} \cdot \text{m}$(Heaving을 일으키려는 Moment)
- $M_r = 12 \times 18 \times 6 + 30 \times \pi \times 6^2 = 4{,}688.92\text{kN} \cdot \text{m}$(Heaving에 저항하는 Moment)

$\therefore F_s = \dfrac{4{,}688.92}{5{,}832} = 0.804 < 1.2$(히빙의 우려가 있다.)

나. ① 흙막이공의 계획을 변경한다.
② 굴착저면에 하중을 가한다.
③ 흙막이벽의 관입 깊이를 깊게 한다.
④ 표토를 제거하여 하중을 적게 한다.

□□□ 16②, 20③ 【3점】

18 매스콘크리트에서는 구조물에 필요한 기능 및 품질을 손상시키지 않도록 온도균열을 제어하기 위한 적절한 조치를 강구해야 한다. 온도 균열을 억제하기 위한 방법을 3가지만 쓰시오.

① ______________ ② ______________ ③ ______________

해답 ① 냉수나 얼음을 사용하는 방법
② 냉각한 골재를 사용하는 방법
③ 액체질소를 사용하는 방법

□□□ 03①, 08①, 12②, 15①, 18①, 20③, 23② 【18점】

19 주어진 도면 및 조건에 따라 다음 물량을 산출하시오.

(단, 주어진 도면의 치수는 축척에 맞지 않을 수 있으며, 주어진 치수로만 물량을 산출할 것)

단 면 도 (단위 : mm)

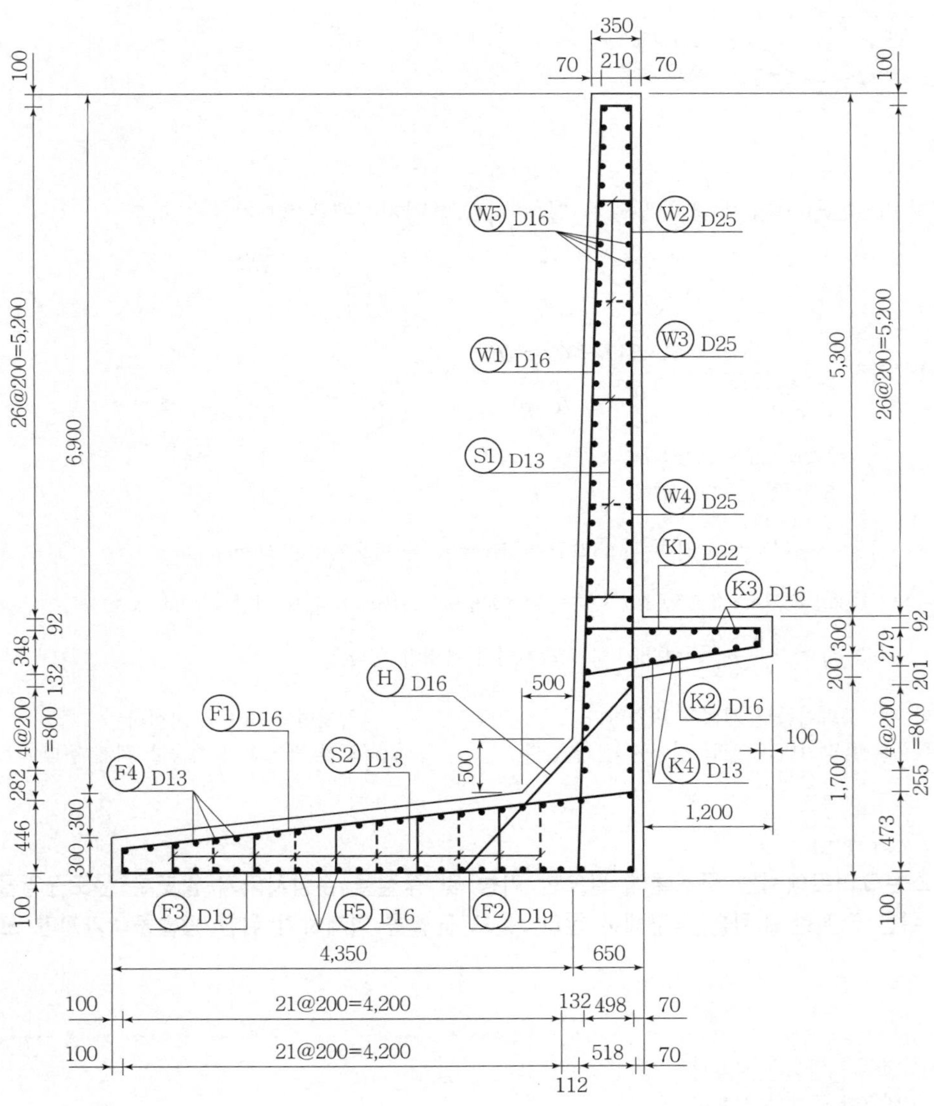

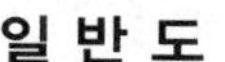
일 반 도

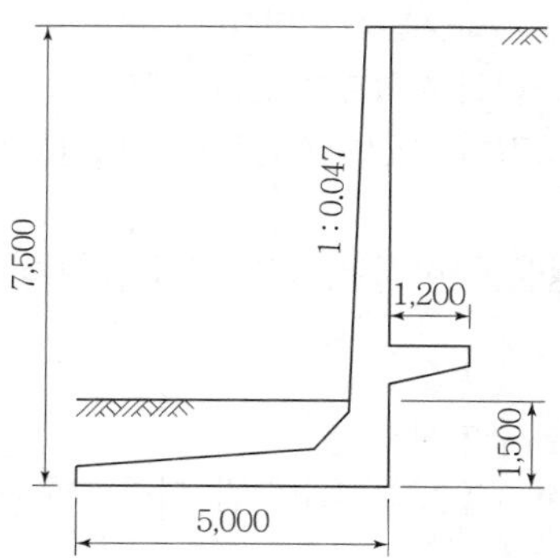
7,500
1 : 0.047
1,200
1,500
5,000

철 근 상 세 도

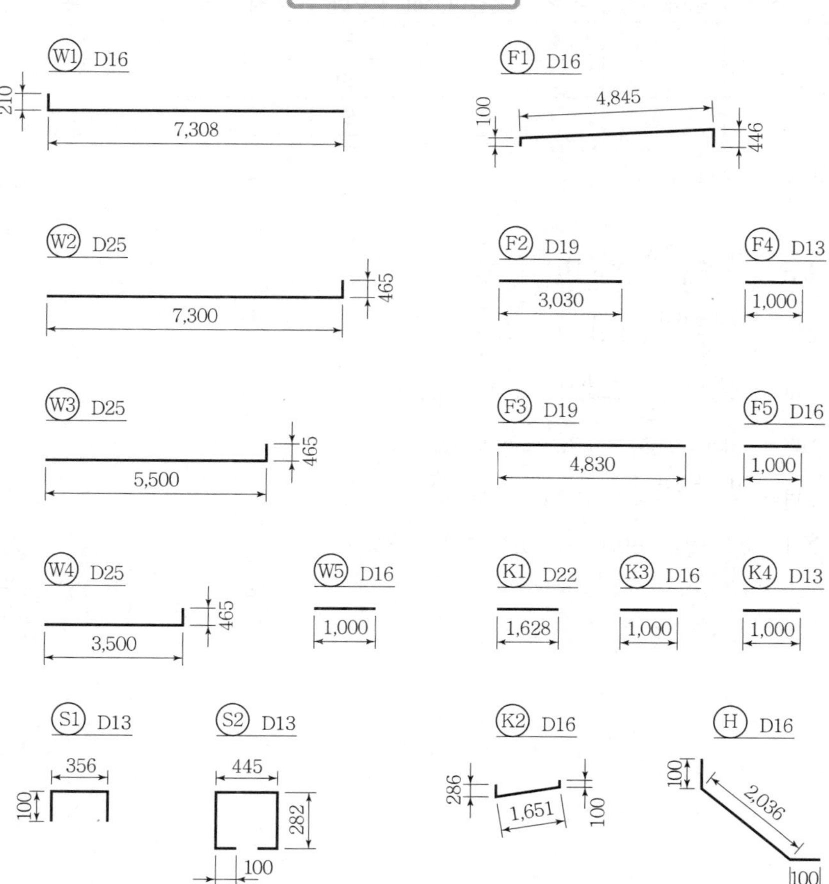
W1 D16
210
7,308
F1 D16
100
4,845
446
W2 D25
465
7,300
F2 D19
3,030
F4 D13
1,000
W3 D25
465
5,500
F3 D19
4,830
F5 D16
1,000
W4 D25
465
3,500
W5 D16
1,000
K1 D22
1,628
K3 D16
1,000
K4 D13
1,000
S1 D13
356
100
S2 D13
445
282
100
K2 D16
286
1,651
100
H D16
100
2,036
100

【조 건】

- W1, W4, H, K1, K2, K3, K4, F1, F2, F3 철근은 각각 200mm 간격으로 배근한다.
- W2, W3 철근은 각각 400mm 간격으로 배근한다.
- S1, S2 철근은 도면의 표시와 같이 지그재그로 배근한다.
- 물량산출에서 할증률은 무시하며 철근길이 계산에서 이음길이는 계산하지 않는다.

가. 길이 1m에 대한 콘크리트량을 구하시오. (단, 소수점 이하 4째자리에서 반올림)

계산 과정) 답 : ______

나. 길이 1m에 대한 거푸집량을 구하시오.
(단, 양측 마구리면은 계산하지 않으며, 소수점 이하 4째자리에서 반올림)

계산 과정) 답 : ______

다. 길이 1m에 대한 철근량 산출을 위한 철근물량표를 완성하시오.

기호	직경	길이(mm)	수량	총길이(mm)	기호	직경	길이(mm)	수량	총길이(mm)
W1					F4				
W5					S1				
H					S2				

해답 가.

- A면$=\left(\dfrac{0.35+0.65}{2}\times 6.4\right)\times 1=3.2\,\text{m}^3$
- B면$=\left(\dfrac{0.3+0.5}{2}\times 1.2\right)\times 1=0.48\,\text{m}^3$
- C면$=\left(\dfrac{0.65+(0.5+0.65)}{2}\times 0.5\right)\times 1=0.45\,\text{m}^3$
- D면$=\{(0.5+0.65)\times 0.6\}\times 1=0.69\,\text{m}^3$
- E면$=\left(\dfrac{0.3+0.6}{2}\times 3.85\right)\times 1=1.733\,\text{m}^3$

$\sum V=3.2+0.48+0.45+0.69+1.733=6.553\,\text{m}^3$

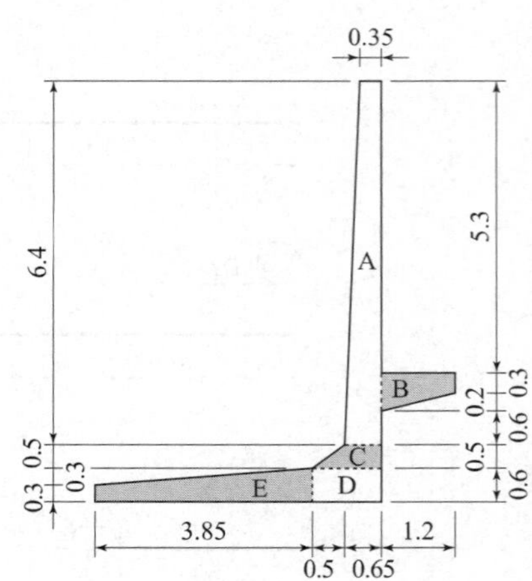

나.

- 저판 A면 $= 0.3 \times 1 = 0.3\text{m}^2$
- 저판 B면 $= 1.7 \times 1 = 1.7\text{m}^2$
- 헌치 C면 $= \sqrt{0.5^2 + 0.5^2} \times 1 = 0.707\text{m}^2$
- 선반 D면 $= \sqrt{1.2^2 + 0.2^2} \times 1 = 1.217\text{m}^2$
- 선반 E면 $= 0.3 \times 1 = 0.3\text{m}^2$
- 벽체 F면 $= \sqrt{6.4^2 + 0.3008^2} \times 1 = 6.407\text{m}^2$
  ($\because\ x = 0.047 \times 6.4 = 0.3008\text{m}$)
- 벽체 G면 $= 5.3 \times 1 = 5.3\text{m}^2$

$\therefore$ 면적 $= 0.3 + 1.7 + 0.707 + 1.217 + 0.3 + 6.407 + 5.3$
$= 15.931\text{m}^2$

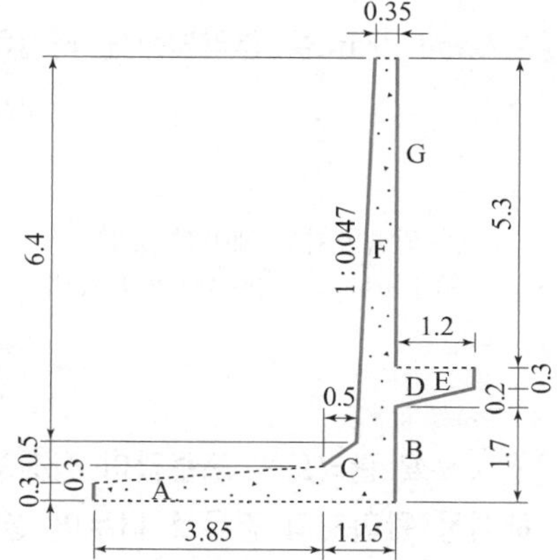

다.

기호	직경	길이(mm)	수량	총길이(mm)	기호	직경	길이(mm)	수량	총길이(mm)
W1	D16	7,518	5	37,590	F4	D13	1,000	24	24,000
W5	D16	1,000	68	68,000	S1	D13	556	12.5	6,950
H	D16	2,236	5	11,180	S2	D13	1,209	12.5	15,113

□□□ 89①, 92③, 96①, 20③ 【3점】

20 흙의 동결을 방지하는 방법을 3가지만 쓰시오.

① ____________ ② ____________ ③ ____________

해답 ① 치환공법으로 동결되지 않는 흙으로 바꾸는 방법
② 지하수위 상층에 조립토층을 설치하는 방법
③ 배수구 설치로 지하수위를 저하시키는 방법
④ 흙 속에 단열재료를 매입하는 방법
⑤ 지표부의 흙을 안정처리하는 방법

□□□ 20③ 【3점】

21 현장타설콘크리트 말뚝에서 기계적인 굴착방법 3가지를 쓰시오.

① ____________ ② ____________ ③ ____________

해답 ① 베노트(Benoto)공법
② RCD(역순환)공법
③ 어스 드릴(Earth drill)공법

□□□ 91②, 94④, 02④, 05②, 07②, 11②, 13④, 20③ 【3점】

22 Sand drain을 연약지반에 타설하는 방법을 3가지만 쓰시오.

① ______ ② ______ ③ ______

해답 ① 압축공기식 케이싱 방법 ② Water jet식 케이싱 방법
③ Rotary boring에 의한 방법 ④ Earth auger에 의한 방법

□□□ 20③ 【4점】

23 $\overline{x}-R$ 관리도는 표준값이 정해져 있는 관리용 관리도의 경우와 표준값이 정해져 있지 않은 해석용 관리도의 경우로 나누어 설명될 수 있다. 이 때 $\overline{x}-R$ 관리도를 작성하는 기준 2가지를 쓰시오.

① ______ ② ______ ③ ______

해답 ① 중심선(CL)
② 관리한계선(UCL, LCL)

국가기술자격 실기시험문제

2020년도 기사 제4·5회 필답형 실기시험(기사)

종 목	시험시간	형 별	성 명	수험번호
토목기사	3시간	B		

※ 수험자 인적사항 및 계산식을 포함한 답안 작성은 검은색 필기구만 사용하여야 하며, 그 외 연필류, 빨간색, 청색 등 필기구로 작성한 답안은 0점 처리됩니다.

□□□ 85③, 20④, 23① 【3점】

01 **다져진 상태의 토량 18,900m³을 성토하는 데 흐트러진 상태의 토량 15,000m³이 있다. 이때 부족토량은 자연상태의 토량으로 얼마인가?**
(단, 흙은 사질토이고 토량의 변화율은 $L=1.25$, $C=0.90$이다.)

계산 과정)

답 :

해답 • 다져진 상태의 토량을 자연상태의 토량으로 환산 :

$$18{,}900\times\frac{1}{0.9}=21{,}000\text{m}^3$$

• 흐트러진 상태의 토량을 자연상태의 토량으로 환산 :

$$15{,}000\times\frac{1}{1.25}=12{,}000\text{m}^3$$

∴ 부족토량 $=21{,}000-12{,}000=9{,}000\text{m}^3$

□□□ 88③, 15④, 20④ 【3점】

02 **어떤 사질 기초지반의 평판재하실험 결과 항복강도가 600kN/m², 극한강도 1,000kN/m²이었다. 그리고 그 기초는 지표에서 1.5m 깊이에 설치된 것이고, 그 기초지반의 단위중량이 18kN/m³일 때, 이때의 지지력계수 $N_q=5$이었다. 이 기초의 장기 허용지지력을 구하시오.**

계산 과정)

답 :

해답 ■ 허용지지력(q_t) 결정

$$q_t=\frac{q_u}{3}=\frac{1{,}000}{3}=333.33\text{kN/m}^2$$

$$q_t=\frac{q_y}{2}=\frac{600}{2}=300\text{kN/m}^2$$

∴ $q_t=300\text{kN/m}^2$(∵ 두 값 중 작은 값)

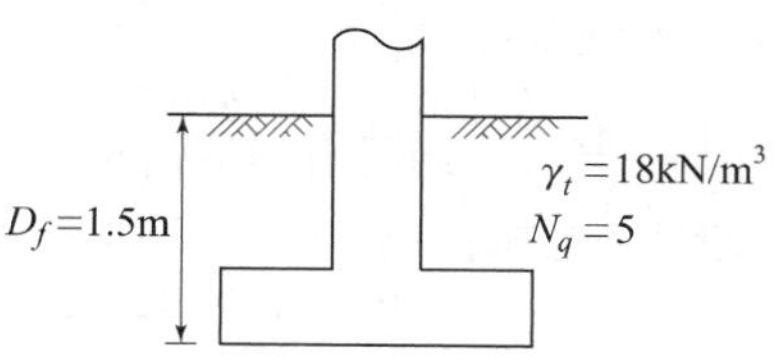

∴ 장기 허용지지력

$$q_a=q_t+\frac{1}{3}\gamma_t\cdot D_f\cdot N_q$$

$$=300+\frac{1}{3}\times18\times1.5\times5=345\text{kN/m}^2$$

□□□ 94①, 97①, 03①, 05④, 11④, 17①, 20④, 22② 【3점】

03 **도로토공을 위한 횡단측량 결과 다음 그림과 같은 결과를 얻었다. Simpson 제2법칙에 의한 횡단면적은? (단위 : m)**

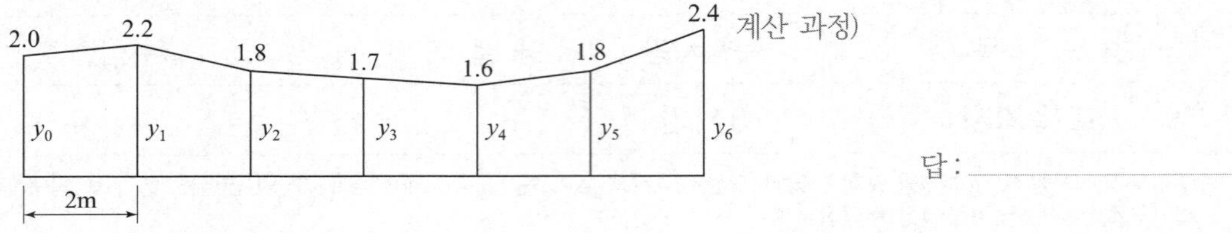

계산 과정)

답 :

해답 ■ 방법 1

$$A=\frac{3d}{8}\{y_o+2(y_3)+3(y_1+y_2+y_4+y_5)+y_6\}$$

$$=\frac{3\times2}{8}\{2.0+2\times1.7+3(2.2+1.8+1.6+1.8)+2.4\}=22.50\,\text{m}^2$$

■ 방법 2

- $A_1=\frac{3d}{8}(y_o+3y_1+3y_2+y_3)=\frac{3\times2}{8}(2.0+3\times2.2+3\times1.8+1.7)=11.78\,\text{m}^2$
- $A_2=\frac{3d}{8}(y_3+3y_4+3y_5+y_6)=\frac{3\times2}{8}(1.7+3\times1.6+3\times1.8+2.4)=10.73\,\text{m}^2$

$\therefore\ A=A_1+A_2=11.78+10.73=22.51\,\text{m}^2$

□□□ 00①, 01②, 03④, 04②, 06④, 09②, 11①, 12④, 20④ 【4점】

04 **굵은골재 최대치수 20mm, 단위수량 140kg, 물-시멘트비 50%, 슬럼프 80mm, 잔골재율 42%, 잔골재 표건밀도 2.60g/cm³, 굵은골재 표건밀도 2.65g/cm³, 시멘트 밀도 3.16g/cm³, 공기량 4.5%일 때 콘크리트 1m³에 소요되는 잔골재량, 굵은골재량을 구하시오.**

계산 과정) [답] 잔골재량 : , 굵은 골재량 :

해답 ■ $V_a=1-\left(\frac{\text{단위수량}}{1,000}+\frac{\text{단위시멘트량}}{\text{시멘트의 밀도}\times1,000}+\frac{\text{공기량}}{100}\right)$

- $\frac{W}{C}=50\%$에서 $\therefore$ 단위시멘트량 $C=\frac{140}{0.50}=280\,\text{kg}$
- 단위골재의 절대부피

  $V_a=1-\left(\frac{140}{1,000}+\frac{280}{3.16\times1,000}+\frac{4.5}{100}\right)=0.7264\,\text{m}^3$
- 단위 잔골재량 = 단위 잔골재량의 절대부피×잔골재 밀도×1,000

  $=0.7264\times0.42\times2.60\times1,000=793.23\,\text{kg/m}^3$
- 단위 굵은골재량 = 단위골재의 절대부피$\times\left(1-\frac{S}{a}\right)\times$굵은골재 밀도×1,000

  $=0.7264\times(1-0.42)\times2.65\times1,000=1,116.48\,\text{kg/m}^3$

□□□ 04④, 06②, 10①, 14④, 16④, 20④ 【6점】

05 **장대교량에 사용되는 사장교는 주부재인 케이블의 교축방향 배치방식에 따라 3가지를 쓰고 예와 같이 그림을 그리시오.**

구 분	형 상
[예] 방사형 :	
①	
②	
③	

해답

구 분	형 상
[예] 방사형 :	
① 부채형(fan type)	
② 스타형(star type)	
③ 하프형(harp type)	

□□□ 85②, 20④ 【3점】

06 **20km 구간의 도로보수작업에서 그레이더 작업을 하루(기준시간 8시간)에 완료하고자 한다. 첫 번째에는 1회 통과 2단기어(5.4km/hr), 두 번째 2회 통과 3단기어(9km/hr), 세 번째 2회 통과 4단기어(13.1km/hr)로 한다면 몇 대의 그레이더가 필요한가?** (단, 효율은 0.7)

계산 과정)　　　　　　　　　　　　　　　　　　　　　답 : ＿＿＿＿＿＿

해답 • 평균작업속도 $V_m = \dfrac{1\times 5.4+2\times 9+2\times 13.1}{1+2+2} = 9.92\text{km/h}$

• 소요작업시간 $H = \dfrac{\text{통과횟수}\times\text{작업거리}}{\text{작업속도}\times\text{작업효율}} = \dfrac{5\times 20}{9.92\times 0.7} = 14.40\text{시간}$

$\therefore$ 소요대수 $N = \dfrac{14.40}{8} = 1.8$　　$\therefore$ 2대

□□□ 20④ 【2점】

07 교대 뒷쪽에 설치하는 답괘판(approach slab)을 설치하는 목적을 쓰시오.

○

해답 부등 침하 방지

□□□ 08②, 20④, 21① 【10점】

08 다음과 같은 작업리스트가 있다. 아래 물음에 답하시오.

작업명	node	작업일수	TE		TL		TF
			EST	EFT	LST	LFT	
A	1→2	3					
B	2→3	3					
C	2→4	4					
D	2→5	5					
E	3→6	4					
F	4→6	6					
G	4→7	6					
H	5→8	7					
I	6→9	8					
J	7→9	4					
K	8→9	2					
L	9→10	2					

가. Network(화살선도)를 작성하고 임계공정선(C.P)을 구하시오.

나. 표의 빈 칸을 채우시오.

해답 가.

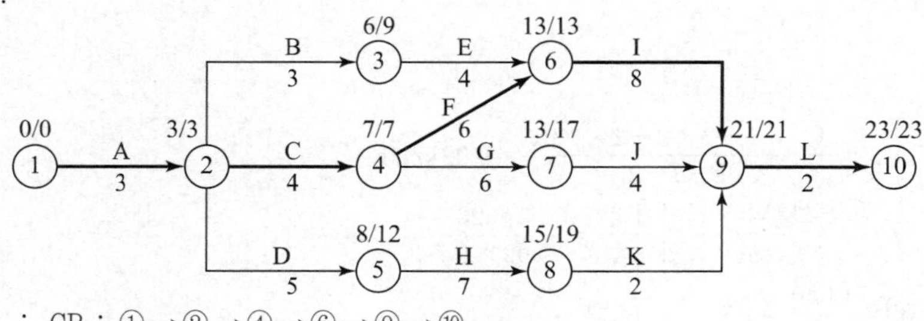

∴ CP : ①→②→④→⑥→⑨→⑩

나.

작업명	작업	작업일수	TE		TL		TF
			EST	EFT	LST	LFT	
A	1→2	3	0	3	0	3	0
B	2→3	3	3	6	6	9	3
C	2→4	4	3	7	3	7	0
D	2→5	5	3	8	7	12	4
E	3→6	4	6	10	9	13	3
F	4→6	6	7	13	7	13	0
G	4→7	6	7	13	11	17	4
H	5→8	7	8	15	12	19	4
I	6→9	8	13	21	13	21	0
J	7→9	4	13	17	17	21	4
K	8→9	2	15	17	19	21	4
L	9→10	2	21	23	21	23	0

□□□ 92③④, 94②, 96①④, 98②, 00⑤, 04③, 05④, 10①, 13④, 15④, 18②, 20④ 【4점】

09 PERT 기법에 의한 공정관리기법에서 낙관시간치 2일, 정상시간치 5일, 비관시간치 8일일 때 기대시간과 분산을 구하시오.

계산 과정)　　　　　　　　　　[답] 기대시간 : ＿＿＿＿＿, 분산 : ＿＿＿＿＿

해답 • 기대시간 $t_e = \dfrac{t_0 + 4t_m + t_p}{6} = \dfrac{2+4\times5+8}{6} = 5$일

• 분산 $\sigma^2 = \left(\dfrac{t_p - t_0}{6}\right)^2 = \left(\dfrac{8-2}{6}\right)^2 = 1$

□□□ 96③, 02①, 20④ 【6점】

10 숏크리트 타설 시 뿜어붙일 면에 대한 사전처리작업을 3가지만 쓰시오.

① ＿＿＿＿＿　② ＿＿＿＿＿　③ ＿＿＿＿＿

해답 ① 적당한 습윤상태를 유지한다.
② 벽면은 될수록 평면이 되도록 마무리한다.
③ 뿜어붙이기 전에 흙, 부석 등 청소를 한다.
④ 뿜기면의 용수는 배수처리 한다.

□□□ 16②, 20④ 【3점】

11 **지하수위가 지표면과 일치하는 포화된 연약 점토층의 깊이 2m지점에 폭 1.2m의 연속기초를 설치하였다. 연약점토층의 포화단위중량은 18.5kN/m³이며, 강도정수 $c_u = 25\text{kN/m}^2$, $\phi_u = 0$일 때 극한 지지력을 구하시오.** (단, 물의 단위중량 $\gamma_w = 9.81\text{kN/m}^3$, $\phi_u = 0$일 때 $N_c = 5.7$, $N_r = 0$, $N_q = 1.0$이며, 전반전단파괴로 가정하며, Terzaghi공식을 사용하시오.)

계산 과정) 답 : ______

해답 연속기초 : $\alpha = 1.0$, $\beta = 0.5$, $\phi_u = 0$인 점토인 경우

$$q_u = \alpha c N_c + \gamma_2 D_f N_q$$
$$= 1.0 \times 25 \times 5.7 + (18.5 - 9.81) \times 2 \times 1.0 = 159.88\text{kN/m}^2$$

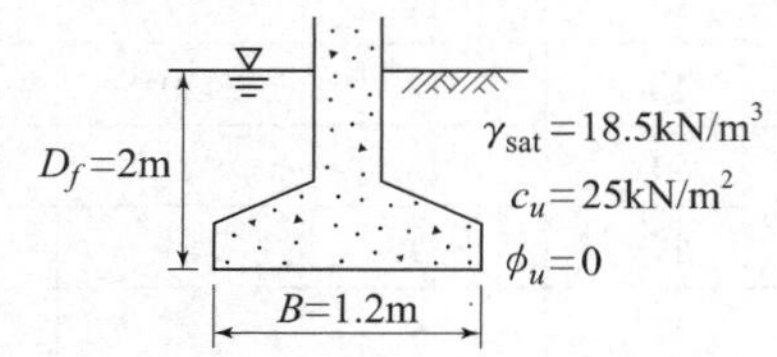

□□□ 89②, 13④, 18①, 20④ 【3점】

12 **공기케이슨 공법과 비교하였을 때 오픈케이스 공법의 시공상 단점을 3가지만 쓰시오.**

① ______ ② ______ ③ ______

해답 ① 선단의 연약토 제거 및 토질상태 파악이 어렵다.
② 큰 전석이나 장애물이 있는 경우 침하작업이 지연된다.
③ 굴착시 히빙이나 보일링 현상의 우려가 있다.
④ 경사가 있을 경우는 케이슨이 경사질 염려가 있다.
⑤ 저부 콘크리트가 수중시공이 되어 불충분하게 되기 쉽다.

□□□ 20④ 【4점】

13 **프리스트레스트 콘크리트(PSC)말뚝의 장점 4가지를 쓰시오.**

① ______ ② ______
③ ______ ④ ______

해답 ① 신뢰성이 크다.
② 균열이 잘 생기지 않는다.
③ 휨량을 받았을 때 휨량이 적다.
④ 인장파괴의 발생 방지에 효력이 있다.
⑤ 길이의 조절이 비교적 쉽다.

□□□ 96①, 01②, 20④ 【2점】

14 시멘트 콘크리트 포장공법 중 단위수량이 적은 낮은 슬럼프(slump)의 된비빔 콘크리트를 토공에서와 같이 다져서 시공하는 공법으로 건조수축이 작고 줄눈간격을 줄일 수 있으며, 공기단축이 가능한 반면에 포장표면의 평탄성이 결여되는 단점이 있는 포장 공법은?

○

해답 전압콘크리트 포장공법(RCCP : roller compacted concrete pavement)

□□□ 88③, 00②, 20④ 【2점】

15 댐 구조물이 물 속 또는 물 옆에 축조되는 경우 건조 상태의 작업(dry work)을 하기 위하여 물을 배재하는 구조물을 설치하는데 이것을 무엇이라고 하는가?

○

해답 가체절공(가물막이 ; coffer dam)

□□□ 85③, 92③, 93③, 95④, 00⑤, 06①②, 07①, 09④, 12②, 19③, 20④ 【4점】

16 토목시공에서 사용하고 있는 토목섬유의 주요 기능을 4가지만 쓰시오.

① ______ ② ______ ③ ______ ④ ______

해답 ① 배수기능 ② 여과기능 ③ 분리기능 ④ 보강기능

□□□ 94①, 99④, 20④ 【2점】

17 최근 포장설계시 노상지지력 계수, CBR 대신에 사용되는 포장재료 물성으로서 동적시험에 의해 결정되는 탄성물성은 무엇인가?

○

해답 동탄성계수(M_R : Resilient Modulus)

□□□ 11④, 15①, 20③④ 【2점】

18 유수(流水)의 흐름방향과 유속을 제어하여 하안, 제방의 침식현상을 방지하기 위해 호안이나 하안 전면부에 설치하는 구조물을 무엇이라 하는가?

○

해답 수제(水制 : spur, dike groin)

□□□ 01①, 02②, 04②, 06④, 09①, 10④, 13②, 15②, 20④, 22②, 23③ 【18점】

19 **주어진 도면 및 조건에 따라 다음 물량을 산출하시오.** (단, 주어진 도면의 치수는 축척에 맞지 않을 수 있으며, 주어진 치수로만 물량을 산출하며 도면의 단위는 mm이다.)

단 면 도

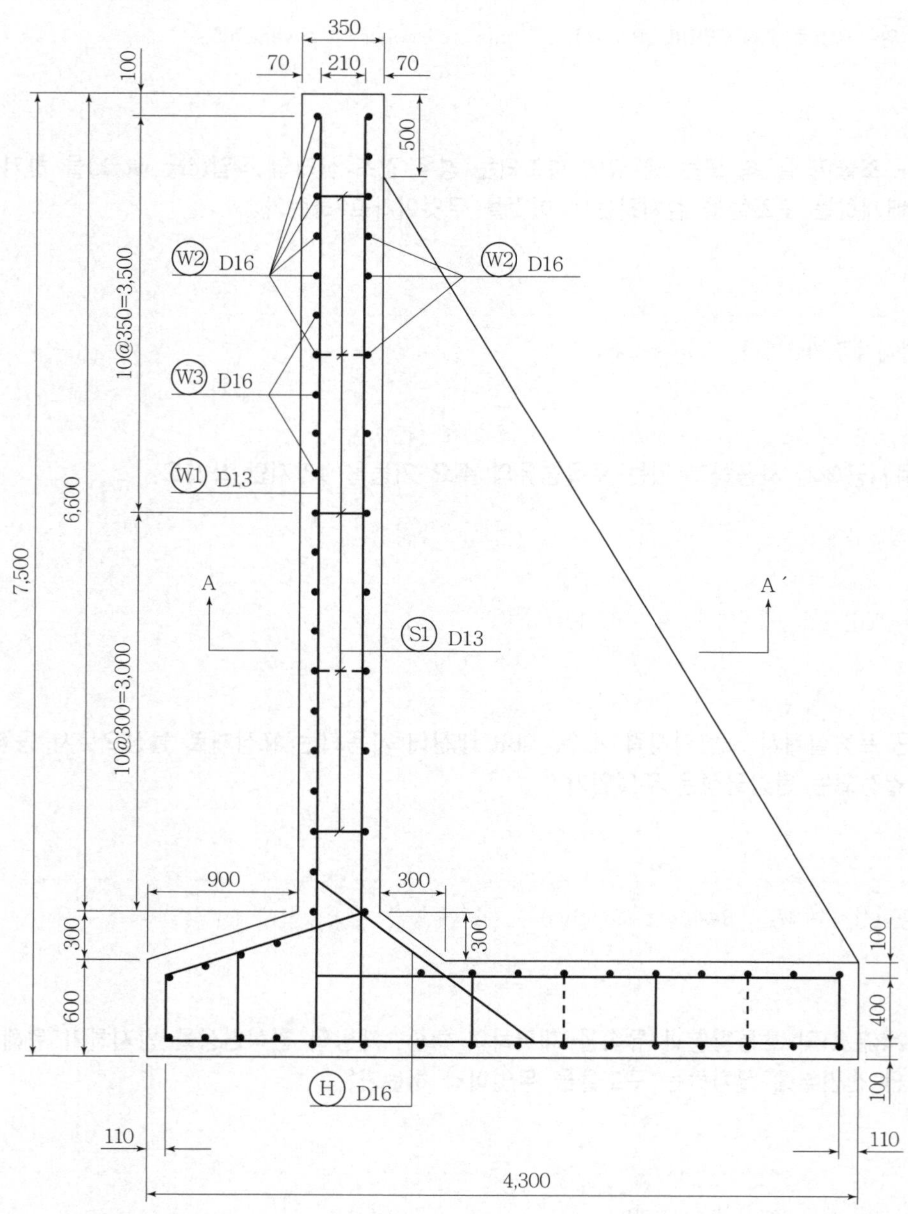

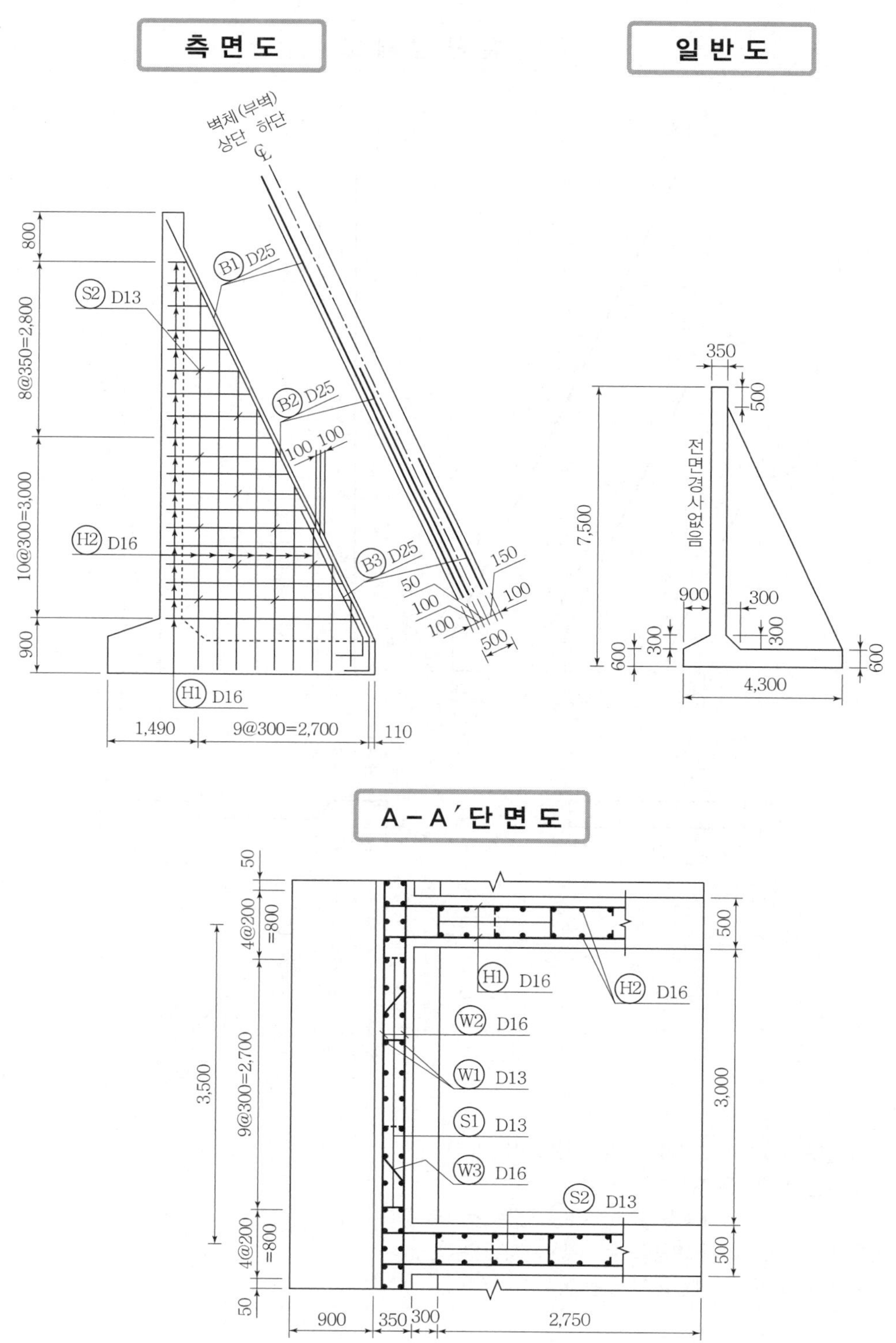

측 면 도
일 반 도
벽체(부벽) 상단 하단
800
8@350=2,800
10@300=3,000
900
B1 D25
S2 D13
B2 D25
100 100
H2 D16
B3 D25
50
100
100
150
100
500
H1 D16
1,490
9@300=2,700
110
350
500
전면경사없음
7,500
900
300
300
300
600
600
4,300
A－A′단면도
50
4@200 =800
9@300=2,700
3,500
500
3,000
H1 D16
H2 D16
W2 D16
W1 D13
S1 D13
W3 D16
S2 D13
900
350
300
2,750

철근상세도

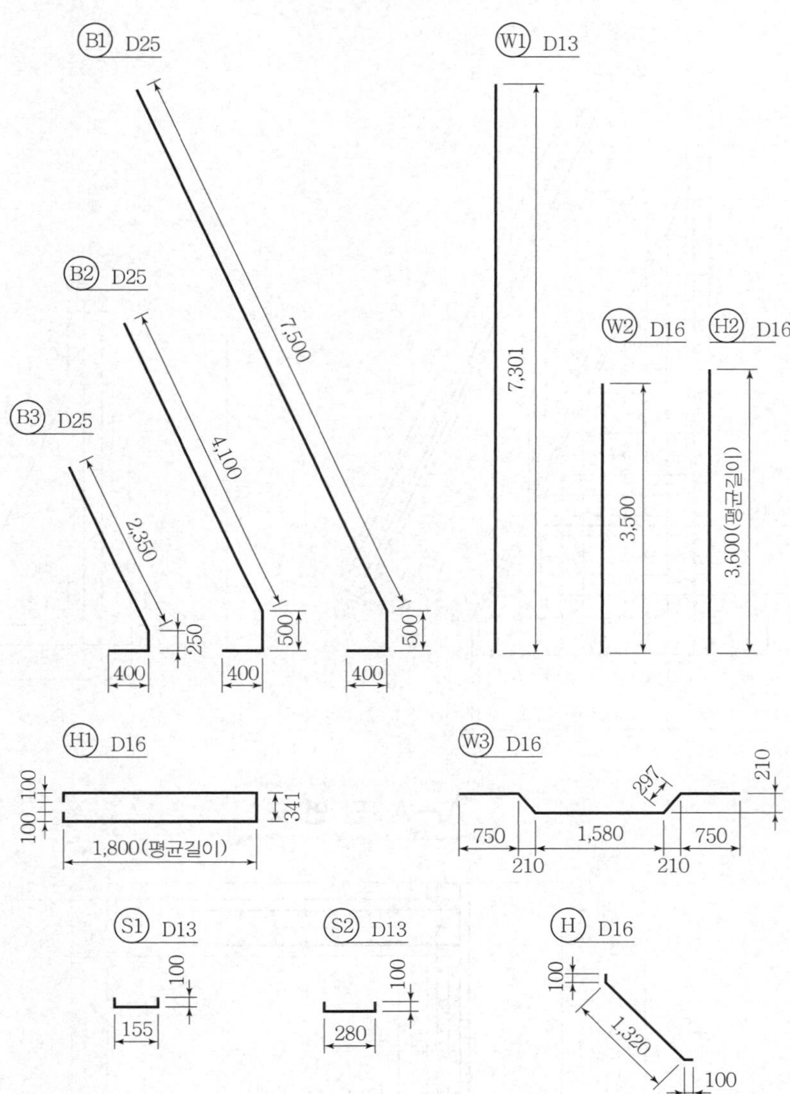

【조 건】

- S1 철근은 지그재그(Zigzag)로 배치되어 있다.
- H 철근의 간격은 W1 철근과 같다.
- 물량산출에서의 할증률 및 마구리는 없는 것으로 한다.
- 철근길이 계산에서 이음길이는 계산하지 않는다.
- 저판의 철근량은 계산하지 않는다.

가. 부벽을 포함하는 옹벽길이 3.5m에 대한 콘크리트량을 구하시오.
(단, 소수점 이하 4째자리에서 반올림하시오.)

계산 과정)

답 :

나. 부벽을 포함하는 옹벽길이 3.5m에 대한 거푸집량을 구하시오.
(단, 소수점 이하 4째자리에서 반올림하시오.)

계산 과정)

답 :

다. 부벽을 포함하는 옹벽길이 3.5m에 대한 철근물량표를 완성하시오.

기호	직경	길이	수량	총길이	기호	직경	길이	수량	총길이
W1					H1				
W2					B1				
W3					S1				

해답 가.

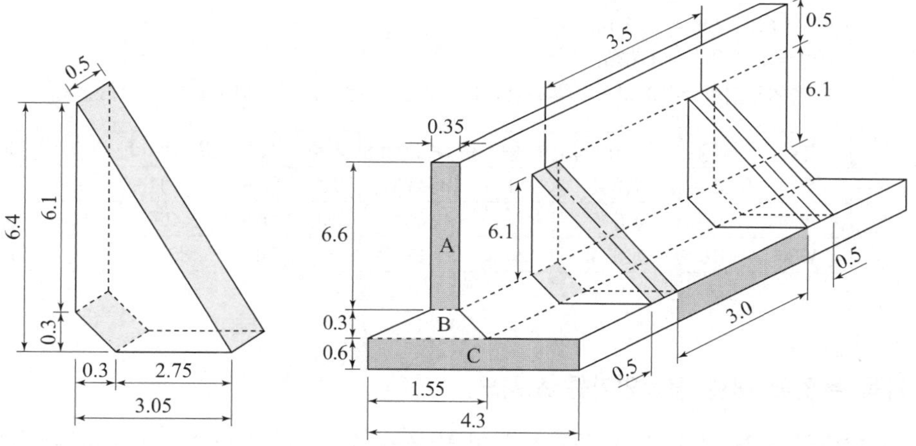

- 단면적×부벽두께 $=\left(\dfrac{6.4\times3.05}{2}-\dfrac{0.3\times0.3}{2}\right)\times0.5=4.8575\text{m}^3$
- 벽체 A=단면적×옹벽길이 $=(0.35\times6.6)\times3.5=8.085\text{m}^3$
- 헌치부분 B $=\dfrac{0.35+1.55}{2}\times0.3\times3.5=0.9975\text{m}^3$
- 저판 C $=(0.6\times4.30)\times3.5=9.03\text{m}^3$

∴ 총콘크리트량 $=4.8575+8.085+0.9975+9.03=22.970\text{m}^3$

나.

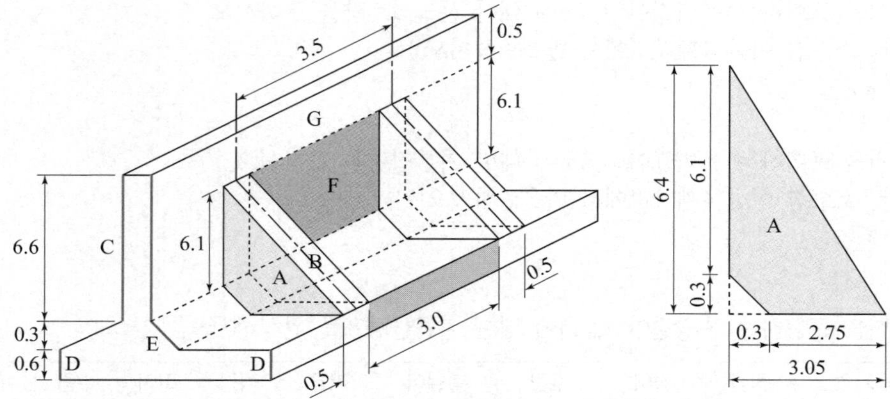

- A면 $=\left(\dfrac{6.4\times3.05}{2}-\dfrac{0.3\times0.3}{2}\right)\times2$(양면) $=19.43\text{m}^2$
- B면 $=\sqrt{6.4^2+3.05^2}\times0.5=3.545\text{m}^2$
- C면 $=6.6\times3.5=23.10\text{m}^2$
- D면 $=(0.6\times3.5)\times2$(양면) $=4.20\text{m}^2$
- E면 $=\sqrt{0.3^2+0.3^2}\times3.0=1.273\text{m}^2$
- F면 $=6.1\times3.0=18.30\text{m}^2$
- G면 $=0.5\times3.5=1.75\text{m}^2$

∴ 총거푸집량 $=19.43+3.545+23.10+4.20+1.273+18.30+1.75=71.598\text{m}^2$

다.

기호	직경	길이(mm)	수량	총길이(mm)	기호	직경	길이(mm)	수량	총길이(mm)
W1	D13	7,301	26	189,826	H1	D16	4,141	19	78,679
W2	D16	3,500	26	91,000	B1	D25	8,400	2	16,800
W3	D16	3,674	8	29,392	S1	D13	355	10	3,550

□□□ 20④ 【4점】

20 다음 무엇에 대한 정의인가를 쓰시오.

가. 지하수위 아래 물에 잠긴 구조물 부피 만큼의 정수압이 상향으로 작용하는 힘으로서 물체 표면에 상향으로 작용하고 있는 물의 압력이다.

○

나. 콘크리트 댐의 기저면 내부의 수평타설 이음에 작용하는 간극수압으로 댐 등 구조물을 들어 올리는 압력이다.

○

해답 가. 부력
나. 양압력

□□□ 15①, 20④ 【3점】

21 **균일한 모래층 위에 설치한 폭(B) 1m, 길이(L) 2m 크기의 직사각형 강성기초에 150kN/m^{2}의 등분포하중이 작용할 경우 기초의 탄성침하량을 구하시오.** (단, 흙의 푸아송비(μ)=0.4, 지반의 탄성계수(E_s)=15,000kN/m^2, 폭과 길이(L/B)에 따라 변하는 계수(α_r)=1.2)

계산 과정) 답 : ______

해답 $S_i = qB\dfrac{1-\mu^2}{E}\cdot\alpha_r = 150\times1\times\dfrac{1-0.4^2}{15,000}\times1.2 = 0.0101\text{m} = 1.01\text{cm}$

□□□ 20④ 【4점】

22 **골재를 각 상태에서 계량한 결과가 아래와 같을 때 이 골재의 유효흡수율과 표면수율을 구하시오.**

노건조 상태 : 767.5g 공기 중 건조 상태 : 769.2g 표면건조포화 상태 : 806g 습윤 상태 : 830.3g

계산 과정)

【답】 유효흡수율 : ______, 표면수율 : ______

해답 • 유효 흡수율 $= \dfrac{\text{표면건조포화상태} - \text{공기중 건조상태}}{\text{노건조상태}}\times100$

$= \dfrac{806-769.2}{767.5}\times100 = 4.79\%$

• 표면 수율 $= \dfrac{\text{습윤 상태} - \text{표면 건조 포화 상태}}{\text{표면 건조 포화 상태}}\times100$

$= \dfrac{830.3-806}{806}\times100 = 3.01\%$

참고 흡수율 $= \dfrac{\text{표면건조포화상태} - \text{노건조상태}}{\text{노건조상태}}\times100$

$= \dfrac{806-767.5}{767.5}\times100 = 5.02\%$

□□□ 92③, 97②, 20④ 【2점】

23 **간극수압의 상승으로 인하여 유효응력이 감소되고 그 결과 사질토가 외력에 대한 전단저항을 잃게 되는 현상을 무엇이라고 하는가?**

○

해답 액상화 현상(Liquefaction)

□□□ 98②, 00②, 16②, 20④ 【3점】

24 **아스팔트 콘크리트 포장의 장점을 3가지만 쓰시오.**

① ② ③

해답 ① 주행성이 좋다. ② 평탄성이 좋다. ③ 시공성이 좋다.
④ 양생기간이 짧다. ⑤ 유지 보수 작업이 용이하다.

국가기술자격 실기시험문제

2021년도 기사 제1회 필답형 실기시험(기사)

종 목	시험시간	형 별	성 명	수험번호
토목기사	**3시간**	B		

※ 수험자 인적사항 및 계산식을 포함한 답안 작성은 검은색 필기구만 사용하여야 하며, 그 외 연필류, 빨간색, 청색 등 필기구로 작성한 답안은 0점 처리됩니다.

□□□ 10①, 12④, 19①, 21①, 23③ 【3점】

01 측량성과가 아래와 같고 시공기준면을 10m로 할 경우 총 토공량을 구하시오.
(단, 격자점의 숫자는 표고이며, m 단위이다.)

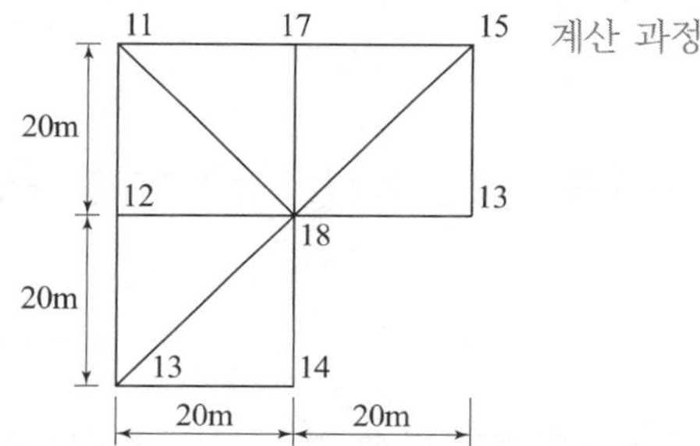

계산 과정)

답 : ____________

해답 • 시공기준면과 각점 표고와의 차를 구하여 총토공량을 계산

$$V=\frac{a\cdot b}{6}(\Sigma h_1+2\Sigma h_2+6\Sigma h_6)$$

• $\Sigma h_1=\Sigma(h_1-10)=3+4=7\text{m}$

• $\Sigma h_2=\Sigma(h_2-10)=1+7+5+3+2=18\text{m}$

• $\Sigma h_6=\Sigma(h_6-10)=8\text{m}$

$$\therefore\ V=\frac{20\times 20}{6}\times(7+2\times 18+6\times 8)=6{,}066.67\text{m}^3$$

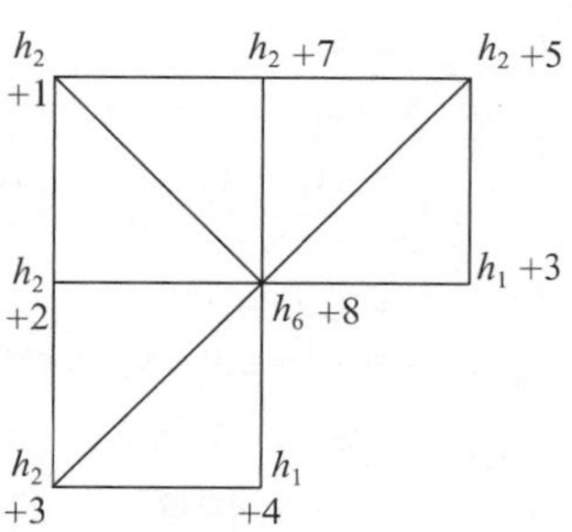

□□□ 01①, 07④, 09④, 21① 【3점】

02 교량은 상판의 위치, 구조형식, 사용재료 및 용도 등 여러 가지 관점에서 분류할 수 있다. 상판의 위치에 의하여 분류한 교량의 형식 3가지를 쓰시오.

① ____________ ② ____________ ③ ____________

해답 ① 상로교 ② 중로교 ③ 하로교 ④ 2층교

□□□ 84②, 92②, 93①, 97②, 21① 【6점】

03 **구조물 기초를 시공하기 위하여 평탄한 지반을 다음 그림과 같이 굴착하고자 한다. 토량의 변화율 $L=1.30$, $C=0.9$이다. 다음 물음에 답하시오.**

(단, $L=\dfrac{\text{흐트러진 상태의 체적}}{\text{자연상태의 체적}}$, $C=\dfrac{\text{다져진 상태의 체적}}{\text{자연상태의 체적}}$)

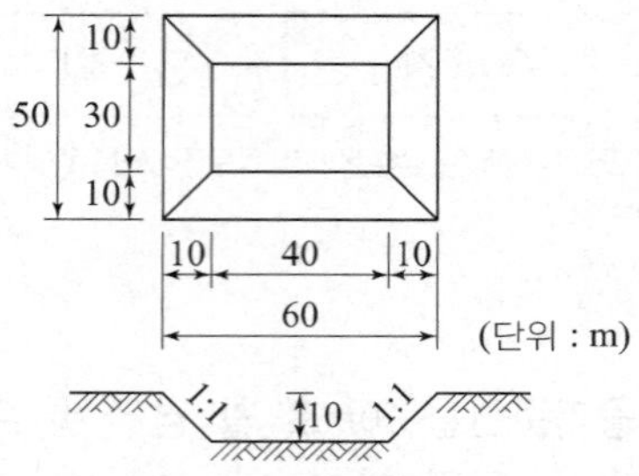

가. 터파기 결과 발생하는 굴착토의 총체적은 몇 m^3인가?

계산 과정) 답 :

나. 굴착한 흙을 덤프트럭으로 운반하고자 한다. 1대에 $12m^3$를 적재할 수 있는 덤프트럭을 사용한다면 총 몇 대분이 되는가?

계산 과정) 답 :

다. 굴착된 흙을 $7,500m^3$의 면적을 가진 성토장에 고르게 성토하고 다질 경우, 성토높이는 얼마가 되겠는가? (단, 측면 비탈구배는 연직으로 가정함.)

계산 과정) 답 :

해답 가. 총부피

$$V=\frac{A_1+A_2}{2}\times h=\frac{(30\times 40)+(50\times 60)}{2}\times 10$$

$$=21,000\text{m}^3$$

나. 운반토량=본바닥 토량$\times L=21,000\times 1.30=27,300\text{m}^3$

∴ 덤프트럭 대수

$$N=\frac{\text{완성토량}}{\text{트럭적재량}}=\frac{27,300}{12}=2275\text{대}$$

다. 다져진 토량=본바닥 토량$\times C=21,000\times 0.9$

$$=18,900\text{m}^3$$

∴ 높아질 표고$=\dfrac{18,900}{7,500}=2.52\text{m}$

□□□ 92①, 96④, 01②, 02④, 07②, 21① 【4점】

04 그림과 같은 사면에 인장균열이 발생하여 수압이 작용한다면 $F_s = \dfrac{M_r}{M_o}$의 개념으로 F_s를 구하시오. (단, 물의 단위중량 $\gamma_w = 9.81\text{kN/m}^3$)

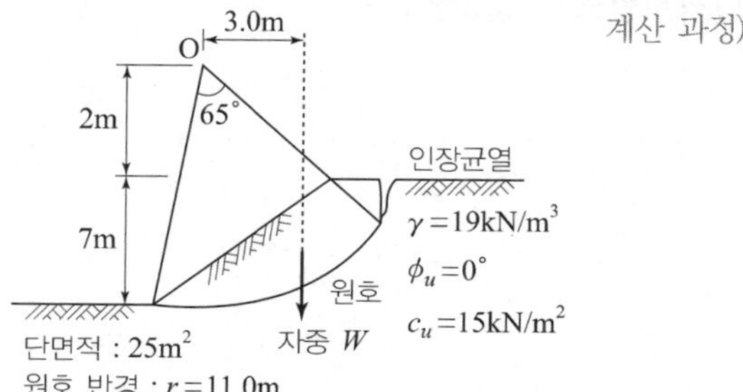

계산 과정)

답 :

해답 안전율 $F_s = \dfrac{c_u \cdot L_a \cdot r}{W \cdot d + P_w \cdot x}$

- 인장균열 깊이 $z_c = \dfrac{2c_u}{\gamma_t} = \dfrac{2\times 15}{19} = 1.58\,\text{m}\,(\because\ \phi_u = 0)$
- 사면부분 무게 $W = A \cdot \gamma_t = 25\times 19 = 475\ \text{kN/m}$
- $W \cdot d = 475\times 3 = 1425\,\text{kN}$
- 호의 길이 $L_a = 2\pi r \cdot \theta = (2\pi\times 11)\times \dfrac{65°}{360°} = 12.48\,\text{m}$
- 수압 $P_w = \dfrac{1}{2}\gamma_w \cdot z_c^2 = \dfrac{1}{2}\times 9.81\times 1.58^2 = 12.24\,\text{kN/m}$
- $x = 2 + \dfrac{2}{3}z_c = 2 + \dfrac{2}{3}\times 1.58 = 3.05\,\text{m}$

$\therefore\ F_s = \dfrac{15\times 12.48\times 11}{1425 + 12.24\times 3.05} = 1.41$

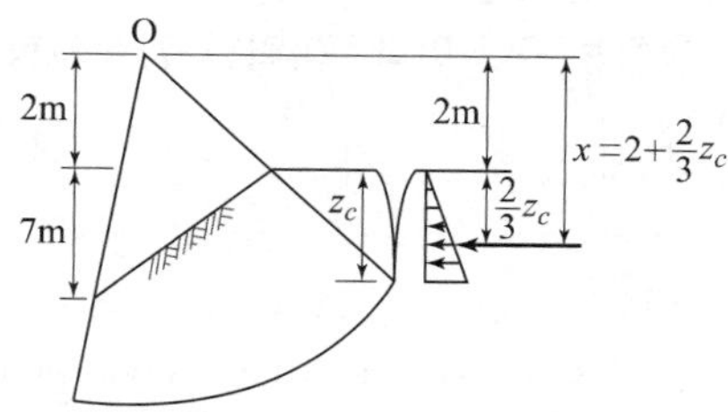

 인장균열 깊이

$$z_c = \frac{2c\tan\left(45° + \frac{\phi}{2}\right)}{\gamma_t} = \frac{2\times 15\tan\left(45° + \frac{0}{2}\right)}{19} = 1.58\,\text{m}$$

□□□ 92②, 94③, 00②, 03④, 04④, 07②, 10④, 11①, 14②, 17①, 18③, 19③, 21①, 22③, 23① 【3점】

05 PS 콘크리트 교량건설공법 중 동바리를 사용하지 않는 현장타설공법의 종류 3가지를 쓰시오.

① ______ ② ______ ③ ______

해답 ① FCM(캔틸레버 공법) ② MSS(이동식 지보 공법) ③ ILM(연속압출공법)

□□□ 03④, 21① 【3점】

06 어느 불도저의 1회 굴착압토량이 $3.6m^3$이며 토량변화율(L)은 1.25, 작업효율은 0.6, 평균 굴착압토거리 70m, 전진속도 50m/분, 후진속도는 70m/분, 기어변속시간 및 가속시간이 30초일 때, 이 불도저 운전 1시간당의 작업량은 본바닥토량으로 얼마인가?

계산 과정)　　　　　　　　　　　　　　　　　　　　　　　　답 : ______________

해답 $Q=\dfrac{60\cdot q\cdot f\cdot E}{C_m}$

$$C_m=\frac{l}{V_1}+\frac{l}{V_2}+t=\frac{70}{50}+\frac{70}{70}+0.5=2.9\text{분}$$

$$\therefore\ Q=\frac{60\times 3.6\times\dfrac{1}{1.25}\times 0.6}{2.9}=35.75\,\mathrm{m^3/h}$$

□□□ 03①, 07①, 17②, 21① 【3점】

07 강상자형교(steel box girder bridge)는 얇은 강판을 상자형 단면으로 결합하여 외력에 저항하는 구조이다. 이러한 강상자형교를 box 단면의 구성형태에 따라 3가지로 분류하시오.

① ______________ ② ______________ ③ ______________

해답 ① 단실박스(single−cell box)　　② 다실박스(multi−cell box)
③ 다중박스(multiple single−cell box)

□□□ 01②, 02①, 05②, 16②, 21① 【4점】

08 어느 현장의 콘크리트 일축압축강도의 하한규격치는 18MPa이고, 상한규격치는 24MPa으로 정해져 있다. 측정결과 평균치($\overline{x}$)는 19.5MPa이고, 표준편차의 추정치(δ)는 0.8MPa이라 할 때, 공정능력지수와 규격치에 대한 여유치를 구한 값은?

가. 공정능력지수(C_P) :

나. 여유치 :

해답 가. 공정능력지수 $C_P=\dfrac{SU-SL}{6\delta}$

$$\therefore\ C_P=\frac{24-18}{6\times 0.8}=1.25$$

나. $\dfrac{SU-SL}{\delta}=\dfrac{24-18}{0.8}=7.5>6$

$\therefore$ 여유치$=(7.5-6)\times 0.8=1.2\mathrm{MPa}$

□□□ 11①, 15④, 21① 【3점】

09 댐의 기초암반에 보링공을 천공한 후, 시멘트풀, 점토 및 약액 등을 압력으로 주입하여 지반 개량 및 차수를 목적으로 시행하는 것을 그라우팅이라고 한다. 이러한 그라우팅의 종류를 3가지만 쓰시오.

① ______ ② ______ ③ ______

해답 ① 콘솔리데이션 그라우팅(consolidation grouting)
② 커튼 그라우팅(curtain grouting)
③ 림 그라우팅(rim grouting)
④ 콘택트 그라우팅(contact grouting)
⑤ 블랭킷 그라우팅(blanket grouting)

□□□ 12④, 21① 【3점】

10 특수 아스팔트 포장의 시공에서 최근 배수성 포장이 널리 적용되고 있다. 배수성 포장의 효과를 3가지만 쓰시오.

① ______ ② ______ ③ ______

해답 ① 우천시 물튀김 방지
② 수막현상 방지
③ 야간의 우천시 시인성 향상
④ 차량의 주행 소음 저감

□□□ 11①, 15②, 17④, 21① 【9점】

11 아래 그림과 같은 옹벽의 안전율을 구하시오.

(단, 지반의 허용지지력은 200kN/m^2, 뒤채움흙과 저판 아래의 흙의 단위중량은 18kN/m^3, 내부마찰각은 37°, 점착력은 0이고, 콘크리트의 단위중량은 24kN/m^3이다.)

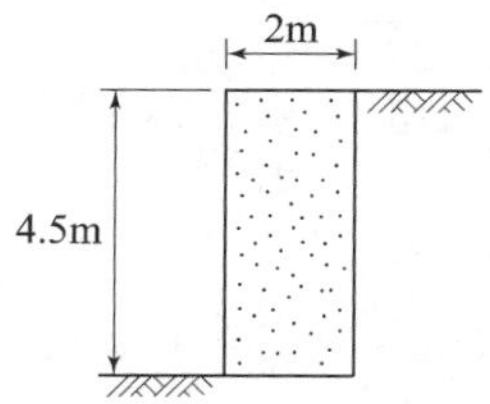

2m
4.5m

가. 전도에 대한 안전율은 구하시오.

계산 과정) 답 : ______

나. 활동에 대한 안전율 구하시오.

계산 과정) 답 : ______

다. 지지력에 대한 안전율을 구하시오.

계산 과정) 답 :

해답 ■ 방법 1

가. • 주동토압 $P_A=\frac{1}{2}K_A H^2\gamma_t$

$=\frac{1}{2}\times\tan^2\left(45°-\frac{37°}{2}\right)\times 4.5^2\times 18$

$=45.30\text{kN/m}$

• 콘크리트의 총중량 : $W=BH\gamma_c$

$=2\times 4.5\times 24=216\text{kN/m}$

• $y=\frac{1}{3}\times 4.5=1.5\text{m}$

$$F_s=\frac{M_r}{M_d}=\frac{W\cdot\frac{B}{2}}{P_A\cdot\frac{H}{3}}=\frac{216\times\frac{2}{2}}{45.3\times\frac{4.5}{3}}$$

$=3.18$

나. $F_s=\frac{W\tan\phi}{P_A}=\frac{216\tan 37°}{45.3}=3.59$

다. $e=\frac{B}{2}-\frac{W\cdot\frac{B}{2}-P_A\cdot\frac{H}{3}}{W}$

$=\frac{2}{2}-\frac{216\times\frac{2}{2}-45.3\times\frac{4.5}{3}}{216}$

$=0.315\text{m}$

• $e=0.315<\frac{B}{6}=\frac{2}{6}=0.333$

$\sigma_{max}=\frac{W}{B}\left(1+\frac{6e}{B}\right)$

$=\frac{216}{2}\left(1+\frac{6\times 0.315}{2}\right)$

$=210.06\text{kN/m}^2$

$F_s=\frac{\sigma_a}{\sigma_{max}}=\frac{200}{210.06}=0.95$

■ 방법 2

가. $F_s=\frac{W\cdot a}{P_H\cdot y}$

• 주동토압 : $P_A=\frac{1}{2}K_A z^2\gamma_t$

$=\frac{1}{2}\times\tan^2\left(45°-\frac{37°}{2}\right)\times 4.5^2\times 18$

$=45.3\text{kN/m}$

• 콘크리트의 총중량 :

$W=2\times 4.5\times 24=216\text{kN/m}$

• $a=1\text{m},\ y=\frac{1}{3}\times 4.5=1.5\text{m}$

$\therefore\ F_s=\frac{216\times 1}{45.3\times 1.5}=3.18$

나. $F_s=\frac{W\tan\phi}{P_H}=\frac{216\tan 37°}{45.3}=3.59$

다. $F_s=\frac{\sigma_a}{\sigma_{max}}$

• 편심거리 $e=\frac{B}{2}-\frac{W\cdot a-P_H\cdot y}{W}$

$=\frac{2}{2}-\frac{216\times 1-45.3\times 1.5}{216}$

$=0.315\text{m}$

• 편심거리 $e=0.315\le\frac{B}{6}=\frac{2}{6}=0.33$ 이므로

• 최대 지지력 $\sigma_{max}=\frac{\Sigma V}{B}\left(1+\frac{6e}{B}\right)$

$=\frac{216}{2}\left(1+\frac{6\times 0.315}{2}\right)$

$=210.06\text{kN/m}^2$

$\therefore\ F_s=\frac{200}{210.06}=0.95$

□□□ 00②, 05④, 08①, 18③, 21① 【3점】

12 **도로 곡선부의 평면선형을 설계함에 있어서 곡선반경이 710m, 설계속도가 120km/hr일 때의 최소편구배를 계산하시오.**
(단, 타이어와 노면의 횡방향 미끄럼마찰계수는 0.10임.)

계산 과정)　　　　　　　　　　　　　　　　　　답 : ____________

해답 $R=\frac{V^2}{127(f+i)}$ 에서 $710=\frac{120^2}{127(0.10+i)}$

$\therefore\ i=0.06\quad \therefore\ 6\%$

참고 SOLVE 사용

□□□ 99③, 01①, 06④, 21①③ 【3점】

13 **가설 흙막이의 지지, 옹벽의 전도 방지, 산사태 방지 등으로 사용되는 Anchor의 주요 구성요소를 3가지 쓰시오.**

① ____________ ② ____________ ③ ____________

해답 ① 앵커두부　② 인장부　③ 앵커체

□□□ 16②, 20①, 21① 【3점】

14 **매스콘크리트에서는 구조물에 필요한 기능 및 품질을 손상시키지 않도록 온도균열을 제어하기 위한 적절한 조치를 강구해야 한다. 온도 균열을 억제하기 위한 방법을 3가지만 쓰시오.**

① ____________ ② ____________ ③ ____________

해답 ① 냉수나 얼음을 사용하는 방법
② 냉각한 골재를 사용하는 방법
③ 액체질소를 사용하는 방법

□□□ 16②, 21① 【3점】

15 **항만구조물 설계시 기초지반의 액상화 평가시 실시되는 현장시험을 3가지만 쓰시오.**

① ____________ ② ____________ ③ ____________

해답 ① 표준관입시험
② 콘관입시험
③ 탄성파탐사(탄성파시험)
④ 지하수위 조사

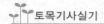

□□□ 06②, 12①, 14②, 16④, 21① 【8점】

16 주어진 도면에 따라 다음 물량을 산출하시오. (단, 도면의 치수단위는 mm이다.)

단 면 도

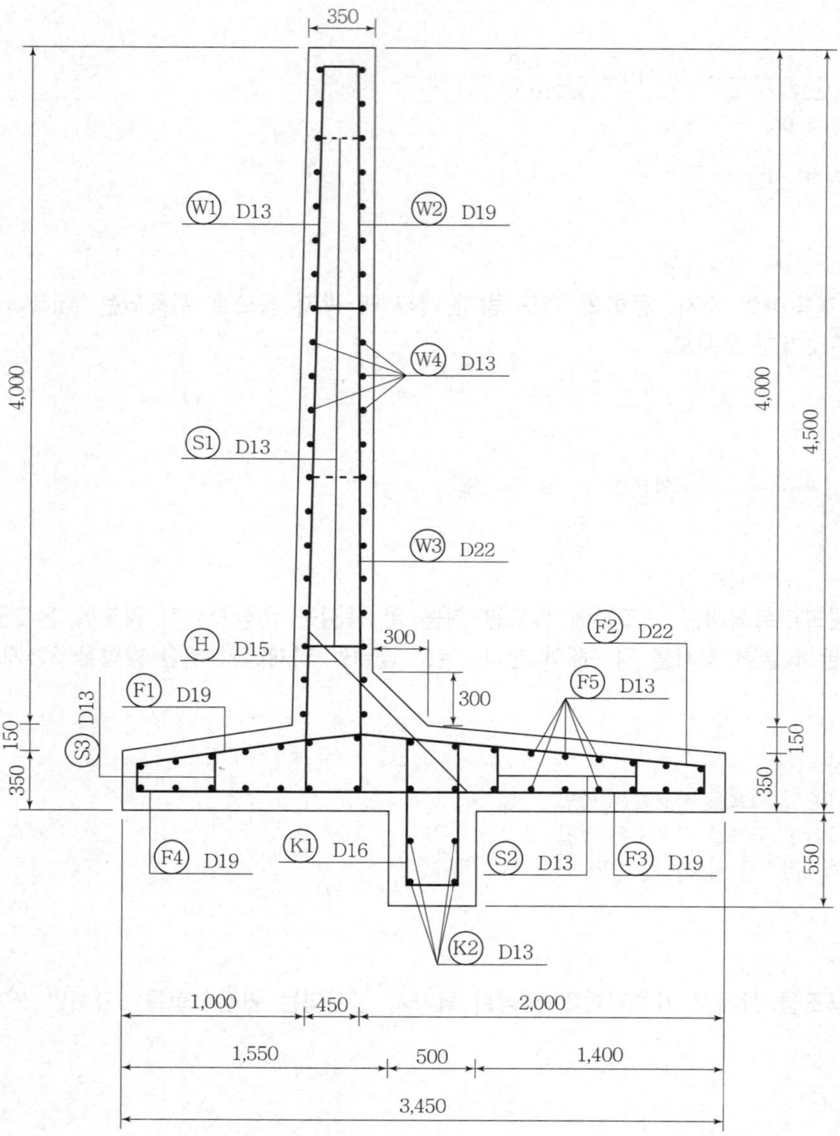

일 반 도

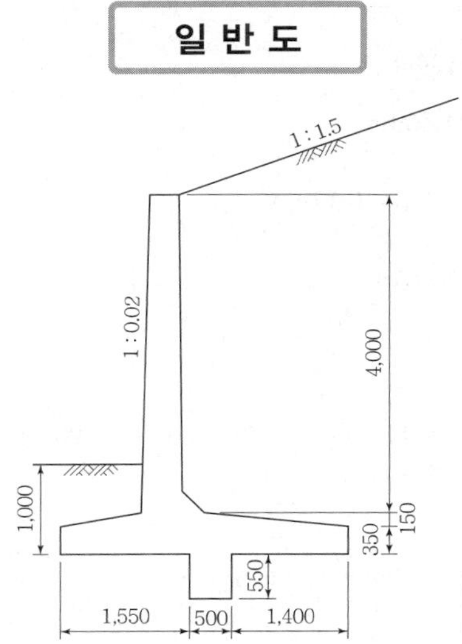

가. 옹벽길이 1m에 대한 콘크리트량을 구하시오. (단, 소수 넷째자리에서 반올림하시오.)

계산 과정)　　　　　　　　　　　　　　　　　　　　　　　　　　　답 : ______

나. 옹벽길이 1m에 대한 거푸집량을 구하시오.
(단, 돌출부(전단 Key)에 거푸집을 사용하며, 마구리면의 거푸집을 무시하며, 소수 넷째자리에서 반올림하시오.)

계산 과정)　　　　　　　　　　　　　　　　　　　　　　　　　　　답 : ______

해답 가.

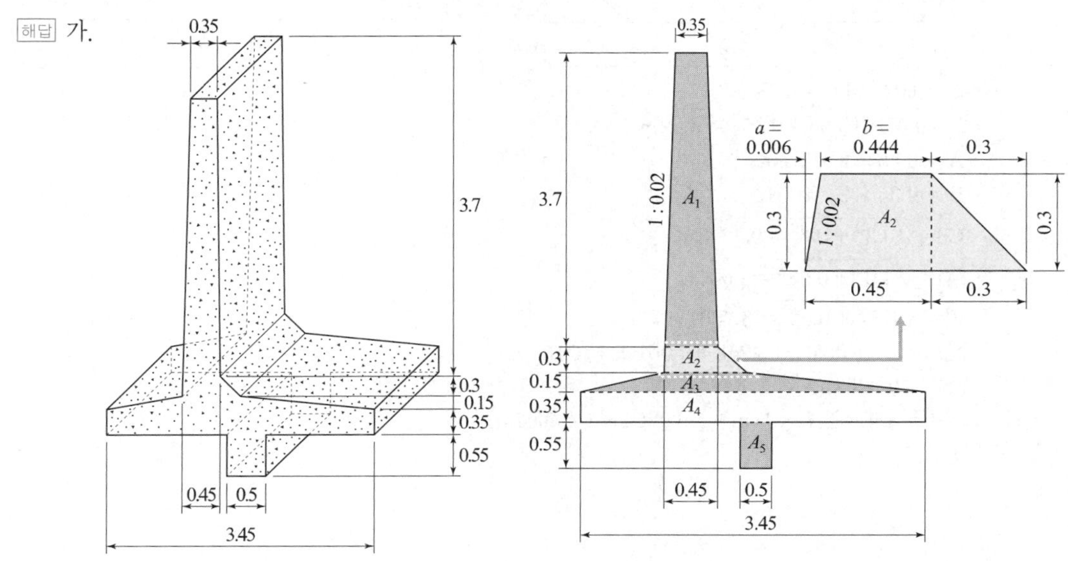

- $a = 0.02 \times 0.30 = 0.006\text{m}$
- $b = 0.45 - 0.02 \times 0.30 = 0.444\text{m}$
- $A_1 = \dfrac{0.35 + 0.444}{2} \times 3.7 = 1.469\text{m}^2$
- $A_2 = \dfrac{0.444 + (0.45 + 0.3)}{2} \times 0.3 = 0.179\text{m}^2$
- $A_3 = \dfrac{(0.45 + 0.3) + 3.45}{2} \times 0.15 = 0.315\text{m}^2$
- $A_4 = 0.35 \times 3.45 = 1.208\text{m}^2$
- $A_5 = 0.55 \times 0.5 = 0.275\text{m}^2$

$\therefore$ 콘크리트량$= (\Sigma A_i) \times 1 = (1.469 + 0.179 + 0.315 + 1.208 + 0.275) \times 1 = 3.446\text{m}^3$

나.

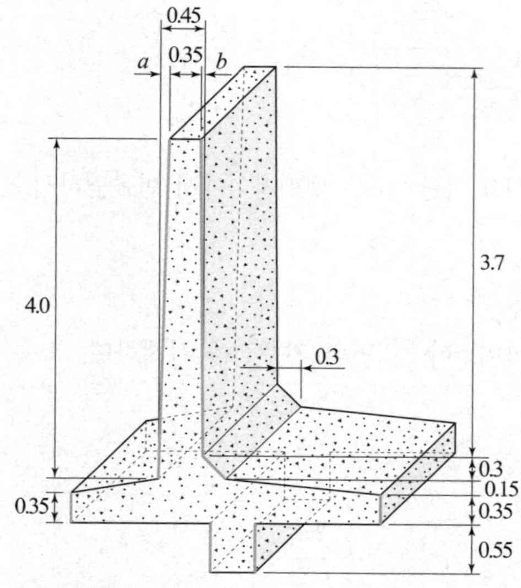

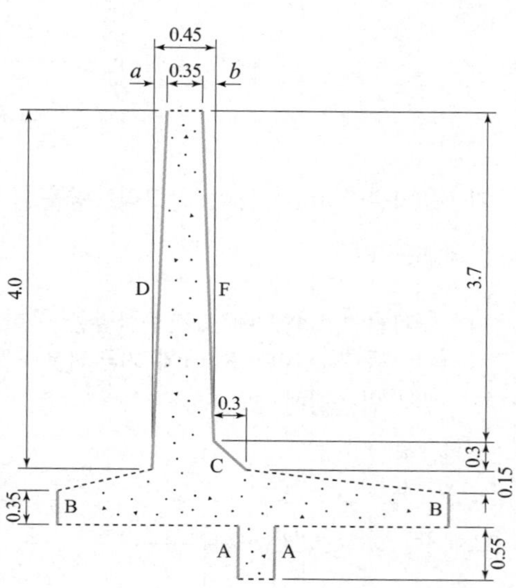

- $a = 0.02 \times 4.0 = 0.08\text{m}$
- $b = 0.45 - (0.08 + 0.35) = 0.02\text{m}$
- $\text{A} = 0.55 \times 2 = 1.1\text{m}$
- $\text{B} = 0.35 \times 2 = 0.70\text{m}$
- $\text{C} = \sqrt{0.3^2 + 0.3^2} = 0.4243\text{m}$
- $\text{D} = \sqrt{4.0^2 + 0.08^2} = 4.001\text{m}$
- $\text{F} = \sqrt{3.7^2 + 0.02^2} = 3.7001\text{m}$

$\Sigma L = 1.1 + 0.70 + 0.4243 + 4.001 + 3.7001$
$= 9.9254\text{m}$

$\therefore$ 거푸집량$= \Sigma L \times 1(\text{m}) = 9.9254 \times 1 = 9.925\text{m}^2$

□□□ 08②, 20④, 21① 【10점】

17 다음과 같은 작업리스트가 있다. 아래 물음에 답하시오.

작업명	A	B	C	D	E	F	G	H	I	J	K	L
작업일수	3	3	4	5	4	6	6	7	8	4	2	2
선행작업	없음	A	A	A	B	C	C	D	E,F	G	H	I,J,K
후속작업	B,C,D	E	F,G	H	I	I	J	K	L	L	L	없음

가. Network(화살선도)를 작성하고 임계공정선(C.P)을 구하시오.

나. 아래 표의 빈칸을 채우시오.

작업명	작업일수	TE		TL		TF
		EST	EFT	LST	LFT	

해답 가.

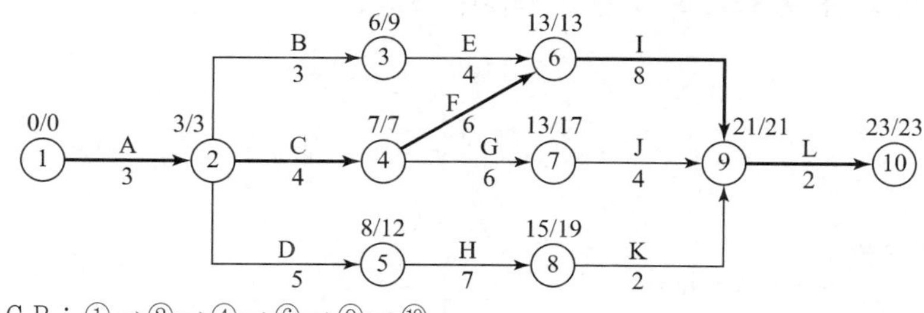

∴ C.P : ①→②→④→⑥→⑨→⑩

나.

작업명	작업일수	TE		TL		TF
		EST	EFT	LST	LFT	
A	3	0	3	0	3	0
B	3	3	6	6	9	3
C	4	3	7	3	7	0
D	5	3	8	7	12	4
E	4	6	10	9	13	3
F	6	7	13	7	13	0
G	6	7	13	11	17	4
H	7	8	15	12	19	4
I	8	13	21	13	21	0
J	4	13	17	17	21	4
K	2	15	17	19	21	4
L	2	21	23	21	23	0

□□□ 21① 【3점】

18 토공 중 운반로 선정시 고려할 사항 3가지를 쓰시오.

① ______ ② ______ ③ ______

해답 ① 운반장비의 주행성 확보
② 운반로의 구배가 완만할 것
③ 평탄성이 좋을 것

□□□ 00①, 21① 【3점】

19 터널의 보강공법 중 숏크리트의 기능을 4가지만 쓰시오.

① ______ ② ______

③ ______ ④ ______

해답 ① 원지반의 이완방지
② 요철부를 채워 응력집중을 방지
③ 콘크리트 arch로서 하중분담
④ 암괴의 붕락방지

□□□ 21① 【4점】

20 다음의 콘크리트 용어에 대한 정의를 간단히 쓰시오.

① 워커빌리티(workability) :

② 유동성(fluidity) :

해답 ① 워커빌러티(workability) : 반죽질기의 정도에 따르는 작업의 난이성 및 재료의 분리성 정도를 나타내는 굳지 않은 콘크리트의 성질

② 유동성(fluidity) : 중력이나 밀도에 따라 유동하는 정도를 나타내는 굳지 않은 콘크리트의 성질

□□□ 98④, 05①, 10④, 11④, 18①, 21①, 23② 【3점】

21 3m×3m 크기의 정사각형 기초를 마찰각 $\phi=20°$, 점착력 $c=12\text{kN/m}^2$인 지반에 설치하였다. 흙의 단위중량 $\gamma=18\text{kN/m}^3$이며, 기초의 근입깊이는 5m이다. 지하수위가 지표면에서 7m 깊이에 있을 때의 극한지지력을 Terzaghi 공식으로 구하시오. (단, 지지력계수 $N_c=17.7$, $N_q=7.4$, $N_r=5$이고, 흙의 포화단위중량은 20kN/m^3이다.)

계산 과정) 답 :

해답 $q_u=\alpha c N_c+\beta B\gamma_1 N_r+\gamma_2 D_f N_q$

$d=(7-5)\text{m}<\text{B}=3\text{m}$인 경우

• $\gamma_1=\gamma_{sub}+\dfrac{d}{B}(\gamma_t-\gamma_{sub})$

$\gamma_{sub}=\gamma_{sat}-\gamma_w=20-9.81=10.19\text{kN/m}^3$

$\gamma_1=10.19+\dfrac{2}{3}\times(18-10.19)=15.4\text{kN/m}^3$

$\therefore\ q_u=1.3\times12\times17.7+0.4\times3\times15.4\times5+18\times5\times7.4$

$=1034.52\text{kN/m}^2$

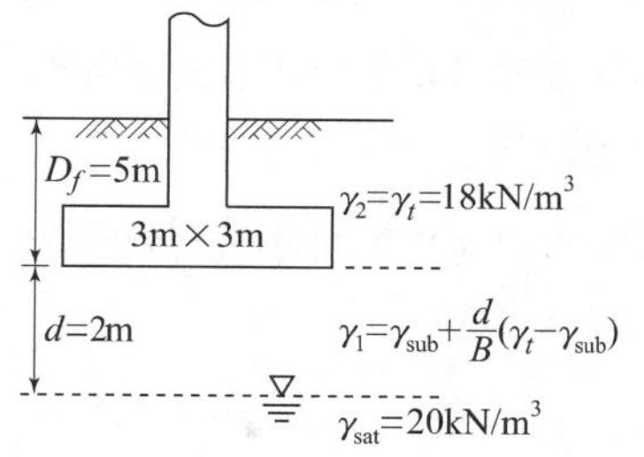

□□□ 21① 【5점】

22 토목공사의 토질조사 시 시행하는 표준관입시험의 "N치"의 정의를 간단히 설명하고, 이 결과로 얻어지는 "N치"로 추정되는 사항을 3가지 쓰시오.

가. 정의 :

나. N치의 추정 :

① ② ③

해답 가. 정의 : 2개의 쪼개진 샘플링 스푼을 붙인 보링로드 위에 760mm의 높이로부터 63.5kg의 해머를 낙하시켜 지중으로 300mm 관입하는 데 필요한 항타 횟수

나. ① 내부마찰각 ② 상대밀도 ③ 일축압축강도 ④ 탄성계수

□□□ 21①, 23② 【6점】

23 그림과 같은 박스암거(Box Culvert)를 땅속에 설치하였을 때 다음 물음에 답하시오.

(단, 암거 상판두께는 0.30m이고 측벽의 두께는 0.35m, 저판의 두께는 0.40m, 흙의 단위중량은 17.0kN/m^3, 콘크리트의 단위중량은 23.0kN/m^3, 흙의 내부 마찰각은 30° 이다.)

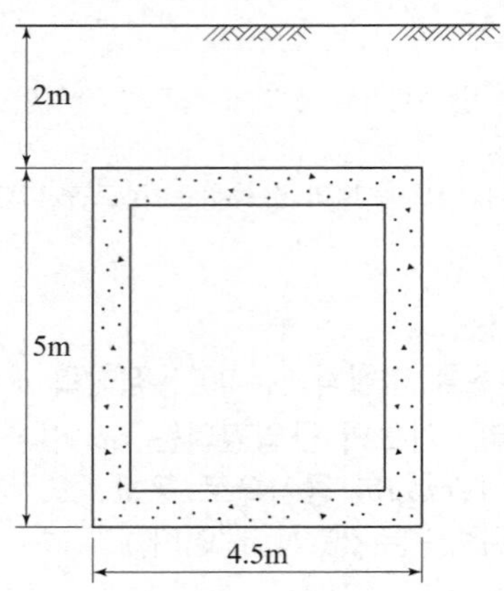

가. 박스 암거 깊이 2m, 7m에 대한 수평응력(정지토압)을 구하시오.

① 깊이 2m에 대한 수평응력을 구하시오.

계산 과정) 답 : ______

② 깊이 7m에 대한 수평응력을 구하시오.

계산 과정) 답 : ______

나. 박스 암거(Box Culvert)에 작용하는 횡방향 정지토압 분포도를 완성하시오.

해답 가. ① 정지토압계수 $K_o = 1 - \sin\phi = 1 - \sin 30° = 0.5$

- 암거 상부에 작용하는 토압

$\sigma_{v(2m)} = 17 \times 2 = 34.0\text{kN/m}^2$

$\therefore \ \sigma_{h(2m)} = \sigma_{v(2m)} K_o = 34 \times 0.5 = 17.0\text{kN/m}^2$

② 암거 제일 하단에 작용하는 토압

$\sigma_{v(7m)} = \sigma_{v(2m)} + \gamma_t H$

$= 34 + 17 \times 5 = 119.0\text{kN/m}^2$

$\therefore \ \sigma_{h(7m)} = \sigma_{v(7m)} K_o = 119 \times 0.5 = 59.5\text{kN/m}^2$

나. 정지토압 분포도

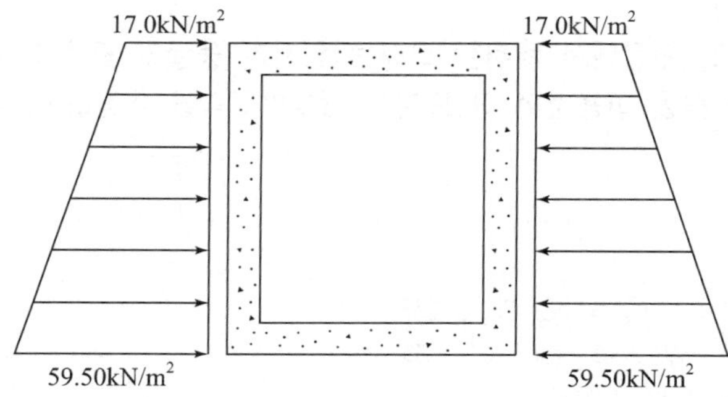

□□□ 95⑤, 21① 【2점】

24 암반의 이완 부분부터 경암까지 볼트를 고정시켜 암반의 탈락을 방지하고 터널공사에서는 터널측면에 본바닥의 아치를 형성시켜 주는 공법은?

○

해답 록볼트 공법(rock bolt method)

국가기술자격 실기시험문제

2021년도 기사 제2회 필답형 실기시험(기사)

종 목	시험시간	형 별	성 명	수험번호
토목기사	**3시간**	B		

※ 수험자 인적사항 및 계산식을 포함한 답안 작성은 검은색 필기구만 사용하여야 하며, 그 외 연필류, 빨간색, 청색 등 필기구로 작성한 답안은 0점 처리됩니다.

□□□ 01①, 03②, 13②, 16④, 21② 【3점】

01 표준관입시험의 N치가 35이고, 현장에서 채취한 모래는 입자가 둥글고 균등계수가 5이고 곡률계수가 5이었다. Dunham의 식을 이용하여 이 모래의 내부마찰각을 추정하시오.

계산 과정) 답 : ______

해답 • 모래의 입도 판정

균등계수 $C_u \geq 6$, 곡률계수 : $1 \leq C_g \leq 3$일 때 양입도

∴ 둥글고 입도분포가 균등한 모래(∵ $C_u = 5$, $C_g = 5$)

• 입자가 둥글고 입도분포가 균등(불량)한 모래

내부마찰각 $\phi = \sqrt{12N} + 15 = \sqrt{12 \times 35} + 15 = 35.49°$

□□□ 95⑤, 98②, 99⑤, 12①, 14①, 17④, 21②, 22③ 【3점】

02 도로연장 3km 건설구간에서 7지점의 시료를 채취하여 다음과 같은 CBR을 구하였다. 이때의 설계 CBR 얼마인가?

• 7지점의 CBR : 5.3, 5.7, 7.6, 8.7, 7.4, 8.6, 7.2

• 설계 CBR 계산용 계수

개수(n)	2	3	4	5	6	7	8	9	10 이상
d_2	1.41	1.91	2.24	2.48	2.67	2.83	2.96	3.08	3.18

계산 과정) 답 : ______

해답 설계 CBR = 평균 CBR $- \dfrac{\text{CBR}_{max} - \text{CBR}_{min}}{d_2}$

• 평균 CBR $= \dfrac{\Sigma \text{CBR값}}{n} = \dfrac{5.3+5.7+7.6+8.7+7.4+8.6+7.2}{7} = 7.21$

∴ 설계 CBR $= 7.21 - \dfrac{8.7-5.3}{2.83} = 6.01$

∴ 6 (∵ 설계 CBR은 소수점 이하는 절삭한다.)

□□□ 06③, 09①, 21② 【4점】

03 그림과 같은 포화점토층이 상재하중에 의하여 압밀도(U)=90%에 도달하는 데 소요되는 시간(년)을 각각의 경우에 대하여 구하시오. (단, 압밀계수(C_v)=$3.6\times10^{-4}\text{cm}^2/\text{sec}$, 시간계수($T_v$)=0.848임.)

①의 경우

모래
점토층
5m
암반

②의 경우

가. ①의 경우에 대하여 구하시오.

계산 과정) 답 : __________

나. ②의 경우에 대하여 구하시오.

계산 과정) 답 : __________

해답 가. $t_{90}=\dfrac{0.848\,H^2}{C_v}=\dfrac{0.848\times\left(\dfrac{500}{2}\right)^2}{3.6\times10^{-4}}=147{,}222{,}222.2\,\text{sec}$ (∵ 양면배수)

$=147{,}222{,}222.2\times\dfrac{1}{60\times60\times24\times365}=4.67$년

나. $t_{90}=\dfrac{0.848\,H^2}{C_v}=\dfrac{0.848\times500^2}{3.6\times10^{-4}}=588{,}888{,}888.9\,\text{sec}$ (∵ 일면배수)

$=588{,}888{,}888.9\times\dfrac{1}{60\times60\times24\times365}=18.67$년

□□□ 89②, 08④, 12①, 13④, 17④, 21②, 22③, 23② 【3점】

04 여굴을 적게 하고 파단선을 매끈하게 하기 위한 조절발파(controlled blasting) 공법의 종류를 3가지만 쓰시오.

① __________ ② __________

③ __________ ④ __________

해답 ① 라인 드릴링(line drilling) 공법
② 쿠션 블라스팅(cushion blasting) 공법
③ 스무스 블라스팅(smooth blasting) 공법
④ 프리 스플리팅(pre−splitting) 공법

□□□ 04②, 17②, 21② 【4점】

05 다음과 같은 연속기초의 극한지지력을 테르자기(Terzaghi)식을 이용하여 ①, ②의 경우에 대해 각각 구하시오. (단, 점착력 $c=0.01\text{MPa}$, 물의 단위중량 $\gamma_w=9.81\text{kN/m}^3$, 내부마찰각 $\phi=15°$, $N_c=6.5$, $N_r=1.2$, $N_q=2.7$이며 전반전단파괴가 발생하며, 흙은 균질이다.)

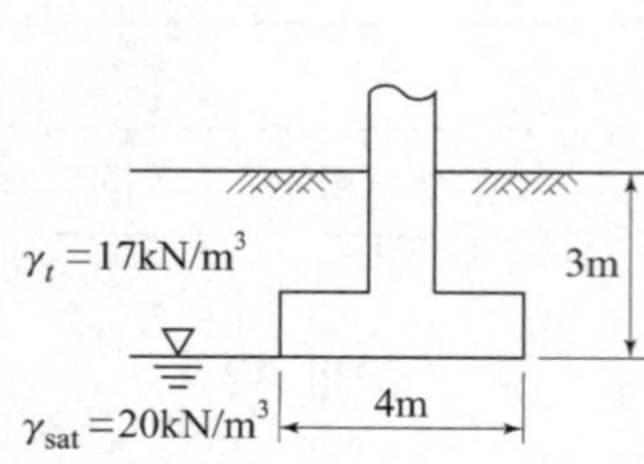

①의 경우

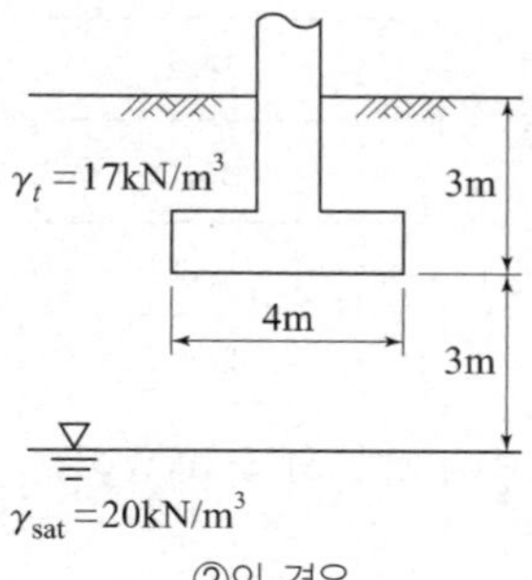

②의 경우

가. ①의 경우에 대하여 극한지지력을 구하시오.

계산 과정)　　　　　답 : ________

나. ②의 경우에 대한 극한지지력을 구하시오.

계산 과정)　　　　　답 : ________

해답 가. $D_1=3\text{m} \le D_f=3\text{m}$인 경우

$$q_u=\alpha c N_c+\beta\gamma_1 B N_r+\gamma_2 D_f N_q$$

$$c=0.1\text{kg/cm}^2=0.01\text{N/mm}^2=0.01\text{MPa}=10\text{kN/m}^2$$

$$=1.0\times10\times6.5+0.5\times(20-9.81)\times4\times1.2+17\times3\times2.7=227.16\text{kN/m}^2$$

나. $d<B$인 경우

$$q_u=\alpha c N_c+\beta\gamma_1 B N_r+\gamma_2 D_f N_q$$

• $\gamma_1=\gamma_{\text{sub}}+\dfrac{d}{B}(\gamma_t-\gamma_{\text{sub}})=(20-9.81)+\dfrac{3}{4}[17-(20-9.81)]=15.30\text{kN/m}^3$

$$\therefore\ q_u=1.0\times10\times6.5+0.5\times15.30\times4\times1.2+17\times3\times2.7$$

$$=239.42\text{kN/m}^2$$

□□□ 10②, 13①, 14①, 16④, 17④, 21② 【3점】

06 도로 노상의 지지력을 평가할 수 있는 현장시험 평가방법을 3가지만 쓰시오.

① ________ ② ________ ③ ________

해답 ① CBR(CBR시험)

② K값(평판재하시험 ; PBT)

③ Cone값(콘관입시험 ; CPT)

④ N치(표준관입시험 ; SPT)

□□□ 04②, 21②, 23③ 【3점】

07 **우물통 케이슨 기초의 수직하중이 W, 주면마찰력이 F, 선단부지지력이 Q, 부력이 B일 때, 침하조건식을 작성하고, 적절한 침하촉진방법을 2가지만 쓰시오.**

가. 침하조건식 :

나. 침하촉진방법

① ____________ ② ____________

해답 가. $W > F + Q + B$

나. ① 재하중에 의한 침하공법 ② 분사식 침하공법

③ 물하중식 침하공법 ④ 발파에 의한 침하공법

⑤ 감압에 의한 침하공법

□□□ 93③, 94①②, 97④, 99①, 00②, 01③, 03③, 10①②, 12④, 13①, 14②, 19③, 21②, 23① 【3점】

08 **Meyerhof 공식을 이용하여 지름 30cm, 길이 14m인 콘크리트 말뚝을 표준관입치가 다른 3종의 지층으로 되어 있는 기초지반에 박을 경우 말뚝의 허용지지력을 구하시오.**
(단, 안전율은 3을 적용한다.)

30cm

$N=5$ 3m

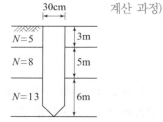

$N=8$ 5m

$N=13$ 6m

계산 과정)

답 : ____________

해답 극한지지력 $Q_u = 40NA_p + \frac{1}{5}\overline{N}A_s$

- $N = 13$
- $A_p = \frac{\pi d^2}{4} = \frac{\pi \times 0.30^2}{4} = 0.071\,\text{m}^2$
- $\overline{N} = \frac{N_1 h_1 + N_2 h_2 + N_3 h_3}{h_1 + h_2 + h_3} = \frac{5 \times 3 + 8 \times 5 + 13 \times 6}{3 + 5 + 6} = 9.5$
- $A_s = \pi d l = \pi \times 0.30 \times (3 + 5 + 6) = 13.20\,\text{m}^2$

$\therefore\ Q_u = 40 \times 13 \times 0.071 + \frac{1}{5} \times 9.5 \times 13.20 = 62.0\,\text{t}$

$\therefore$ 허용지지력 $Q_a = \frac{Q_u}{F_s} = \frac{62.0}{3} = 20.67\,\text{t}$

□□□ 02③, 07④, 13①, 14①, 21② 【3점】

09 시멘트의 밀도가 3.15g/cm^3, 잔골재의 밀도가 2.62g/cm^3, 굵은골재의 밀도가 2.67g/cm^3 인 재료를 사용하여 물-시멘트비 55%, 단위수량 165kg, 단위 잔골재량 780kg인 배합을 실시하였다. 이 콘크리트 1m^{3}의 질량을 측정한 결과가 2,290kg일 경우 이 콘크리트의 잔골재율을 구하시오.

계산 과정) 답 : ______

해답 잔골재율 $S/a = \dfrac{V_s}{V_{s+}V_g} \times 100$

- $\dfrac{W}{C} = 55\%$에서 $C = \dfrac{165}{0.55} = 300\text{kg/m}^3$
- 단위 굵은골재량 G = 콘크리트의 단위중량 − (단위수량 + 단위시멘트량 + 단위 잔골재량)
  $= 2,290 - (165 + 300 + 780) = 1,045\text{kg/m}^3$
- 단위 굵은골재량의 절대부피
  $V_g = \dfrac{\text{단위 굵은골재량}}{\text{굵은골재의 밀도} \times 1,000} = \dfrac{1,045}{2.67 \times 1,000} = 0.391\text{m}^3$
- 단위 잔골재량의 절대부피
  $V_s = \dfrac{\text{단위 잔골재량}}{\text{잔골재의 밀도} \times 1,000} = \dfrac{780}{2.62 \times 1,000} = 0.298\text{m}^3$

  $\therefore\ S/a = \dfrac{0.298}{0.298 + 0.391} \times 100 = 43.25\%$

□□□ 94①, 97④, 21② 【3점】

10 본바닥토량 30,000m^{3}를 굴착하여 평균운반거리 40m까지 11ton급 불도저 2대를 사용하여 성토작업을 하고자 한다. 아래의 시공조건을 이용하여 시간당 작업량과 전체의 공사를 끝내는 데 필요한 소요 공기를 구하시오.

【조 건】

- 사이클 타임(C_m) : 2.1분
- 1회 굴착압토량(q) : 1.89m^3
- 토량환산계수(f) : 0.85
- 작업효율(E) : 0.80
- 1일 평균작업시간(t_d) : 6hr
- 실제 가동일수율 : 50%

계산 과정) 【답】 소요공기 : ______

해답
- $Q = \dfrac{60 \cdot q \cdot f \cdot E}{C_m} = \dfrac{60 \times 1.89 \times 0.85 \times 0.8}{2.1} = 36.72\text{m}^3/\text{hr}$
- 2대의 시간당 작업량
  Q = 1대 작업량 × 대수 × 실제가동률 $= 36.72 \times 2 \times 0.50 = 36.72\text{m}^3/\text{hr}$

  $\therefore$ 소요공기 $= \dfrac{30,000}{36.72 \times 6} = 136.17$ $\therefore$ 137일

□□□ 11①, 15②, 17④, 21② 【3점】

11 아래 그림과 같은 옹벽의 전도에 대한 안전율을 구하시오. (단, 지반의 허용지지력은 200kN/m^2, 뒤채움흙과 저판 아래의 흙의 단위중량은 18kN/m^3, 내부마찰각은 37°, 점착력은 0이고, 콘크리트의 단위중량은 24kN/m^3이다.)

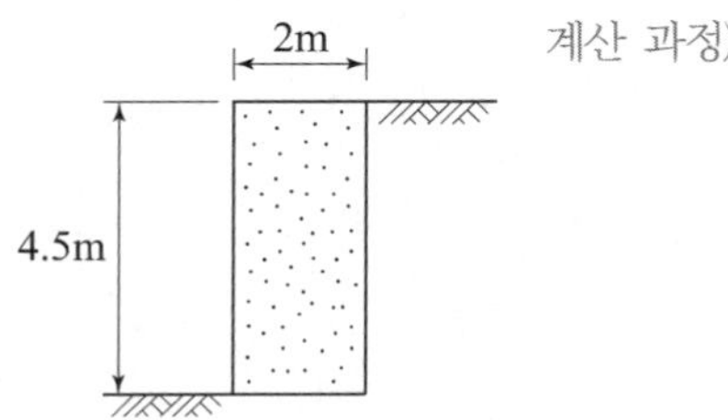

계산 과정)

답 :

해답 ■ 방법 1

가. • 주동토압 $P_A = \frac{1}{2}K_a z^2 \gamma_t$

$= \frac{1}{2} \times \tan^2\left(45° - \frac{37°}{2}\right) \times 4.5^2 \times 18$

$= 45.3\text{kN/m}$

• 콘크리트의 총중량

$W = BH\gamma_c = 2 \times 4.5 \times 24 = 216\text{kN/m}$

• $y = \frac{1}{3} \times 4.5 = 1.5\text{m}$

$$F_s = \frac{M_r}{M_d} = \frac{W \cdot \frac{B}{2}}{P_A \cdot \frac{H}{3}}$$

$$= \frac{216 \times \frac{2}{2}}{45.3 \times \frac{4.5}{3}} = 3.18$$

■ 방법 2

가. $F_s = \frac{W \cdot a}{P_H \cdot y}$

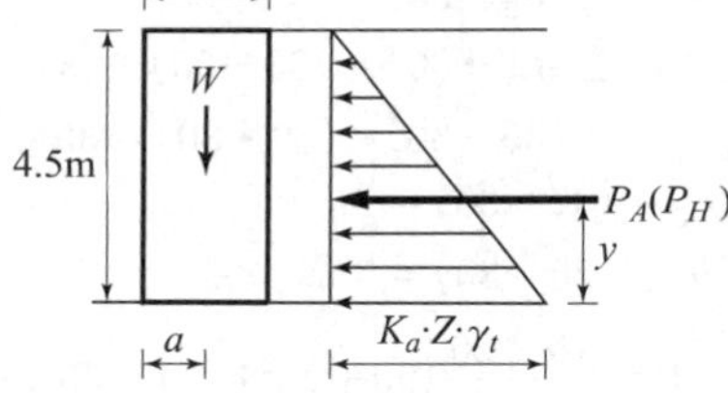

• 주동토압 : $P_A = \frac{1}{2}K_a z^2 \gamma_t$

$= \frac{1}{2} \times \tan^2\left(45° - \frac{37°}{2}\right) \times 4.5^2 \times 18$

$= 45.3\text{kN/m}$

• 콘크리트의 총중량

$W = 2 \times 4.5 \times 24 = 216\text{kN/m}$

• $a = 1\text{m}$, $y = \frac{1}{3} \times 4.5 = 1.5\text{m}$

$\therefore F_s = \frac{216 \times 1}{45.3 \times 1.5} = 3.18$

□□□ 21② 【2점】

12 항만 내의 선박과 하구의 보호 및 하구폐색 방지를 목적으로 설치한 항만 외곽시설을 무엇이라고 하는가?

○

해답 방파제

□□□ 92④, 94②, 98②, 99②, 00③, 01④, 21② 【3점】

13 다음과 같은 지형에서 시공기준면의 표고를 30m로 할 때, 총토공량은 얼마인가? (단, 격자점의 숫자는 표고를 나타내며 단위는 m이다.)

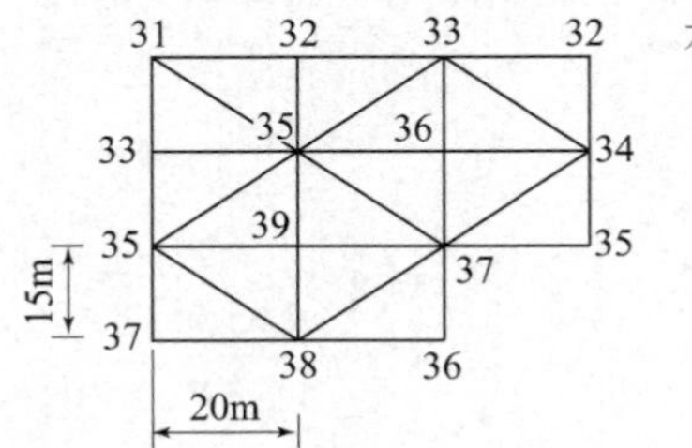

계산 과정)

답 : ______________

해답 • 시공기준면과 각 점 표고와의 차를 구하여 총토공량을 계산

$$V=\frac{a \cdot b}{6}(\Sigma h_1+2\Sigma h_2+3\Sigma h_3+\cdots+8\Sigma h_8)$$

• $\Sigma h_1=\Sigma(h_1-30)=(32-30)+(35-30)+(36-30)+(37-30)=20\text{m}$

• $\Sigma h_2=\Sigma(h_2-30)=(31-30)+(32-30)+(33-30)=6\text{m}$

• $\Sigma h_4=\Sigma(h_4-30)=(33-30)+(34-30)+(38-30)+(35-30)+(36-30)+(39-30)=35\text{m}$

• $\Sigma h_6=(37-30)=7\text{m}$

• $\Sigma h_8=(35-30)=5\text{m}$

$$\therefore\ V=\frac{15\times 20}{6}(20+2\times 6+4\times 35+6\times 7+8\times 5)=12{,}700\text{m}^3$$

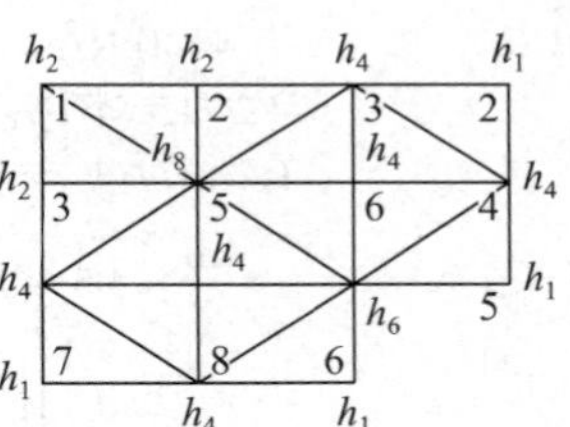

□□□ 84②, 85②, 10④, 21② 【4점】

14 신설도로공사를 위해 토취장을 선정하고자 한다. 토취장 선정조건을 5가지만 쓰시오.

① ______________ ② ______________ ③ ______________

④ ______________ ⑤ ______________

해답 ① 토질이 양호할 것

② 토량이 충분할 것

③ 싣기가 편리한 지형일 것

④ 성토장소를 향해서 하향구배 $\frac{1}{50}\sim\frac{1}{100}$ 정도를 유지할 것

⑤ 운반도로가 양호하며 장해물이 적고 유지가 용이할 것

⑥ 용수·붕괴의 우려가 없고 배수에 양호한 지형일 것

⑦ 기계의 사용이 용이할 것

□□□ 05①, 21② 【3점】

15 유선과 등수두선으로 이루어지는 사각형을 유선망이라 하는데, 이러한 유선망의 특징을 3가지만 쓰시오.

① ______ ② ______ ③ ______

해답 ① 각 유량의 침투유량은 같다.
② 인접한 등수두선 간의 수두차는 모두 같다.
③ 유선과 등수두선은 서로 직교한다.
④ 유선망을 이루는 사각형은 이론상 정사각형이다.
⑤ 침투속도 및 동수구배는 유선망의 폭에 반비례한다.

□□□ 21② 【10점】

16 다음 데이터를 네트워크 공정표로 작성하고, 각 작업의 여유시간을 구하시오.

작업명	작업 일수	선행 작업	비고
A	5	없음	네트워크 작성은 다음과 같이 EST LST / LFT EFT (i) —작업명 / 작업일수→ (j) 로 표기하고, 주공정선은 굵은 선으로 표기하시오.
B	3	없음	
C	2	없음	
D	2	A, B	
E	5	A, B C	
F	4	A, C	

가. 네트워크 공정표를 작성하시오.

나. 각 작업별 여유시간을 계산하시오.

작업명	TF	FF	DF
A			
B			
C			
D			
E			
F			

해답 가. 네트워크 공정표

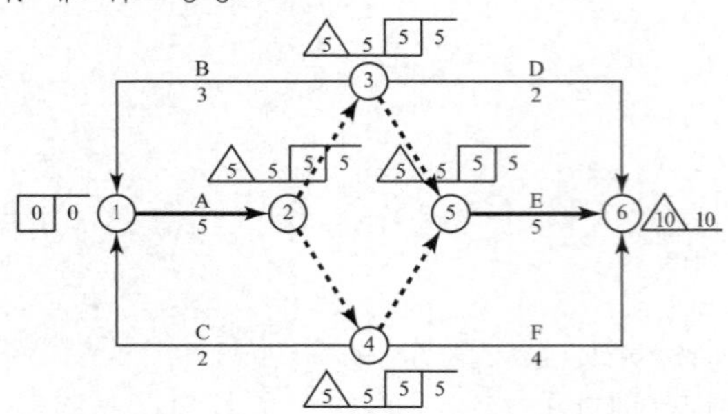

나. 각 작업별 여유시간

작업명	TF	FF	DF
A	5−0−5=0	5−0−5=0	0−0=0
B	5−0−3=2	5−0−3=2	2−2=0
C	5−0−2=3	5−0−2=3	3−3=0
D	10−5−2=3	10−5−2=3	3−3=0
E	10−5−5=0	10−5−5=0	0−0=0
F	10−5−4=1	10−5−4=1	1−1=0

□□□ 11①, 21② 【3점】

17 댐의 기초암반에 보링공을 천공한 후, 시멘트풀, 점토 및 약액 등을 압력으로 주입하여 지반 개량 및 차수를 목적으로 시행하는 것을 그라우팅이라고 한다. 이러한 그라우팅의 종류를 3가지만 쓰시오.

① ____________ ② ____________

③ ____________ ④ ____________

해답 ① 압밀 그라우팅(consolidation grouting)
② 커튼 그라우팅(curtain grouting)
③ 콘택트 그라우팅(contact grouting)
④ 림 그라우팅(rim grouting)
⑤ 블랭킷 그라우팅(blanket grouting)

□□□ 99①, 02④, 05①, 07②, 09④, 13①, 18②, 21② 【18점】

18 주어진 도면 및 조건에 따라 다음 물량을 산출하시오. (단, 주어진 도면의 치수는 축척에 맞지 않을 수 있으며, 주어진 치수로만 물량을 산출할 것)

【조 건】

- W1, W2, W3, W4, W5, W6, F1, F3, F4, K2 철근은 각각 200mm 간격으로 배근한다.
- F2, K1, H 철근은 각각 100mm 간격으로 배근한다.
- S1, S2, S3 철근은 지그재그로 배근한다.
- 옹벽의 돌출부(전단 Key)에는 거푸집을 사용하는 경우로 계산한다.
- 물량산출에서 할증률 및 마구리는 없는 것으로 하고 상세도에 표시되어 있지 않은 이음길이는 계산하지 않는다.

단 면 도 (N.S) (단 위 : mm)

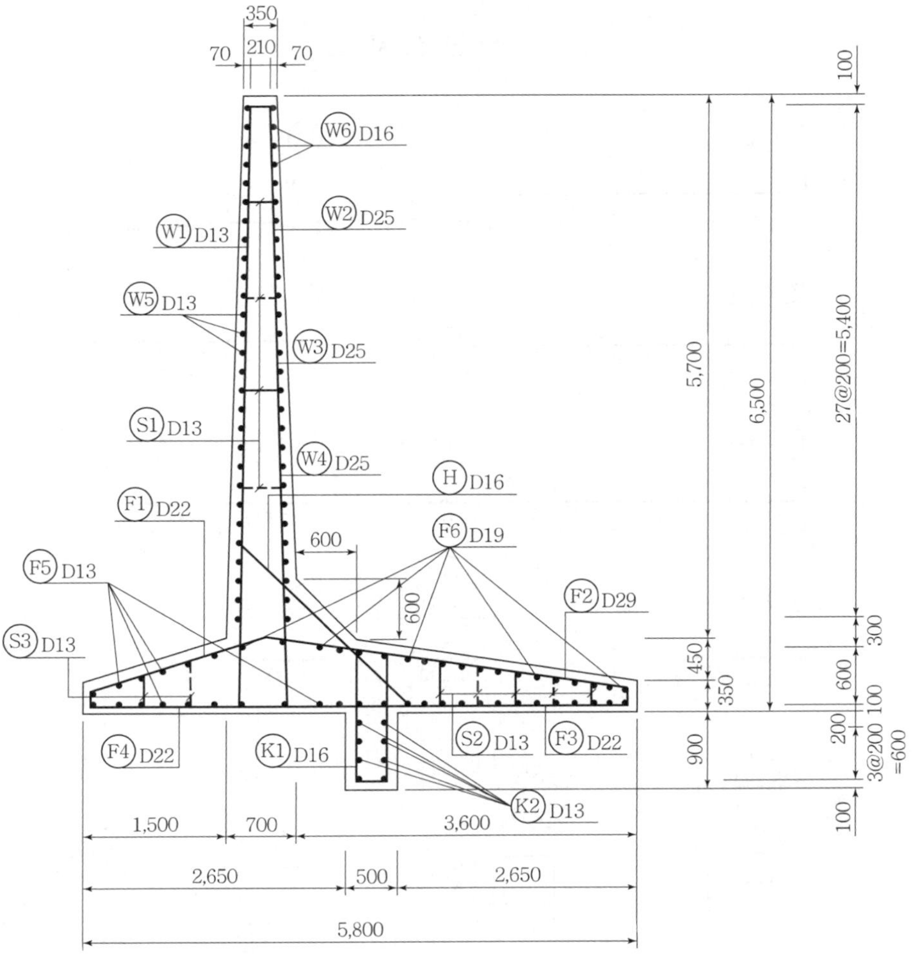

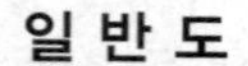
일 반 도

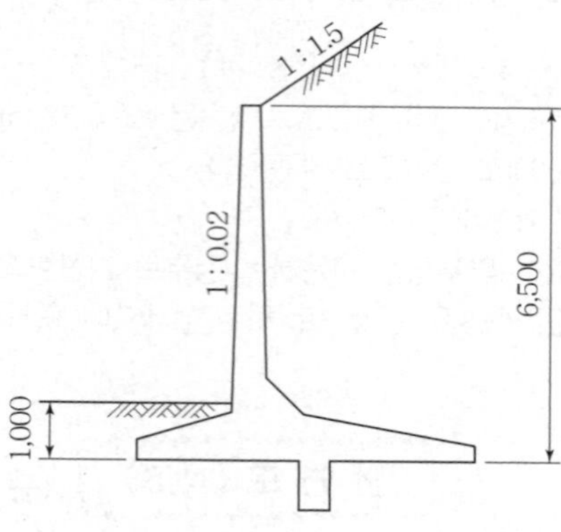
1 : 1.5
1 : 0.02
6,500
1,000

철 근 상 세 도

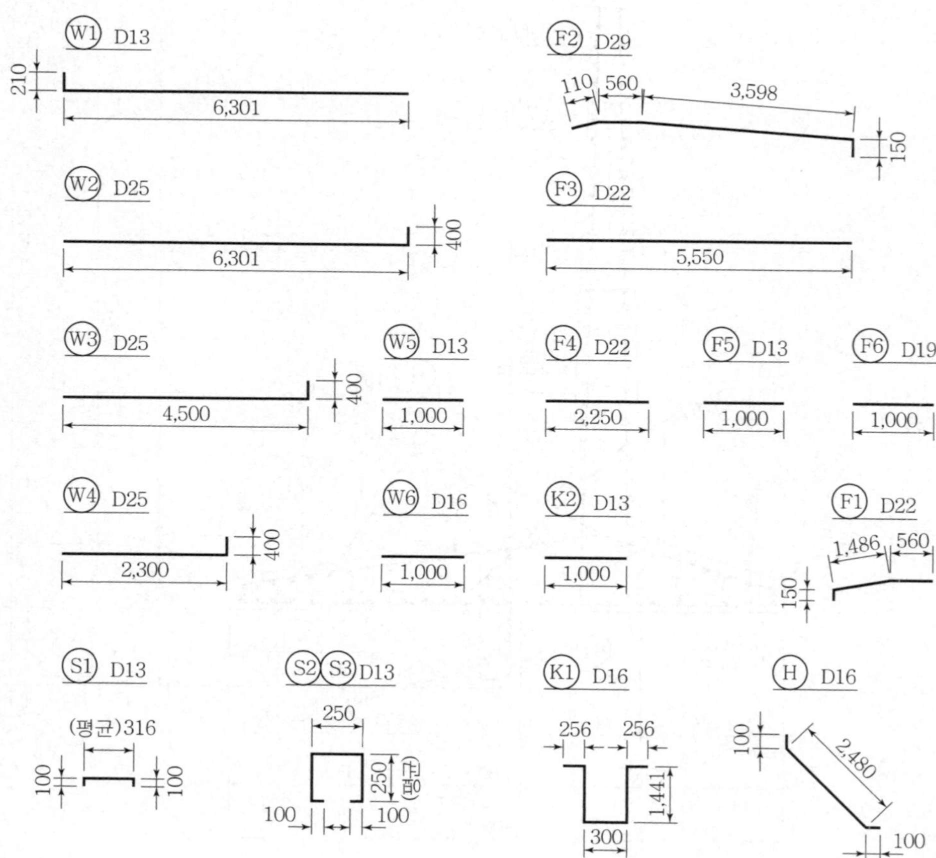
W1 D13
210
6,301
F2 D29
110
560
3,598
150
W2 D25
400
6,301
F3 D22
5,550
W3 D25
400
4,500
W5 D13
1,000
F4 D22
2,250
F5 D13
1,000
F6 D19
1,000
W4 D25
400
2,300
W6 D16
1,000
K2 D13
1,000
F1 D22
1,486
560
150
S1 D13
(평균)316
100
100
S2 S3 D13
250
250
(평균)
100
100
K1 D16
256
256
1,441
300
H D16
100
2,480
100

가. 길이 1m에 대한 콘크리트량을 구하시오. (단, 소수점 이하 넷째자리에서 반올림하시오.)

계산 과정)

답 :

나. 길이 1m에 대한 거푸집량을 구하시오. (단, 소수점 이하 넷째자리에서 반올림하시오.)

계산 과정)

답 :

다. 길이 1m에 대한 철근물량표를 완성하시오.

기호	직경	길이(mm)	수량	총길이(mm)	기호	직경	길이(mm)	수량	총길이(mm)
W1					K1				
F1					S2				

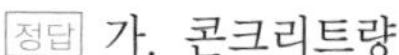
정답 가. 콘크리트량

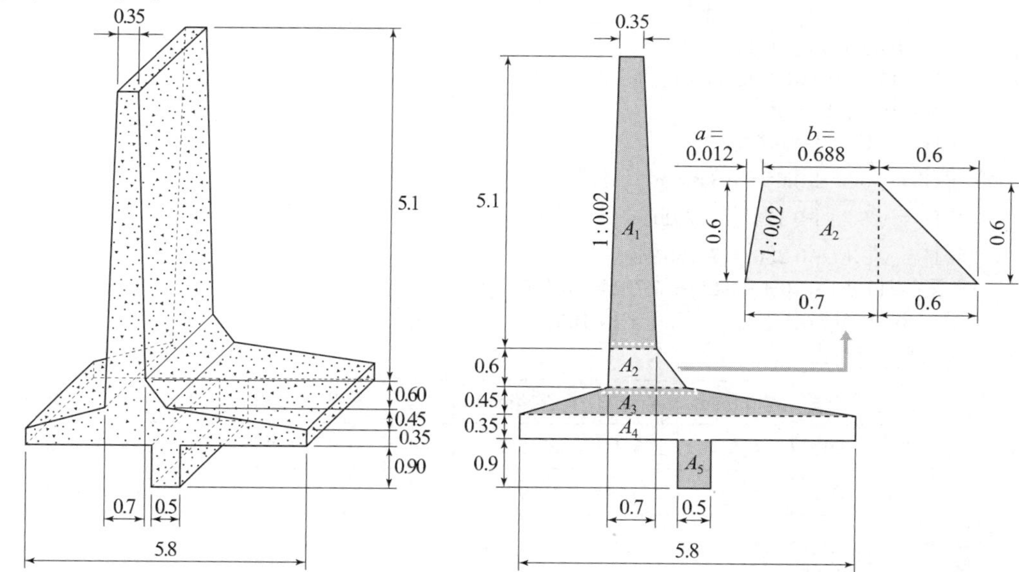

- $a = 0.02 \times 0.6 = 0.012\text{m}$
- $b = 0.70 - 0.02 \times 0.6 = 0.688\text{m}$
- $A_1 = \dfrac{0.35 + (0.7 - 0.6 \times 0.02)}{2} \times 5.1 = 2.6469\text{m}^2$
- $A_2 = \dfrac{(0.7 - 0.6 \times 0.02) + (0.7 + 0.6)}{2} \times 0.6 = 0.5964\text{m}^2$
- $A_3 = \dfrac{(0.7 + 0.6) + 5.8}{2} \times 0.45 = 1.5975\text{m}^2$
- $A_4 = 0.35 \times 5.8 = 2.03\text{m}^2$
- $A_5 = 0.9 \times 0.5 = 0.45\text{m}^2$

$\therefore\ V = (\Sigma A_i) \times 1 = (2.6469 + 0.5964 + 1.5975 + 2.03 + 0.45) \times 1 = 7.321\text{m}^3$

나.

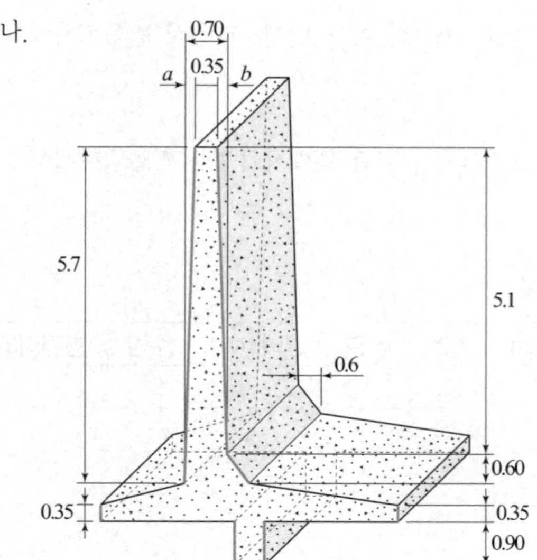

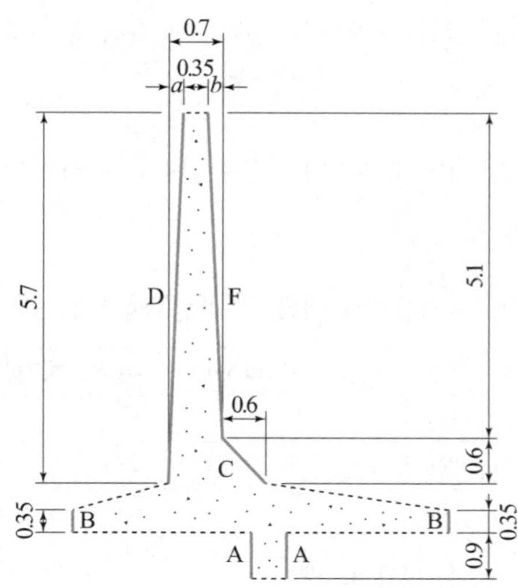

- $a = 0.02 \times 5.7 = 0.114\text{m}$
- $b = 0.7 - (0.114 + 0.35) = 0.236\text{m}$
- $\text{A} = 0.9 \times 2 = 1.8\text{m}$
- $\text{B} = 0.35 \times 2 = 0.70\text{m}$
- $\text{C} = \sqrt{0.6^2 + 0.6^2} = 0.8485\text{m}$
- $\text{D} = \sqrt{5.7^2 + 0.114^2} = 5.7011\text{m}$
- $\text{F} = \sqrt{5.1^2 + 0.236^2} = 5.1055\text{m}$

$\sum l = (1.8 + 0.70 + 0.8485 + 5.7011 + 5.1055) = 14.155\text{m}$

$\therefore$ 총 거푸집량$= \sum L \times 1(\text{m}) = 14.155 \times 1 = 14.155\text{m}^2$

다. 철근물량표

기호	직경	길이(mm)	수량	총길이(mm)	기호	직경	길이(mm)	수량	총길이(mm)
W1	D13	6,511	5	32,555	K1	D16	3,694	10	36,940
F1	D22	2,196	5	10,980	S2	D13	950	12.5	11,875

철근물량 산출근거

기호	직경	길이(mm)	수량	총길이(mm)	수량산출
W1	D13	210+6,301 = 6,511	5	32,555	$\frac{1}{0.200} = 5$본
F1	D22	150+1,486+560=2,196	5	10,980	$\frac{1}{0.200} = 5$본
K1	D16	256×2+300+1,441×2 = 3,694	10	36,940	$\frac{1}{0.100} = 10$본
S2	D13	(100+250)×2+250 = 950	12.5	11,875	$\frac{5}{0.200 \times 2} \times 1 = 12.5$본 또는 $400 : 5 = 1,000 : x$ $\therefore x = 12.5$

□□□ 12②, 14①, 18③, 21②, 22② 【3점】

19 그림과 같은 옹벽이 점성토를 지지하고 있다. 인장균열이 발생한 후의 옹벽에 작용하는 전체 주동토압을 구하시오. (단, Rankine의 토압이론을 사용하며, 인장균열 위 토압은 무시하고 상재하중으로 고려하여 구하시오.)

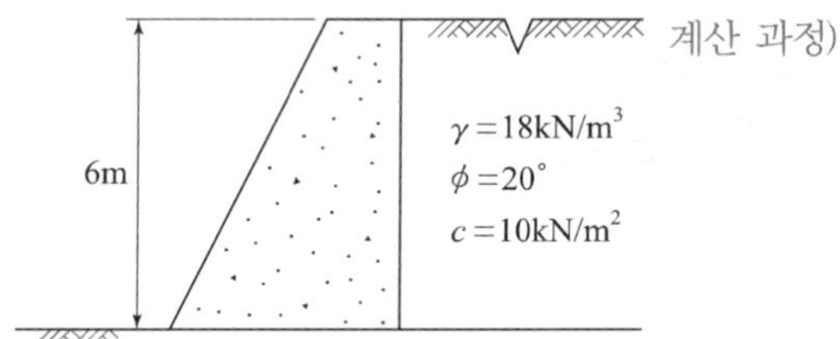

계산 과정)

답 :

해답 $P_A = \frac{1}{2}\gamma(H-z_o)^2 K_A + \gamma z_o (H-z_o) K_A$

- 인장균열 깊이

$$z_o = \frac{2c}{\gamma_t}\tan\left(45° + \frac{\phi}{2}\right) = \frac{2\times 10}{18}\times \tan\left(45° + \frac{20°}{2}\right) = 1.587\text{m}$$

- $K_A = \tan^2\left(45° - \frac{\phi}{2}\right) = \tan^2\left(45° - \frac{20°}{2}\right) = 0.490$

$$\therefore\ P_A = \frac{1}{2}\times 18\times(6-1.587)^2\times 0.490 + 18\times 1.587\times(6-1.587)\times 0.490$$

$$= 85.88 + 61.77 = 147.65\text{kN/m}$$

□□□ 06②, 11②, 21② 【6점】

20 말뚝의 부마찰력(負摩擦力)에 대하여 다음 물음에 답하시오.

가. 부마찰력의 정의를 쓰시오.

○

나. 부마찰력이 일어나는 원인을 3가지만 쓰시오.

① ② ③

다. 연약지반을 관통하여 철근콘크리트 말뚝을 박았을 때 부마찰력(R_{nf})을 계산하시오.

(단, 지반의 일축압축강도 $q_u = 20\text{kN/m}^2$, 말뚝의 직경 $d = 50\text{cm}$, 말뚝의 관입깊이 $l = 10\text{m}$ 이다.)

계산 과정)

답 :

해답 가. 하향의 마찰력에 의해 말뚝을 아래쪽으로 끌어 내리는 힘

나. ① 말뚝의 타입지반이 압밀진행 중인 경우

② 상재하중이 말뚝과 지표에 작용하는 경우

③ 지하수위의 저하로 체적이 감소하는 경우

④ 점착력 있는 압축성 지반일 경우(팽창성 점토지반일 경우)

다. $R_{nf} = U \cdot l_c \cdot f_c = \pi d \cdot l_c \cdot \dfrac{q_u}{2} = \pi \times 0.5 \times 10 \times \dfrac{20}{2} = 157.08\,\text{kN}$

□□□ 05①, 06②, 09②, 14④, 18③, 21② 【3점】

21 **다음 지반조건으로 지반굴착을 할 경우, 이에 설치한 지반앵커(ground anchor)의 정착장(L)을 구하시오.** (단, 안전율은 1.5를 적용한다.)

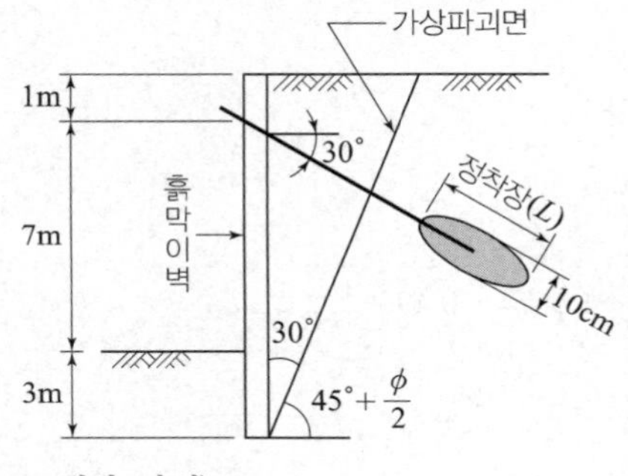

【조 건】

- 앵커반력 : 250kN
- 정착부의 주면마찰저항 : 0.20MPa
- 천공직경 : 10cm
- 설치각도 : 수평과 30°
- H-Pile 설치간격(앵커설치간격) : 2.0m

계산 과정)

답 : ______

정답 정착장 $L = \dfrac{T \cdot F_s}{\pi D \tau}$

- 앵커축력 $T = \dfrac{P \cdot a}{\cos\alpha} = \dfrac{250 \times 2.0}{\cos 30°} = 577.35\,\text{kN}$
- 천공직경 $D = 10\text{cm} = 0.1\text{m}$
- 주면마찰저항 $\tau = 0.2\text{MPa} = 0.2\text{N/mm}^2 = 200\text{kN/m}^2$

$\therefore\ L = \dfrac{577.35 \times 1.5}{\pi \times 0.1 \times 200} = 13.78\,\text{m}$

□□□ 12④, 21② 【3점】

22 **교량 가설공법 중 압출공법(ILM)의 단점을 3가지만 쓰시오.**

① ______ ② ______ ③ ______

해답 ① 교량의 선형에 제한을 받는다.
② 콘크리트 타설시 엄격한 품질관리가 필요하다.
③ 상부구조물의 횡단면이 일정해야 한다.
④ 교장이 짧은 경우는 비경제적이다.
⑤ 넓은 제작장이 필요하다.

□□□ 05②, 08①, 12①, 21② 【3점】

23 **30회 이상의 콘크리트 압축강도시험 실적으로부터 결정한 압축강도의 표준편차가 2.4MPa 이고 품질기준강도가 28MPa일 때 배합강도를 구하시오.**

계산 과정)　　　　　　　　　　　　　　　　　　　　　답 : ______

해답 $f_{cq} \le 35$MPa인 경우 배합강도 f_{cr}

- $f_{cr} = f_{cq} + 1.34s = 28 + 1.34 \times 2.4 = 31.22$ MPa
- $f_{cr} = (f_{cq} - 3.5) + 2.33s = (28 - 3.5) + 2.33 \times 2.4 = 30.09$ MPa

$\therefore f_{cr} = 31.22$MPa(∵ 두 값 중 큰 값)

□□□ 21② 【4점】

24 **토취장에서 원지반 토량 5,000m³를 굴착한 후 아래 그림과 같은 단면의 도로를 축조하기 위하여 함수비를 측정하였더니 8%였고 습윤단위중량 17.5kN/m³이였다. 이 흙으로 도로를 축조하고자 할 때 함수비는 12%이고, 건조단위중량 18.20kN/m³이었다. 다음 물음에 답하시오.**

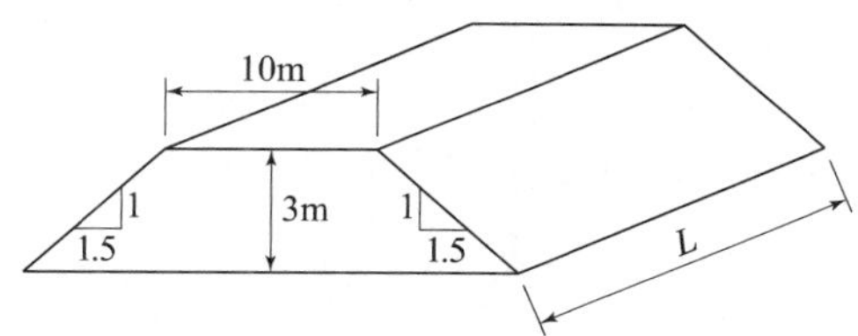

가. 축조된 도로의 길이를 구하시오.

계산 과정)　　　　　　　　　　　　　　　　　　　　　답 : ______

나. 도로 축조하는데 살수해야 할 물은 얼마인가?

계산 과정)　　　　　　　　　　　　　　　　　　　　　답 : ______

해답 가. $C = \dfrac{\text{본바닥 흙의 건조단위중량}}{\text{다짐후의 건조단위중량}}$

- 함수비 8%일 때의 건조단위중량

$$\gamma_d = \frac{\gamma_t}{1+w} = \frac{17.5}{1+0.08} = 16.20\text{kN/m}^3$$

$$\therefore C = \frac{\text{본바닥 흙의 건조단위중량}}{\text{다짐후의 건조단위중량}} = \frac{16.20}{18.20} = 0.89$$

- $A = \dfrac{10 + (1.5 \times 3 + 10 + 1.5 \times 3)}{2} \times 3 = 43.5\text{m}^2$
- 완성토량 $= 5{,}000 \times C = 5{,}000 \times 0.89 = 4{,}450\text{m}^3$

$$\therefore \text{도로의 길이 } L = \frac{\text{완성토량}}{\text{도로의 단면적}} = \frac{4{,}450}{43.5} = 102.30\text{m}$$

나. • 8%일 때의 물의 무게

$$W_w = \frac{wW}{100+w} = \frac{8\times5,000\times17.5}{100+8} = 6,481.48\text{kN}$$

• 12%에 대한 살수량

$$6,481.48\times\frac{12-8}{8} = 3,240.74\text{kN}$$

$$\therefore \text{ 살수량} = \frac{W_w}{\gamma_w} = \frac{3,240.74(\text{kN})}{9.81(\text{kN/m}^3)} = 330.35\text{m}^3 = 330,350.66\text{L}$$

$(\because\ 1\text{m}^3 = 1,000\text{L})$

국가기술자격 실기시험문제

2021년도 기사 제3회 필답형 실기시험(기사)

종 목	시험시간	형 별	성 명	수험번호
토목기사	**3시간**	B		

※ 수험자 인적사항 및 계산식을 포함한 답안 작성은 검은색 필기구만 사용하여야 하며, 그 외 연필류, 빨간색, 청색 등 필기구로 작성한 답안은 0점 처리됩니다.

□□□ 04①, 13④, 20①, 21③, 23② 【4점】

01 히빙의 정의와 방지대책을 2가지만 쓰시오.

가. 히빙의 정의를 간단하게 쓰시오.

○

나. 히빙의 방지대책을 2가지만 쓰시오.

① ______ ② ______

해답 가. 연약한 점토질지반을 굴착할 때 흙막이벽 전후의 흙의 중량 차이 때문에 굴착저면이 부풀어 오르는 현상

나. ① 흙막이공의 계획을 변경한다.
② 굴착저면에 하중을 가한다.
③ 흙막이벽의 관입깊이를 깊게 한다.
④ 표토를 제거하여 하중을 적게 한다.
⑤ 양질의 재료로 지반개량을 한다.

□□□ 01②, 03②, 07①, 10②, 11②, 15④, 21③ 【3점】

02 아래 그림과 같은 무한사면에서 지하수위면과 지표면이 일치한 경우 사면의 안전율을 구하시오. (단, 지반의 $c=0$, $\phi=30°$, $\gamma_{sat}=18.0\text{kN/m}^3$이다.)

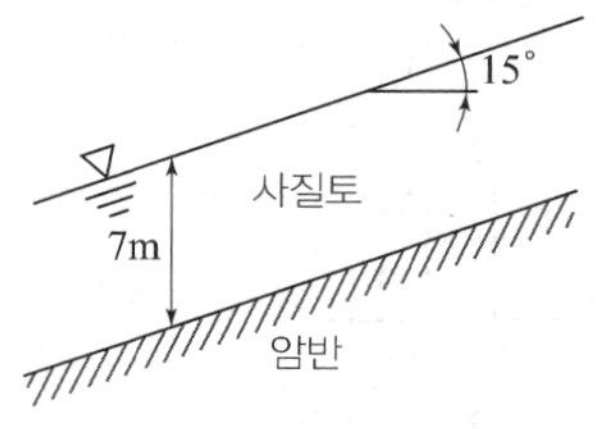

계산 과정)

답 : ______

해답 $F_s=\dfrac{\gamma_{sub}}{\gamma_{sat}}\cdot\dfrac{\tan\phi}{\tan i}=\dfrac{18.0-9.81}{18.0}\times\dfrac{\tan 30°}{\tan 15°}=0.98$

(점착력 $c=0$이고, 지하수위가 지표면과 일치할 때 반무한사면의 안전율)

□□□ 98④, 05①, 10④, 13④, 16④, 21③ 【6점】

03 **3m×3m 크기의 정사각형 기초를 마찰각 $\phi=30^{\circ}$, 점착력 $c=50\text{kN/m}^2$인 지반에 설치하였다. 흙의 단위중량 $\gamma=17\text{kN/m}^3$이며, 기초의 근입깊이는 2m이다. 지하수위가 지표면에서 1m, 3m, 5m 깊이에 있을 때의 극한지지력을 각각 구하시오.** (단, 지하수위 아래의 흙의 포화단위중량은 19kN/m^3, 물의 단위중량 $\gamma_w=9.81\text{kN/m}^3$, Terzaghi 공식을 사용하고, $\phi=30^{\circ}$일 때, $N_c=36$, $N_r=19$, $N_q=22$)

가. 지하수위가 1m 깊이에 있는 경우

계산 과정) 답 : ______________

나. 지하수위가 3m 깊이에 있는 경우

계산 과정) 답 : ______________

다. 지하수위가 5m 깊이에 있는 경우

계산 과정) 답 : ______________

해답 가. $D_1 \le D_f$인 경우(1m < 2m)

$$q_u=\alpha cN_c+\beta\gamma_1 BN_r+\gamma_2 D_f N_q$$
$$=\alpha cN_c+\beta\gamma_{\text{sub}}BN_r+(D_1\gamma_1+D_2\gamma_{\text{sub}})N_q$$

- $\gamma_1=\gamma_{\text{sub}}=19-9.81=9.19\text{kN/m}^3$
- $\gamma_2 D_f=D_1\gamma_t+D_2\gamma_{\text{sub}}$
$$=1\times17+1\times9.19=26.19\text{kN/m}^2$$

$$\therefore q_u=1.3\times50\times36+0.4\times9.19\times3\times19+26.19\times22$$
$$=2{,}340+209.532+576.18=3{,}125.71\text{kN/m}^2$$

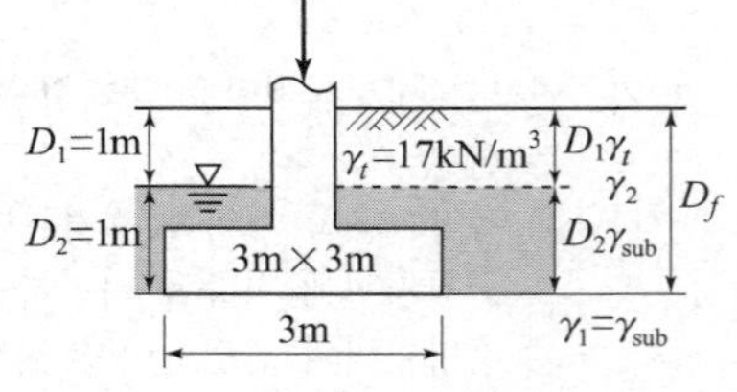

나. $d<B$인 경우(1m < 3m)

$$q_u=\alpha cN_c+\beta\left\{\gamma_{\text{sub}}+\frac{d}{B}(\gamma_t-\gamma_{\text{sub}})\right\}BN_r+\gamma_t D_f N_q$$

- $\gamma_{sub}=\gamma_t-\gamma_w=19-9.81=9.19\text{kN/m}^3$
- $\gamma_1=\gamma_{\text{sub}}+\dfrac{d}{B}(\gamma_t-\gamma_{\text{sub}})$
$$=9.19+\frac{1}{3}(17-9.19)=11.79\text{kN/m}^3$$

$$\therefore q_u=1.3\times50\times36+0.4\times11.79\times3\times19+17\times2\times22$$
$$=2{,}340+268.812+748=3{,}356.81\text{kN/m}^2$$

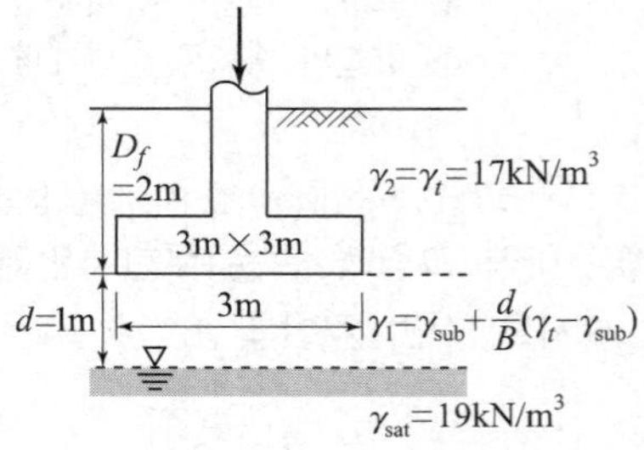

다. $d \ge B$인 경우(3m ≥ 3m)

$$q_u=\alpha cN_c+\beta B\gamma_1 N_r+\gamma_2 D_f N_q$$

- $\gamma_1=\gamma_2=\gamma_t=17\text{kN/m}^3$

$$\therefore q_u=1.3\times50\times36+0.4\times3\times17\times19+17\times2\times22$$
$$=2{,}340+387.6+748=3{,}475.60\text{kN/m}^2$$

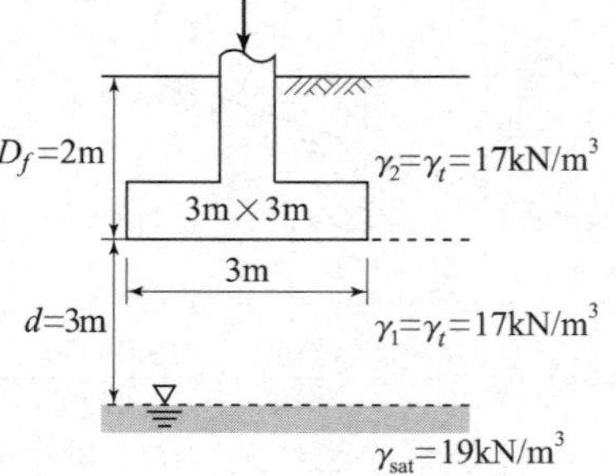

□□□ 98⑤, 14①, 20②, 21③ 【4점】

04 직경 30cm의 평판재하시험을 한 결과 침하량 25mm일 때 극한지지력이 300kN/m²이고, 침하량이 10mm이었다. 허용침하량이 25mm인 직경 1.2m의 실제 기초의 극한지지력과 침하량을 구하시오. (단, 점토지반과 사질토지반인 경우에 대하여 각각 구하시오.)

가. 점토지반인 경우에 대해서 구하시오.

① 극한지지력 :

② 침하량 :

나. 사질토지반인 경우에 대해서 구하시오.

① 극한지지력 :

② 침하량 :

해답 가. ① 극한지지력 $q_u = 300\text{kPa}$(∵ 재하판에 무관)

② 침하량 $S_F = S_P \times \dfrac{B_F}{B_P} = 10 \times \dfrac{1.2}{0.30} = 40\text{mm}$(∵ 재하판 폭에 비례)

나. ① 극한지지력 $q_{u(F)} = q_{u(P)} \times \dfrac{B_F}{B_P}$(∵ 재하판 폭에 비례)

$= 300 \times \dfrac{1.2}{0.30} = 1{,}200\text{kN/m}^2$

② 침하량 $S_F = S_P\left(\dfrac{2B_F}{B_F + B_P}\right)^2 = 10 \times \left(\dfrac{2 \times 1.2}{1.2 + 0.3}\right)^2 = 25.6\text{mm}$(∵ 재하판에 무관)

□□□ 16②, 21③ 【3점】

05 콘크리트 구조물에서 시공이음을 설치하고자 할 때 그 위치 또는 방향에 대해 아래의 각 물음에 답하시오.

가. 바닥틀과 일체로 된 기둥 또는 벽의 시공이음 위치로 적합한 곳 :

나. 바닥틀의 시공이음 위치로 적합한 곳 :

다. 아치에 시공이음을 설치하고자 할 때 적합한 방향 :

해답 가. 바닥틀과 경계 부근에 설치

나. 슬래브 또는 보의 경간 중앙부 부근에 설치

다. 아치축에 직각방향이 되도록 설치

□□□ 92①, 95⑤, 01①, 11④, 21③ 【3점】

06 어느 지역의 월평균기온이 아래 표와 같다. 동결지수를 구하시오.

월	월평균기온(℃)
11	+1
12	−6.3
1	−8.3
2	−6.4
3	−0.2

계산 과정)

답 :

해답 동결지수 F = (영하온도(θ)×지속일수)의 총합
= 6.3×31 + 8.3×31 + 6.4×28 + 0.2×31 = 638℃·days

□□□ 04②, 06②, 09④, 10①, 13①, 16②, 21③ 【3점】

07 농공단지 조성을 위하여 다음 그림과 같이 기준면으로부터 고저측량을 하였다. 이 용지를 수평으로 정지하고자 할 때 절토량과 성토량이 같게 하려고 하면 기준면으로부터 몇 m의 높이로 하면 되는가?

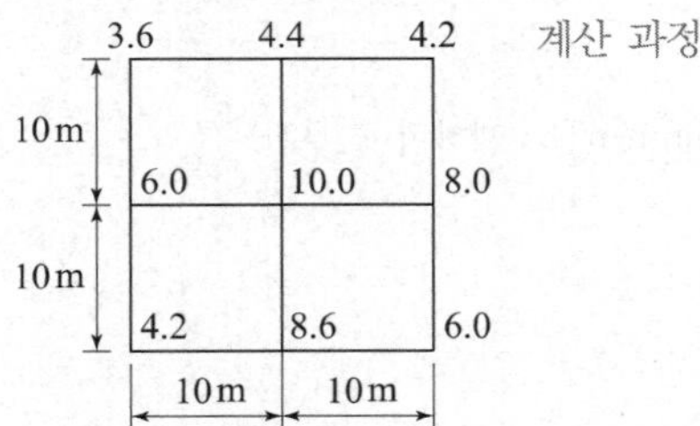

계산 과정)

답 :

해답 $H = \dfrac{V}{A \times n}$

- $V = \dfrac{a \cdot b}{4}(\Sigma h_1 + 2\Sigma h_2 + 4\Sigma h_4)$
- $\Sigma h_1 = 3.6 + 4.2 + 6.0 + 4.2 = 18\text{m}$
- $\Sigma h_2 = 4.4 + 8.0 + 8.6 + 6.0 = 27\text{m}$
- $\Sigma h_4 = 10\text{m}$

$\therefore\ V = \dfrac{10 \times 10}{4} \times (18 + 2 \times 27 + 4 \times 10) = 2{,}800\text{m}^3$

$\therefore\ H = \dfrac{2{,}800}{(10 \times 10) \times 4} = 7\text{m}$

□□□ 88③, 93④, 21③ 【3점】

08 0.7m³의 백호 2대를 사용하여 16,300m³의 기초터파기를 다음 조건으로 했을 때, 터파기에 소요되는 일수는 구하시오. (단, 정수로 산출하시오.)

【조 건】

- 백호 cycle time : 20sec
- 버킷계수 : 0.9
- 작업효율 : 0.75
- 토량환산계수(f) : 0.8
- 1일 운전시간 : 8hr

계산 과정)　　　　　　　　　　　　　　　　답 : ______

해답 소요일수 $= \dfrac{\text{총작업량}}{\text{시간당 작업량}\times\text{소요대수}\times\text{일 운전시간}}$

- $Q = \dfrac{3{,}600\cdot q\cdot K\cdot f\cdot E}{C_m}$

$= \dfrac{3{,}600\times0.7\times0.9\times0.8\times0.75}{20} = 68.04\text{m}^3/\text{hr}$

$\therefore$ 소요일수 $= \dfrac{16{,}300}{68.04\times2\times8} = 14.97$　　$\therefore$ 15일

□□□ 06③, 11①, 21③ 【4점】

09 콘크리트의 타설에 대한 설명이다. 다음 빈 칸 ( )을 채우시오.

콘크리트를 2층 이상으로 나누어 타설할 경우 상층의 콘크리트 타설은(①)의 예방을 위해 원칙적으로 하층의 콘크리트가 굳기 시작하기 전에 해야 하며, 상층과 하층이 일체가 되도록 시공하여야 한다. 이러한 시공을 위하여 콘크리트 이어치기 허용시간 간격의 기준을 정하고 있다. 이 때 외기온도가 25℃를 초과하는 경우, 허용 이어치기 시간간격은(②)이고, 외기온도가 25℃ 이하인 경우, 허용 이어치기 시간간격은 (③)이다.

해답 ① 콜드 조인트(cold joint)　② 2시간　③ 2.5시간

□□□ 04③, 06①, 10④, 14①, 17①, 21③ 【3점】

10 심빼기공(심빼기 발파공)의 종류 중 4가지만 쓰시오.

① ______　② ______　③ ______　④ ______

해답 ① V컷　② 번컷　③ 노컷　④ 스윙컷　⑤ 피라미드컷

□□□ 19①, 21③ 【3점】

11 다음의 도로포장에 관련된 명칭을 각각 기입하시오.

A. 콘크리트 포장 슬래브의 포설, 다짐, 표면 끝손질 등의 기능을 겸비하여 거푸집을 설치하지 않고 연속적으로 포설하는 장비는 무엇인가?

○

B. 입도조정공법이나 머캐덤공법 등으로 시공된 기층의 방수성을 높이고, 그 위에 포설하는 아스팔트 혼합물층과의 부착을 잘되게 하기위하여 기층위에 역청재료를 살포하는 것을 무엇이라 하는가?

○

C. 아스팔트 포장의 기층으로서 사용하는 시멘트 콘크리트 슬래브를 무엇이라 하는가?

○

해답 A. 슬립 폼 페이버(slip form paver)
B. 프라임코트(Prime coat)
C. 화이트베이스(white base)

□□□ 92④, 96③, 01②, 04①, 21③, 22③ 【3점】

12 다음의 그림에서 모래층에 설치한 earth anchor(=tie backs)의 극한저항은?

(단, 콘크리트 그라우팅은 일정한 압력하에서 시공되었으므로 정지토압계수 상태 K_o로 본다.)
(단, $K_o = 1-\sin\phi$ 이용한다.)

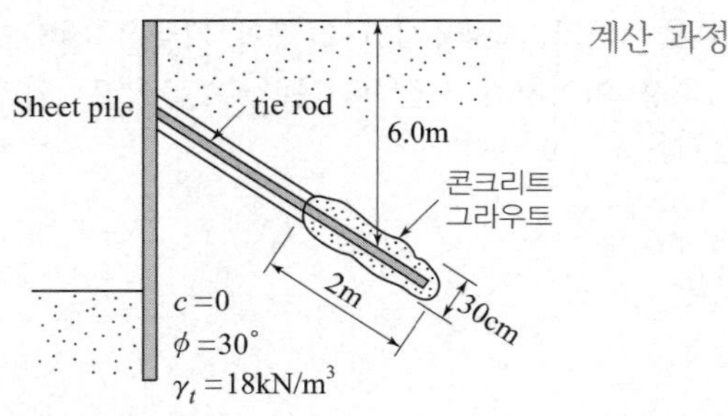

계산 과정)

답 : ______________

해답 $P_u = \pi d l \overline{\sigma_v} K_o \tan\phi = \pi d l \overline{\sigma_v}(1-\sin\phi)\tan\phi$

$= \pi \times 0.30 \times 2 \times (18\times 6)(1-\sin 30°)\tan 30° = 58.77\text{kN}$

□□□ 00③, 01②, 04①, 07①, 09②, 12④, 16②, 19①, 21③ 【18점】

13 **주어진 도면 및 조건에 따라 다음 물량을 산출하시오.** (단, 주어진 도면의 치수는 축척에 맞지 않을 수 있으며, 주어진 치수로만 물량을 산출할 것)

단 면 도 (단위 : mm)

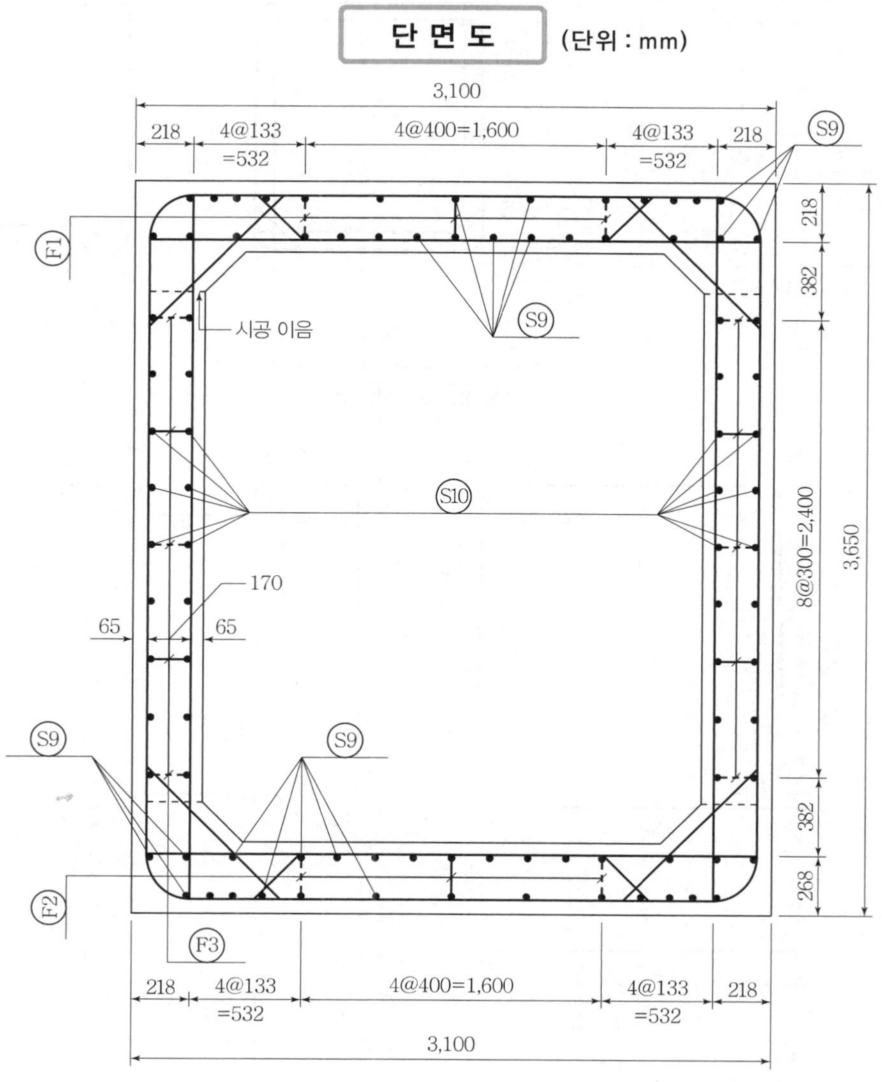

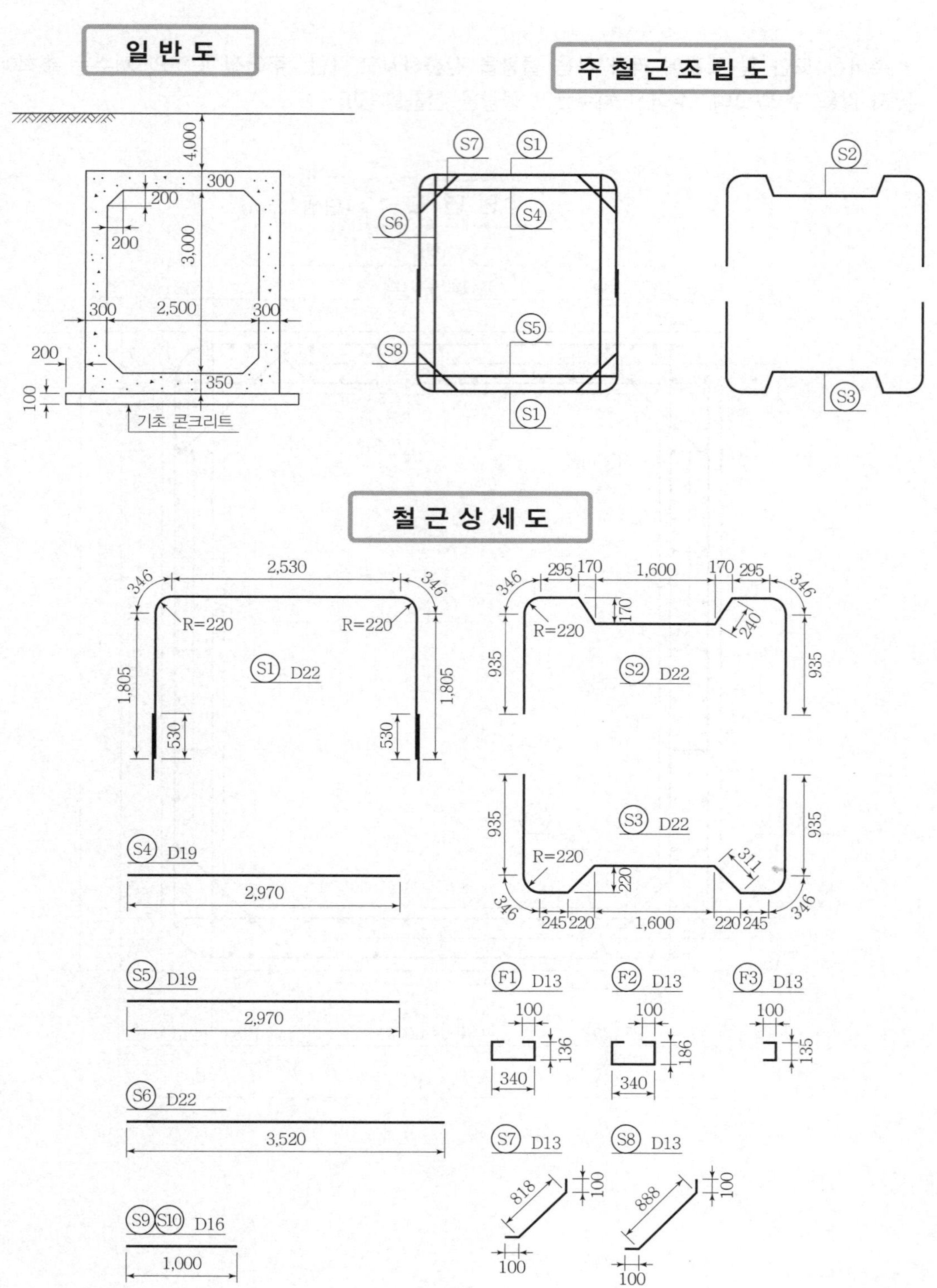
일 반 도
주 철 근 조 립 도
철 근 상 세 도
4,000
300
200
200
3,000
300
2,500
300
200
350
100
기초 콘크리트
S7
S1
S6
S4
S5
S8
S1
S2
S3
2,530
346
346
R=220
R=220
S1 D22
1,805
1,805
530
530
295 170 1,600 170 295
346
346
170
240
R=220
935
935
S2 D22
935
935
S3 D22
R=220
311
220
346
346
245 220 1,600 220 245
S4 D19
2,970
S5 D19
2,970
S6 D22
3,520
S9 S10 D16
1,000
F1 D13
100
136
340
F2 D13
100
186
340
F3 D13
100
135
S7 D13
818
100
100
S8 D13
888
100
100

【조 건】

- S1～S8 철근은 300mm 간격으로 배치되어 있다.
- F1, F2, F3 철근은 300mm 간격으로 지그재그로 배치되어 있다.
- 철근의 이음과 할증은 무시한다.
- 지형상태는 일반도와 같으며 터파기는 기초 콘크리트 양끝에서 100cm 여유폭을 두고 비탈기울기는 1 : 0.5로 한다.
- 거푸집량의 계산에서 마구리면은 무시한다.

가. 길이 1m에 대한 기초와 구체의 콘크리트량을 구하시오. (단, 소수 넷째자리에서 반올림하시오.)

① 기초 콘크리트량 :

② 구체 콘크리트량 :

나. 길이 1m에 대한 거푸집량을 구하시오. (단, 소수 넷째자리에서 반올림하시오.)

계산 과정) 답 :

다. 길이 1m에 대한 터파기량을 구하시오. (단, 소수 넷째자리에서 반올림하시오.)

계산 과정) 답 :

라. 길이 1m에 대한 철근량을 산출하기 위한 다음 철근물량표를 완성하시오. (단, 소수 셋째자리에서 반올림하시오.)

기호	직경	길이(mm)	수량	총길이(mm)	기호	직경	길이(mm)	수량	총길이(mm)
S1					S9				
S7					F1				

해답 가. ① $V_1 = 3.5 \times 0.1 \times 1 = 0.350\,\text{m}^3$

② $\left\{(3.1 \times 3.65) - (2.5 \times 3.0) + \frac{1}{2} \times 0.2 \times 0.2 \times 4\right\} \times 1 = 3.895\,\text{m}^3$

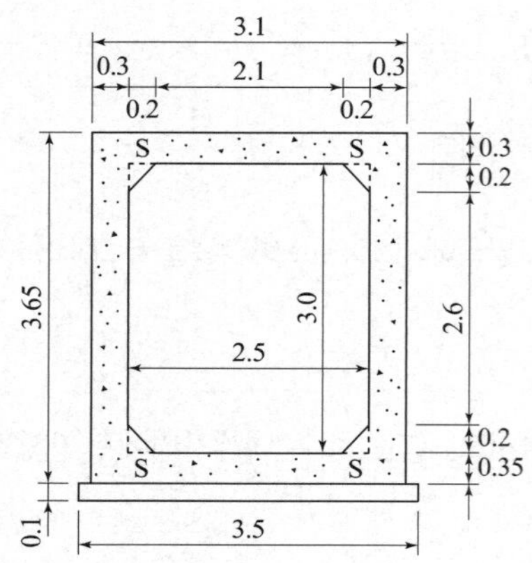

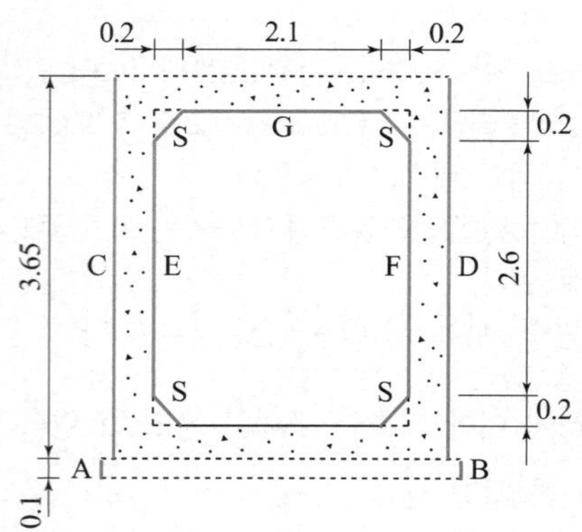

나. A면 = 0.1m　　B면 = 0.1m　　C면 = 3.65m　　D면 = 3.65m
E면 = 2.60m　　F면 = 2.60m　　G면 = 2.10m

$S = \sqrt{0.20^2 + 0.20^2} \times 4 = 1.1314\text{m}$

∴ 총거푸집길이 $= 0.1 \times 2 + 3.65 \times 2 + 2.60 \times 2 + 2.10 + 1.1314 = 15.9314\text{m}$

∴ 총거푸집량 = 총거푸집길이 × 단위길이 $= 15.9314 \times 1 = 15.931\text{m}^2$

다.

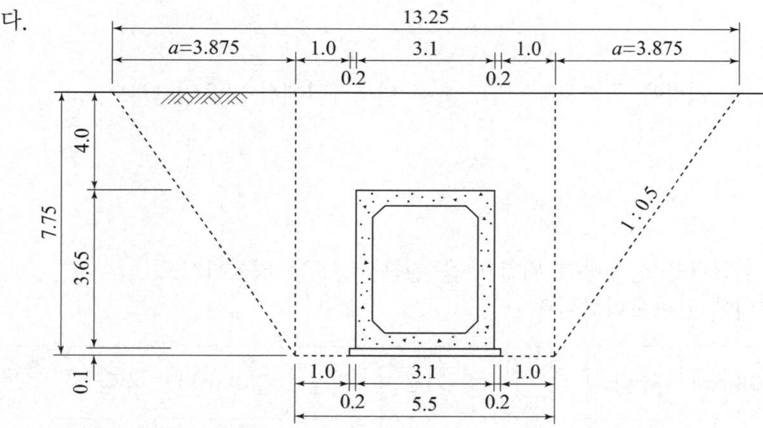

$a = 7.75 \times 0.5 = 3.875\text{m}$

$b = 1.0 + 0.2 + 3.1 + 0.2 + 1.0 = 5.5\text{m}$

∴ 터파기량 $= \left(\dfrac{13.25 + 5.50}{2} \times 7.75\right) \times 1 = 72.656\text{m}^3$

라.

기호	직경	길이 (mm)	수량	총길이 (mm)	기호	직경	길이 (mm)	수량	총길이 (mm)
S1	D22	6,832	6.67	45,569	S9	D16	1,000	56	56,000
S7	D13	1,018	6.67	6,790	F1	D13	812	5	4,060

철근물량 산출근거

기호	직경	길이(mm)	수량	총길이(mm)	수량산출
S1	D22	$(1{,}805\times2)+(346\times2)+2{,}530=6{,}832$	6.67	45,569	$\frac{1}{0.300}\times2=6.67$본
S7	D13	$100\times2+818=1{,}018$	6.67	6,790	$\frac{1}{0.300}\times2=6.67$본
S9	D16	1,000	56	56,000	$(13+15)\times2=56$본 (∵ 길이 1m에 대한 철근량)
F1	D13	812	5	4,060	$\frac{3}{0.300\times2}\times1=5$본 $600:3=1{,}000:x \quad \therefore x=5$

□□□ 21③ 【6점】

14 다음 용어의 물음에 답하시오.

가. 단면이 원호로 되어 있는 부채모양의 문짝으로서 호의 중심에 해당하는 곳을 회전축으로 하여 핀으로 지지하여 개폐할 수 있는 수문의 이름을 쓰시오.

○

나. 댐 콘크리트의 온도상승을 억제하고 균열을 방지할 목적으로 콘크리트를 치기 전에 외경 25mm 정도의 파이프를 수평으로 배치하고 그 속에 자연지하수나 인공냉각수를 통과시켜서 콘크리트의 온도를 낮추는 것을 무엇이라고 하는가?

○

다. 댐공사시 기초암반의 비교적 얇은 부분의 절리를 충전시켜 댐 기초의 변형성이나 강도를 개량하여 균일성을 주기 위하여 기초 전반에 걸쳐 격자형으로 그라우팅하는 방법으로 콘크리트댐 기초공사에 많이 이용되는 그라우팅 방법은?

○

해답 가. 테인터 게이트(tainter gate)
나. 파이프 쿨링(pipe cooling)
다. 압밀 그라우팅(consolidation grouting)

□□□ 00⑤, 08②, 10①, 15②, 21③ 【3점】

15 록볼트의 정착형식은 크게 3가지로 구분할 수 있는데, 이 3가지를 쓰시오.

① ________ ② ________ ③ ________

해답 ① 선단정착형 ② 전면접착형 ③ 혼합형

□□□ 01②, 21③, 23① 【3점】

16 그림과 같은 옹벽에 작용하는 전주동토압은 얼마인가? (Rankine의 토압이론을 사용하시오.)

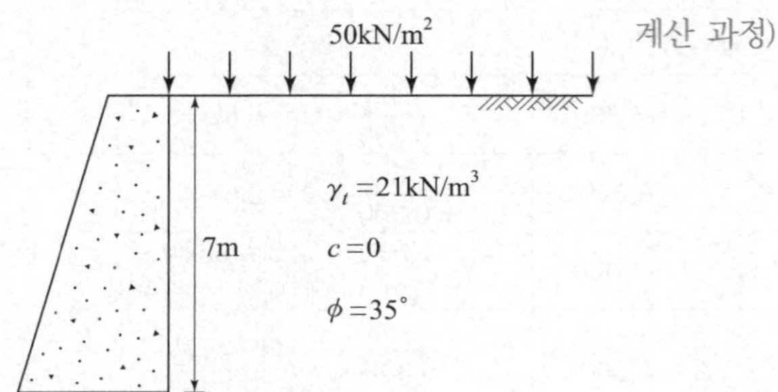

계산 과정)

답 :

해답 전주동토압 $P_A = P_{a1} + P_{a2} = \dfrac{1}{2}\gamma H^2 K_A + qHK_A$

- $K_A = \tan^2\left(45° - \dfrac{\phi}{2}\right) = \tan^2\left(45° - \dfrac{35°}{2}\right) = 0.271$
- $P_{a1} = \dfrac{1}{2} \times 21 \times 7^2 \times 0.271 = 139.43\,\text{kN/m}$
- $P_{a2} = 50 \times 7 \times 0.271 = 94.85\,\text{kN/m}$

$\therefore\ P_A = 139.43 + 94.85 = 234.28\,\text{kN/m}$

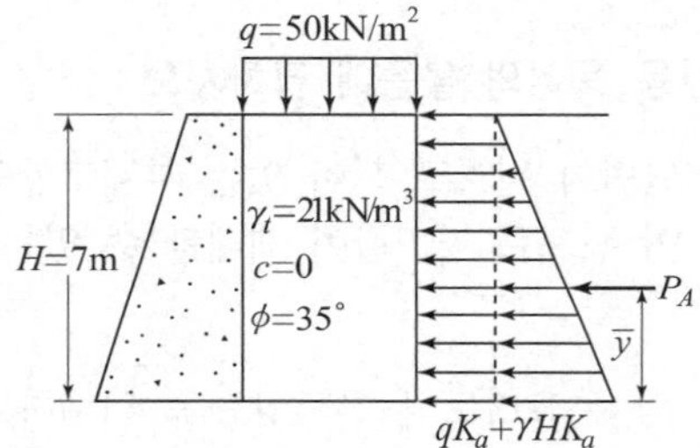

□□□ 95③, 98③, 99⑤, 04③, 10①, 14④, 21③ 【3점】

17 횡방향 지반반력계수(K_h)를 구하는 현장시험을 3가지만 쓰시오.

① ______ ② ______ ③ ______

해답 ① 프레셔미터시험(PMT) ② 딜라토미터시험(DMT) ③ 수평재하시험(LLT)

□□□ 21③, 23③ 【3점】

18 PSC 박스거더 교량 가설공법으로 PSC 세그먼트를 이용한 장대 교량 가설공법 3가지를 쓰시오.

① ______ ② ______ ③ ______

해답 ① FCM(캔틸레버공법) ② MSS(이동식 지보공법) ③ ILM(연속압출공법)

□□□ 03①, 10②, 13①, 18①, 21③ 【10점】

19 **다음 데이터를 이용하여 Normal time 네트워크 공정표를 작성하고 공기를 3일 단축할 때 최소의 추가공사비를 산출하시오.**

(단, ① Net Work 공정표 작성은 화살표 Net Work로 한다.
② 주공정선(Critical path)은 굵은 선 또는 이중선으로 한다.
③ 각 결합점에는 다음과 같이 표시한다.)

작업명 (activity)	정상비용		특급비용	
	공기(일)	공비(원)	공기(일)	공비(원)
A(0→1)	3	20,000	2	26,000
B(0→2)	7	40,000	5	50,000
C(1→2)	5	45,000	3	59,000
D(1→4)	8	50,000	7	60,000
E(2→3)	5	35,000	4	44,000
F(2→4)	4	15,000	3	20,000
G(3→5)	3	15,000	3	15,000
H(4→5)	7	60,000	7	60,000
계		280,000		334,000

가. Normal time 네트워크 공정표를 작성하시오.

나. 공기를 3일간 단축할 때 최소의 추가공사비를 구하시오.

계산 과정)　　　　　　　　　　　　　　　　　　　　답 :

해답 가.

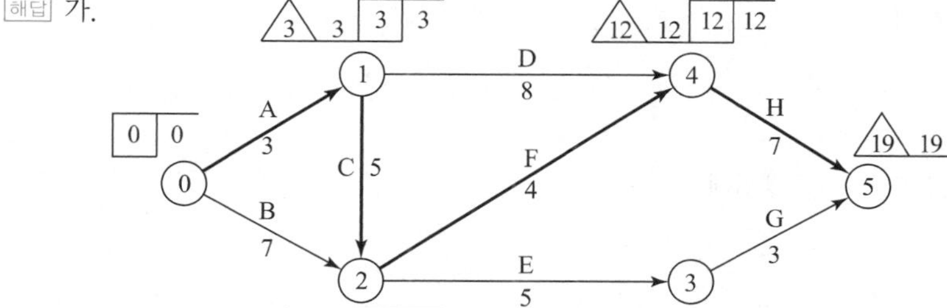

나. • 각 작업의 비용구배

$A = \dfrac{26,000-20,000}{3-2} = 6,000$원, $B = \dfrac{50,000-40,000}{7-5} = 5,000$원

$C = \dfrac{59,000-45,000}{5-3} = 7,000$원, $D = \dfrac{60,000-50,000}{8-7} = 10,000$원

$$F = \frac{20,000 - 15,000}{4-3} = 5,000원$$

- 공기 1일 단축(18일) : F작업에서 1일 단축
  직접비 : +5,000원 증가, 총추가비용 : +5,000원
- 공기 1일 단축 (17일) : A작업에서 1일 단축
  직접비 : +6,000원 증가, 총추가비용 : +11,000원
- 공기 1일 단축 (16일) : (B+C+D)작업에서 각각 1일 단축
  직접비 : (5,000+7,000+10,000)22,000원, 총추가비용 : 33,000원
  ∴ 최소 추가비용 : 33,000원

□□□ 04③, 17②, 21③ 【3점】

20 연약지반 처리 중 치환공법은 지반의 연약토를 제거하고 양질의 토사를 치환하여 비교적 단기간 내에 기초처리를 할 수 있는데 치환공법을 3가지만 쓰시오.

① ______ ② ______ ③ ______

해답 ① 굴착치환공법 ② 폭파치환공법 ③ 강제치환공법(압출치환공법)

□□□ 18①, 21③ 【3점】

21 지진 발생시 교량의 안전에 대하여 지진보호장치 3가지를 쓰시오.

① ______ ② ______ ③ ______

해답 ① 받침보호장치 ② 점성댐퍼 ③ 낙교방지 장치 ④ 내진보강 탄성 받침장치

□□□ 99③, 01①, 06④, 21①③ 【3점】

22 가설 흙막이의 지지, 옹벽의 전도 방지, 산사태 방지 등으로 사용되는 Earth Anchor의 주요 구성요소를 3가지 쓰시오.

① ______ ② ______ ③ ______

해답 ① 앵커두부 ② 인장부 ③ 앵커체

□□□ 21③ 【3점】

23 토압은 일반적으로 구조물의 접촉면에 작용하는 흙의 압력으로 주동토압, 수동토압, 정지토압으로 구분된다. 이 중 정지토압을 받는 구조물의 종류 3가지를 쓰시오.

① ______ ② ______ ③ ______

해답 ① 지하 구조물 ② 교대 구조물 ③ 박스 암거

국가기술자격 실기시험문제

2022년도 기사 제1회 필답형 실기시험(기사)

종 목	시험시간	형 별	성 명	수험번호
토목기사	3시간	B		

※ 수험자 인적사항 및 계산식을 포함한 답안 작성은 검은색 필기구만 사용하여야 하며, 그 외 연필류, 빨간색, 청색 등 필기구로 작성한 답안은 0점 처리됩니다.

□□□ 08①, 10④, 16④, 22① 【3점】

01 함수비가 20%인 토취장의 습윤단위중량(γ_t)가 18.8kN/m^{3}이었다. 이 흙으로 도로를 축조할 때 함수비는 15%이고 습윤단위중량은 19.8kN/m^{3}이었다. 이 경우 흙의 토량 변화율(C)는 대략 얼마인가?

계산 과정) 답 :

해답 토량 변화율 $C = \dfrac{\text{본바닥 흙의 건조단위중량}}{\text{다짐 후의 건조단위중량}}$

- 본바닥 흙의 건조단위중량 $\gamma_d = \dfrac{\gamma_t}{1+w} = \dfrac{18.8}{1+0.20} = 15.67\text{kN/m}^3$
- 다짐후의 건조단위중량 $\gamma_d = \dfrac{\gamma_t}{1+w} = \dfrac{19.8}{1+0.15} = 17.22\text{kN/m}^3$

$\therefore\ C = \dfrac{15.67}{17.22} = 0.91$

□□□ 86③, 03①, 22① 【3점】

02 우물통 기초의 침하 시 편위의 원인을 3가지 쓰시오.

①

②

③

해답 ① 유수에 의해서 이동하는 경우
② 지층의 경사
③ 편토압
④ 우물통의 비대칭
⑤ 날끝에 호박돌, 전석 등의 장해물이 있는 경우

□□□ 03④, 07②, 11①, 22① 【6점】

03 아래와 같이 백호로 굴착을 하고 통로박스 시공 후, 되메우기를 한다. 이때 15ton 덤프트럭을 2대 사용하며 1일 작업시간을 6시간으로 하고, 덤프트럭의 $E=0.9$, $C_m=300$분일 경우 아래 물음에 답하시오. (단, 암거길이는 10m, $C=0.8$, $L=1.25$, $\gamma_t=1.8\text{t/m}^3$)

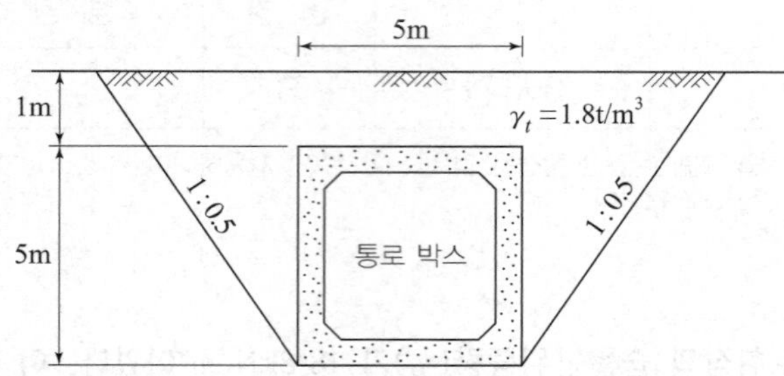

가. 사토량(捨土量)을 본바닥토량으로 구하시오.

계산 과정) 답 : ______

나. 덤프트럭 1대의 시간당 작업량을 구하시오.

계산 과정) 답 : ______

다. 덤프트럭 2대를 사용할 경우 사토에 필요한 소요일수는 몇 일인가?

계산 과정) 답 : ______

해답 가. • 굴착토량 $=\dfrac{\text{윗변길이}+\text{밑변길이}}{2}\times\text{높이}\times\text{암거길이}$

$$=\frac{(3+5+3)+5}{2}\times 6\times 10=480\,\text{m}^3$$

• 통로박스체적 $=5\times 5\times 10=250\,\text{m}^3$

• 뒤메우기량 $=(480-250)\times\dfrac{1}{0.8}=287.5\,\text{m}^3$

$\therefore$ 사토량 $=480-287.5=192.5\,\text{m}^3$

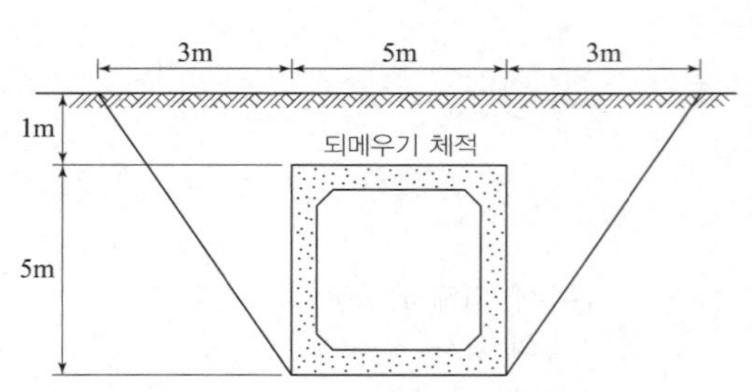

나. 덤프트럭의 적재량 $Q=\dfrac{60\cdot q_t\cdot f\cdot E}{C_m}$

• $q_t=\dfrac{T}{\gamma_t}\cdot L=\dfrac{15}{1.8}\times 1.25=10.42\,\text{m}^3$

$$\therefore\ Q=\frac{60\times 10.42\times\dfrac{1}{1.25}\times 0.9}{300}=1.50\,\text{m}^3/\text{h}$$

다. 소요일수 $=\dfrac{192.5}{1.50\times 6\times 2}=10.69\ \therefore$ 11일

□□□ 07②, 10②, 13④, 16①, 19②, 22①, 23② 【8점】

04 아래 그림과 같이 8.0m의 연직옹벽에 연속적인 강우로 뒤채움 흙이 완전 포화되어 있다. 뒤채움 흙은 포화밀도 $\gamma_{sat}=20\text{kN/m}^3$, 내부마찰각 $\phi=38°$ 인 사질토이며, 벽면마찰각 $\delta=15°$ 이다. 이때 Coulomb의 주동토압계수는 0.27 이고 파괴면이 수평면과 55° 라고 가정할 경우 아래의 물음에 답하시오.

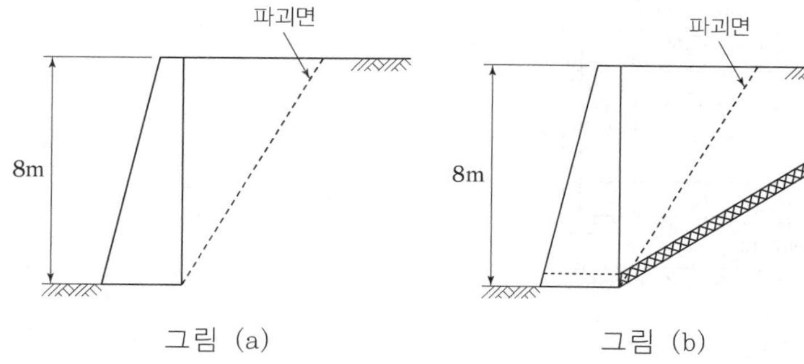

그림 (a) 그림 (b)

가. 그림 (a)와 같이 옹벽면에 배수구가 없을 경우 옹벽에 작용하는 전 주동토압을 구하시오.

계산 과정) 답 : ______

나. 그림 (b)와 같이 파괴면 아래쪽에 배수구를 경사지게 설치했을 경우 옹벽에 작용하는 전 주동토압을 구하시오.

계산 과정) 답 : ______

해답 가. $P_A=\frac{1}{2}\gamma_{sub}H^2C_a+\frac{1}{2}\gamma_{\omega}H^2$

$=\frac{1}{2}\times(20-9.81)\times 8^2\times 0.27+\frac{1}{2}\times 9.81\times 8^2$

$=88.04+313.92=401.96\text{kN/m}$

나. $P_A=\frac{1}{2}\gamma_{sat}H^2C_a$

$=\frac{1}{2}\times 20\times 8^2\times 0.27$

$=172.80\text{kN/m}$

□□□ 93③, 94①, 96②, 98①, 99①③, 03①, 04①, 07②, 17①, 18③, 20①, 22①, 23② 【3점】

05 아스팔트 포장 중 실코트(seal coat)의 중요한 목적 3가지만 쓰시오.

① ______ ② ______ ③ ______

해답 ① 표층의 노화방지 ② 포장 표면의 방수성 ③ 포장 표면의 미끄럼 방지
④ 포장 표면의 내구성 증대 ⑤ 포장면의 수밀성 증대

□□□ 00②, 10②, 16②, 22①, 23① 【3점】

06 아래 그림과 같이 10m 두께의 비교적 단단한 포화점토층 밑에 모래층이 있다. 모래층은 피압상태(artesian pressure)에 있을 때, 점토층에서 바닥의 융기(heaving)현상이 없이 굴착할 수 있는 최대깊이 H를 구하시오.

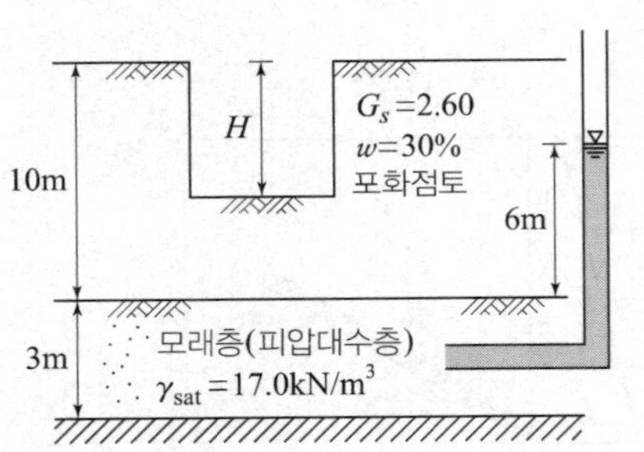

계산 과정)

답 :

해답 $H=\dfrac{H_1\gamma_{sat}-\Delta h\gamma_w}{\gamma_{sat}}$

- $H_1=10\text{m}$
- $e=\dfrac{G_s w}{S}=\dfrac{2.60\times30}{100}=0.78$
- $\gamma_{sat}=\dfrac{G_s+e}{1+e}\gamma_w=\dfrac{2.60+0.78}{1+0.78}\times9.81=18.63\text{kN/m}^3$
- $\Delta h=6\text{m}$

$\therefore\ H=\dfrac{10\times18.63-6\times9.81}{18.63}=6.84\text{m}$

□□□ 06②, 12①, 14②, 22① 【3점】

07 가요성포장(Flexible Pavement)의 구조설계시, AASHTO(1972) 설계법에 의한 소요포장 두께지수(SN)가 4.3으로 계산되었다. 포장은 표층, 기층 및 보조기층의 3개층으로 구성하고, 각층 재료를 상대강도계수와 표층, 기층의 두께를 다음과 같이 배분할 경우의 보조기층 두께를 구하시오.

포장층	재료	상대강도계수	두께(cm)
표층	높은 안정도의 아스팔트 콘크리트	0.176	5
기층	쇄석	0.055	25
보조기층	모래 섞인 자갈	0.043	

계산 과정)

답 :

해답 포장 두께지수 $SN=a_1D_1+a_2D_2+a_3D_3$

$4.3=0.176\times5+0.055\times25+0.043\times D_3$

$\therefore$ 보조기층 두께 $D_3=47.56\text{cm}$

□□□ 94④, 99④, 00⑤, 06④, 15①, 18③, 22① 【4점】

08 다음 그림과 같이 연직하중과 모멘트를 받는 구형 기초의 극한하중과 안전율을 Terzaghi 공식을 이용하여 구하시오. (단, $N_c = 37.2$, $N_q = 22.5$, $N_r = 19.7$이다.)

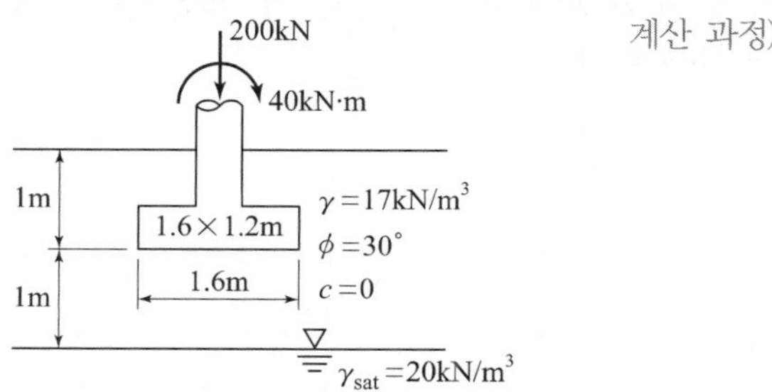

계산 과정)

【답】 극한하중 : ____________, 안전율 : ____________

해답 안전율 $F_s = \dfrac{Q_u}{Q_a}$

- 편심거리 $e = \dfrac{M}{Q} = \dfrac{40}{200} = 0.2\,\text{m}$
- 유효길이 $L' = L - 2e = 1.6 - 2 \times 0.2 = 1.2\text{m}$
- $d < B$ (1m < 1.2m)인 경우

$$\gamma_1 = \gamma_{\text{sub}} + \frac{d}{B'}(\gamma_t - \gamma_{\text{sub}})$$
$$= (20 - 9.81) + \frac{1}{1.2}\{17 - (20 - 9.81)\} = 15.87\,\text{kN/m}^3$$

- $q_u = \alpha c N_c + \beta \gamma_1 B N_r + \gamma_2 D_f N_q$

$$= 0 + 0.4 \times 15.87 \times 1.2 \times 19.7 + 17 \times 1 \times 22.5$$
$$= 532.57\,\text{kN/m}^2$$

- 극한하중 $Q_u = q_u A = q_u \cdot B' \cdot L$

$$= 532.57 \times (1.2 \times 1.2) = 766.90\,\text{kN}$$

- 안전율 $F_s = \dfrac{766.90}{200} = 3.83$

□□□ 08④, 12②, 22① 【3점】

09 연약지반에 설치한 교대에 발생하기 쉬운 측방유동에 영향을 미치는 주요 요인을 3가지만 쓰시오.

① ____________ ② ____________ ③ ____________

해답 ① 교대배면의 뒤채움 편재하중 ② 교대배면의 성토높이
③ 교대하부 연약층의 두께 ④ 교대하부 연약층의 전단강도

□□□ 96②, 02①, 08④, 16④, 22① 【3점】

10 **그림과 같이 표고가 20m씩 차이나는 등고선으로 둘러싸인 지역의 흙을 굴착하여 택지 조성을 계획할 때 1.0m³ 용적의 굴삭기 2대를 동원하면 굴착에 소요되는 기간은 며칠인가? (단, 굴삭기 사이클 타임=20초, 효율=0.8, 디퍼 계수=0.8, L=1.2, 1일 작업시간=8시간, 등고선 면적 A_1 =100m², A_2 =75m², A_3 =50m²이다.)**

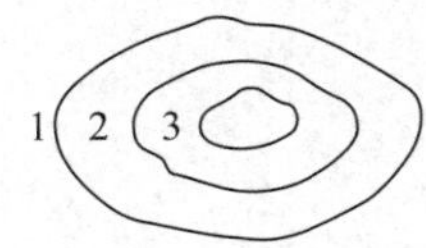

계산 과정)

답 : ________________

해답 • 굴착 토량 $V=\frac{h}{3}(A_1+4A_2+A_3)=\frac{20}{3}(100+4\times75+50)=3{,}000\,\text{m}^3$

• 굴삭기 1대 작업량

$$Q=\frac{3{,}600\cdot q\cdot K\cdot f\cdot E}{C_m}=\frac{3{,}600\times1.0\times0.8\times\frac{1}{1.2}\times0.8}{20}=96\,\text{m}^3/\text{hr}$$

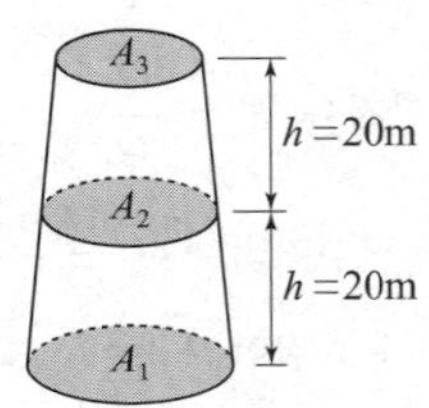

• 백 호 2대의 작업량$=96\times8$시간$\times2$대$=1{,}536\,\text{m}^3$/day

$$\therefore \text{소요공기}=\frac{\text{총 굴착 토량}}{\text{백 호 2대의 작업량}}=\frac{3{,}000}{1{,}536}=1.95=2\text{일}$$

□□□ 13②, 22① 【3점】

11 **연약지반층에 설치한 말뚝(pile)에 발생하는 부마찰력(Negative friction)을 줄이는 방법 3가지를 쓰시오.**

① ________________ ② ________________ ③ ________________

해답 ① 표면적이 작은 말뚝을 사용하는 방법 ② 말뚝직경보다 약간 큰 케이싱(casing)을 박는 방법
③ 말뚝 표면에 역청재료를 피복하는 방법 ④ 말뚝지름보다 크게 preboring을 하는 방법
⑤ 지하수위를 미리 저하시키는 방법

□□□ 96①, 98②, 99⑤, 18①, 22① 【3점】

12 **높은 교각이나 사이로, 수조 등의 공사에 사용하는 특수 거푸집으로 시공속도가 빠르고 이음이 없는 수밀성의 콘크리트 구조물을 만들 수 있는 대표적 특수 거푸집 공법 3가지를 쓰시오.**

① ________________ ② ________________ ③ ________________

해답 ① Sliding form 공법 ② Slip form공법 ③ Travelling form 공법

□□□ 04②, 06①, 12②, 16②, 22① 【10점】

13 다음과 같은 공정표(CPM Table)를 보고 아래 물음에 답하시오.

NODE		공정명	정상기간	정상비용	특급기간	특급비용
1	2	A	3일	30만원	3일	30만원
1	3	B	4일	24만원	3일	30만원
1	4	C	4일	40만원	3일	60만원
2	3	DUMMY	0	0만원	0일	0만원
2	5	E	7일	35만원	5일	49만원
3	5	F	4일	32만원	4일	32만원
3	6	H	6일	48만원	5일	60만원
3	7	G	9일	45만원	6일	69만원
4	6	I	7일	56만원	6일	66만원
5	7	J	10일	40만원	7일	55만원
6	7	K	8일	64만원	8일	64만원
7	8	M	5일	60만원	3일	96만원

가. Net Work(화살선도)를 작도하고 표준일수에 대한 Critical Path를 표시하시오.

나. 정상공사시간 4일을 줄일 때 발생하는 추가비용의 최소치를 구하시오.

계산 과정) 답 : ______________

해답 가.

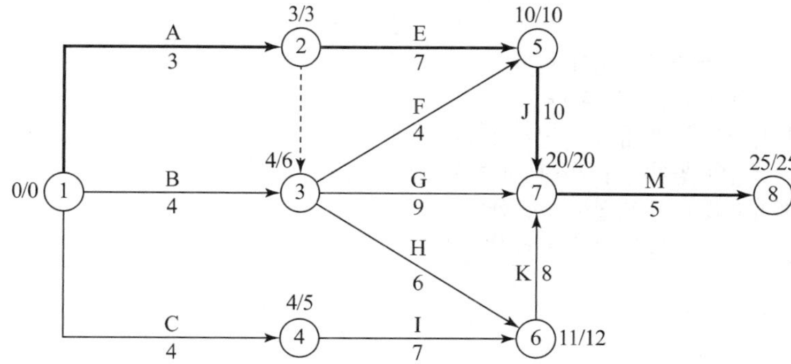

나. 비용경사

$$I=\frac{66-56}{7-6}=10\text{만원},\ J=\frac{55-40}{10-7}=5\text{만원},\ M=\frac{96-60}{5-3}=18\text{만원}$$

단축단계	단축작업	단축일	비용경사(만원/일)	단축비용(만원)	추가비용 누계(만원)
1	J	1	5	5	5
2	J+I	1	5+10	15	20
3	M	2	18	36	56

∴ 추가비용 56만원

□□□ 17①, 22① 【4점】

14 댐 콘크리트에서 사용되는 용어의 정의를 간단히 쓰시오.

가. 관로식 냉각(pipe cooling)

○

나. 선행 냉각(pre cooling)

○

해답 가. 댐 콘크리트를 친 후에 미리 묻어둔 파이프 내부에 냉각수를 순환시켜 댐콘크리트를 냉각하는 방법
나. 댐 콘크리트에서 콘크리트를 타설하기 전에 콘크리트의 온도를 제어하기 위해 얼음이나 액체질소 등으로 콘크리트 원재료를 냉각하는 방법

□□□ 84①, 85②, 10①, 13④, 22① 【3점】

15 수중콘크리트(水中 concrete) 작업시 주의사항을 3가지만 쓰시오.

① ______ ② ______ ③ ______

해답 ① 물을 정지시킨 정수 중에서 타설하여야 한다.
② 콘크리트는 수중에 낙하시켜서는 안 된다.
③ 콘크리트가 경화될 때까지 물의 유동을 방지하여야 한다.
④ 수평을 유지하면서 소정의 높이에서 연속해서 쳐야 한다.
⑤ 레이턴스를 모두 제거하고 다시 타설하여야 한다.
⑥ 시멘트가 물에 씻겨서 흘러나오지 않도록 타설하여야 한다.

□□□ 00②, 04②, 06④, 11④, 15④, 22① 【3점】

16 해안, 준설, 매립 공사시 사용되는 준설선의 종류를 3가지만 쓰시오.

① ______ ② ______ ③ ______

해답 ① 펌프준선설 ② 디퍼준설선 ③ 그래브준설선 ④ 버킷준설선

□□□ 00①, 04④, 06①, 08④, 22① 【18점】

17 주어진 반중력형 교대의 도면(단위 : mm) 및 조건에 따라 다음 물량을 산출하시오.
(단, 주어진 도면의 치수는 축척에 맞지 않을 수 있으며, 주어진 치수로만 물량을 산출할 것)

측 면 도

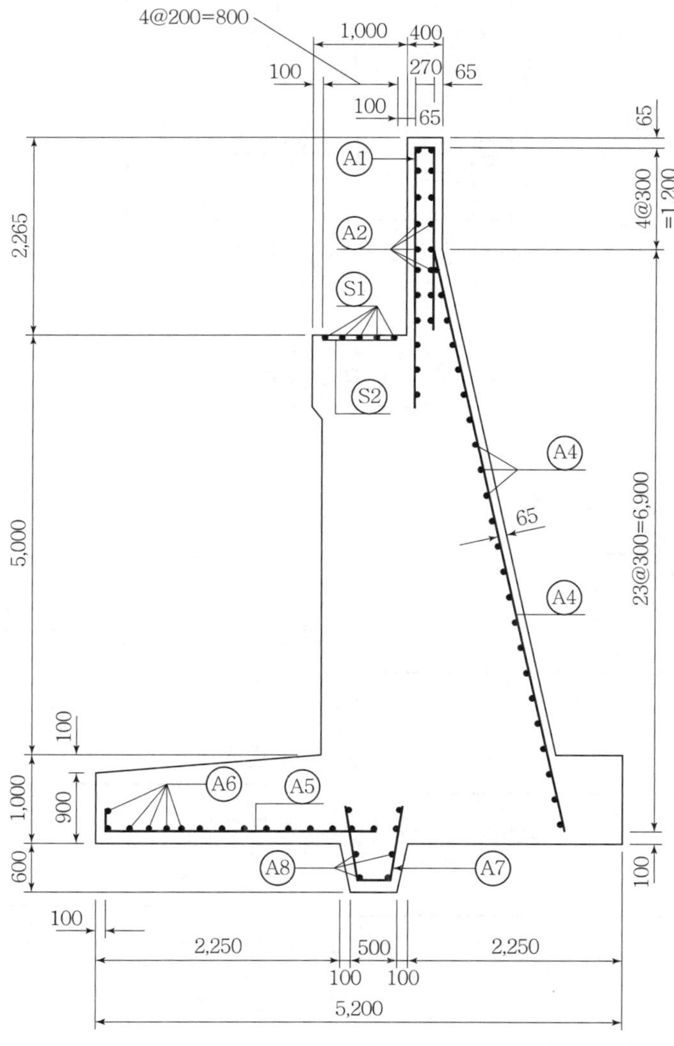

일반도

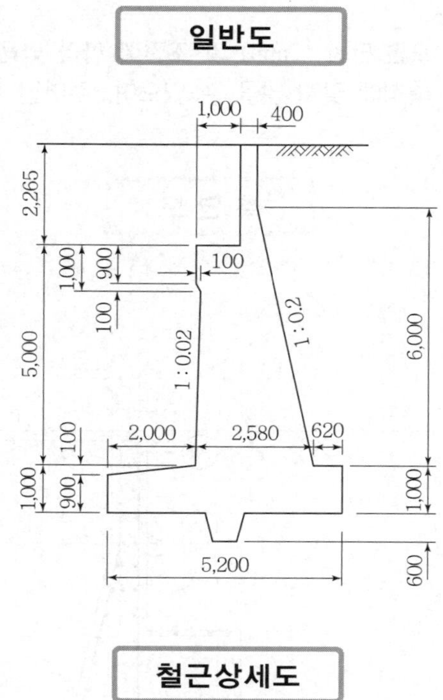

1,000
400
2,265
1,000
900
100
100
5,000
1 : 0.02
1 : 0.2
6,000
100
2,000
2,580
620
1,000
900
1,000
5,200
600

철근상세도

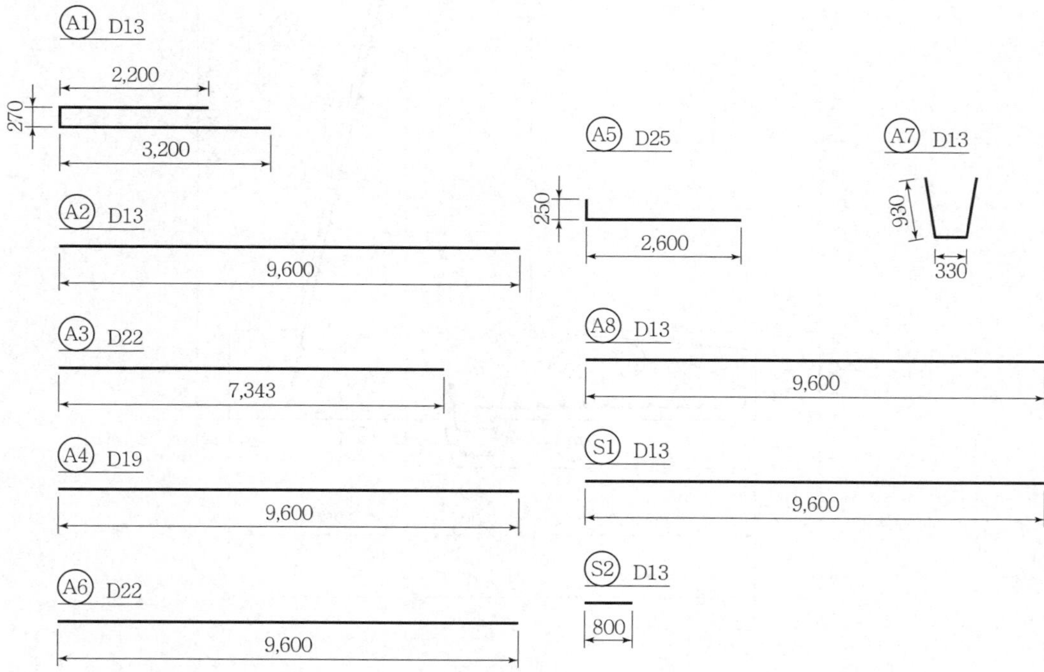

A1 D13
2,200
270
3,200
A2 D13
9,600
A3 D22
7,343
A4 D19
9,600
A6 D22
9,600
A5 D25
250
2,600
A7 D13
930
330
A8 D13
9,600
S1 D13
9,600
S2 D13
800

【조 건】

- A1, A3, A7, S2 철근은 피복두께가 좌·우로 각각 200mm이며, 300mm 간격으로 배근한다.
- A2, A4, A8 철근은 각 300mm 간격으로 배근한다.
- A6, S1 철근은 200mm 간격으로 배근한다.
- A5 철근은 피복두께가 좌·우로 200mm이며, 200mm 간격으로 배근한다.
- 돌출부(전단 Key) 부분의 거푸집은 사용하는 경우로 계산한다.
- 철근의 이음과 할증은 무시한다.

가. 폭이 10m인 교대의 콘크리트량을 구하시오. (단, 소수점 이하 4째자리에서 반올림하시오.)

계산 과정) 답 :

나. 폭이 10m인 교대의 전체 거푸집량을 구하시오. (단, 소수점 이하 4째자리에서 반올림하시오.)

계산 과정) 답 :

다. 폭이 10m인 교대의 철근물량을 구하시오.

기호	직경	길이(mm)	수량	총길이(mm)	기호	직경	길이(mm)	수량	총길이(mm)
A1					A7				
A5					S1				

해답 가. • $A = 0.4 \times 1.265 = 0.506\text{m}^2$

• $B = \dfrac{0.4 + (0.4 + 1 \times 0.2)}{2} \times 1 = 0.5\text{m}^2$

• $C = \dfrac{(1.4 + 1 \times 0.2) + (1.4 + 1.9 \times 0.2)}{2} \times 0.9$
$= 1.521\text{m}^2$

• $D = \dfrac{(1.4 + 1.9 \times 0.2) + (0.9 + 0.4 + 2.0 \times 0.2)}{2} \times 0.1$
$= 0.174\text{m}^2$

• $E = \dfrac{(0.9 + 0.4 + 2.0 \times 0.2) + 2.58}{2} \times 4$
$= 8.560\text{m}^2$

• $F = \dfrac{(2.58 + 0.620) + 5.20}{2} \times 0.1$
$= 0.42\text{m}^2$

• $G = 0.9 \times 5.2 = 4.68\text{m}^2$

• $H = \dfrac{0.5 + 0.7}{2} \times 0.6 = 0.360\text{m}^2$

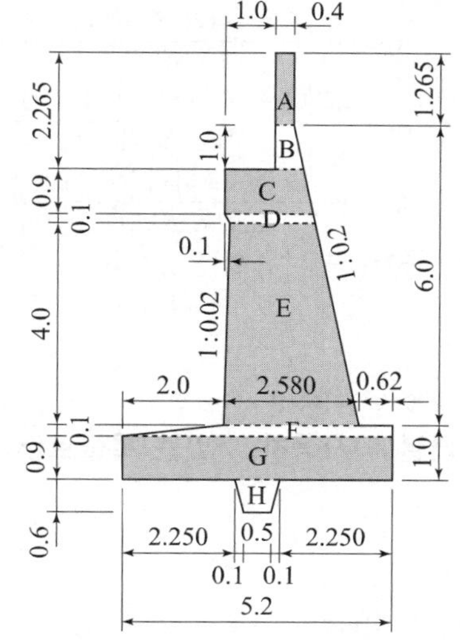

Σ단면적$= 0.506 + 0.5 + 1.521 + 0.174 + 8.560 + 0.42 + 4.68 + 0.360$
$= 16.721\text{m}^2$

∴ 총콘크리트량$= 16.721 \times 10 = 167.210\text{m}^3$

나. • $A = 2.265\text{m}$
- $B = 0.900\text{m}$
- $C = \sqrt{0.1^2 + 0.1^2} = 0.1414\text{m}$
- $D = \sqrt{(4 \times 0.02)^2 + 4^2} = 4.0008\text{m}$
- $E = 0.9000\text{m}$
- $F = \sqrt{0.1^2 + 0.6^2} \times 2 = 1.2166\text{m}$
- $G = 1{,}000\text{m}$
- $H = \sqrt{(6 \times 0.2)^2 + 6^2} = 6.1188\text{m}$
- $I = 1.265\text{m}$

∴ 총거푸집길이 $\sum L = 17.8076\text{m}$

∴ 측면도의 거푸집량 $= 17.8076 \times 10 = 178.076\text{m}^2$

- 양 마구리면 단면적 $= 16.721 \times 2$(양단) $= 33.442\text{m}^2$

∴ 총거푸집량 $= 178.076 + 33.442 = 211.518\text{m}^2$

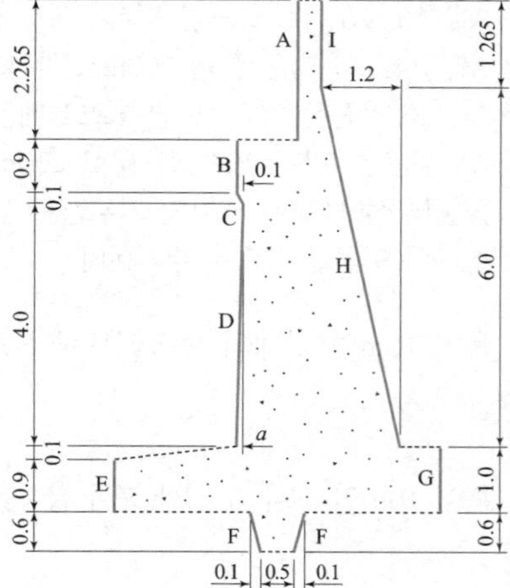

다.

기호	직경	길이(mm)	수량	총길이(mm)	기호	직경	길이(mm)	수량	총길이(mm)
A1	D13	5,670	33	187,110	A7	D13	2,190	33	72,270
A5	D25	2,850	49	139,650	S1	D13	9,600	5	48,000

철근물량 산출근거

$$A1 = \frac{\text{교대 폭} - (\text{피복두께} \times 2)}{\text{배근 간격}} + 1 = \frac{10{,}000 - (200 \times 2)}{300} + 1 = 33\text{본}$$

$$A5 = \frac{\text{교대 폭} - (\text{피복두께} \times 2)}{\text{배근 간격}} + 1 = \frac{10{,}000 - (200 \times 2)}{200} + 1 = 49\text{본}$$

$$A7 = \frac{\text{교대 폭} - (\text{피복두께} \times 2)}{\text{배근 간격}} + 1 = \frac{10{,}000 - (200 \times 2)}{300} + 1 = 33\text{본}$$

S1 = 5본(수작업)

□□□ 18①, 22① 【3점】

18 터널에 사용하고 있는 록볼트(rock bolt)의 인발시험 목적 2가지를 쓰시오.

① ______________________ ② ______________________

해답 ① 지반과 록볼트의 정착력을 알기 위하여
② 볼트의 파단강도를 알기 위하여
③ 볼트와 충전재의 부착강도를 알기 위하여

□□□ 12④, 15①, 22①, 23②③ 【3점】

19 유토곡선(mass curve)을 작성하는 목적을 3가지만 쓰시오.

① ______ ② ______ ③ ______

해답 ① 토량 배분 ② 토량의 평균운반거리 산출 ③ 토공기계 선정
④ 시공방법 결정 ⑤ 토취장 및 토사장 선정

□□□ 15④, 22① 【2점】

20 교량의 상부구조와 하부구조의 접점에 위치하여 상부구조에서 전달되는 하중을 하부구조에 전달하고, 상하부 간의 상대변위 및 상부구조의 회전변형을 흡수하는 구조를 무엇이라 하는가?

○

해답 교좌장치(교량받침, shoe)

□□□ 96③, 97①, 01③, 09④, 17④, 22① 【3점】

21 가물막이(Coffer Dam) 공사에서 Sheet pile식 공법의 종류 4가지를 쓰시오.

① ______ ② ______ ③ ______

해답 ① 간이식 ② Ring Beam식
③ 한겹 sheet pile식 ④ 두겹 sheet pile식 ⑤ Cell식

□□□ 12①, 22① 【3점】

22 Concrete 배합에 사용되는 혼화재료는 혼화제와 혼화재로 구분된다. 혼화재의 종류를 3가지만 쓰시오.

① ______ ② ______ ③ ______

해답 ① 플라이 애시 ② 팽창재 ③ 고로슬래그 미분말 ④ 실리카 퓸

□□□ 00⑤, 22① 【3점】

23 터널을 수치해석으로 설계할 때 3차원적 거동을 2차원으로 해석하기 위하여 사용하는 방법을 2가지만 쓰시오.

① ______ ② ______

해답 ① 응력 분배법 ② 강성 변화법 ③ 점탄성 해석법

국가기술자격 실기시험문제

2022년도 기사 제2회 필답형 실기시험(기사)

종 목	시험시간	형 별	성 명	수험번호
토목기사	**3시간**	B		

※ 수험자 인적사항 및 계산식을 포함한 답안 작성은 검은색 필기구만 사용하여야 하며, 그 외 연필류, 빨간색, 청색 등 필기구로 작성한 답안은 0점 처리됩니다.

□□□ 91③, 96⑤, 99③, 00②, 01②, 02②, 05④, 07④, 09①, 13②, 18①, 22② 【3점】

01 자연함수비 10% 흙으로 성토하고자 한다. 시방서에는 다짐흙의 함수비를 16%로 관리하도록 규정하였을 때 매 층마다 $1m^2$당 몇 l의 물을 살수해야 하는가?

(단, 1층의 두께는 30cm이고, 토량변화율 $C=0.9$, 원지반 흙의 단위중량 $\gamma_t=18kN/m^3$이다.)

① ______ ② ______ ③ ______

해답 ■ 방법 1

- $1m^2$당 흙의 중량

$$W=Ah\gamma_t=1\times0.3\times18\times\frac{1}{0.9}$$
$$=6kN=6{,}000N$$

- 흙입자 중량 : $W_s=\dfrac{W}{1+w}=\dfrac{6{,}000}{1+0.10}$
$$=5{,}454.55N$$

- 함수비 10%일 때 물의 중량

$$W_w=\frac{wW}{100+w}=\frac{10\times6{,}000}{100+10}=545.45N$$

- 함수비 16%일 때 물의 중량

$$W_w=W_sw=5{,}454.55\times0.16=872.73N$$
$$\left(\because\ w=\frac{W_w}{W_s}\times100\right)$$

$\therefore$ 살수량 $=872.73-545.45=327.28N$
$=32.73l$

■ 방법 2

- 1층의 원지반 상태의 단위체적

$$V=1\times1\times0.30\times\frac{1}{0.9}=\frac{1}{3}m^3$$

- $\dfrac{1}{3}m^3$당 흙의 중량

$$W=\gamma_tV=18\times\frac{1}{3}=6kN=6{,}000N$$

- 10%에 대한 물 중량

$$W_s=\frac{W\cdot w}{1+w}=\frac{6{,}000\times10}{100+10}=545.45N$$

- 16%에 대한 살수량

$$545.45\times\frac{16-10}{10}=327.27N=32.73l$$

$\because\ 1l=10N$

□□□ 85①, 16②, 22② 【3점】

02 말뚝의 지지력을 산정하는 방법 3가지를 쓰시오.

① ______ ② ______ ③ ______

해답 ① 동역학적 공식에 의한 방법 ② 정역학적 공식에 의한 방법 ③ 정재하시험에 의한 방법

□□□ 17④, 22② 【3점】

03 도로교 신축이음장치의 종류를 3가지만 쓰시오.

① ② ③

해답 ① Monocell 조인트(맞댐조인트) ② NB 조인트(고무조인트)
③ 강핑거 조인트(강재조인트) ④ 레일 조인트(강재조인트)

□□□ 03②, 12②, 16②, 22② 【3점】

04 15ton 덤프 트럭으로 보통토사를 운반하고자 한다. 적재장비는 버킷용량 2.4m³인 백호를 사용하는 경우 덤프트럭 1대를 적재하는데 소요되는 소요시간을 구하시오. (단, 흙의 단위중량은 1.6t/m³, 토량변화율 $L=1.2$, 버킷 계수 $K=0.8$, 적재기계의 싸이클 시간 $C_{ms}=30$초, 적재기계의 작업효율 $E_s=0.75$)

계산 과정) 답 :

해답 적재시간 $C_{mt}=\dfrac{C_{ms}\cdot n}{60\cdot E_s}$

- $q_t=\dfrac{T}{\gamma_t}\cdot L=\dfrac{15}{1.6}\times 1.2=11.25\,\text{m}^3$
- $n=\dfrac{q_t}{q\cdot k}=\dfrac{11.25}{2.4\times 0.8}=5.86=6$ 회

∴ 적재시간 $C_{mt}=\dfrac{30\times 6}{60\times 0.75}=4$분

□□□ 95⑤, 98①, 03②, 06①, 08①, 11②, 22② 【3점】

05 함수비가 22%인 토취장의 단위중량이 $\gamma_t=18.3\text{kN/m}^3$이었다. 이 흙으로 도로를 축조할 때 다짐을 하였더니 함수비는 12%이고 단위중량은 $\gamma_t=19.5\text{kN/m}^3$이었다. 이 경우 흙의 토량변화율($C$)은 대략 얼마인가?

계산 과정) 답 :

해답 토량변화율 $C=\dfrac{\text{본바닥 흙의 건조단위중량}}{\text{다짐 후의 건조단위중량}}$

- 본바닥 흙의 건조단위중량 $\gamma_d=\dfrac{\gamma_t}{1+w}=\dfrac{18.3}{1+0.22}=15\text{kN/m}^3$
- 다짐 후의 건조단위중량 $\gamma_d=\dfrac{\gamma_t}{1+w}=\dfrac{19.5}{1+0.12}=17.4\text{kN/m}^3$

∴ $C=\dfrac{15}{17.4}=0.86$

□□□ 94①, 97③, 03①, 05④, 11④, 14②, 22② 【3점】

06 도로토공을 위한 횡단측량 결과는 다음 그림과 같은 결과를 얻었다. Simpson 제2법칙에 의한 횡단면적을 구하시오. (단, 단위 : m)

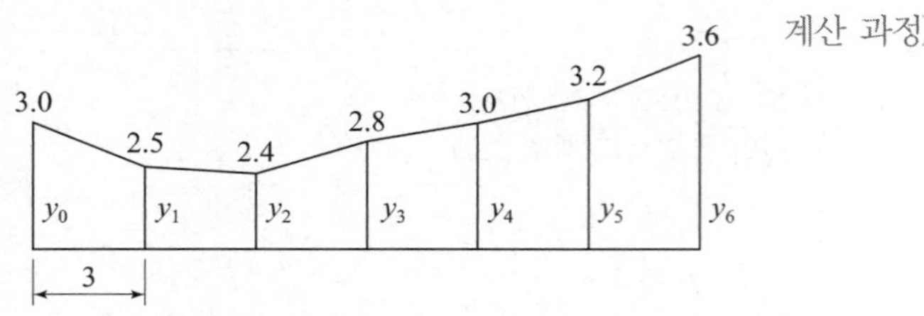

계산 과정)

답 : ______________

해답 ■ 방법 1

$$A=\frac{3d}{8}\{y_o+2(y_3)+3(y_1+y_2+y_4+y_5)+y_6\}$$

$$=\frac{3\times 3}{8}\{3.0+2\times 2.8+3(2.5+2.4+3.0+3.2)+3.6\}$$

$$=51.19\text{m}^2$$

■ 방법 2

• $A_1=\frac{3d}{8}(y_o+3y_1+3y_2+y_3)$

$$=\frac{3\times 3}{8}(3.0+3\times 2.5+3\times 2.4+2.8)$$

$$=23.06\text{m}^2$$

• $A_2=\frac{3d}{8}(y_3+3y_4+3y_5+y_6)$

$$=\frac{3\times 3}{8}(2.8+3\times 3.0+3\times 3.2+3.6)$$

$$=28.13\text{m}^2$$

$\therefore\ A=A_1+A_2=23.06+28.13=51.19\text{m}^2$

□□□ 03④, 05②, 07④, 11①, 13②, 16④, 18③, 22② 【3점】

07 그림에서와 같이 강널말뚝(steel sheet pile)으로 지지된 모래지반의 굴착에서 지하수의 분출로 인하여 예상되는 파이핑(piping)에 대한 안전율이 2.0일 때 깊이 d를 계산하시오.

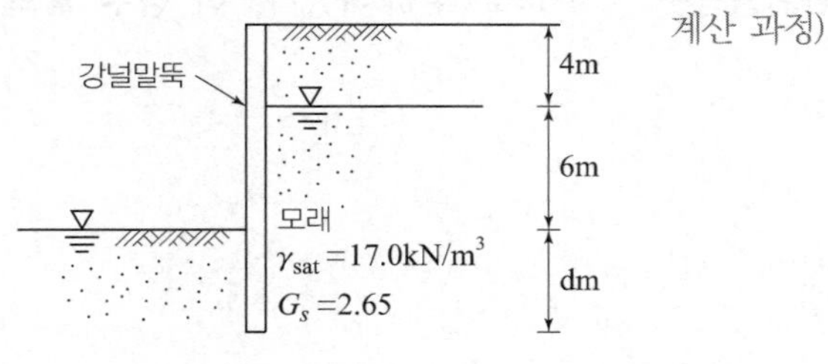

계산 과정)

답 : ______________

해답 $F_s=\frac{(\Delta h+2d)\gamma_{sub}}{\Delta h\cdot\gamma_w}=\frac{(6+2\times d)(17.0-9.81)}{6\times 9.81}=2.0$

참고 SOLVE 사용 $\quad\therefore\ d=5.19\text{ m}$

□□□ 01①, 10①, 11④, 13①, 17②, 18②, 22② 【3점】

08 아래 그림과 같은 지층의 지표면에 40kN/m²의 압력이 작용할 때, 이로 인한 점토층의 압밀침하량을 구하시오. (단, 이 점토층은 정규압밀점토이다.)

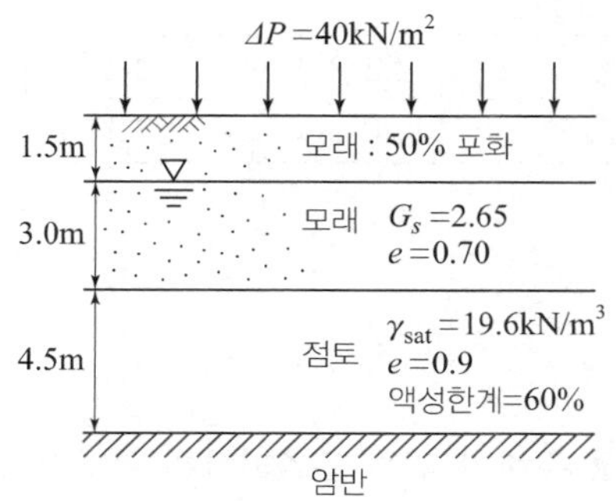

계산 과정)

답 :

해답 압밀침하량 $S = \dfrac{C_c H}{1+e_o}\log\left(\dfrac{P_o + \Delta P}{P_o}\right)$

- $C_c = 0.009(W_L - 10) = 0.009(60-10) = 0.45$
- 지하수위 이상의 모래의 단위중량 $\gamma_t = \dfrac{G_s + S\cdot e}{1+e}\gamma_w = \dfrac{2.65 + 0.5\times 0.7}{1+0.7}\times 9.81 = 17.31\text{kN/m}^3$
- 지하수위 이하 모래층 수중단위중량 $\gamma_{\text{sub}} = \dfrac{G_s - 1}{1+e}\gamma_w = \dfrac{2.65-1}{1+0.7}\times 9.81 = 9.52\text{kN/m}^3$
- 점토의 수중단위중량 $\gamma_{\text{sub}} = \gamma_{\text{sat}} - \gamma_w = 19.6 - 9.81 = 9.79\text{kN/m}^3$
- 초기 유효연직압력 $P_o = \gamma_t H_1 + \gamma' H_2 + \gamma' \dfrac{H_3}{2}$

$$= 17.31\times 1.5 + 9.52\times 3 + 9.79\times\frac{4.5}{2} = 76.55\text{kN/m}^2$$

$$\therefore\ S = \frac{0.45\times 4.5}{1+0.9}\log\left(\frac{76.55+40}{76.55}\right) = 0.1946\text{m} = 19.46\text{cm}$$

□□□ 91③, 97④, 98⑤, 06④, 12④, 22②, 23② 【3점】

09 토적곡선(mass curve)을 작성하는 목적을 3가지만 쓰시오.

①

②

③

④

해답 ① 토량 배분 ② 토량의 평균운반거리 산출 ③ 토공기계 선정
④ 시공방법 결정 ⑤ 토취장 및 토사장 선정

□□□ 09④, 14④, 17①, 18②, 22②, 23① 【8점】

10 콘크리트의 배합강도를 구하기 위해 전체 시험횟수 17회의 콘크리트 압축강도 측정결과가 아래 표와 같고 품질기준강도(f_{cq})가 24MPa일 때 다음 물음에 답하시오.

【압축강도 측정결과(단위 : MPa)】

26.8	22.1	26.5	26.2	26.4	22.8	23.1
25.7	27.8	27.7	22.3	22.7	26.1	27.1
22.2	22.9	26.6				

가. 위의 표를 보고 압축강도의 평균값을 구하시오.

계산 과정) 답 : ________

나. 압축강도 측정결과 및 아래의 표를 이용하여 배합강도를 구하기 위한 표준편차를 구하시오.

【시험횟수가 29회 이하일 때 표준편차의 보정계수】

시험횟수	표준편차의 보정계수	비고
15	1.16	이 표에 명시되지 않은 시험횟수에 대해서는 직선보간한다.
20	1.08	
25	1.03	
30 또는 그 이상	1.00	

계산 과정) 답 : ________

다. 배합강도를 구하시오.

계산 과정) 답 : ________

해답 가. 평균값 $\bar{x} = \dfrac{\Sigma X_i}{n} = \dfrac{425}{17} = 25\text{MPa}$

나. • 표준편제곱합 $S = \Sigma(X_i - \bar{x})^2$

$$S = (26.8-25)^2 + (22.1-25)^2 + (26.5-25)^2 + (26.2-25)^2 + (26.4-25)^2 + (22.8-25)^2 + (23.1-25)^2 + (25.7-25)^2 + (27.8-25)^2 + (27.7-25)^2 + (22.3-25)^2 + (22.7-25)^2 + (26.1-25)^2 + (27.1-25)^2 + (22.2-25)^2 + (22.9-25)^2 + (26.6-25)^2 = 74.38$$

• 표준편차 $s = \sqrt{\dfrac{S}{n-1}} = \sqrt{\dfrac{74.38}{17-1}} = 2.16\text{MPa}$

• 17회의 보정계수 $= 1.16 - \dfrac{1.16-1.08}{20-15} \times (17-15) = 1.128$

∴ 수정 표준편차 $s = 2.16 \times 1.128 = 2.44\text{MPa}$

다. $f_{cq} = 24\text{MPa} \le 35\text{MPa}$인 경우

• $f_{cr} = f_{cq} + 1.34s = 24 + 1.34 \times 2.44 = 27.27\text{MPa}$

• $f_{cr} = (f_{cq} - 3.5) + 2.33s = (24 - 3.5) + 2.33 \times 2.44 = 26.19\text{MPa}$

∴ 배합강도 $f_{cr} = 27.27\text{MPa}$(∵ 두 값 중 큰 값)

□□□ 22② 【3점】

11 다음 수문곡선이 나타내는 유출을 깊이로 나타내면 얼마인가?
(단, 유역면적은 20km^2이다.)

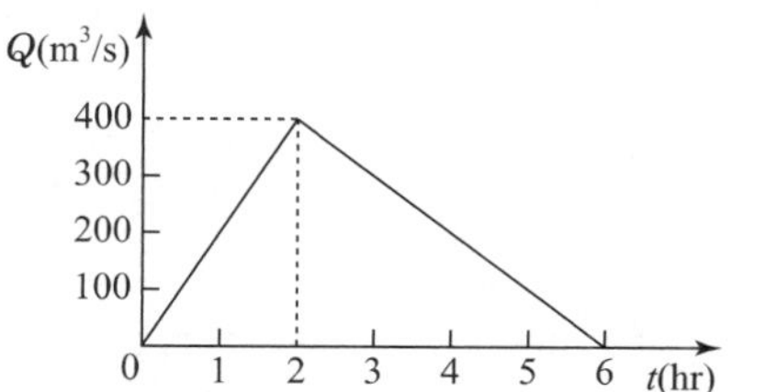

계산 과정)

답 :

해답 유출깊이 $h=\dfrac{\text{유출량}(V)}{\text{유역면적}(A)}$

- $V=\dfrac{1}{2}Q\cdot t=\dfrac{1}{2}\times 400\times(6\times 60\times 60)=4{,}320{,}000\text{m}^3$
- $A=20\times 1{,}000^2=20{,}000{,}000\text{m}^2$

$\therefore\ h=\dfrac{V}{A}=\dfrac{4{,}320{,}000}{20{,}000{,}000}=0.216\text{m}=216\text{mm}$

□□□ 12②, 14①, 18③, 22② 【3점】

12 아래 그림과 같은 옹벽에서 인장균열이 발생한 후의 옹벽에 작용하는 전체 주동토압을 구하시오. (단, 인장균열 위의 토압은 무시하고 상재하중으로 고려하여 계산하시오.)

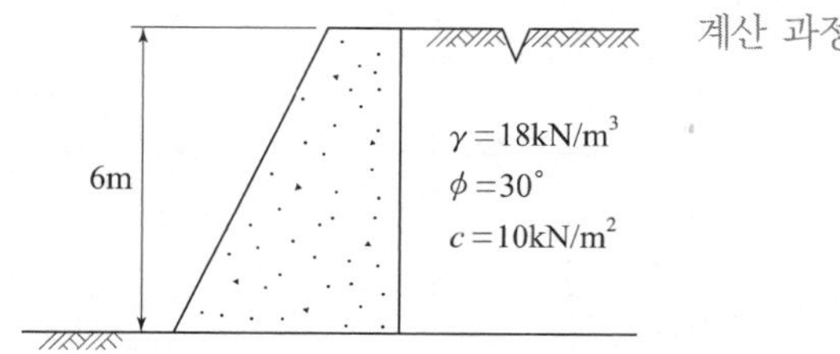

계산 과정)

답 :

해답 $P_A=\dfrac{1}{2}\gamma(H-z_o)^2K_A+\gamma z_o(H-z_o)K_A$

- 인장균열 깊이

$z_o=\dfrac{2c}{\gamma_t}\tan\left(45°+\dfrac{\phi}{2}\right)=\dfrac{2\times 10}{18}\times\tan\left(45°+\dfrac{30°}{2}\right)=1.925\text{m}$

- $K_A=\tan^2\left(45°-\dfrac{\phi}{2}\right)=\tan^2\left(45°-\dfrac{30°}{2}\right)=\dfrac{1}{3}$

$\therefore\ P_A=\dfrac{1}{2}\times 18\times(6-1.925)^2\times\dfrac{1}{3}+18\times 1.925\times(6-1.925)\times\dfrac{1}{3}$
$=49.82+47.07=96.89\text{kN/m}$

□□□ 22② 【4점】

13 다음 발파에 대한 용어의 정의를 간단히 설명하시오.

가. 최적심도(最適深度)

○

나. 누두지수(漏斗指數)

○

해답 가. 분화구가 최대 체적을 가질 때의 장약 깊이

나. 누두공의 형상을 나타내는 지수

$$n = \frac{R}{W}$$

여기서, R : 누두 반경(누두공 반지름), W : 최소저항선(장약깊이)

□□□ 99⑤, 01②, 03②, 22② 【3점】

14 댐에서 유선망이 그림과 같이 주어졌을 때, 댐의 단위폭당 하루에 침투하는 유량은 몇 m^3 인가? (단, H=20m, 투수계수 K=0.001cm/min, 소수 셋째자리까지 구하시오.)

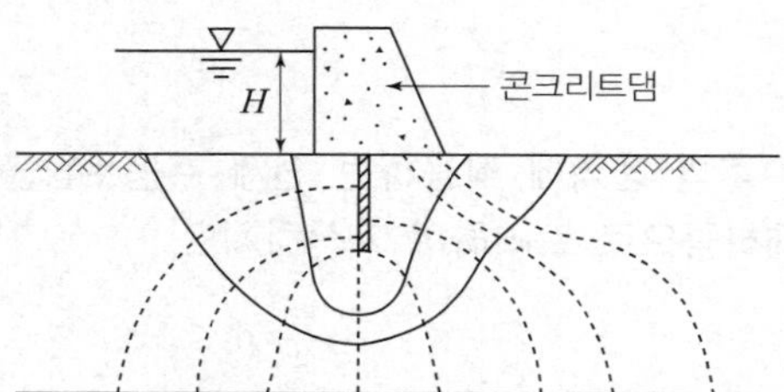

계산 과정)

답 :

해답 $Q = KH\frac{N_f}{N_d}$

$$= 0.001 \times 10^{-2} \times 24 \times 60 \times 20 \times \frac{3}{9} = 0.096\text{m}^3/\text{day}$$

□□□ 99③, 04①, 07②, 17①, 20①, 22②, 23② 【3점】

15 아스팔트 포장 중 실코트(seal coat)의 중요한 목적 3가지만 쓰시오.

① ② ③

해답 ① 표층의 노화방지 ② 포장 표면의 방수성

③ 포장 표면의 미끄럼 방지 ④ 포장 표면의 내구성 증대

⑤ 포장면의 수밀성 증대

□□□ 96②, 98②, 00④, 09②, 11①, 14①, 18②, 22② 【10점】

16 다음과 같은 작업 List가 있다. 아래 물음에 답하시오.

작업명	선행작업	후속작업	표 준		특 급	
			일수	공비(만원)	일수	공비(만원)
A	–	B, C	6	210	5	240
B	A	D, E	4	450	2	630
C	A	F, G	4	160	3	200
D	B	G	3	300	2	370
E	B	H	2	600	2	600
F	C	I	7	240	5	340
G	C, D	I	5	100	3	120
H	E	I	4	130	2	170
I	F, G, H	–	2	250	1	350

가. Net Work(화살선도)를 작도하고, 표준일수에 대한 Critical Path를 나타내시오.

나. 작업 List의 빈칸을 채우시오.

작업명	공비증가율 (만원/일)	개 시		완 료		여유시간	
		EST	LST	EFT	LFT	TF	FF
A							
B							
C							
D							
E							
F							
G							
H							
I							

다. 총공기에 대한 간접비가 2천만원인데 표준일수를 단축하는 경우 1일당 80만원씩 감소한다고 할 때 최적공비와 그 때의 총공사비를 구하시오.

계산 과정)

답 : ______________

해답 가.

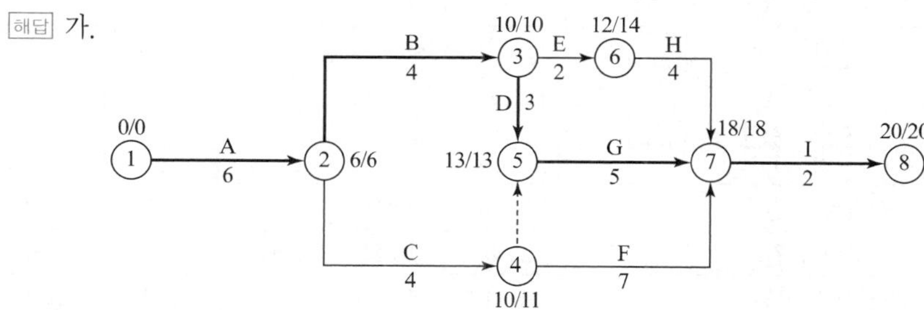

C.P : A→B→D→G→I

나.

작업명	비용구배 $=\dfrac{\text{특급비용}-\text{표준비용}}{\text{표준공기}-\text{특급공기}}$	개시		완료		여유시간		
		EST	LST	EFT	LFT	TF	FF	DF
A	$\dfrac{240-210}{6-5}=30$만원/일	0	0	6	6	0	0	0
B	$\dfrac{630-450}{4-2}=90$만원/일	6	6	10	10	0	0	0
C	$\dfrac{200-160}{4-3}=40$만원/일	6	7	10	11	1	0	1
D	$\dfrac{370-300}{3-2}=70$만원/일	10	10	13	13	0	0	0
E	불가	10	12	12	14	2	0	2
F	$\dfrac{340-240}{7-5}=50$만원/일	10	11	17	18	1	1	0
G	$\dfrac{120-100}{5-3}=10$만원/일	13	13	18	18	0	0	0
H	$\dfrac{170-130}{4-2}=20$만원/일	12	14	16	18	2	2	0
I	$\dfrac{350-250}{2-1}=100$만원/일	18	18	20	20	0	0	0

다.

작업명	단축일수	비용구배	20	19	18	17	16
A	1	$\dfrac{240-210}{6-5}=30$만원/일			1		
B	2	$\dfrac{630-450}{4-2}=90$만원/일					
C	1	$\dfrac{200-160}{4-3}=40$만원/일				1	
D	1	$\dfrac{370-300}{3-2}=70$만원/일					
E	불가	-					
F	2	$\dfrac{340-240}{7-5}=50$만원/일					
G	2	$\dfrac{120-100}{5-3}=10$만원/일		1		1	
H	2	$\dfrac{170-130}{4-2}=20$만원/일					
I	1	$\dfrac{350-250}{2-1}=100$만원/일					1
직접비(만원)			2,440	2,450	2,480	2,530	2,630
간접비(만원)			2,000	1,920	1,840	1,760	1,680
총공사비(만원)			4,440	4,370	4,320	4,290	4,310

∴ 최적공기 : 17일, 총공사비 : 4,290만원

□□□ 01①, 02②, 04②, 06④, 09①, 10④, 13②, 15②, 19③, 20④, 22② 【18점】

17 주어진 도면 및 조건에 따라 다음 물량을 산출하시오. (단, 주어진 도면의 치수는 축척에 맞지 않을 수 있으며, 주어진 치수로만 물량을 산출하며, 도면의 치수단위는 mm이다.)

단 면 도

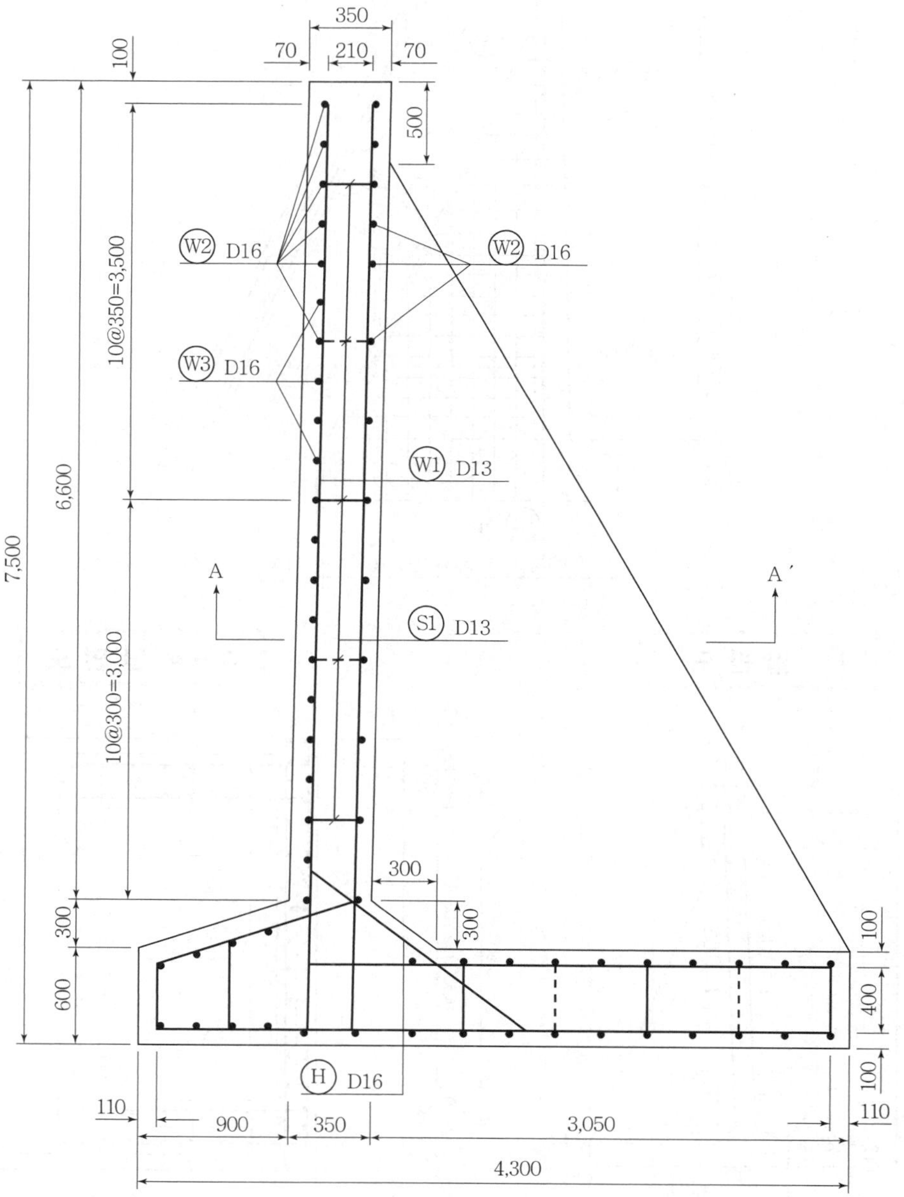

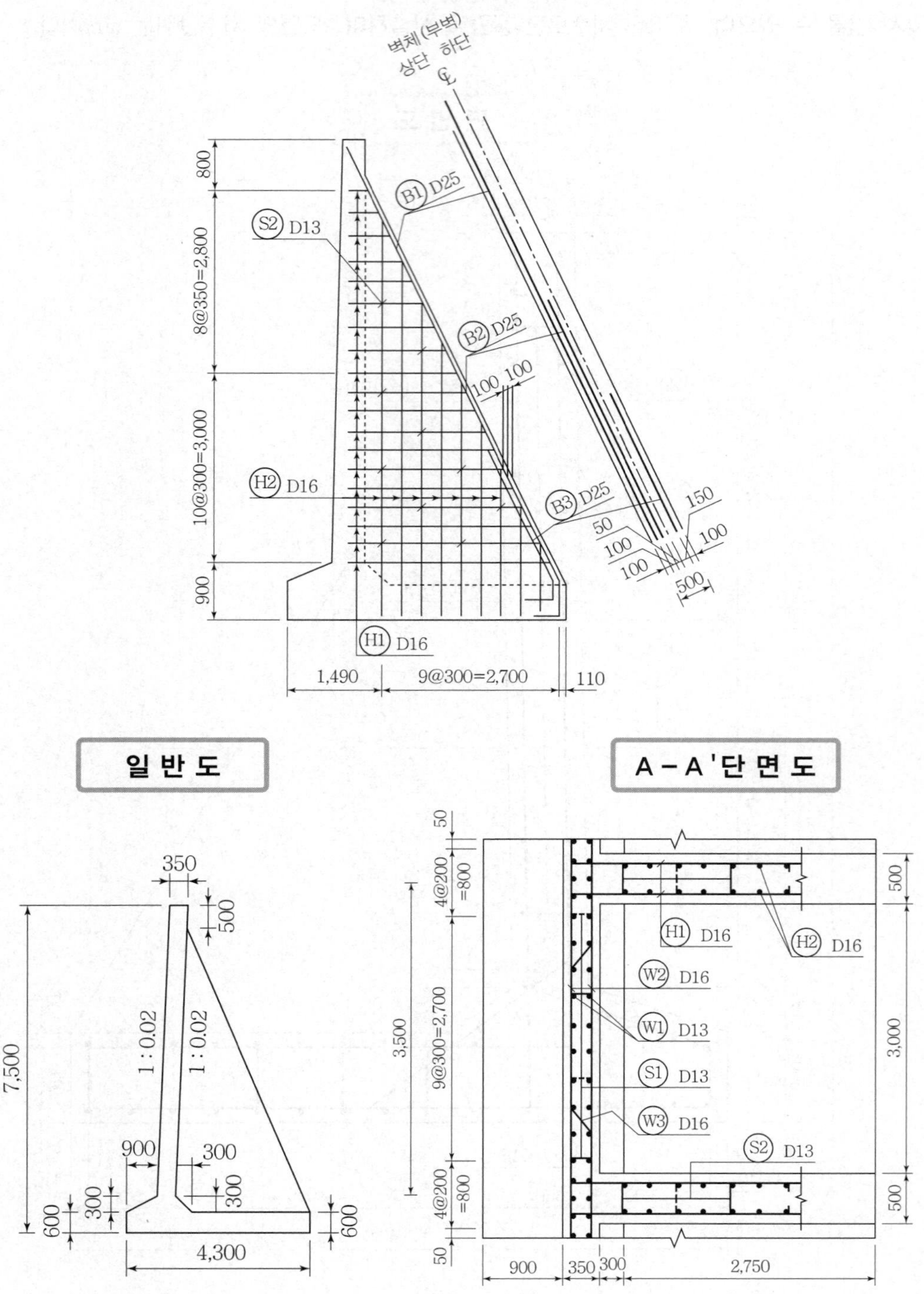
측 면 도
벽체(부벽)
상단 하단
CL
800
8@350=2,800
10@300=3,000
900
B1 D25
S2 D13
B2 D25
100 100
H2 D16
B3 D25
150
50
100
100
100
500
H1 D16
1,490
9@300=2,700
110
일 반 도
350
500
7,500
1 : 0.02
1 : 0.02
900
300
300
300
600
600
4,300
A－A'단 면 도
50
4@200 =800
3,500
9@300=2,700
4@200 =800
50
500
H1 D16
H2 D16
W2 D16
W1 D13
S1 D13
W3 D16
S2 D13
3,000
500
900
350
300
2,750

철근상세도

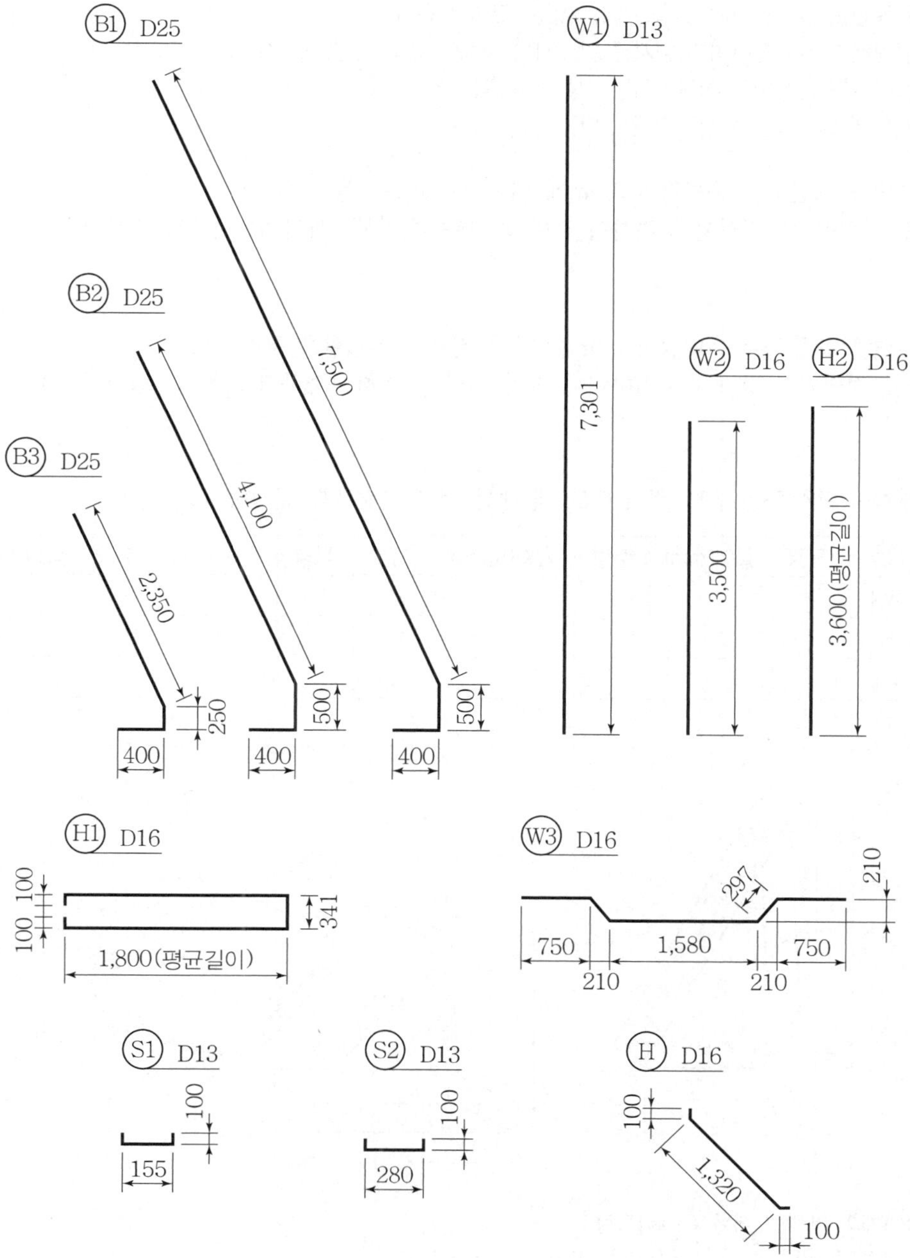

B1 D25
7,500
400
500
B2 D25
4,100
400
500
B3 D25
2,350
400
250
W1 D13
7,301
W2 D16
3,500
H2 D16
3,600(평균길이)
H1 D16
100
100
341
1,800(평균길이)
W3 D16
297
210
750
1,580
750
210
210
S1 D13
100
155
S2 D13
100
280
H D16
100
1,320
100

【조 건】

- S1 철근은 지그재그(Zigzag)로 배치되어 있다.
- H 철근의 간격은 W1 철근과 같다.
- 물량산출에서 할증률 및 마구리는 없는 것으로 한다.
- 물량산출에서 전면벽의 경사를 반드시 고려해야 한다. (일반도 참조)
- 철근길이 계산에서 이음길이는 계산하지 않는다.
- 저판의 철근량은 계산하지 않는다.

가. 부벽을 포함하는 옹벽길이 3.5m에 대한 콘크리트량을 구하시오.
(단, 전면벽의 경사를 고려하여야 하며, 소수점 이하 4째자리에서 반올림하시오.)

계산 과정) 답 : ______

나. 부벽을 포함하는 옹벽길이 3.5m에 대한 전체 거푸집량을 구하시오.
(단, 전면벽의 경사를 고려하여야 하며, 소수점 이하 4째자리에서 반올림하시오.)

계산 과정) 답 : ______

다. 부벽을 포함하는 옹벽 길이 3.5m에 대한 철근 물량표를 완성하시오.

기호	직경	길이(mm)	수량	총길이(mm)	기호	직경	길이(mm)	수량	총길이(mm)
W2					B1				
H					S1				
H1									

해답 가.

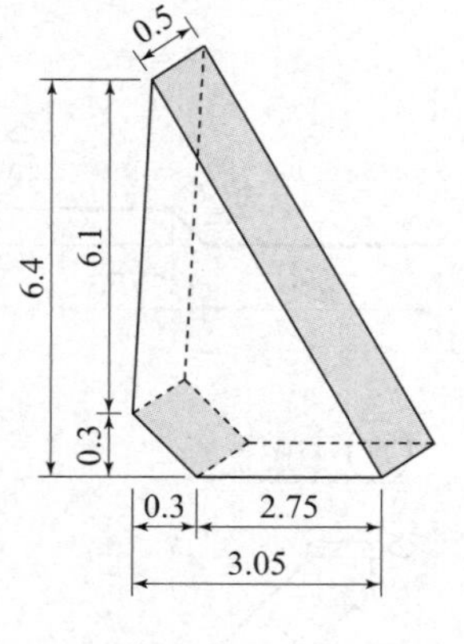

■ 1개의 부벽에 대한 콘크리트량

$$\left(\frac{3.05+0.122}{2}\times 6.4-\frac{0.122\times 6.1}{2}-\frac{0.3\times 0.3}{2}\right)\times 0.50=4.867\text{m}^3$$

($\because$ $6.1\times 0.02=0.122\text{m}$)

■ 옹벽에 대한 콘크리트량

- $A = 0.35 \times 6.6 = 2.310\text{m}^2$
- $B = \dfrac{0.35 + 1.55}{2} \times 0.30 = 0.285\text{m}^2$
- $C = 4.30 \times 0.6 = 2.58\text{m}^2$

$\therefore\ (2.310 + 0.285 + 2.58) \times 3.5 = 18.113\text{m}^3$

$\therefore$ 총콘크리트량 $= 4.867 + 18.113 = 22.980\text{m}^3$

나.

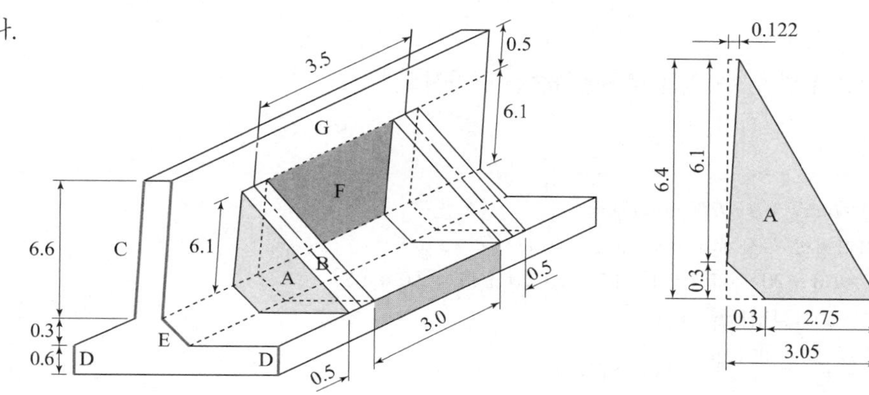

■ 1개의 부벽에 대한 거푸집량

- A면 $= \left\{\left(\dfrac{0.122 + 3.05}{2}\right) \times 6.4 - \left(\dfrac{0.3 \times 0.3}{2}\right) - \left(\dfrac{6.1 \times 0.122}{2}\right)\right\} \times 2 = 19.467\text{m}^2$
- B면 $= \sqrt{6.4^2 + (3.05 - 0.122)^2} \times 0.5 = 3.519\text{m}^2$
- C면 $= \sqrt{6.6^2 + (6.6 \times 0.02)^2} \times 3.5 = 23.105\text{m}^2$
- D면 $= 0.6 \times 2 \times 3.5 = 4.2\text{m}^2$
- E면 $= \sqrt{0.3^2 + 0.3^2} \times 3 = 1.273\text{m}^2$
- F면 $= \sqrt{6.1^2 + 0.122^2} \times 3.0 = 18.304\text{m}^2$
- G면 $= \sqrt{0.5^2 + 0.01^2} \times 3.5 = 1.750\text{m}^2 (\because\ 0.5 \times 0.02 = 0.01\text{m})$

$\therefore$ 총거푸집량

$\Sigma A = 19.467 + 3.519 + 23.105 + 4.2 + 1.273 + 18.304 + 1.750 = 71.618\text{m}^2$

다.

기호	직경	길이(mm)	수량	총길이(mm)	기호	직경	길이(mm)	수량	총길이(mm)
W2	D16	3,500	26	91,000	B1	D25	8,400	2	16,800
H	D16	1,520	13	19,760	S1	D13	355	10	3,550
H1	D16	4,141	19	78,679					

□□□ 95⑤, 97②, 19③, 22② 【4점】

18 $c = 20\text{kN/m}^2$, $\phi = 15°$, $\gamma_t = 17\text{kN/m}^3$**인 지반에** 3.0×3.0m**의 정사각형 기초가 근입깊이 2m에 놓여있고 지하수위 영향은 없다. 이 때 이 정사각형 기초의 극한 지지력과 총허용하중을 구하시오.** (단, Terzaghi의 지지력공식을 이용하고 안전율은 3이고, $N_c = 6.5$, $N_r = 1.1$, $N_q = 4.7$)

가. 극한 지지력을 구하시오.

계산 과정) 답 : ______

나. 기초지반이 받을 수 있는 총허용하중을 구하시오.

계산 과정) 답 : ______

해답 가. $q_u = \alpha c N_c + \beta \gamma_1 B N_r + \gamma_2 D_f N_q$

- 정사각형의 형상계수 $\alpha = 1.3$, $\beta = 0.4$

$q_u = 1.3 \times 20 \times 6.5 + 0.4 \times 17 \times 3 \times 1.1 + 17 \times 2.0 \times 4.7$

$= 351.24\text{kN/m}^2$

나. $q_a = \dfrac{q_u}{F_s} = \dfrac{351.24}{3} = 117.08\text{kN/m}^2$

$\therefore q_{all} = q_a \times A = 117.08 \times 3 \times 3 = 1{,}053.72\text{kN}$

□□□ 04④, 07④, 09④, 14④, 16④, 18③, 22② 【3점】

19 지하수 침강 최소깊이 2m, 암거 매립간격 8m, 투수계수 10^{-5}cm/sec**일 때 불투수층에 놓인 암거를 통한 단위 길이당 배수량을 구하시오.** (단, 소수점 이하 셋째자리까지 구하시오.)

계산 과정) 답 : ______

해답 단위길이당 배수량 $Q = \dfrac{4kH_0^{\,2}}{D}$

- $H_o = 200\text{cm}$, $D = 800\text{cm}$

$\therefore Q = \dfrac{4 \times 10^{-5} \times 200^2}{800} = 0.002\,\text{cm}^3/\text{cm/sec}$

※ 주의 단위길이당 배수량의 단위 : $\text{cm}^3/\text{cm/sec}$

□□□ 03②, 07②, 22② 【2점】

20 합성형교에서 강재거더와 바닥판 콘크리트 사이에서 각종 하중의 조합에 의해서 발생하는 전단력에 저항하기 위해서 설치하는 장치의 이름을 쓰시오.

○

해답 전단연결재(shear connector)

□□□ 05④, 22② 【3점】

21 도로의 평판재하시험에서 지름이 30cm의 재하판을 사용하여 재하판에 1.25mm침하될 때 하중강도가 800kN/m²이 되었다. 이 때 지반반력계수 K_{75}를 구하시오.

계산 과정)　　　　　　　　　　　　　　　　　　　　　답 :

해답 지지력 계수

$$K_{30}=\frac{\text{하중강도}(q)}{\text{침하량}(y)}=\frac{800(\text{kN/m}^2)}{1.25\times\frac{1}{1,000}(\text{m})}=640,000\,\text{kN/m}^3=640\text{MN/m}^3$$

$(\because\ 1\text{MN}=10^3\text{kN}=10^6\text{N})$

$$\therefore\ K_{75}=\frac{1}{2.2}\times K_{30}=\frac{1}{2.2}\times 640=290.91\,\text{MN/m}^3$$

□□□ 17④, 22② 【3점】

22 예민비를 간단히 설명하시오.

○

해답 교란되지 않은 공시체의 일축압축강도(q_u)와 다시 반죽한 공시체의 일축압축강도(q_{ar})의 비

즉, 예민비 $s_t=\frac{q_u}{q_{ar}}$

□□□ 12④, 16④, 22② 【3점】

23 록필댐(Rock fill Dam)의 종류를 3가지만 쓰시오.

①　　　　②　　　　③

해답 ① 표면 차수벽형댐　② 내부 차수벽형댐　③ 중앙 차수벽형댐

□□□ 03④, 22② 【3점】

24 옹벽(Retaining Wall)은 배면으로부터 작용하는 주동토압을 최소화시켜 활동, 전도 등의 안정성을 증대시키는 것이 설계·시공의 주안점이다. 주동토압을 최소화시키는 방법을 3가지만 기술하시오.

①　　　　②　　　　③

해답 ① 내부마찰각이 큰 재료를 사용　② 배수대책을 철저히 세움.
③ 뒤채움재는 EPS 경량재료를 이용　④ 지하수위를 저하시키는 공법을 적용

국가기술자격 실기시험문제

2022년도 기사 제3회 필답형 실기시험(기사)

종 목	시험시간	형 별	성 명	수험번호
토목기사	**3시간**	B		

※ 수험자 인적사항 및 계산식을 포함한 답안 작성은 검은색 필기구만 사용하여야 하며, 그 외 연필류, 빨간색, 청색 등 필기구로 작성한 답안은 0점 처리됩니다.

□□□ 05①, 07④, 11①, 14②, 22③ 【4점】

01 그림과 같은 유토곡선(Mass Curve)에서 다음 물음에 답하시오.

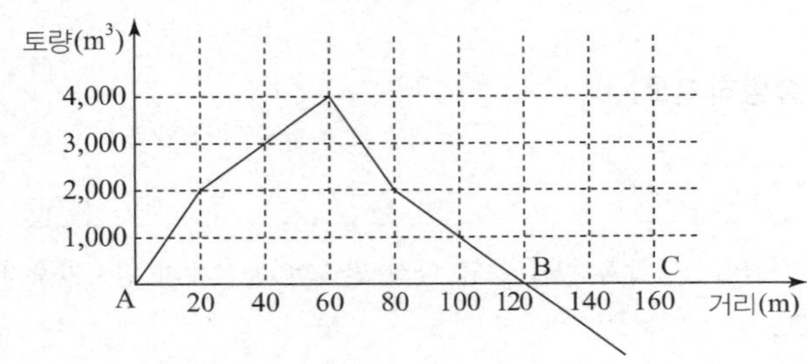

가. AB 구간에서 절토량 및 평균운반거리를 구하시오.

계산 과정)

【답】 절토량 : ______________________, 평균운반거리 : ______________________

나. AB 구간에서 불도저(Bull Dozer) 1대로 흙을 운반하는 데 필요한 소요일수를 구하시오.
(단, 1일 작업시간은 8시간, 불도저의 $q = 3.2\text{m}^3$, $L = 1.25$, $E = 0.6$, 전진속도 : 40m/분, 후진속도 : 46m/분, 기어변속시간 : 0.25분)

계산 과정) 답 : ______________________

해답 가. 절토량 : $4{,}000\text{m}^3$, 평균운반거리 : $80-20=60\text{m}$

나. $Q=\dfrac{60q\cdot f\cdot E}{C_m}$

• $C_m=\dfrac{l}{V_1}+\dfrac{l}{V_2}+t=\dfrac{60}{40}+\dfrac{60}{46}+0.25=3.05$분

• $Q=\dfrac{60\times 3.2\times \dfrac{1}{1.25}\times 0.6}{3.05}=30.22\,\text{m}^3/\text{h}$

∴ 소요일수 $D=\dfrac{4{,}000}{30.22\times 8}=16.55$ ∴ 17일

□□□ 94②, 96⑤, 97④, 98②, 99⑤, 00①, 04②, 06①, 10④, 11④, 12①, 14①, 17②, 22③ 【3점】

02 도로를 설계하기 위하여 5개 지점의 시료를 채취하여 각 지점에 있어서의 평균 CBR을 구하였다. 이때의 설계 CBR을 계산하시오.

- 각 지점의 평균 CBR : 6.8, 8.5, 4.8, 6.3, 7.2
- 설계 CBR 계산용 계수

개수(n)	2	3	4	5	6	7	8	9	10 이상
d_2	1.41	1.91	2.24	2.48	2.67	2.83	2.96	3.08	3.18

계산 과정) 답 : ______

해답 설계 CBR＝평균 CBR $-\dfrac{\text{CBR}_{\max}-\text{CBR}_{\min}}{d_2}$

- 평균 CBR $=\dfrac{\Sigma\text{CBR값}}{n}=\dfrac{6.8+8.5+4.8+6.3+7.2}{5}=6.72$

$\therefore$ 설계 CBR $=6.72-\dfrac{8.5-4.8}{2.48}=5.23$ $\therefore$ 5

($\because$ 설계 CBR은 소수점 이하는 절삭한다.)

□□□ 08②, 11④, 22③ 【3점】

03 암반 분류방법 중 Barton의 $Q-$시스템($Q-$System)에서 Q값을 구하는 아래 식의 각 항이 의미하는 것을 쓰시오.

$$Q=\frac{\text{RQD}}{J_n}\cdot\frac{J_r}{J_a}\cdot\frac{J_w}{\text{SRF}}$$

① $\dfrac{\text{RQD}}{J_n}$: ______ ② $\dfrac{J_r}{J_a}$: ______ ③ $\dfrac{J_w}{\text{SRF}}$: ______

해답 ① 암괴의 크기 ② 암괴 사이의 전단강도 ③ 작용응력 점수

□□□ 00②, 04②, 06④, 11④, 15④, 22③ 【4점】

04 해안, 준설, 매립 공사시 사용되는 준설선의 종류를 4가지만 쓰시오.

① ______ ② ______
③ ______ ④ ______

해답 ① 펌프 준설선 ② 디퍼 준설선 ③ 버킷 준설선 ④ 그래브 준설선

□□□ 05④, 08②, 11④, 15④, 20①, 22③ 【6점】

05 **다음 그림과 같은 유선망에서 단위폭(1m)당 1일 침투유량을 구하고, 점 A에서 간극수압을 계산하시오.** (단, 수평방향 투수계수 $k_h = 5.0 \times 10^{-4}$cm/sec, 수직방향 투수계수 $k_v = 8.0 \times 10^{-5}$cm/sec)

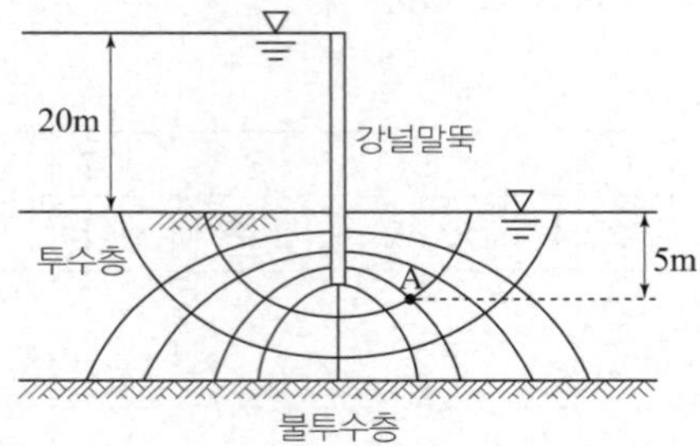

가. 단위폭(1m)당 1일 침투수량을 구하시오.

계산 과정) 답 : ____________

나. A점의 간극수압을 구하시오.

계산 과정) 답 : ____________

해답 가. $Q = kH\dfrac{N_f}{N_d}$

- $k = \sqrt{k_h \cdot k_v} = \sqrt{(5.0 \times 10^{-4}) \times (8.0 \times 10^{-5})}$

$= 2 \times 10^{-4}\,\text{cm/sec} = 2 \times 10^{-6}\,\text{m/sec}$

$\therefore\ Q = 2.0 \times 10^{-6} \times 20 \times \dfrac{3}{10} \times 1 = 12 \times 10^{-6}\ \text{m}^3/\text{sec}$

$= 12 \times 10^{-6} \times 60 \times 60 \times 24 = 1.04\,\text{m}^3/\text{day}$

나. • 전수두 $h_t = \dfrac{N_d'}{N_d}h = \dfrac{3}{10} \times 20 = 6\,\text{m}$

- 위치수두 $h_e = -5\,\text{m}$
- 압력수두 $h_p = h_t - h_e = 6 - (-5) = 11\,\text{m}$

$\therefore$ 공극수압 $u_p = \gamma_w h_p = 9.81 \times 11 = 107.91\,\text{kN/m}^2$

□□□ 22③ 【3점】

06 **댐 건설을 위해 댐 지점의 하천수류를 전환시키는 댐의 유수전환방식을 3가지 쓰시오.**

① ____________ ② ____________ ③ ____________

해답 ① 반하천 체절공 ② 가배수 터널공 ③ 가배수로 개거공

□□□ 92④, 96③, 01②, 04①, 22③ 【3점】

07 다음의 그림에서 모래층에 설치한 earth anchor(=tie backs)의 극한저항은?
(단, 콘크리트 그라우팅은 일정한 압력하에서 시공되었으므로 정지토압계수 상태 K_o로 본다.)
(단, $K_o = 1 - \sin\phi$ 이용한다.)

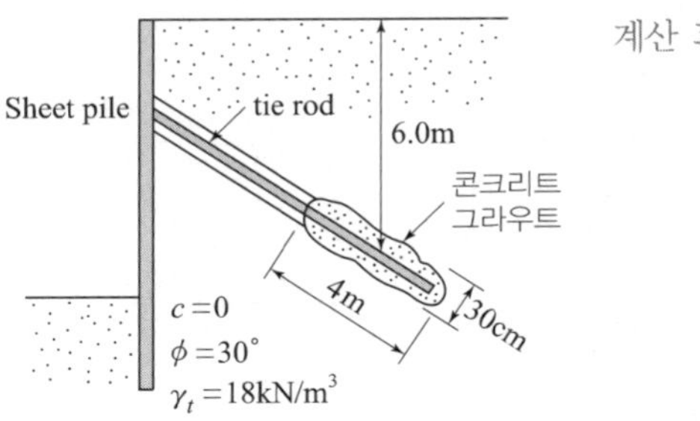

계산 과정)

답 : ______________

해답 $P_u = \pi d l \overline{\sigma_v} K_o \tan\phi = \pi d l \overline{\sigma_v}(1-\sin\phi)\tan\phi$

$= \pi \times 0.30 \times 4 \times (18\times 6)(1-\sin 30°)\tan 30° = 117.53\,\text{kN}$

□□□ 96①, 22③ 【3점】

08 직경 1m짜리 토관을 지하 1m 깊이에 100m 길이로 그림과 같이 매설하려고 한다. 이때 되묻고 남은 흙의 총량은 8ton 덤프트럭으로 최소한 몇 대 분인가?
(단, 흙의 단위중량은 γ=1.7t/m^3(본바닥)로 일정하며 C=0.8, L=1.2임.)

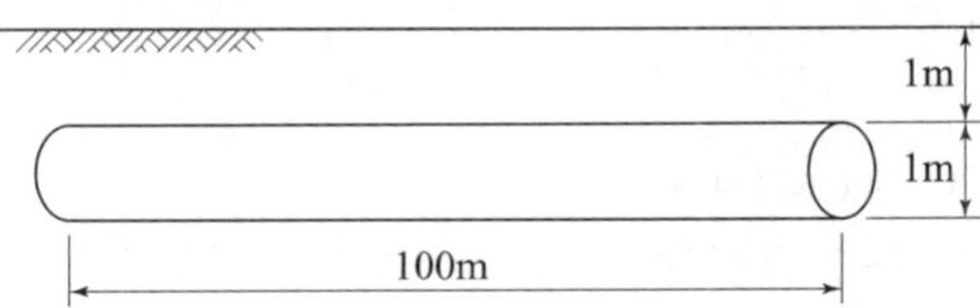

계산 과정)

답 : ______________

해답 • 굴착토량$= \left(1\times 1.5 + \dfrac{\pi\times 1^2}{4}\times\dfrac{1}{2}\right)\times 100 = 189.27\,\text{m}^3$

• 되메움토량$= \left(1\times 1.5 - \dfrac{\pi\times 1^2}{4}\times\dfrac{1}{2}\right)\times 100\times\dfrac{1}{C}$

$= 110.73\times\dfrac{1}{0.8} = 138.41\,\text{m}^3$

• 남는 토량$= 189.27 - 138.41 = 50.86\,\text{m}^3$(자연상태)

• 트럭 적재량 $q_t = \dfrac{T}{\gamma_t}\cdot L = \dfrac{8}{1.7}\times 1.2 = 5.65$

∴ 트럭 소요대수 $M = \dfrac{50.86\times L}{5.65} = \dfrac{50.86\times 1.2}{5.65}$

$= 10.8$ ∴ 11대

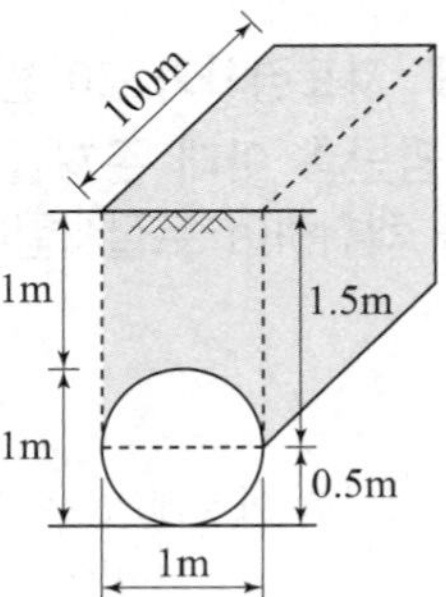

□□□ 994④, 99④, 00⑤, 06④, 15①④, 18③, 22③ 【3점】

09 그림과 같이 연직하중과 모멘트를 받는 구형기초의 극한하중과 안전율을 Terzaghi 공식을 이용하여 구하시오. (단, $N_c = 37.2$, $N_q = 22.5$, $N_r = 19.7$이다.)

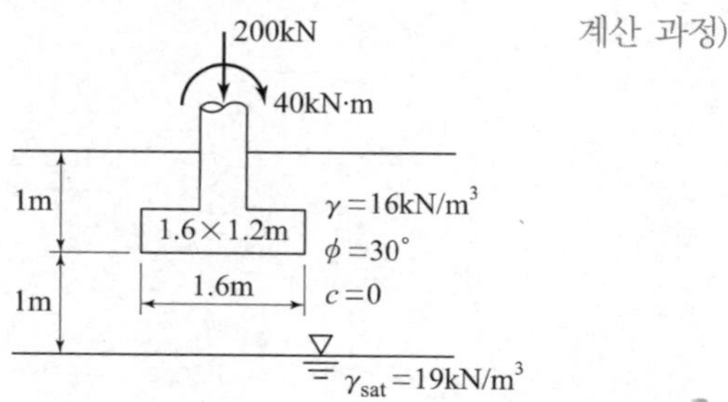

계산 과정)

극한하중 : ______, 안전율 : ______

해답 안전율 $F_s = \dfrac{Q_u}{Q_a}$

- 편심거리 $e = \dfrac{M}{Q} = \dfrac{40}{200} = 0.2\,\text{m}$
- 유효길이 $L' = L - 2e = 1.6 - 2 \times 0.2 = 1.2\,\text{m}$ ∴ 정사각형기초
- $d < B$ (1m < 1.6m)인 경우

$$\gamma_1 = \gamma_{\text{sub}} + \frac{d}{B}(\gamma_t - \gamma_{\text{sub}})$$

$$= (19 - 9.81) + \frac{1}{1.2}\{16 - (19 - 9.81)\} = 14.87\,\text{kN/m}^2$$

- $q_u = \alpha\, c\, N_c + \beta \gamma_1 B\, N_r + \gamma_2 D_f N_q$

$$= 0 + 0.4 \times 14.87 \times 1.2 \times 19.7 + 16 \times 1 \times 22.5 = 500.61\,\text{kN/m}^2$$

- 극한하중 $Q_u = q_u A = q_u \cdot B' \cdot L = 500.61 \times (1.2 \times 1.2) = 720.88\,\text{kN}$

$$\therefore\ F_s = \frac{720.88}{200} = 3.60$$

□□□ 09④, 11④, 16②, 22③ 【3점】

10 어느 지역에 지표경사가 30°인 자연사면이 있다. 지표면에서 6m 깊이에 암반층이 있고, 지하수위면은 암반층 아래 존재할 때 이 사면의 활동파괴에 대한 안전율을 구하시오. (단, 사면 흙을 채취하여 토질시험을 실시한 결과 $c = 25\text{kN/m}^2$, $\phi = 35°$, $\gamma_t = 18\text{kN/m}^3$이다.)

계산 과정)

답 : ______

해답 지하수위가 파괴면 아래에 있는 경우(사면 내 침투류가 없는 경우)

$$F_s = \frac{c'}{\gamma_t\, Z \cos i \cdot \sin i} + \frac{\tan\phi}{\tan i} = \frac{25}{18 \times 6 \cos 30° \times \sin 30°} + \frac{\tan 35°}{\tan 30°} = 1.75$$

□□□ 07④, 12①, 22③ 【3점】

11 과압밀비(Overconsolidation Ratio, OCR)를 간단히 설명하시오.

○

해답 흙이 현재 받고 있는 유효연직하중에 대한 선행압밀하중과의 비

즉, 과압밀비(OCR) $= \dfrac{\text{선행압밀하중}}{\text{현재의 유효연직하중}}$

- OCR < 1 : 압밀이 진행 중인 점토
- OCR = 1 : 정규압밀 점토
- OCR > 1 : 과압밀 점토

□□□ 10④, 22③ 【5점】

12 콘크리트 구조물은 보통 pH 12 ~ 13 정도인 강알칼리성이나 대기 중의 약산성의 탄산가스(CO_2) 등과 결합하여 pH가 8.5 ~ 10 정도로 낮아지는 산성화가 진행되어, 콘크리트 성능저하 및 철근부식에 대한 성능저하를 가져온다. 이런 현상에 대하여 아래의 물음에 답하시오.

가. 이러한 현상을 무엇이라 하는가?

○

나. 이러한 현상에 대해 구조물 신축시의 대책을 3가지만 쓰시오.

① ② ③

해답 가. 탄산화 현상(중성화 현상)

나. ① 물-시멘트비를 낮게 한다.
② 분말도를 낮게 한다.
③ 혼화제(AE제, AE감수제)를 사용한다.
④ 충분한 다짐 및 양생을 실시한다.
⑤ 충분한 피복두께를 확보한다.

□□□ 00②, 02③, 07①, 22③ 【3점】

13 외경 70cm, 두께 7cm의 강성관을 개착식으로 매설하고자 한다. 매설깊이는 관의 상단에서 2m이며, 터파기 폭은 관의 상단에서 1.5m이다. 매설관에 작용하는 단위폭당의 하중은 몇 kN/m인가? (단, 하중계수는 2.2, 흙의 단위중량은 18kN/m^{3}이고, Marston의 공식 사용)

계산 과정) 답 :

해답 $W = C\gamma B^2 = 2.2 \times 18 \times 1.5^2 = 89.1\text{kN/m}$

□□□ 94③, 96①, 19②, 22③ 【6점】

14 **다음 옹벽에서 전도 및 활동에 대한 안정을 검토하시오.**
(단, 안전율은 모두 2.0 이상이어야 한다.)

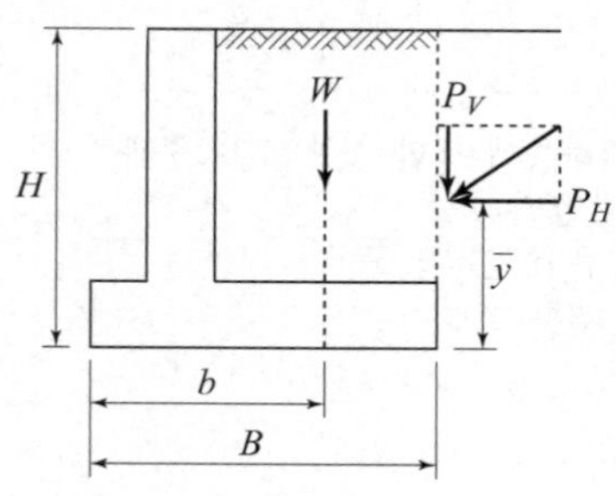

【조 건】

- $c=0$
- W(옹벽자중+저판위의 흙의 무게)=240kN/m
- $P_H=$200kN/m
- $P_V=$ 100kN/m
- B =4m
- $b=2.5$m
- $h=$6m
- $\overline{y}=$2m
- μ(옹벽저판과 기초와의 마찰계수)=0.5

가. 전도에 대한 안정검토 :

계산 과정) 답 : ______

나. 활동에 대한 안정검토 :

계산 과정) 답 : ______

해답 가. 전도에 대한 안정검토

$$F_S=\frac{W\cdot b+P_V\cdot B}{P_H\cdot h}=\frac{240\times2.5+100\times4}{200\times2.0}=2.5\ >\ 2.0\quad\therefore\ \text{안정}$$

나. 활동에 대한 안정검토

$$F_S=\frac{(W+P_V)\mu+c\cdot B}{P_H}=\frac{(240+100)\times0.5+0\times4}{200}=0.85<2.0\quad\therefore\ \text{불안정}$$

□□□ 92②, 94③, 00②, 03④, 04④, 07②, 10④, 11①, 14②, 17①, 18③, 19③, 21①, 22③, 23① 【3점】

15 **PS 콘크리트 교량 건설공법 중 동바리를 사용하지 않는 현장타설공법의 종류 3가지를 쓰시오.**

① ______ ② ______ ③ ______

해답 ① FCM(캔틸레버공법) ② MSS(이동식 지보공법) ③ ILM(연속압출공법)

□□□ 07①, 09②, 11④, 18②, 20③, 22③ 【3점】

16 **다음과 같은 높이 7m인 토류벽이 있다. 토류벽 배면지반은 포화된 점성토지반 위에 사질토 지반을 형성하고 있다. 이때 토류벽에 가해지는 전 주동토압을 구하시오.**
(단, 지하수위는 점성토지반 상부에 위치하며, 벽마찰각은 무시한다.)

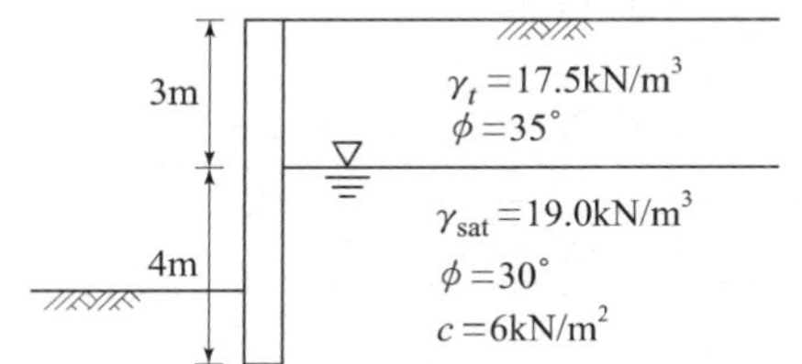

계산 과정)

답 :

해답 주동토압 $P_A = \frac{1}{2}\gamma_1 H_1^2 K_{a1} + \gamma_1 H_1 H_2 K_{a2} + \frac{1}{2}\gamma_{sub} H_2^2 K_{a2} + \frac{1}{2} r_w H_2^2 - 2cH_2\sqrt{K_{a2}}$

- 사질토지반 $K_{a1} = \tan^2\left(45° - \frac{\phi}{2}\right) = \tan^2\left(45° - \frac{35°}{2}\right) = 0.271$
- 점성토지반 $K_{a2} = \tan^2\left(45° - \frac{\phi}{2}\right) = \tan^2\left(45° - \frac{30°}{2}\right) = \frac{1}{3}$
- $\frac{1}{2}\gamma_1 H_1^2 K_{a1} = \frac{1}{2} \times 17.5 \times 3^2 \times 0.271 = 21.34\text{kN/m}$
- $\gamma_1 H_1 H_2 K_{a2} = 17.5 \times 3 \times 4 \times \frac{1}{3} = 70\text{kN/m}$
- $\frac{1}{2}\gamma_{sub} H_2^2 K_{a2} = \frac{1}{2} \times (19.0 - 9.81) \times 4^2 \times \frac{1}{3} = 24.51\text{kN/m}$
- $\frac{1}{2}\gamma_w H_2^2 = \frac{1}{2} \times 9.81 \times 4^2 = 78.48\text{kN/m}$
- $2cH_2\sqrt{K_{a2}} = 2 \times 6 \times 4 \times \sqrt{\frac{1}{3}} = 27.71\text{kN/m}$

$\therefore\ P_A = 21.34 + 70.0 + 24.51 + 78.48 - 27.71 = 166.62\text{kN/m}$

□□□ 89②, 08④, 12①, 13④, 17④, 21②, 22③, 23② 【3점】

17 **여굴을 적게 하고 파단선을 매끈하게 하기 위한 제어발파(controlled blasting) 공법의 종류를 4가지만 쓰시오.**

①

②

③

④

해답 ① 라인 드릴링(line drilling) 공법
② 쿠션 블라스팅(cushion blasting) 공법
③ 스무스 블라스팅(smooth blasting) 공법
④ 프리 스플리팅(pre-splitting) 공법

□□□ 99⑤, 22③ 【18점】

18 주어진 도면 및 조건에 따라 다음 물량을 산출하시오.

단 면 도 (단위 : mm)

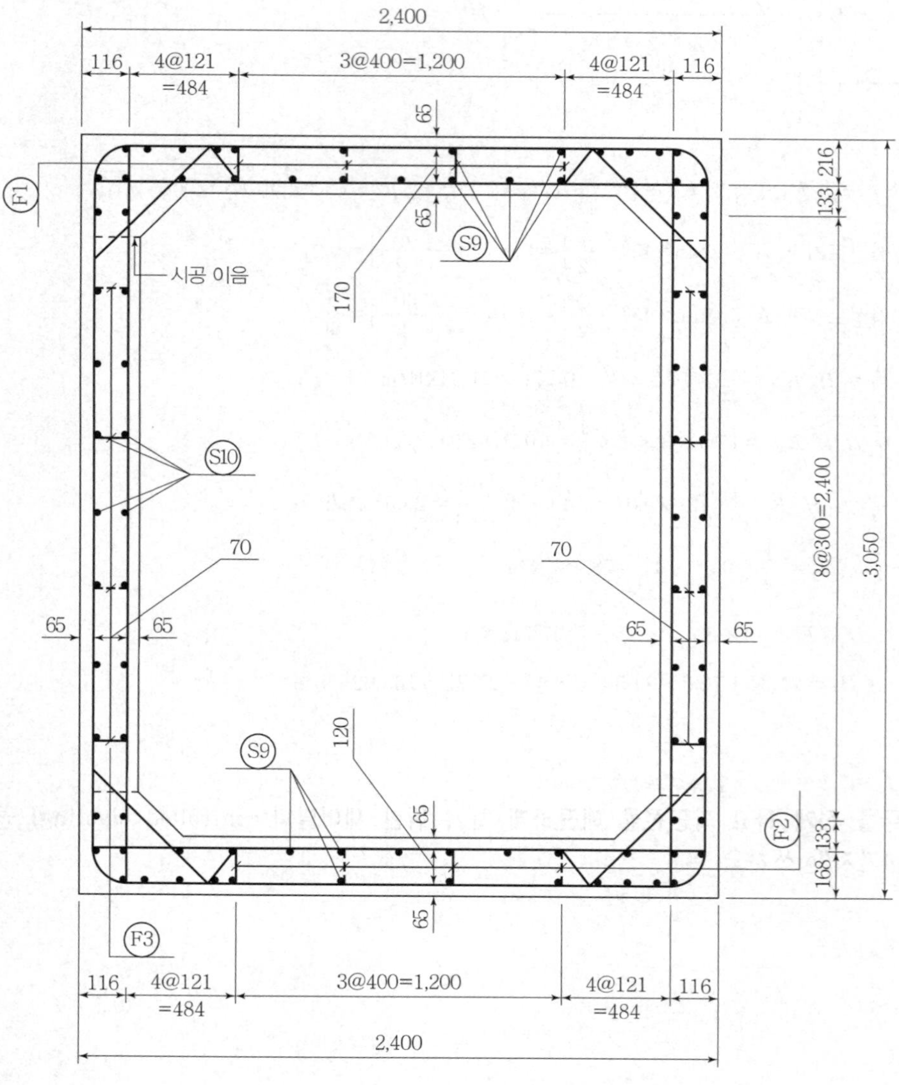

주 철 근 조 립 도

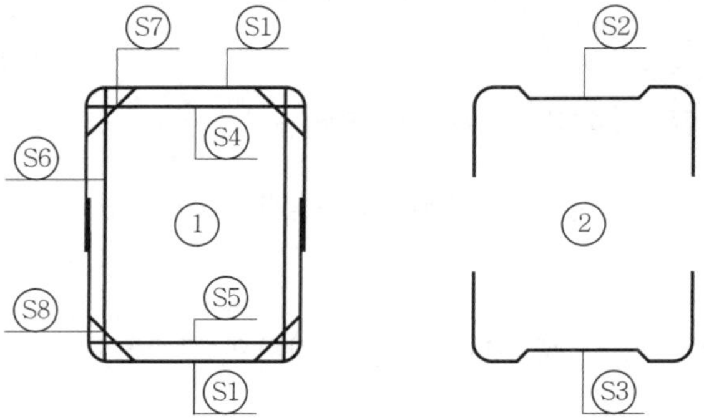

일 반 도

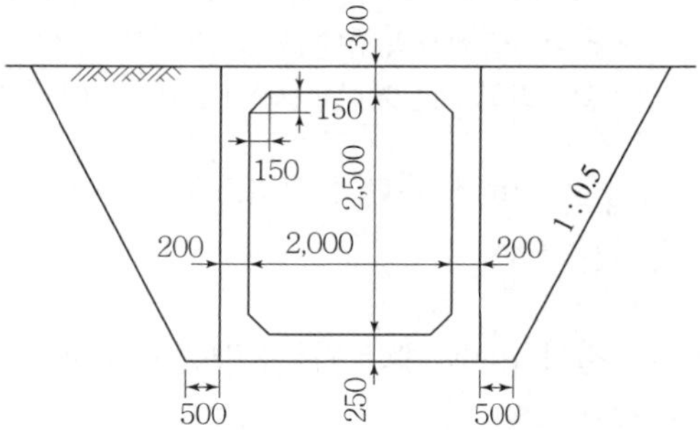

철 근 상 세 도

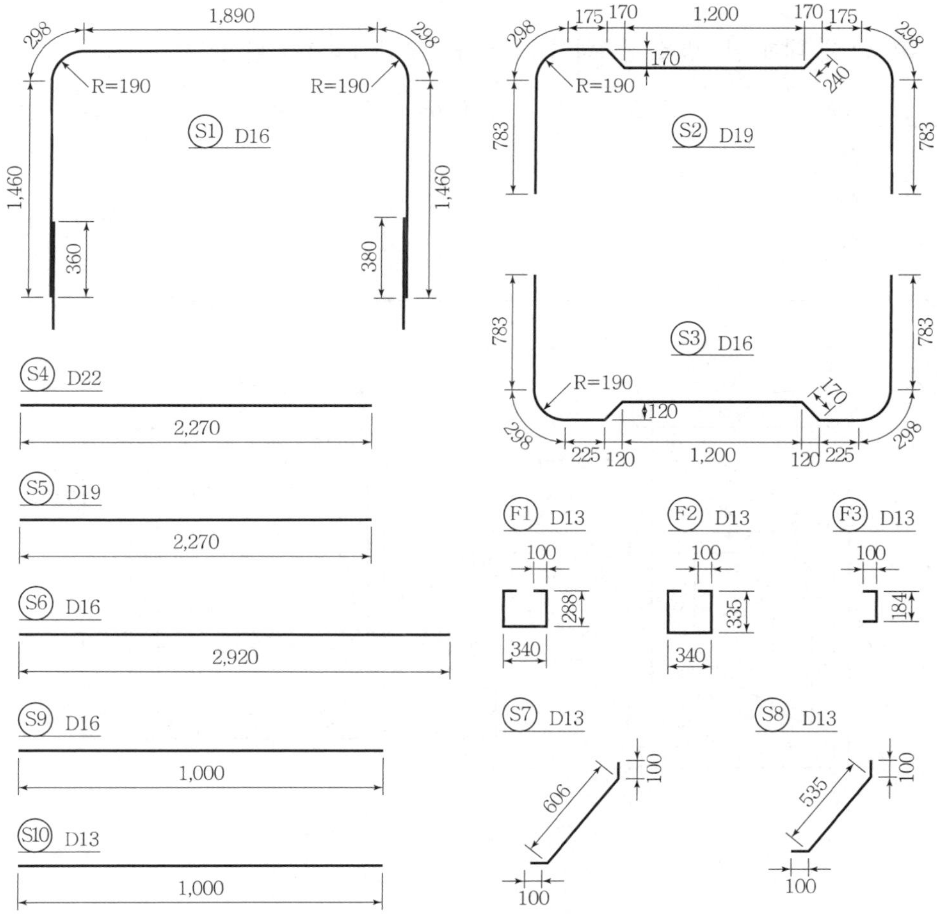

【조 건】

- S1, S2, S3, S4, S5, S6, S7, S8 철근은 각각 300mm 간격으로 배근한다.
- F1, F2, F3 철근간격은 600mm로 지그재그로 배근한다.
- 물량산출에서의 할증률 및 마구리는 없는 것으로 한다.
- 철근길이 계산에서 상세도에 표시되어 있지 않은 이음길이는 계산하지 않는다.

가. 길이 1m에 대한 콘크리트량을 구하시오. (단, 소수 4째자리에서 반올림하시오.)

계산 과정) 답 : ____________

나. 길이 1m에 대한 거푸집량을 구하시오. (단, 소수 4째자리에서 반올림하시오.)

계산 과정) 답 : ____________

다. 길이 1m에 터파기량을 구하시오. (단, 소수 4째자리에서 반올림하시오.)

계산 과정) 답 : ____________

라. 길이 1m에 대한 철근량을 산출하기 위한 다음 철근물량표를 완성하시오.

기호	직경	길이(mm)	수량	총길이(mm)
S1				
S2				
S10				
F2				

해답 가.

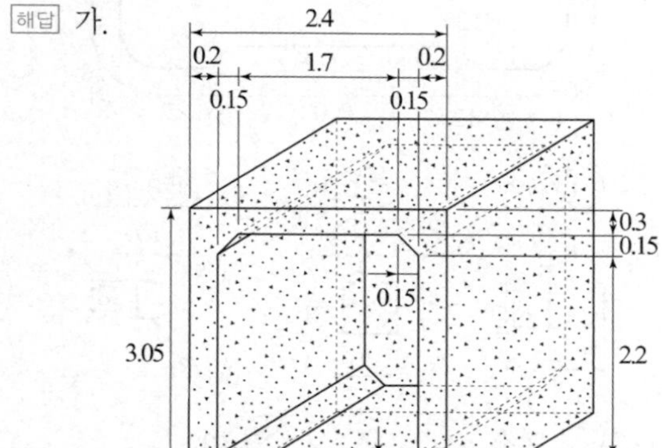

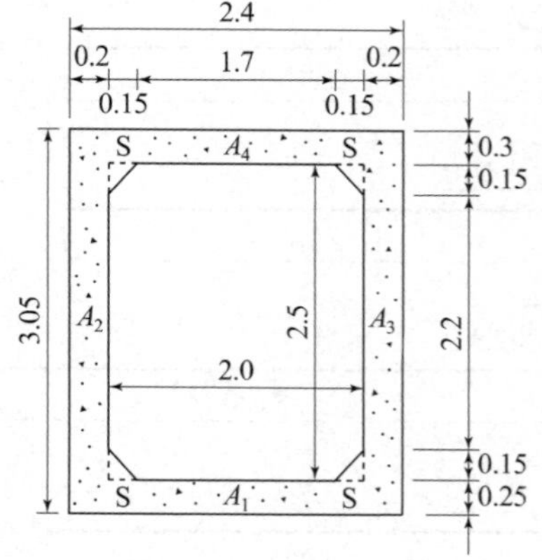

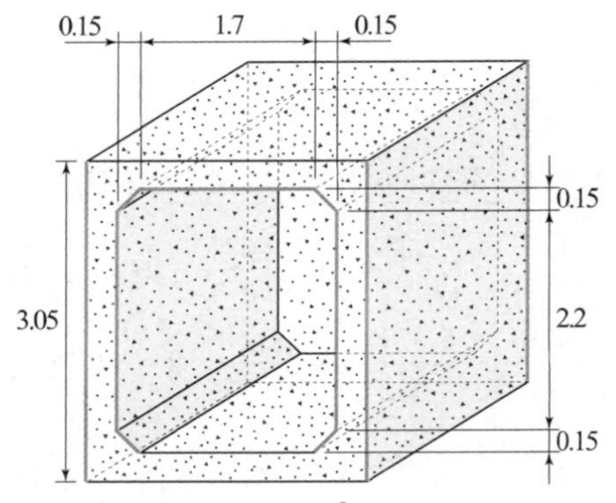

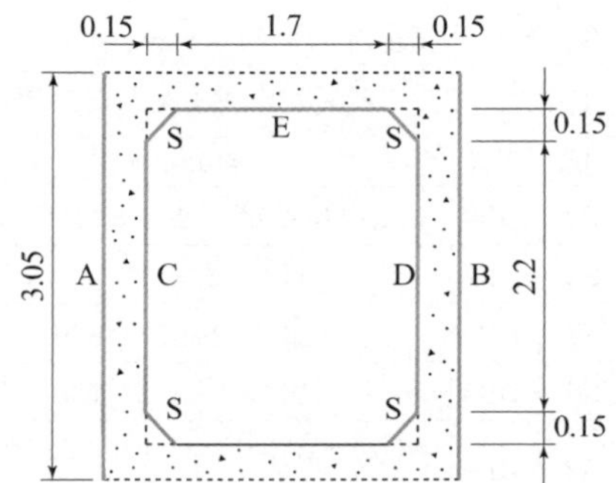

- $A_1 = 2 \times 0.25 = 0.500\text{m}^2$
- $A_2 = 3.05 \times 0.2 = 0.61\text{m}^2$
- $A_3 = 3.05 \times 0.2 = 0.61\text{m}^2$
- $A_4 = 2.0 \times 0.3 = 0.60\text{m}^2$
- $S = \sum S_i = 4 \times \left(\frac{1}{2} \times 0.15 \times 0.15\right) = 0.045\text{m}^2$

  $(\because\ S_1 = S_2 = S_3 = S_4)$
- $\sum A = 0.50 + 0.61 + 0.61 + 0.60 + 0.045$

  $= 2.365\text{m}^2$

  ∴ 총콘크리트량 $= 2.365 \times 1 = 2.365\text{m}^3$

나. A면=3.05m　　B면=3.05m

　C면=2.2m　　D면=2.2m

　E면=1.7m

$S = \sqrt{0.15^2 + 0.15^2} \times 4 = 0.8485\text{m}$

∴ 총거푸집길이=3.05×2+2.2×2+1.70+0.8485

=13.049m

∴ 총거푸집량=총거푸집길이×단위길이=13.049×1

=13.049m²

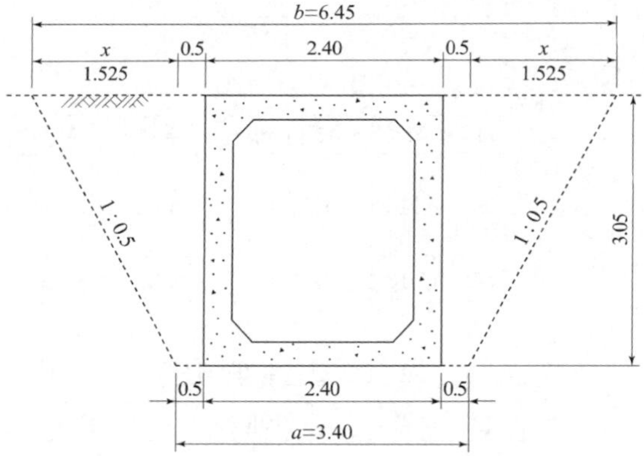

다. 각 변 길이

밑변 $a = 0.5 + 2.40 + 0.5 = 3.40\text{m}$

길이 $x = 3.05 \times 0.5 = 1.525\text{m}$

윗변 $b = 1.525 \times 2 + 0.5 \times 2 + 2.4 = 6.45\text{m}$

∴ 터파기량 $= \left(\frac{6.45 + 3.40}{2} \times 3.05\right) \times 1 = 15.021\text{m}^3$

라.

기호	직경	길이(mm)	수량	총길이(mm)
S1	D16	5,406	6.67	36,058
S2	D19	4,192	3.33	13,959
S10	D13	1,000	36	36,000
F2	D13	1,210	6.67	8,071

철근물량 산출근거

1. S1, S6, S7, S8 및 S2, S3, S4, S5 철근수량 계산

기호	직경	길이(mm)	수량	총길이(mm)	수량산출 근거
S1	D16	(1,460+298)×2+1,890=5,406	6.67	36,058	$\frac{\text{단위길이}}{\text{배근간격}}\times 2$(정판, 저판) $=\frac{1\text{m}}{0.3\text{m}}\times 2=6.67$본
S6	D16	2,920	6.67	19,476	
S7	D13	100×2+606=806	6.67	5,376	
S8	D13	100×2+535=735	6.67	4,902	
S2	D19	(783+298+175+240)×2+1,200 =4,192	3.33	13,959	$\frac{\text{단위길이}}{\text{배근간격}}=\frac{1\text{m}}{0.3\text{m}}=3.33$본
S3	D16	(783+298+225+170)×2+1,200 =4,152	3.33	13,826	
S4	D22	2,270	3.33	7,559	
S5	D19	2,270	3.33	7,559	

2. S9, S10 철근수량 계산

기호	직경	길이(mm)	수량	총길이(mm)	수량산출 근거
S9	D16	1,000	50	50,000	·정판(상면 12, 하면 13) : 25본 ·저판(상면 13, 하면 12) : 25본 ∴ 25×2(정판, 저판)=50본
S10	D13	1,000	36	36,000	·측벽(내면 9, 외면 9)×2=36본

3. F1, F2, F3 철근수량 계산

기호	직경	길이(mm)	수량	총길이(mm)	수량산출 근거
F1	D13	(100+288)×2+340 =1,116	6.67	7,444	$\frac{\text{단면도의 F1 철근수}}{\text{S철근 배근간격}}\times$단위길이 $=\frac{4}{0.3\times 2}\times 1=6.67$본 또는 $600:4=1,000:x$ ∴ $x=6.67$본 F1은 단면도 정판에 사용
F2	D13	(100+335)×2+340 =1,210	6.67	8,071	$\frac{\text{단면도의 F2 철근수}}{\text{S철근 배근간격}}\times$단위길이 $=\frac{4}{0.3\times 2}\times 1=6.67$본 또는 $600:4=1,000:x$ ∴ $x=6.67$본 F2은 단면도 저판에 사용
F3	D13	100×2+184=384	13.33	5,119	$\frac{\text{단면도의 F3 철근수}}{\text{S철근 배근간격}}\times$단위길이 $=\frac{4\times 2(\text{좌우})}{0.3\times 2}\times 1=13.33$본 또는 $600:4=1,000:x$ ∴ $x=6.67$본 ∴ 좌우양면 $6.67\times 2=13.33$본

□□□ 15①, 22③ 【3점】

19 포장에 대한 아래 표의 내용에서 ( )안에 적합한 용어를 쓰시오.

시멘트 콘크리트 포장이 온도팽창에 따른 압축력에 의하여 좌굴을 일으켜 줄눈부분 또는 균열 부분을 중심으로 부분적으로 솟아오르는 현상을 (①)이라 말하며, 줄눈 단부에서 포장 슬래브가 조각지면서 파손되는 현상을(②)이라 한다. 그리고 보조기층이나 노상의 연약화된 흙이 우수의 침입과 교통하중의 반복에 의해 줄눈 또는 균열을 통해 노면으로 뿜어올라오는 현상을 (③)이라 한다.

① ______ ② ______ ③ ______

해답 ① 블로업(blow up)
② 스폴링(spalling)
③ 펌핑(pumping)

□□□ 93①, 22③ 【10점】

20 다음 데이터를 네트워크 공정표로 작성하고 요구작업에 대해서 여유시간을 계산하시오.

작업명	작업일수	선행작업	비고
A	1	없음	단, 화살형 네트워크로 주공 정선은 굵은 선으로 표시하고, 각 결합점에서의 계산은 다음과 같다. △ LFT EFT / EST | LST (i) —작업명 / 작업일수→ (j)
B	2	없음	
C	3	없음	
D	6	A, B, C	
E	4	B, C	
F	2	C	

가. 네트워크 공정표를 그리고 Critical Path를 표시하시오.

나. 작업(activitg)의 총여유를 구하시오.

작업명	TE		TL		TF
	EST	EFT	LST	LFT	
A					
B					
C					
D					
E					
F					

해답 가.

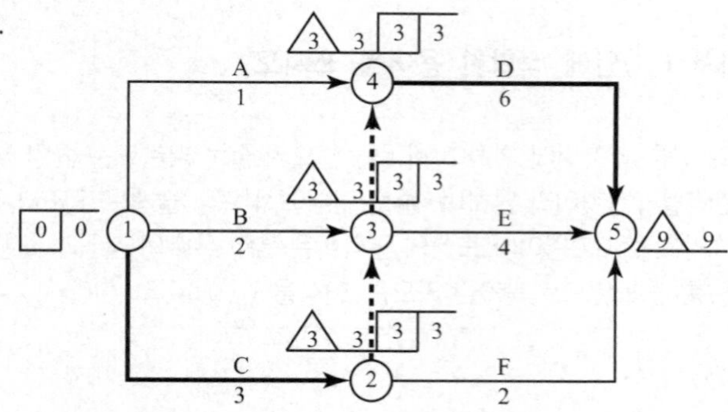

나.

작업명	TE		TL		TF
	EST	EFT	LST	LFT	
A	0	1	2	3	2
B	0	2	1	3	1
C	0	3	0	3	0
D	3	9	3	9	0
E	3	7	5	9	2
F	3	5	7	9	4

□□□ 10④, 12②④, 14①, 20②, 22③ 【3점】

21 콘크리트의 호칭강도(f_{cn})가 28MPa이고, 18회의 압축강도시험으로부터 구한 표준편차는 3.6MPa이다. 아래 표를 참고하여 이 콘크리트의 배합강도를 구하시오.

【시험횟수가 29회 이하일 때 표준편차의 보정계수】

시험횟수	표준편차의 보정계수	비고
15	1.16	이 표에 명시되지 않은 시험횟수에 대해서는 직선보간한다.
20	1.08	
25	1.03	
30 또는 그 이상	1.00	

계산 과정)

답 : ____________

해답 • 시험횟수 18회일 때의 표준편차의 보정계수

$\therefore\ 1.16-\dfrac{1.16-1.08}{20-15}\times(18-15)=1.112$

• 표준편차 : $s=3.6\times1.112=4\text{MPa}$

• $f_{cn}\ \leq\ 35\text{MPa}$인 경우의 배합강도

• $f_{cr}=f_{cn}+1.34\,s=28+1.34\times4=33.36\text{MPa}$

• $f_{cr}=(f_{cn}-3.5)+2.33\,s=(28-3.5)+2.33\times4=33.82\text{MPa}$

$\therefore$ 배합강도 $f_{cr}=33.82\text{MPa}$($\because$ 두 값 중 큰 값)

□□□ 22③ 【2점】

22 100년 빈도의 홍수를 지지하게 댐을 설계하였을 때 100년 안에 댐이 파괴될 확률을 구하시오.

계산 과정)　　　　　　　　　　　　　　　　　　답 : ____________

해답 $\frac{1}{100} = 0.01 = 1\%$

따라서, 100년 안에 댐이 파괴될 확률은 1%이다.

□□□ 08④, 22③ 【3점】

23 트러스의 골조형태의 종류 3가지를 쓰시오.

예 : 와렌 트러스(Warren truss)

① ____________

② ____________

③ ____________

해답 ① 프래트 트러스(pratt truss)

② 하우 트러스(howe truss)

③ K 트러스(K-truss)

④ 곡현 트러스(curved chord truss)

국가기술자격 실기시험문제

2023년도 기사 제1회 필답형 실기시험(기사)

종 목	시험시간	형 별	성 명	수험번호
토목기사	**3시간**	B		

※ 수험자 인적사항 및 계산식을 포함한 답안 작성은 검은색 필기구만 사용하여야 하며, 그 외 연필류, 빨간색, 청색 등 필기구로 작성한 답안은 0점 처리됩니다.

□□□ 07②, 09①, 10④, 16②, 23① 【3점】

01 그림과 같이 지하 5m 되는 곳에 피에조미터를 설치하고 연약지반에서 공사를 진행한다. 구조물 축조 직후에 수주가 지표면으로부터 8m였다. 8개월 후 수주가 3m가 되었다면 지하 5m 되는 곳의 압밀도를 구하시오.

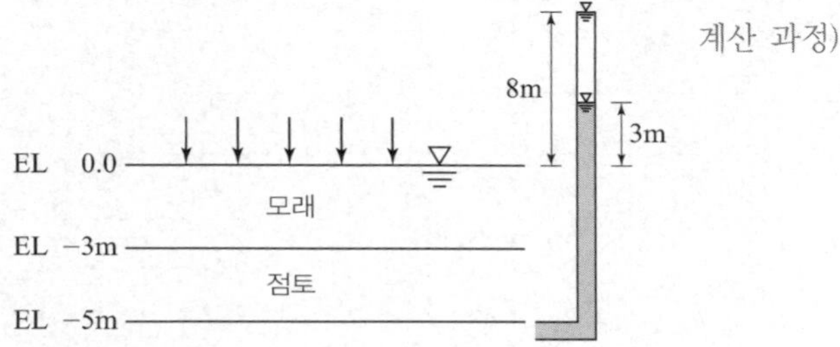

계산 과정)

답 : ________________

해답 압밀도 $U=1-\dfrac{\text{과잉공극수압}}{\text{정압력}}=1-\dfrac{u}{P}$

- $u=\gamma_w h=9.81\times3=29.43\,\text{kN/m}^2$
- $P=\gamma_w H=9.81\times8=78.48\,\text{kN/m}^2$

$\therefore\ U=1-\dfrac{29.43}{78.48}=0.625=62.5\%$

□□□ 92②, 94③, 00②, 03④, 04④, 07②, 10④, 11①, 14②, 17①, 18③, 19③, 21①, 22③, 23① 【3점】

02 PS 콘크리트 교량 건설공법 중 동바리를 사용하지 않는 현장타설공법의 종류 3가지를 쓰시오.

① ____________ ② ____________ ③ ____________

해답 ① FCM(캔틸레버공법) ② MSS(이동식 지보공법) ③ ILM(연속압출공법)
④ FSM(프리캐스트 세그먼트공법)

□□□ 01②, 21③, 23① 【3점】

03 그림과 같은 옹벽에 작용하는 전주동 토압은 얼마인가? (Rankine의 토압 이론을 사용하시오.)

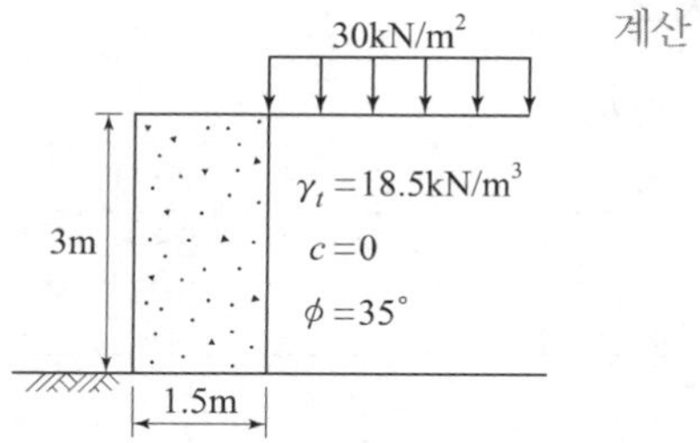

계산 과정)

답 :

해답 전주동 토압

$$P_a = P_{a1} + P_{a2} = \frac{1}{2}\gamma H^2 \tan^2\left(45° - \frac{\phi}{2}\right) + qH\tan^2\left(45° - \frac{\phi}{2}\right)$$

- $K_a = \tan^2\left(45° - \frac{\phi}{2}\right) = \tan^2\left(45° - \frac{35°}{2}\right) = 0.271$
- $P_{a1} = \frac{1}{2} \times 18.5 \times 3^2 \times 0.271 = 22.56\,\text{kN/m}$
- $P_{a2} = 30 \times 3 \times 0.271 = 24.39\,\text{kN/m}$

$\therefore\ P_a = 22.56 + 24.39 = 46.95\,\text{kN/m}$

□□□ 14④, 23① 【5점】

04 여굴을 적게 하고 파단선을 매끈하게 하기 위한 조절발파 공법(controlled blasting)에 대한 다음 물음에 답하시오.

가. 조절발파공법의 목적 2가지를 쓰시오.

① ② ③

나. 조절발파 공법의 종류를 4가지만 쓰시오.

① ② ③ ④

해답 가. ① 여굴감소
② 발파예정선에 일치하는 발파면을 얻을 수 있다.
③ 발파면이 고르며 뜬돌 떼기 작업이 감소한다.
④ 암반의 손상이 적어 낙석의 위험성이 적고, 균열발생이 감소한다.
⑤ 암반표면이 강해져 균열발생이 적어 보강의 필요성이 감소한다.

나. ① 라인 드릴링(line drilling) 공법
② 쿠션 블라스팅(cushion blasting) 공법
③ 스무스 블라스팅(smooth blasting) 공법
④ 프리스플리팅(pre-splitting) 공법

□□□ 06④, 08④, 09④, 10①, 11②, 17①, 18②, 22②, 23① 【8점】

05 콘크리트의 배합강도를 구하기 위한 시험횟수 16회의 콘크리트 압축강도 측정결과가 아래 표와 같고 품질기준강도가 28MPa일 때 아래 물음에 답하시오.

【압축강도 측정결과(단위 MPa)】

26.0	29.5	25.0	34.0	25.5	34.0	29.0
24.5	27.5	33.0	33.5	27.5	25.5	28.5
26.0	35.0					

가. 위 표를 보고 압축강도의 평균값을 구하시오.

계산 과정)　　　　답 : ________

나. 압축강도 측정결과 및 아래의 표를 이용하여 배합강도를 구하기 위한 표준편차를 구하시오.

【시험횟수가 29회 이하일 때 표준편차의 보정계수】

시험횟수	표준편차의 보정계수	비고
15 20 25 30 또는 그 이상	1.16 1.08 1.03 1.00	이 표에 명시되지 않은 시험횟수에 대해서는 직선보간한다.

계산 과정)　　　　답 : ________

다. 배합강도를 구하시오.

계산 과정)　　　　답 : ________

해답 가. 평균값 $\bar{x}=\dfrac{\sum X_i}{n}=\dfrac{464}{16}=29\text{MPa}$

나. 편차제곱합 $S=\sum(X_i-\bar{x})^2$

$$S=(26-29)^2+(29.5-29)^2+(25.0-29)^2+(34-29)^2+(25.5-29)^2$$
$$+(34-29)^2+(29-29)^2+(24.5-29)^2+(27.5-29)^2+(33-29)^2$$
$$+(33.5-29)+(27.5-29)^2+(25.5-29)^2+(28.5-29)^2+(26-29)^2$$
$$+(35-29)^2=206$$

• 표준편차 $s=\sqrt{\dfrac{S}{n-1}}=\sqrt{\dfrac{206}{16-1}}=3.71\text{MPa}$

• 16회의 보정계수$=1.16-\dfrac{1.16-1.08}{20-15}\times(16-15)=1.144$

∴ 수정 표준편차 $s=3.71\times1.144=4.24\text{MPa}$

다. $f_{cq}=28\text{ MPa}\leq 35\text{MPa}$인 경우의 배합강도

• $f_{cr}=f_{cq}+1.34s=28+1.34\times4.24=33.68\text{MPa}$

• $f_{cr}=(f_{cq}-3.5)+2.33s=(28-3.5)+2.33\times4.24=34.38\text{MPa}$

∴ 배합강도 $f_{cr}=34.38\text{MPa}$(∵ 두 값 중 큰 값)

□□□ 00②, 12④, 13①, 16②, 22①, 23① 【3점】

06 아래 그림과 같이 10m 두께의 비교적 단단한 포화 점토층 밑에 모래층이 있다. 모래층은 피압상태(artesian pressure)에 있을 때, 점토층에서 바닥의 융기(heaving)현상이 없이 굴착할 수 있는 최대깊이 H를 구하시오.

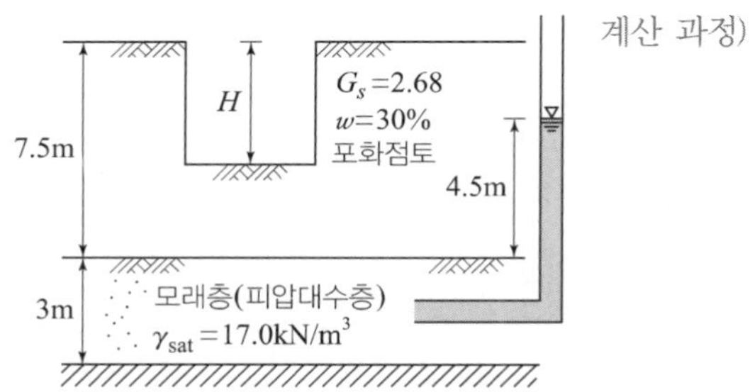

계산 과정)

답 :

해답 $H=\dfrac{H_1\gamma_{sat}-\Delta h\gamma_w}{\gamma_{sat}}$

- $H_1=10\,\text{m}$
- $e=\dfrac{G_s w}{S}=\dfrac{2.68\times 30}{100}=0.804$
- $\gamma_{sat}=\dfrac{G_s+e}{1+e}\gamma_w=\dfrac{2.68+0.804}{1+0.804}\times 9.81=18.95\,\text{kN/m}^3$
- $\Delta h=4.5\text{m}$

$\therefore\ H=\dfrac{7.5\times 18.95-4.5\times 9.81}{18.95}=5.17\text{m}$

□□□ 84①②③, 87③, 88②, 91③, 93②, 97②, 98⑤, 03④, 06①, 08②, 14①, 23① 【3점】

07 어느 불도저의 1회 굴착 압토량이 3.8m³이며 토량변화율(L)은 1.20, 작업효율은 0.6, 평균 굴착 압토거리 60m, 전진속도 40m/분, 후진속도는 100m/분, 기어 변속 시간 및 가속 시간이 0.5분일 때 이 불도저 운전 1시간당의 작업량은 본바닥토량으로 얼마인가?

계산 과정)

답 :

해답 $Q=\dfrac{60\cdot q\cdot f\cdot E}{C_m}$

- $C_m=\dfrac{l}{V_1}+\dfrac{l}{V_2}+t=\dfrac{60}{40}+\dfrac{60}{100}+0.5=2.6$분

$\therefore\ Q=\dfrac{60\times 3.8\times\dfrac{1}{1.20}\times 0.6}{2.6}=43.85\,\text{m}^3/\text{h}$

□□□ 89②, 98③, 07①, 11②, 17②, 20①, 23① 【3점】

08 **그림과 같은 방파제의 활동에 대한 안전율을 계산하시오.**
(단, 파고(H)=3.0m, 케이슨 단위중량(w)=20kN/m³, 해수 단위중량(w')=10kN/m³, 마찰계수(f)=0.6, 파압공식(P)=$1.5w'H$(kN/m²))

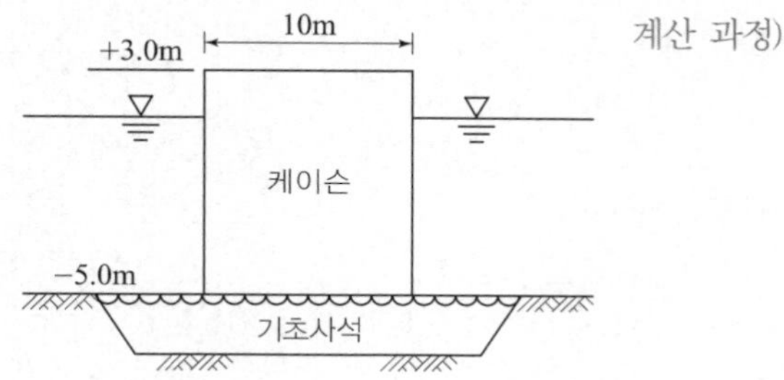

계산 과정)

답 : ____________

해답 안전율 $F_s = \dfrac{f \cdot W}{P_h}$

- 파압 $P = 1.5w'H = 1.5 \times 10 \times 3.0 = 45\text{kN/m}^2$
- 수평력 P_h = 파압 × 케이슨 높이 $= 45 \times (5+3) = 360\text{kN/m}$
- 연직력 W = 케이슨의 자중 − 케이슨의 부력
$= (3+5) \times 10 \times 20 - (3+5) \times 10 \times 10 = 800\text{kN/m}$

$\therefore$ 안전율 $F_s = \dfrac{f \cdot W}{P_h} = \dfrac{0.6 \times 800}{360} = 1.33$

□□□ 96③④, 98②, 03③, 19②, 23① 【2점】

09 **암거 매설공법을 고속도로 및 철도하부로 횡단하여 암거구조물을 설치할 경우 개착공법에 의하지 않고 양측에 발진기지를 설치하여 함체를 직접 견인시켜 구조물 안으로 들어오는 토사를 굴착하여 소정의 구조물을 설치함으로써 상부교통에 지장을 주지 않고 시공하는 공법은?**

○

해답 프론트잭킹공법(frout jacking method)

□□□ 92①, 98②, 99①, 00②, 02②, 13①, 23① 【3점】

10 **사질토지반에서 표준관입시험(S.P.T)의 결과로 측정된 N치로 추정되는 사항을 4가지만 쓰시오.**

① ____________ ② ____________ ③ ____________ ④ ____________

해답 ① 상대밀도 ② 내부마찰각 ③ 지지력계수 ④ 탄성계수

□□□ 93②, 95③, 98①, 23① 【3점】

11 **그림과 같은 도로의 토공계획시에 A-B구간에 필요한 성토량을 토취장에서 15ton트럭으로 운반하여 시공할 때, 필요한 트럭의 총 연대수는 몇 대인가? (단, 자연상태인 흙의 단위 체적중량 $\gamma_t=1.9\text{t/m}^3$, $L=1.3$, $C=0.9$이다.)**

측정별 단면적 $A_1=0$, $A_2=30\text{m}^2$
$A_3=40\text{m}^2$, $A_4=0$

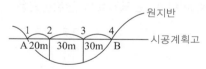

원지반
1 2 3 4
A 20m 30m 30m B
시공계획고

계산 과정)

답 :

해답 성토량의 체적 $V=\dfrac{1}{2}[(0+30)\times20+(30+40)\times30+(40+0)\times30]$

$=1{,}950.00\,\text{m}^3$(완성상태)

$\therefore$ 성토량$=1{,}950\times\dfrac{1.3}{0.9}=2{,}816.67\,\text{m}^3$(운반상태)

• 트럭의 적재량 $q_t=\dfrac{T}{\gamma_t}L=\dfrac{15}{1.9}\times1.3=10.26\,\text{m}^3$

$\therefore$ 총연대수 $N=\dfrac{\text{운반토량}}{\text{적재량}}=\dfrac{2{,}816.67}{10.26}=274.53$ $\therefore$ 275대

□□□ 93③, 94②, 97④, 99①, 00②, 01③, 03③, 07④, 10①②, 12④, 14②, 21②, 23① 【3점】

12 **그림과 같이 N치가 다른 3층의 사질토층으로 이루어져 있는 지반에 길이 20m의 강관말뚝을 박았다. 말뚝직경이 40cm일 경우 극한지지력을 구하시오. (단, Meyerhof의 공식 이용)**

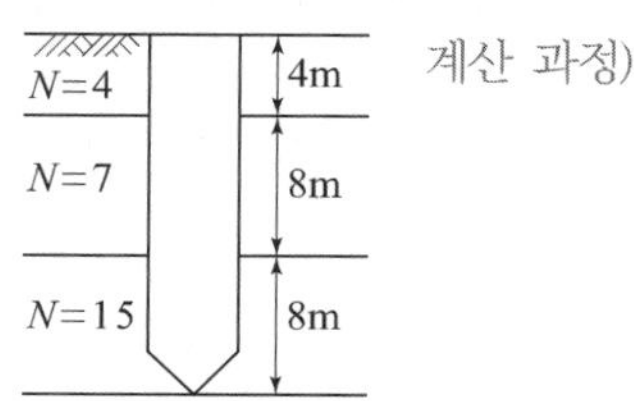

계산 과정)

답 :

해답 $Q_u=40\cdot N\cdot A_p+\dfrac{1}{5}\overline{N}\cdot A_f$

• $A_p=\dfrac{\pi d^2}{4}=\dfrac{\pi\times0.40^2}{4}=0.126\text{m}^2$

• $\overline{N}=\dfrac{N_1h_1+N_2h_2+N_3h_3}{h_1+h_2+h_3}=\dfrac{4\times4+7\times8+15\times8}{4+8+8}=9.60$

• $A_f=\pi dl=\pi\times0.40\times20=25.133\text{m}^2$

$\therefore$ $Q_u=40\times15\times0.126+\dfrac{1}{5}(9.60\times25.133)=123.86\text{t}$

□□□ 21①, 23① 【6점】

13 다음과 같은 암거(Box Culvert)에 작용하는 정지토압 분포도를 그리시오.

(단, 암거 상판두께는 0.35m이고 측벽의 두께는 0.40m, 저판의 두께는 0.45m 이다. 지하수면 위쪽의 흙의 단위중량은 $\gamma_t = 18.0\text{kN/m}^3$, 지하수면 아래 흙의 단위중량은 $\gamma_{sat} = 20.0\text{kN/m}^3$이고, 콘크리트의 단위중량은 $\gamma_{con} = 25.0\text{kN/m}^3$, 흙의 내부 마찰각은 30° 이다.)

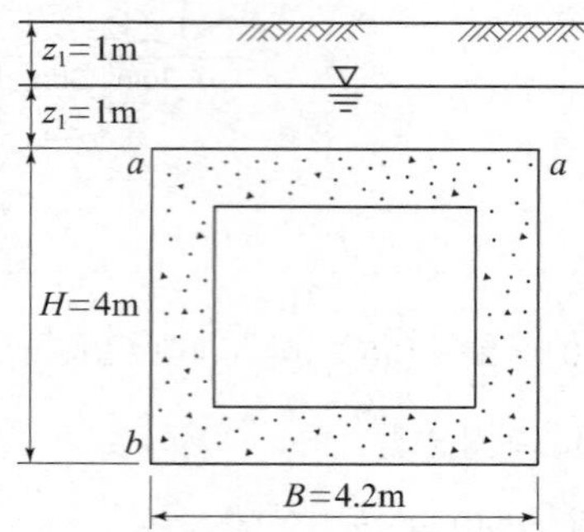

가. $a-a$면(정판상부)에 작용하는 연직응력을 구하시오.

계산 과정) 답 : ____________

나. 박스 암거 깊이 2m, 6m에 대한 수평응력(정지토압)을 구하시오.

① 깊이 2m에 대한 수평응력을 구하시오.

계산 과정) 답 : ____________

② 깊이 6m에 대한 수평응력을 구하시오.

계산 과정) 답 : ____________

해답 정지토압계수 $K_o = 1 - \sin\phi' = 1 - \sin 30° = 0.5$

① $a-a$면(정판상부)에 작용하는 연직응력

- 간극수압 : $u_{(a)} = \gamma_w z_2 = 9.81 \times 1.0 = 9.81\,\text{kN/m}^2$
- 유효응력 : $\sigma'_{v(a)} = \sigma_{v(a)} - u = 38.0 - 9.81 = 28.19\,\text{kN/m}^2$
- 전응력 : $\sigma_{v(a)} = \gamma z_1 + \gamma_{sat} z_2$

$= 18.0 \times 1.0 + 20.0 \times 1.0 = 38.0\,\text{kN/m}^2$

또는 $\sigma_{v(a)} = 9.81 + 28.19 = 38.0\text{kN/m}^2$

② $a-b$ 좌측면 a점에 작용하는 수평응력(정지토압)

- 유효응력 : $\sigma'_{ho(a)} = \sigma'_{v(a)} K_o = 28.19 \times 0.5 = 14.10\,\text{kN/m}^2$
- 간극수압 : $u_{(a)} = \gamma_w z_2 = 9.81 \times 1.0 = 9.81\,\text{kN/m}^2$
- 전응력 : $\sigma_{ho(a)} = \sigma'_{ho(a)} + u_{(a)} = 14.10 + 9.81 = 23.91\,\text{kN/m}^2$

③ $a-b$ 좌측면 b점에 작용하는 수평응력(정지토압)

- 유효 연직응력

$$\sigma'_{v(b)}=\sigma'_{v(a)}+\gamma' H$$
$$=28.19+(20.00-9.81)\times 4$$
$$=68.95\,\text{kN/m}^2$$

- 유효 수평응력(정지토압)

$$\sigma'_{ho(b)}=\sigma'_{v(b)}K_o=68.95\times 0.5=34.48\,\text{kN/m}^2$$

- 간극수압

$$u_{(b)}=\gamma_w(z_2+H)=9.81\times(1.0+4.0)=49.05\,\text{kN/m}^2$$

- 전응력(전 정지토압)

$$\sigma_{ho(b)}=\sigma'_{ho(b)}+u_{(b)}=34.48+49.05=83.53\,\text{kN/m}^2$$

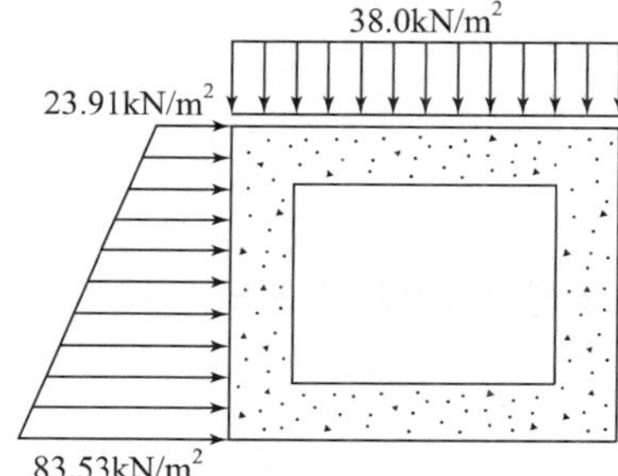

□□□ 14②, 23① 【3점】

14 기초는 얕은기초(Direct Foundation)와 깊은기초(Deep Foundation)로 대별된다. 얕은기초의 구비조건을 3가지만 쓰시오.

① ______ ② ______ ③ ______

해답 ① 기초의 근입깊이를 가질 것 ② 안전하게 하중을 지지할 수 있을 것
③ 침하가 허용치를 넘지 않을 것 ④ 경제적인 시공이 가능할 것

□□□ 13①, 23① 【3점】

15 하천 제방의 누수방지에 대한 방법을 3가지만 쓰시오.

① ______ ② ______ ③ ______

해답 ① 제체 또는 기초지반에 불투수성의 차수벽을 두는 방법
② 침윤선이 충분히 낮아지도록 제방폭을 넓히는 방법
③ 제방 내외의 수위차를 경감하는 방법
④ 누수를 빨리 배제하여 제체의 연약화를 방지하는 방법

□□□ 85③, 20④, 23① 【3점】

16 다져진 상태의 토량 45,000m³을 성토하는 데 흐트러진 상태의 토량 40,000m³이 있다. 이때 부족토량은 자연상태의 토량으로 얼마인가? (단, 흙은 사질토이고 토량의 변화율은 $L=1.25$, $C=0.90$이다.)

계산 과정) 답 : ____________

해답 • 다져진 상태의 토량을 자연상태의 토량으로 환산

$$45{,}000\times\frac{1}{0.9}=50{,}000\,\mathrm{m}^3$$

• 흐트러진 상태의 토량을 자연상태의 토량으로 환산

$$40{,}000\times\frac{1}{1.25}=32{,}000\,\mathrm{m}^3$$

$\therefore$ 부족토량$=50{,}000-32{,}000=18{,}000\,\mathrm{m}^3$

□□□ 19①, 23① 【4점】

17 연약지반 개량공법 중에서 점성토 지반의 개량공법 4가지를 쓰시오.

① ____________ ② ____________

③ ____________ ④ ____________

해답 ① 샌드드레인공법 ② 페이퍼드레인공법
③ 프리로딩공법 ④ 침투압공법
⑤ 생석회말뚝공법

□□□ 23① 【3점】

18 옹벽이란 배면에 쌓인 흙으로 인한 토압에 저항하여 그 붕괴를 방지하는 구조물이다. 이때 옹벽을 분류할 때 구조형식에 의한 옹벽의 종류 3가지를 쓰시오.

① ____________ ② ____________ ③ ____________

해답 ① 중력식 옹벽 ② 반중력식 옹벽 ③ 캔틸레버식 옹벽 ④ 부벽식 옹벽

□□□ 01①, 07④, 09④, 16①, 23① 【3점】

19 교량을 상판의 위치에 따라 분류할 때 그 종류를 4가지만 쓰시오.

① ____________ ② ____________ ③ ____________ ④ ____________

해답 ① 상로교(上路橋) ② 중로교(中路橋) ③ 하로교(下路橋) ④ 2층교(二層橋)

□□□ 93②, 95④, 02④, 23① 【10점】

20 아래 그림의 네트워크에서 공사시작 후 15일째에 진도관리를 행한 결과 각 작업별 잔여공기가 표와 같이 판단되었다면 당초의 공기와 비교하여 전체 공기에는 어떠한 영향이 미치는가? (단, 괄호 안은 각 작업공기이다.)

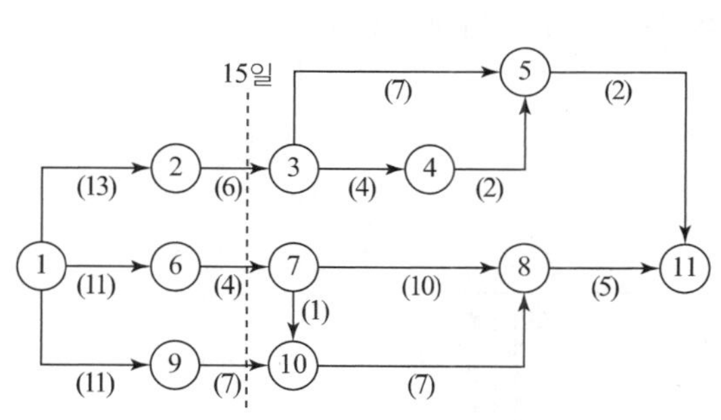

작업	잔여공기	작업	잔여공기
1-2	0	3-5	7
1-6	0	4-5	2
1-9	0	7-8	10
2-3	3	7-10	1
6-7	2	10-8	7
9-10	3	5-11	2
3-4	4	8-11	5

계산 과정)

답 :

해답

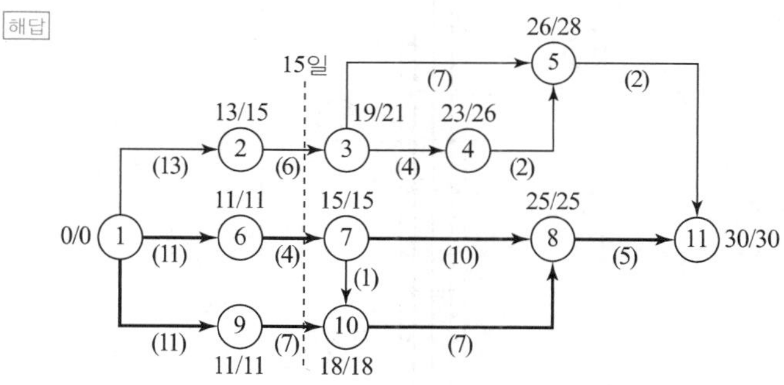

- C.P : ① → ⑥ → ⑦ → ⑧ → ⑪
  ① → ⑨ → ⑩ → ⑧ → ⑪
- 진도관리 15일을 기준으로 여유일과 잔여일 계산

작업	여유일	잔여공기	비고
① → ②	완료	−	완료
① → ⑥	완료	−	완료
① → ⑨	완료	−	완료
② → ③	21−15=6일	3일	정상
⑥ → ⑦	15−15=0일	2일	2일 초과
⑨ → ⑩	18−15=3일	3일	정상

∴ C.P는 ⑥ → ⑦에서 2일 지연되므로 전체공기에서 2일 지연

□□□ 02①, 03②, 05②, 07④, 23① 【18점】

21 주어진 도면 및 조건에 따라 다음 물량을 산출하시오. (단, 주어진 도면의 치수는 규격에 맞지 않을 수 있으며, 주어진 치수로만 물량을 산출하시오.)

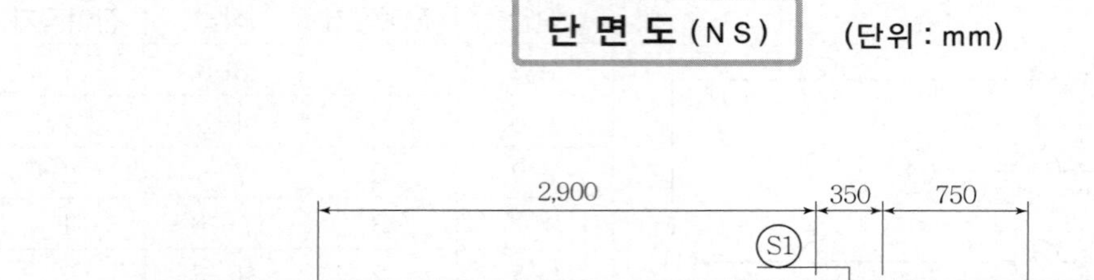

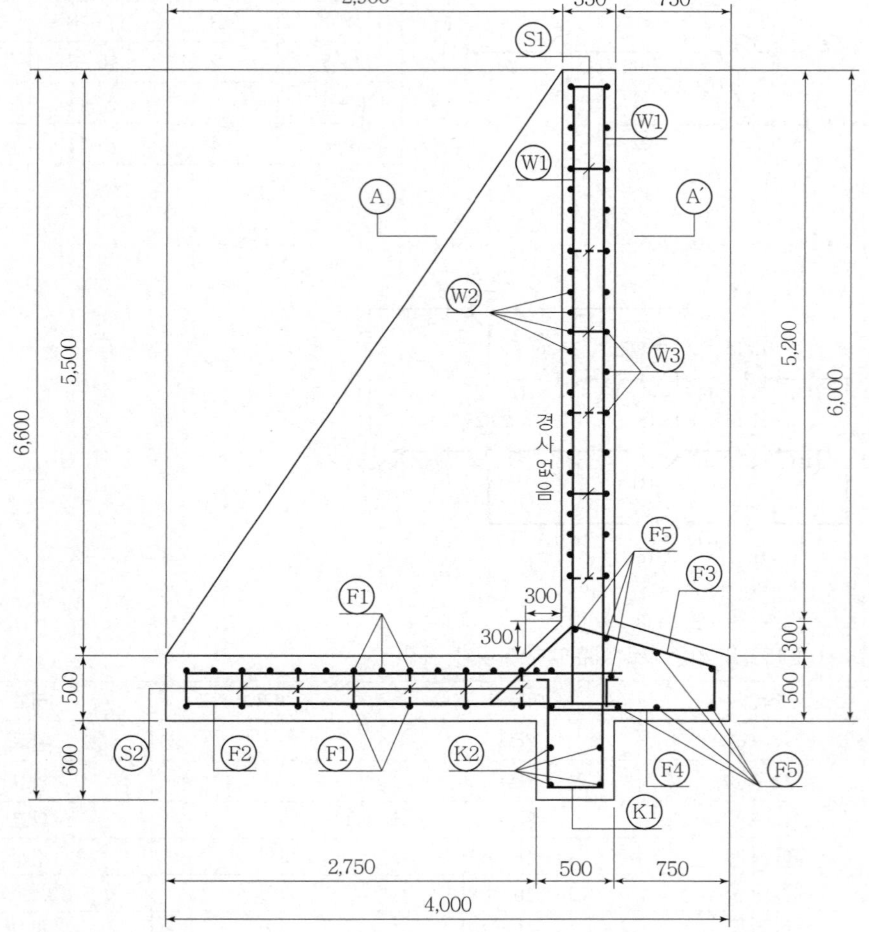

단 면 도 A－A'

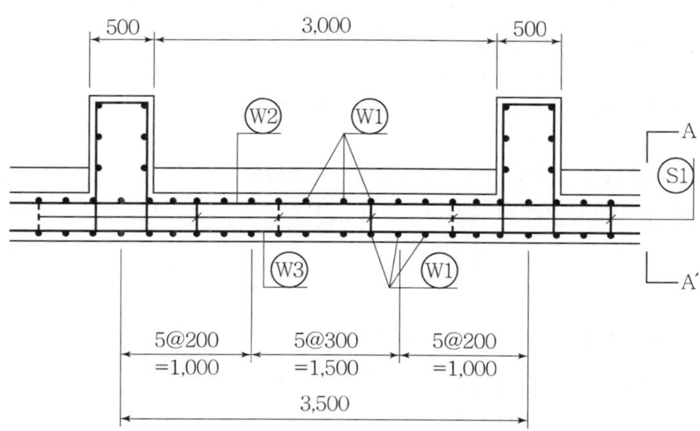
500
3,000
500
W2
W1
A
S1
W3
W1
A'
5@200
=1,000
5@300
=1,500
5@200
=1,000
3,500

철 근 상 세 도

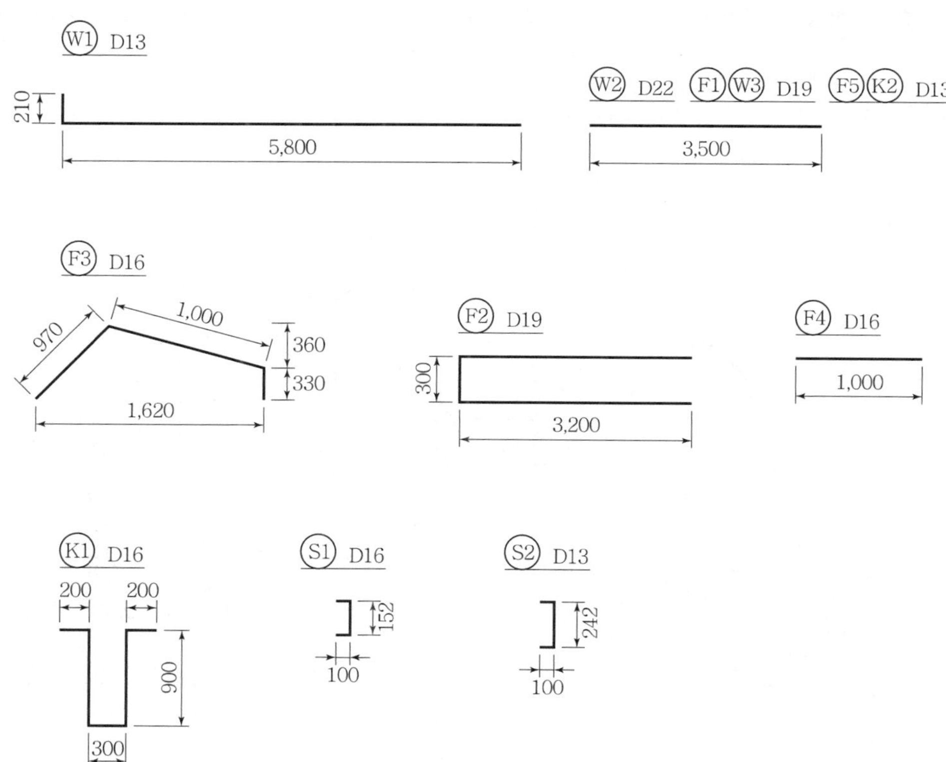
W1 D13
210
5,800
W2 D22
F1 W3 D19
F5 K2 D13
3,500
F3 D16
970
1,000
360
330
1,620
F2 D19
300
3,200
F4 D16
1,000
K1 D16
200
200
900
300
S1 D16
152
100
S2 D13
242
100

【조 건】

- K1, F2, F3, F4 철근간격은 W1철근과 같다.
- S1, S2 철근은 단면도와 같이 지그재그(Zigzag)로 계산한다.
- 물량산출에서의 할증률 및 마구리는 없는 것으로 한다.
- 철근길이 계산에서 이음길이는 계산하지 않는다.
- 거푸집량의 산정시 전단 Key에 거푸집을 사용하는 경우로 한다.

가. 옹벽길이 3.5m에 대한 전체 콘크리트량을 구하시오.
(단, 소수점 이하 4째자리에서 반올림하시오.)

계산 과정) 답 :

나. 옹벽길이 3.5m에 전체 거푸집량을 구하시오.
(단, 소수점 이하 4째자리에서 반올림하시오.)

계산 과정) 답 :

다. 옹벽길이 3.5m에 대한 철근량을 산출하기 위한 다음 철근물량표를 완성하시오.
(단, 수량은 소수점 3째자리에서 반올림하시오.)

기호	직경	길이(mm)	수량	총길이(mm)	기호	직경	길이(mm)	수량	총길이(mm)
W1					F3				
F1					S1				

해답 가.

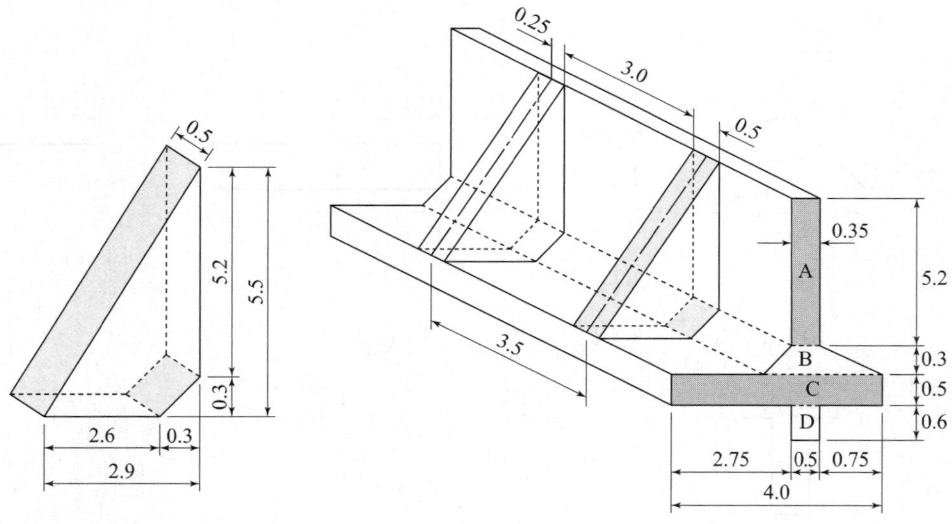

- 1개의 부벽에 대한 콘크리트량

  단면적×부벽두께$=\left(\dfrac{5.5\times2.9}{2}-\dfrac{0.3\times0.3}{2}\right)\times0.5=3.965\text{m}^3$

- 벽체 A=단면적×옹벽길이

  $=(0.35\times5.2)\times3.5=6.37\text{m}^3$

- 헌치부분 $B=\dfrac{0.35+(0.75+0.35+0.3)}{2}\times0.3\times3.5=0.9188\text{m}^3$
- 저판 $C=(0.5\times4.0)\times3.5=7.0\text{m}^3$
- 활동방지벽 $D=(0.5\times0.6)\times3.5=1.05\text{m}^3$

  ∴ 총콘크리트량$=3.965+6.37+0.9188+7.00+1.05=19.304\text{m}^3$

나.

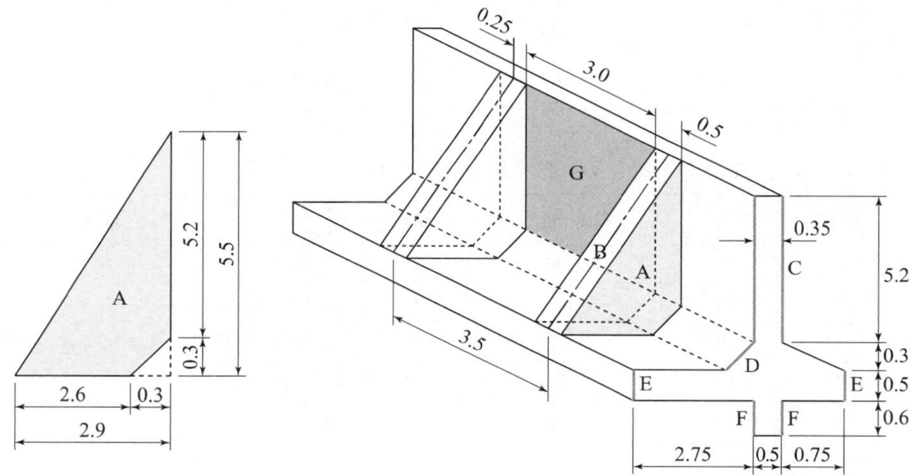

- A면$=\left(\dfrac{5.5\times2.9}{2}-\dfrac{0.3\times0.3}{2}\right)\times2(\text{양면})=15.86\text{m}^2$
- B면$=\sqrt{5.5^2+2.9^2}\times0.5=3.1089\text{m}^2$
- C면$=5.2\times3.5=18.2\text{m}^2$
- D면$=\sqrt{0.3^2+0.3^2}\times3.0=1.2728\text{m}^2$
- E면$=0.5\times2(\text{양면})\times3.5=3.5\text{m}^2$
- F면$=0.6\times2(\text{양면})\times3.5=4.2\text{m}^2$
- G면$=3.0\times5.2=15.6\text{m}^2$

  ∴ 총거푸집량$=18.9689+18.2+1.2728+3.5+4.2+15.6=61.742\text{m}^2$

다.

기호	직경	길이 (mm)	수량	총길이 (mm)	기호	직경	길이 (mm)	수량	총길이 (mm)
W1	D13	6,010	30	180,300	F3	D16	2,300	15	34,500
F1	D19	3,500	23	80,500	S1	D13	352	12	4,224

철근물량 산출근거

1. W1, K1, F2, F3, F4 철근수량 계산

기호	직경	길이(mm)	수량	총길이(mm)	산출근거
W1	D13	210+5,800=6,010	30	180,300	• 단면도 A-A'에서 =(5+5+5)×2(복배근) =30
K1	D16	(200+900)×2 +300=2,500	15	37,500	• K1, F2, F3, F4철근 간격은 W1철근과 같다. • W1은 A-A'에서 2열 배근 ∴ 15본
F2	D19	300+3,200×2 =6,700	15	100,500	
F3	D16	970+1,000+330 =2,300	15	34,500	
F4	D16	1,000	15	15,000	

2. W2, W3, F1, F5, K2 철근수량 계산(단면도에서)

기호	직경	길이(mm)	수량	총길이(mm)	산출근거
W2	D22	3,500	25	87,500	• 단면도에서 개수를 센다.
W3	D19	3,500	13	45,500	
F1	D19	3,500	23	80,500	
F5	D13	3,500	8	28,000	
K2	D13	3,500	4	14,000	

3. S1 철근수량 계산

기호	직경	길이(mm)	수량	총길이(mm)	산출근거
S1	D13	100×2+152=352	12	4,224	• 단면도(점선 3, 실선 3) • 단면도 A-A'(점선 2, 실선 2) ∴ 3×2+3×2=12본

4. 철근물량표

기호	직경	길이(mm)	수량	총길이(mm)	기호	직경	길이(mm)	수량	총길이(mm)
W1	D13	6,010	30	180,300	F3	D16	2,300	15	34,500
W2	D22	3,500	25	87,500	F5	D13	3,500	8	28,000
F1	D19	3,500	23	80,500	K1	D16	2,500	15	37,500
F2	D19	6,700	15	100,500	S1	D13	352	12	4,224

□□□ 05①, 18③, 23① 【2점】

22 **아스팔트 포장의 단점인 소성변형(Rutting)에 대한 저항성이 우수한 포장공법으로 아스팔트 바인더(Asphalt Binder) 자체의 물성에 따른 혼합물 개념보다는 골재의 맞물림 효과를 최대로 하여 기존 밀입도 아스팔트 혼합물의 단점을 개선한 공법은?**

○

해답 SMA(stone mastic asphalt) 포장공법

□□□ 05①, 23① 【3점】

23 **다음 그림과 같은 sampler로 채취하는 시료의 교란여부를 평가하시오.**

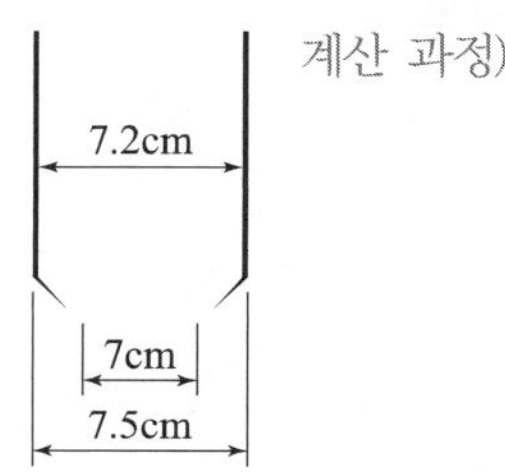

계산 과정)

답 :

해답 면적비 $A_r = \dfrac{D_w^2 - D_e^2}{D_e^2} \times 100$

$= \dfrac{7.5^2 - 7.0^2}{7.0^2} \times 100 = 14.80\% > 10\%$

∴ 교란 시료

국가기술자격 실기시험문제

2023년도 기사 제2회 필답형 실기시험(기사)

종 목	시험시간	형 별	성 명	수험번호
토목기사	**3시간**	**B**		

※ 수험자 인적사항 및 계산식을 포함한 답안 작성은 검은색 필기구만 사용하여야 하며, 그 외 연필류, 빨간색, 청색 등 필기구로 작성한 답안은 0점 처리됩니다.

□□□ 98④, 01①, 05①, 07②, 19②, 23② 【3점】

01 다음과 같은 모래 지반에 위치한 댐의 piping에 대한 안전율을 구하시오. (단, safe weighted creep ratio는 6.0)

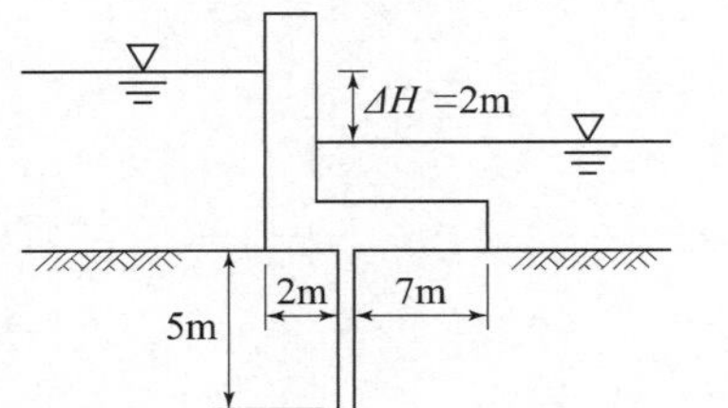

계산 과정)

답 : ______________

해답 ■ 크리프비 $CR=\dfrac{L_w}{h_1-h_2}=\dfrac{2D+\dfrac{L}{3}}{\Delta H}$

- $L_w=2\times 5+\dfrac{2+7}{3}=13$
- $\Delta H=2\text{m}$
- 크리프비 $CR=\dfrac{13}{2}=6.5$

$\therefore\ F=\dfrac{6.5}{6.0}=1.08$

□□□ 12④, 22①, 23② 【3점】

02 토적곡선(mass curve)을 작성하는 목적을 3가지만 쓰시오.

① ______________ ② ______________ ③ ______________

해답 ① 토량 배분 ② 토량의 평균운반거리 산출 ③ 토공기계 선정
④ 시공방법 결정 ⑤ 토취장 및 토사장 선정

□□□ 07①, 09④, 10④, 12①, 16①, 23② 【3점】

03 아래 그림과 같은 지반에서 지하수위가 지표면에 위치하다가 지표하부 2m까지 저하하였다. 점토지반의 압밀침하량을 산정하시오. (단, 정규압밀 점토임.)

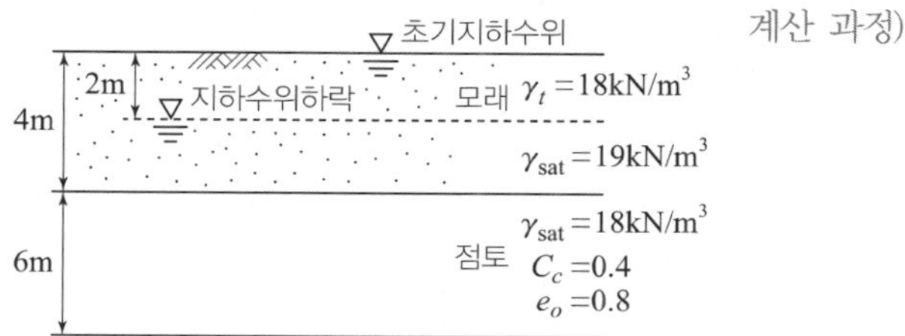

계산 과정)

답 :

해답 침하량 $\Delta H = \dfrac{C_c H}{1+e_0} \log \dfrac{P_2}{P_1}$

- $P_1 = \gamma_{sub} H_1 + \gamma_{sub} \dfrac{H_3}{2} = (19-9.81) \times 4 + (18-9.81) \times \dfrac{6}{2} = 61.33\,\text{kN/m}^2$
- $P_2 = \gamma_t H_1 + \gamma_{sub1} H_2 + \gamma_{sub2} \dfrac{H_3}{2}$

$= 18 \times 2 + (19-9.81) \times (4-2) + (18-9.81) \times \dfrac{6}{2} = 78.95\,\text{kN/m}^2$

$\therefore\ \Delta H = \dfrac{0.4 \times 6}{1+0.8} \times \log \dfrac{78.95}{61.33} = 0.1462\,\text{m} = 14.62\,\text{cm}$

□□□ 14②, 23② 【3점】

04 콘크리트의 배합설계에서 품질기준강도 $f_{cq} = 28\text{MPa}$이고, 30회 이상의 압축강도시험으로부터 구한 표준편차 $s = 5\text{MPa}$이다. 시험을 통해 시멘트-물(C/W)비와 재령 28일 압축강도 f_{28}과의 관계식 $f_{28} = -14.7 + 20.7\,C/W$로 얻었을 때 콘크리트의 물-시멘트($W/C$)비를 결정하시오.

계산 과정)

답 :

해답 ■ $f_{cq} \le 35\text{MPa}$인 경우 배합강도

- $f_{cr} = f_{cq} + 1.34s = 28 + 1.34 \times 5 = 34.7\text{MPa}$
- $f_{cr} = (f_{cq} - 3.5) + 2.33s = (28 - 3.5) + 2.33 \times 5 = 36.15\text{MPa}$

$\therefore$ 배합강도 $f_{cr} = 36.15\text{MPa}$(∵ 두 값 중 큰 값)

■ $f_{28} = -14.7 + 20.7\,C/W$ 에서

$36.15 = -14.7 + 20.7 \dfrac{C}{W} \rightarrow \dfrac{C}{W} = \dfrac{36.15 + 14.7}{20.7} = \dfrac{50.85}{20.7}$

$\therefore\ \dfrac{W}{C} = \dfrac{20.7}{50.85} = 0.4071 = 40.71\%$

□□□ 99①, 01①, 12②, 15②, 18①, 23② 【3점】

05 다음 그림과 같은 사면에서 AC는 가상파괴면을 나타낸다. 쐐기 ABC의 활동에 대한 안전율은 얼마인가?

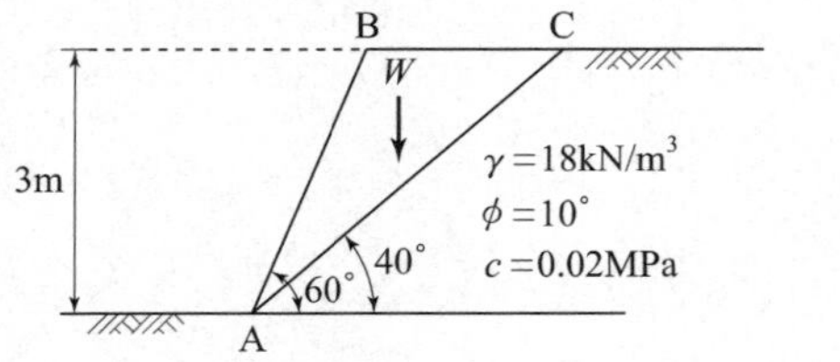

계산 과정)

답 : ____________

해답 ■ 방법 1

안전율 $F=\dfrac{c\cdot L+W\cos\theta\cdot\tan\phi}{W\sin\theta}$

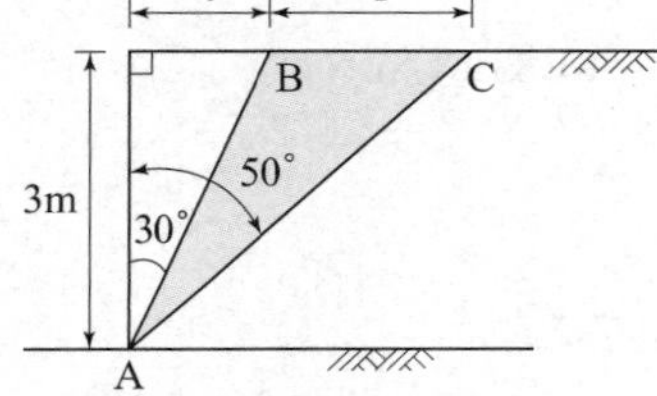

① $\overline{\text{BC}}$ 거리 계산

$x_1=3\tan30°=1.732\text{m}$

$x_1+x_2=3\tan50°=3.575\text{m}$

$\therefore\ \overline{\text{BC}}=x_2=3.575-1.732=1.843\text{m}$

② $\overline{\text{AC}}$ 거리 계산

$\overline{\text{AC}}=L=\dfrac{3}{\cos50°}=4.667\text{m}$

$\left(\because\ \cos50°=\dfrac{3}{\overline{\text{AC}}}\right)$

③ 파괴토사면 ΔABC의 중량 W

$W=\dfrac{3\times1.843}{2}\times18=49.76\text{kN/m}$

$\therefore\ F=\dfrac{20\times4.667+49.76\cos40°\times\tan10°}{49.76\sin40°}$

$=3.13$

■ 방법 2

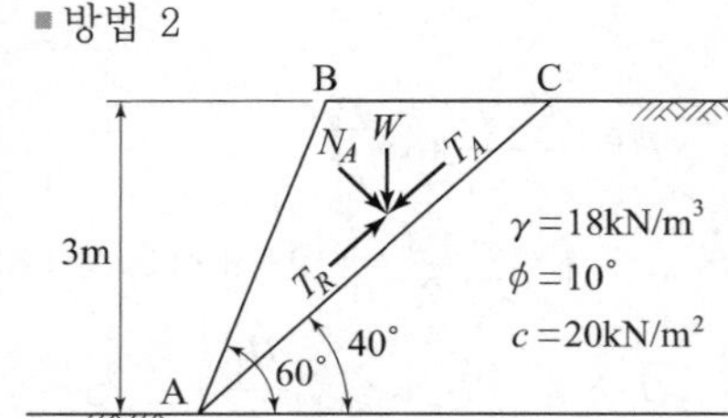

① $W=\dfrac{1}{2}\gamma H^2\dfrac{\sin(\beta-\theta)}{\sin\beta\sin\theta}$

$=\dfrac{1}{2}\times18\times3^2\times\dfrac{\sin(60°-40°)}{\sin60°\sin40°}$

$=49.77\text{kN/m}$

② $\overline{\text{AC}}$ 면의 법선과 접선 성분(전단저항력)

$N_A=W\cos\theta=49.77\cos40°=38.13\text{kN/m}$

$T_A=W\sin\theta=49.77\sin40°=31.99\text{kN/m}$

$T_R=\overline{\text{AC}}\cdot c+N_A\tan\phi$

$=\dfrac{H}{\sin\theta}\cdot c+N_A\tan\phi$

$=\dfrac{3}{\sin40°}\times20+38.13\tan10°$

$=100.07\text{kN/m}$

③ 안전율 $F_s=\dfrac{T_R}{T_A}=\dfrac{100.07}{31.99}=3.13$

참고 $0.02\text{N/mm}^2=0.02\text{MPa}=20\text{kN/m}^2$

□□□ 89②, 08④, 12①, 13④, 17④, 23② 【3점】

06 조절발파(controlled blasting) 공법의 종류를 4가지만 쓰시오.

① ______________ ② ______________

③ ______________ ④ ______________

해답 ① 라인 드릴링(line drilling) 공법
② 쿠션 블라스팅(cushion blasting) 공법
③ 스무스 블라스팅(smooth blasting) 공법
④ 프리 스플리팅(pre-splitting) 공법

□□□ 87③, 85③, 88③, 93④, 95③, 95④, 97②, 01①, 04①, 23② 【3점】

07 다음 조건일 때 $1.4m^3$의 백호 1대를 사용하여 $10,000m^3$의 기초터파기를 했을 때 굴착에 소요되는 일수는 얼마인가?

【조 건】

- 백호 Cycle time $C_m = 45sec$
- 딥퍼계수 $K = 0.8$
- 토량환산계수 $f = 0.85$
- 작업효율 $E = 0.75$
- 1일의 운전시간 6시간

계산 과정) 답 : ______________

해답 작업량 $Q = \dfrac{3,600q \cdot K \cdot f \cdot E}{C_m}$, 소요일수 $= \dfrac{\text{터파기량}}{\text{작업량} \times \text{작업일수}}$

$$Q = \frac{3,600 \times 1.4 \times 0.8 \times 0.85 \times 0.75}{45} = 57.12m^3/hr$$

$$\therefore \text{소요일수} = \frac{10,000}{57.12 \times 6} = 29.18 \quad \therefore 30\text{일}$$

□□□ 14②, 23② 【3점】

08 암반의 사면 파괴형태 4가지를 쓰시오.

① ______________ ② ______________

③ ______________ ④ ______________

해답 ① 평면파괴 ② 쐐기파괴
③ 전도파괴 ④ 원호파괴

□□□ 04①, 13④, 21③, 23② 【5점】

09 히빙의 정의와 히빙에 대한 안전율을 검토하시오.

가. 히빙의 정의를 간단하게 쓰시오.

○

나. 그림과 같이 시공되어 있는 널말뚝에서 히빙에 대한 안전율을 검토하시오.
(단, 안전율 $F = 1.2$이다.)

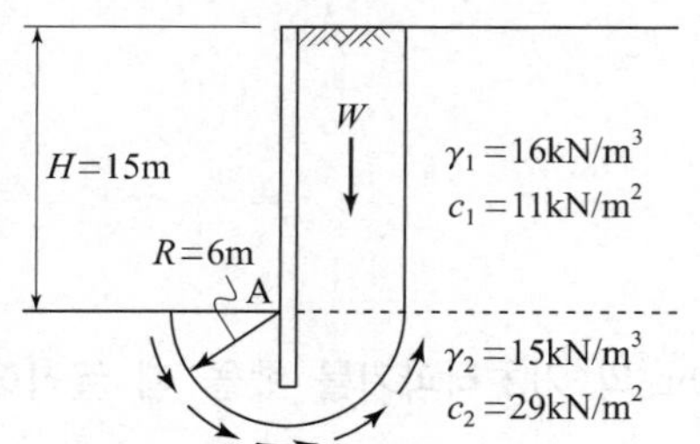

계산 과정)

답 :

해답 가. 연약한 점토질 지반을 굴착할 때 흙막이벽 전후의 흙의 중량 차이 때문에 굴착저면이 부풀어 오르는 현상

나. 안전율 $F_s = \dfrac{M_r}{M_d} = \dfrac{c_1 \cdot H \cdot R + c_2 \cdot \pi \cdot R^2}{\dfrac{R^2}{2}(\gamma_1 \cdot H + q)}$

- $M_d = \dfrac{6^2}{2}(16 \times 15 + 0) = 4{,}320\text{kN} \cdot \text{m}$

(Heaving을 일으키려는 Moment)

- $M_r = 11 \times 15 \times 6 + 29 \times \pi \times 6^2 = 4{,}269.82\text{kN} \cdot \text{m}$

(Heaving에 저항하는 Moment)

- $F_s = \dfrac{4{,}269.82}{4{,}320} = 0.99 < 1.2$

∴ 히빙의 우려가 있다.

□□□ 93③, 94①, 96②, 98①, 99①③, 03①, 04①, 07②, 17①, 18③, 20①, 22①②, 23② 【3점】

10 아스팔트 포장 중 실코트(seal coat)의 중요한 목적 3가지만 쓰시오.

① ② ③

해답 ① 표층의 노화방지
② 포장 표면의 방수성
③ 포장 표면의 미끄럼 방지
④ 포장 표면의 내구성 증대
⑤ 포장면의 수밀성 증대

□□□ 94④, 98⑤, 00④, 02④, 23② 【4점】

11 **다음과 같은 지형에 시공기면을 10m로 하여 성토하고자 한다. 다음 물음에 답하시오. (단, 격자점의 숫자는 표고, 단위는 m이다.)**

(격자 간격: 가로 20m, 세로 15m)

9	8	9	9	8
8	9	8	9	9
8	9	7	9	8
9	8	7	7	

가. 성토량을 구하시오.

계산 과정) 답 :

나. 적재용량 4t의 덤프트럭으로 운반할 때, 연대수를 구하시오.
(단, $L=1.25$, $C=0.9$, 굴착 흙의 단위중량 1.8t/m^3)

계산 과정) 답 :

해답 가. $V=\dfrac{a\cdot b}{4}(\Sigma h_1+2\Sigma h_2+3\Sigma h_3+4\Sigma h_4)$

$\Sigma h_1=\Sigma(10-h_1)=1+2+2+3+1=9\text{m}$

$\Sigma h_2=\Sigma(10-h_2)=2+1+1+1+3+2+2+2=14\text{m}$

$\Sigma h_3=\Sigma(10-h_3)=1\text{m}$

$\Sigma h_4=\Sigma(10-h_4)=1+2+1+1+3=8\text{m}$

$\therefore\ V=\dfrac{20\times15}{4}(9+2\times14+3\times1+4\times8)=5{,}400\text{m}^3$

$h_1=1$	$h_2=2$	$h_2=1$	$h_2=1$	$h_1=2$
$h_2=2$	$h_4=1$	$h_4=2$	$h_4=1$	$h_2=1$
$h_2=2$	$h_4=1$	$h_4=3$	$h_3=1$	$h_1=2$
$h_1=1$	$h_2=2$	$h_2=3$	$h_1=3$	

나. • 운반토량 = 성토토량 $\times\dfrac{L}{C}=5{,}400\times\dfrac{1.25}{0.9}=7{,}500\text{m}^3$

• 트럭 적재량 $q_t=\dfrac{T}{\gamma_t}\times L=\dfrac{4}{1.8}\times1.25=2.78\text{m}^3$

$\therefore$ 연대수 $N=\dfrac{\text{운반토량}}{\text{트럭 적재량}}=\dfrac{7{,}500}{2.78}=2{,}697.84$대 $\quad\therefore$ 2,698대

□□□ 99①, 00④, 04②, 07②④, 09②, 13①, 20②, 23② 【3점】

12 **관암거의 직경이 20cm, 유속이 0.8m/sec, 암거길이가 300m일 때 원활한 배수를 위한 암거낙차를 Giesler 공식을 이용하여 구하시오.**

계산 과정) 답 :

해답 유속 $V=20\sqrt{\dfrac{D\cdot h}{L}}$ 에서 $0.8=20\sqrt{\dfrac{0.20\times h}{300}}$

$\therefore\ h=2.40\text{m}$ 참고 SOLVE 사용

□□□ 07②, 10②, 13④, 16①, 19②, 22①, 23② 【4점】

13 아래 그림과 같이 6.0m의 연직옹벽에 연속적인 강우로 뒤채움 흙이 완전 포화되어 있다. 뒤채움 흙은 포화밀도 $\gamma_{sat}=19.8\text{kN/m}^3$, 내부마찰각 $\phi=38°$인 사질토이며, 벽면마찰각 $\delta=15°$이다. 이때 Coulomb의 주동토압계수는 0.219 이고 파괴면이 수평면과 55° 라고 가정할 경우 아래의 물음에 답하시오. (단, 물의 단위중량 $\gamma_w=9.81\text{kN/m}^3$)

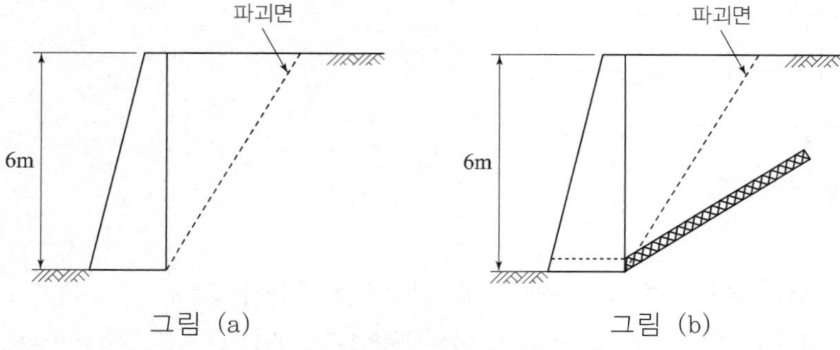

그림 (a)　　그림 (b)

가. 그림 (a)와 같이 옹벽면에 배수구가 없을 경우 옹벽에 작용하는 전 주동토압을 구하시오.

계산 과정)　　답 : ______

나. 그림 (b)와 같이 파괴면 아래쪽에 배수구를 경사지게 설치했을 경우 옹벽에 작용하는 전 주동토압을 구하시오.

계산 과정)　　답 : ______

해답 가. $P_A=\frac{1}{2}\gamma_{sub}H^2C_a+\frac{1}{2}\gamma_\omega H^2$

$=\frac{1}{2}\times(19.8-9.81)\times6^2\times0.219+\frac{1}{2}\times9.81\times6^2$

$=39.38+176.58=215.96\text{kN/m}$

나. $P_A=\frac{1}{2}\gamma_{sat}H^2C_a$

$=\frac{1}{2}\times19.8\times6^2\times0.219$

$=78.05\text{kN/m}$

□□□ 11④, 20③, 23② 【3점】

14 교량의 교대에 많이 사용되는 구조형식을 5가지만 쓰시오.

① ______　② ______　③ ______

④ ______　⑤ ______

해답 ① 중력식　② 반중력식　③ 역T형식　④ 뒷부벽식　⑤ 라멘식

□□□ 02②, 07④, 10④, 23② 【10점】

15 다음 네트워크(Network)를 보고 아래 물음에 답하시오.
(단, (   ) 안의 숫자는 1일당 소요인원)

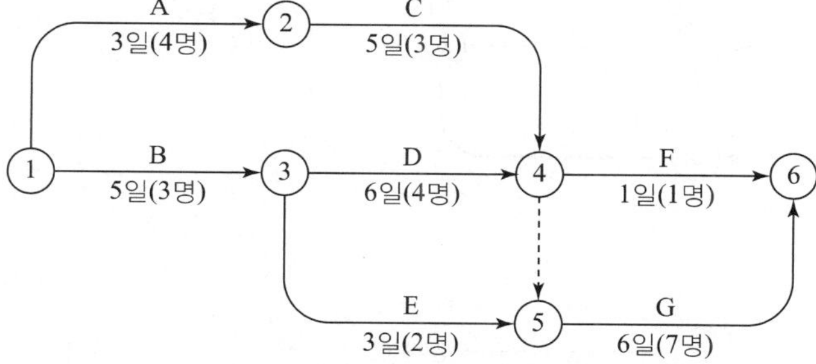

가. 최조개시 때의 산적표를 작성하시오.

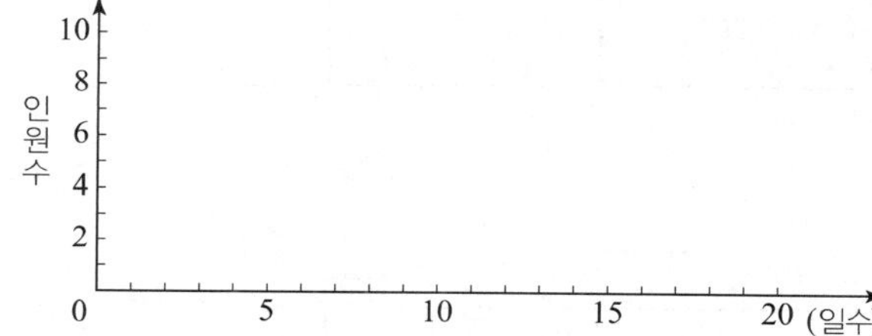

나. 최지개시 때의 산적표를 작성하시오.

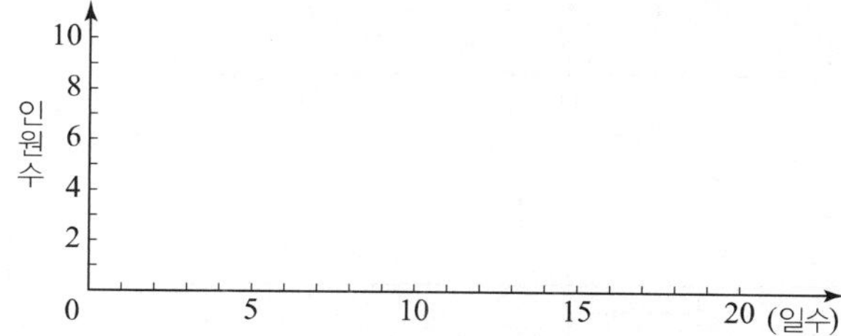

다. 인력평준화표를 작성하시오. (단, 제한인원은 7명으로 한다.)

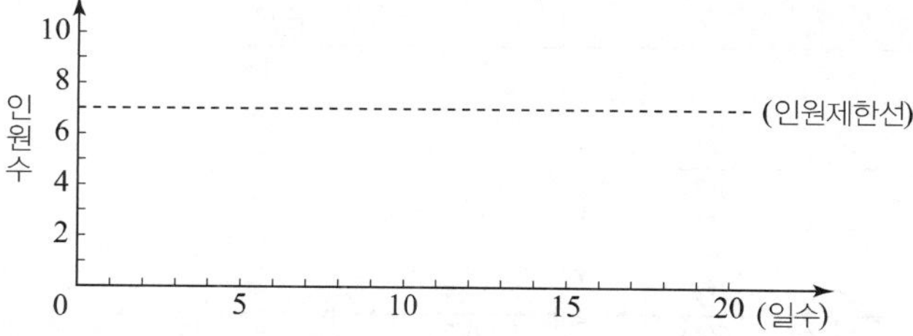

라. 1일 인원을 7명으로 제한한 경우, 수정네트워크를 작성하시오.

해답 최조시간과 최지시간 계산

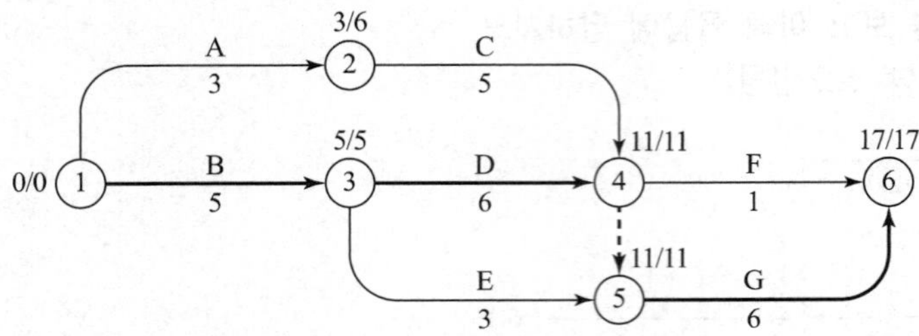

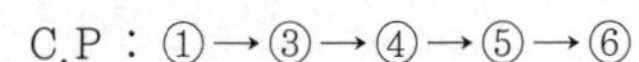

가.

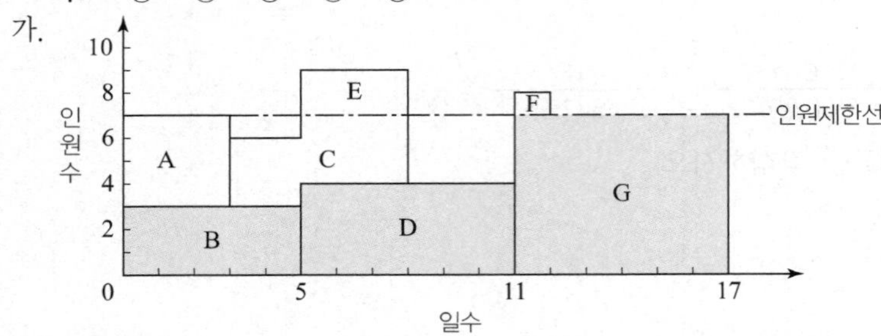

나.

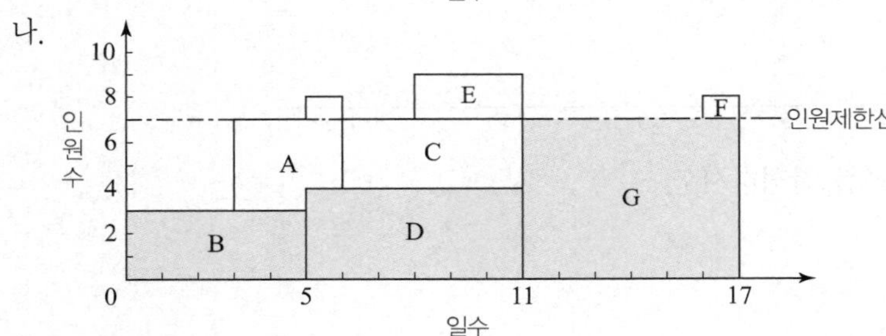

다.

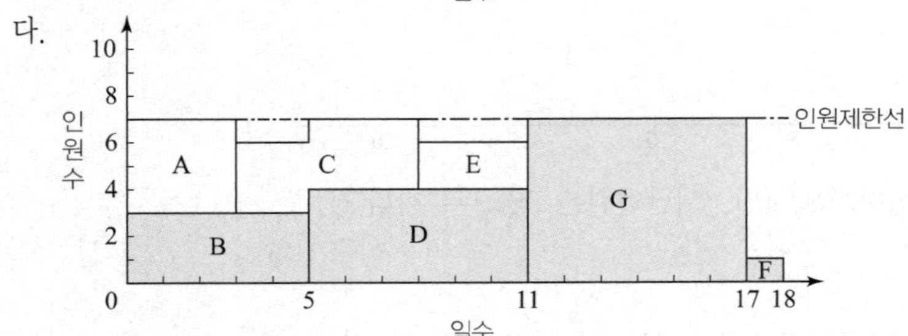

라.

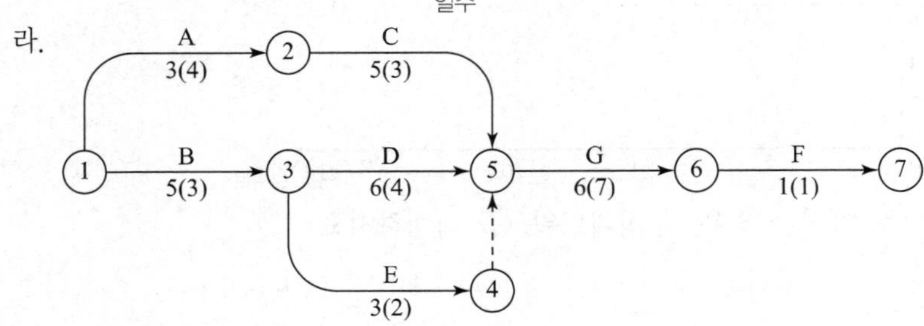

□□□ 98④, 05①, 10④, 11④, 18①, 23② 【4점】

16 2.5m×2.5m 크기의 정사각형 기초를 마찰각 $\phi=20°$, 점착력 $c=10\text{kN/m}^2$인 지반에 설치하였다. 흙의 단위중량 $\gamma=18\text{kN/m}^3$이며, 기초의 근입깊이는 3m이다. 지하수위가 지표면에서 3.5m 깊이에 있을 때의 극한 지지력을 Terzaghi 공식으로 구하시오.(단, 지지력계수 $N_c=17.6$, $N_q=8.7$, $N_r=6.1$이고, 흙의 포화단위중량은 20kN/m^3이다.)

계산 과정)　　　　　　　　　　　　　　　　　　　답 : ________

해답 $q_u=\alpha cN_c+\beta B\gamma_1 N_r+\gamma_2 D_f N_q$

- $d=0.5\text{m}<B=2.5\text{m}$ 인 경우

  $\gamma_1=\gamma_{sub}+\dfrac{d}{B}(\gamma_t-\gamma_{sub})$

- $\gamma_{sub}=\gamma_{sat}-\gamma_w=20-9.81=10.19\text{kN/m}^3$

  $\gamma_1=10.19+\dfrac{0.5}{2.5}\times(18-10.19)=11.75\text{kN/m}^3$

  $\therefore\ q_u=1.3\times10\times17.6+0.4\times2.5\times11.75\times6.1+18\times3\times8.7$

  $=770.28\text{kN/m}^2$

  ($\because$ 정사각형 기초 : $\alpha=1.3$, $\beta=0.4$)

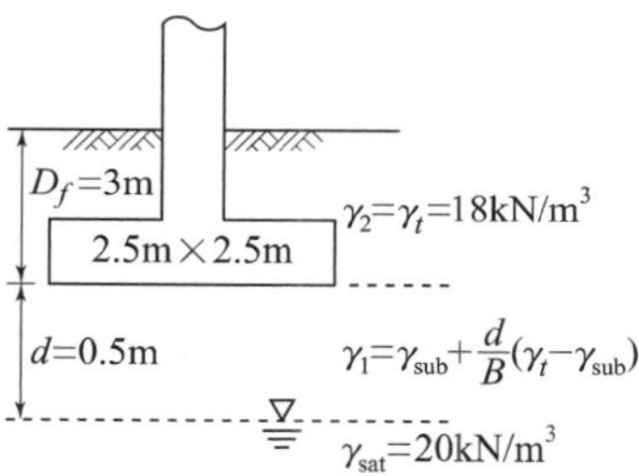

□□□ 92②, 97①, 23②, 23② 【3점】

17 다음은 케이싱을 사용한 어스 드릴(Earth drill)공법의 시공방법을 나열한 것이다. 시공순서로 번호를 쓰시오.

① 슬라임(slime)처리	② 콘크리트 타설
③ 케이싱 설치	④ 철근망태 삽입
⑤ 벤토나이트 주입	

○ 시공순서 :

해답 ③ → ⑤ → ① → ④ → ②

□□□ 98⑤, 01②, 11①, 15②, 23② 【4점】

18 **다음과 같은 조건일 때 사다리꼴 복합 확대기초의 크기 B_1, B_2를 구하시오. (단, 지반의 허용지지력 $q_a = 100\text{kN/m}^2$)**

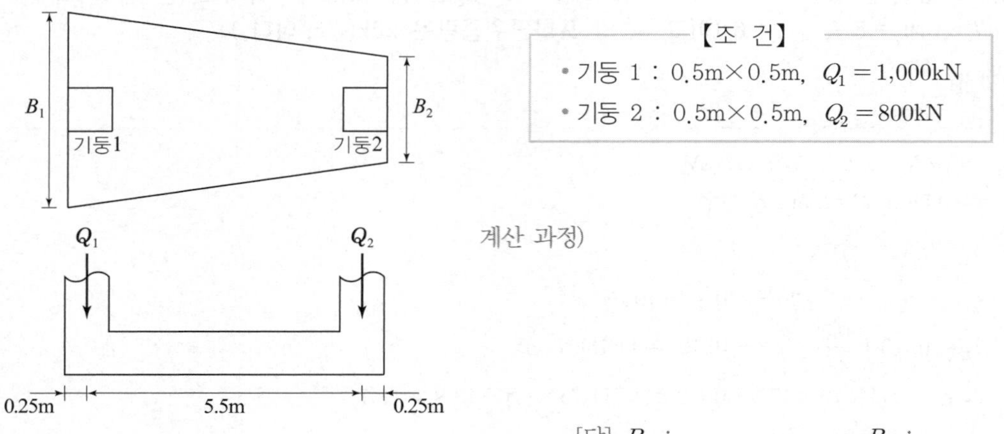

【조 건】

- 기둥 1 : 0.5m×0.5m, $Q_1 = 1{,}000\text{kN}$
- 기둥 2 : 0.5m×0.5m, $Q_2 = 800\text{kN}$

계산 과정)

[답] B_1 : ______________, B_2 : ______________

해답

- $$\frac{Q_1 \cdot S}{Q_1 + Q_2} = \frac{L}{3} \cdot \frac{2B_1 + B_2}{B_1 + B_2} - a$$

$$\frac{1{,}000 \times 5.5}{1{,}000 + 800} = \frac{6}{3} \times \frac{2B_1 + B_2}{B_1 + B_2} - 0.25$$

$$\frac{2B_1 + B_2}{B_1 + B_2} = 1.653 \quad \cdots\cdots ①$$

- $$\frac{B_1 + B_2}{2} \cdot L = \frac{Q_1 + Q_2}{q_a}$$

$$\frac{B_1 + B_2}{2} \times 6 = \frac{1{,}000 + 800}{100} = 18$$

$$B_1 + B_2 = 6,\ B_2 = 6 - B_1 \quad \cdots\cdots ②$$

①과 ②에서 $B_1 = 3.92\text{m}$, $B_2 = 2.08\text{m}$

□□□ 11②, 20①, 23② 【3점】

19 **도로의 배수에서 노면에 흐르는 물 및 근접하는 지대로부터 도로면에 흘러 들어오는 물을 집수하고, 배수하기 위하여 도로의 종단방향에 따라 설치한 배수구를 측구(側溝)라 한다. 측구의 형식을 3가지만 쓰시오.**

① ______________ ② ______________ ③ ______________

해답 ① L형 측구 ② U형 측구 ③ V형 측구 ④ 산마루형 측구

□□□ 03①, 08①, 12②, 15①, 18①, 20③, 23② 【18점】

20 주어진 도면 및 조건에 따라 다음 물량을 산출하시오.
(단, 주어진 도면의 치수는 축척에 맞지 않을 수 있으며, 주어진 치수로만 물량을 산출할 것)

단 면 도 (단위 : mm)

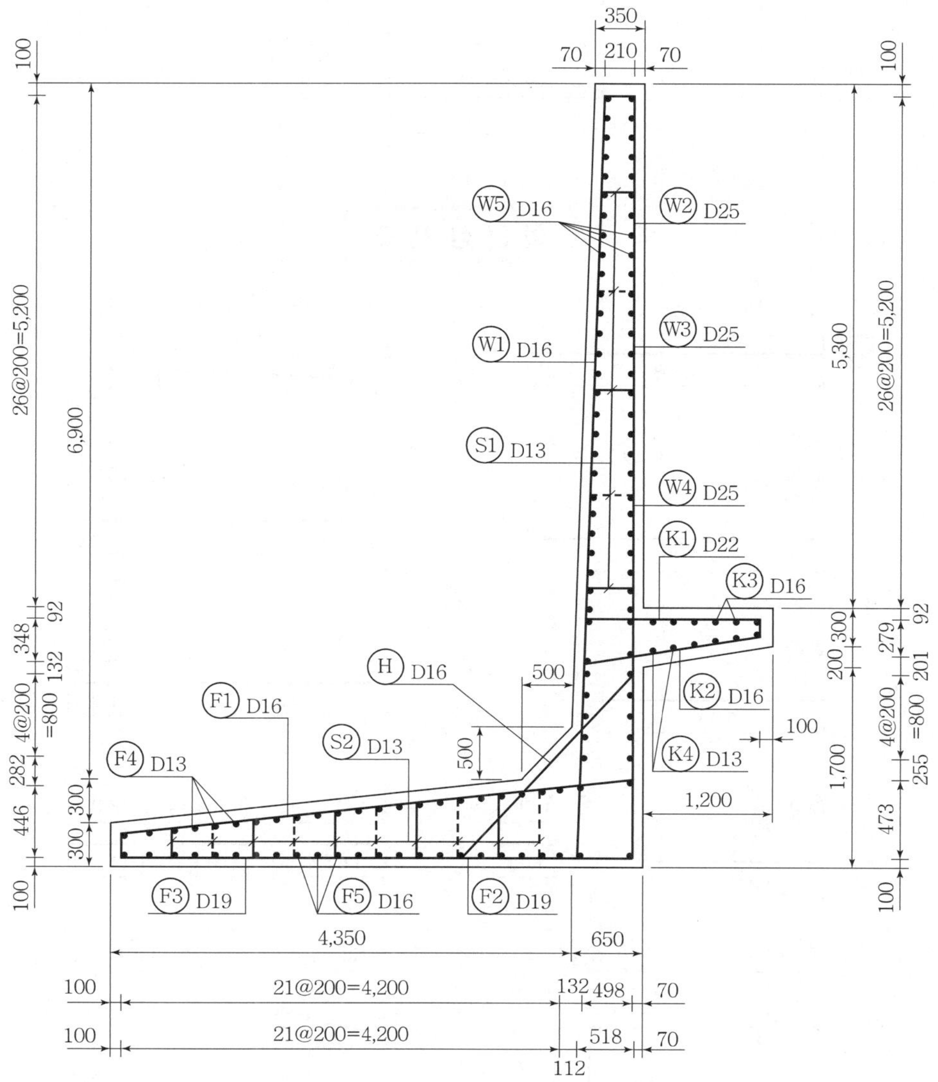

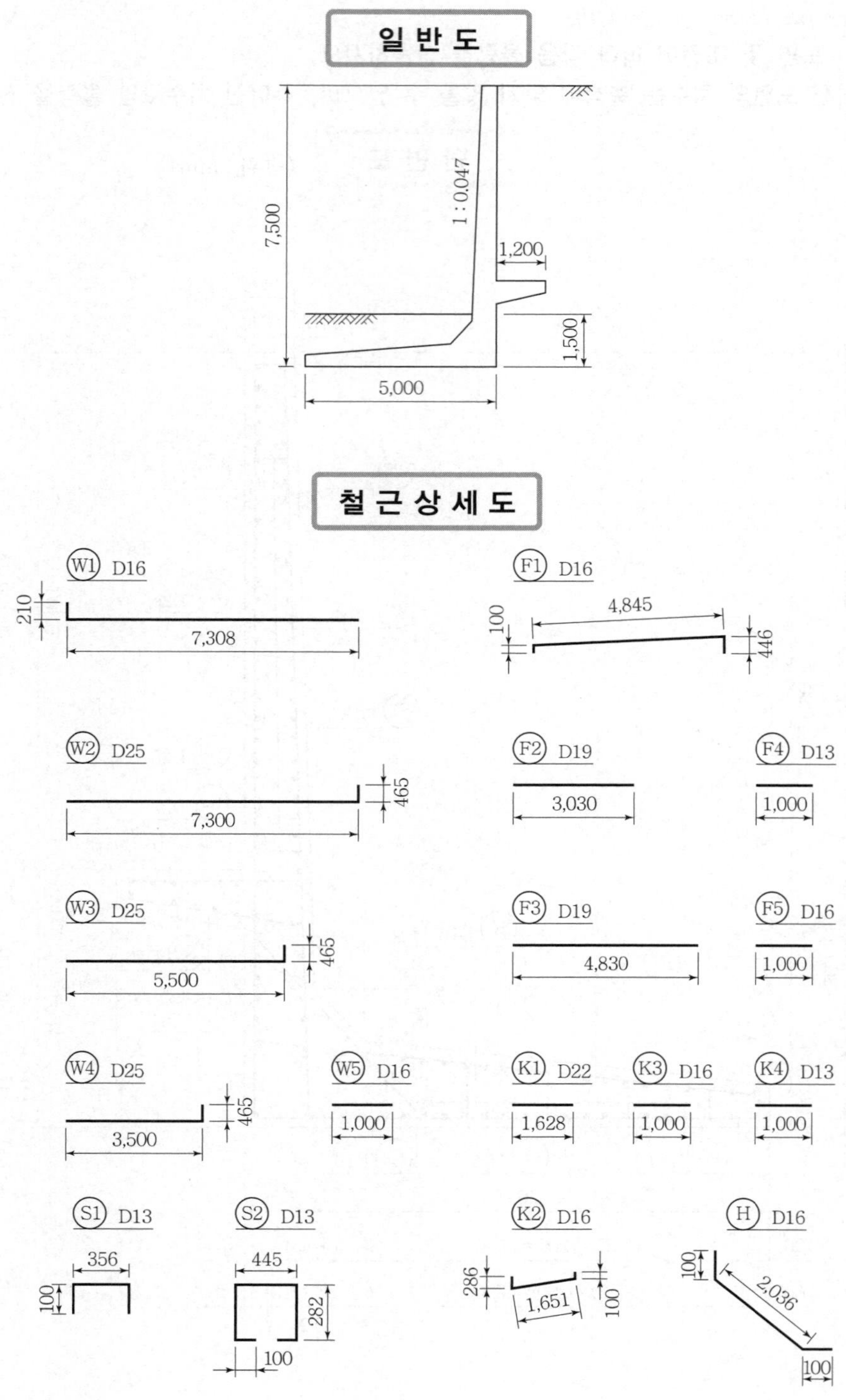

일반도
7,500
1 : 0.047
1,200
1,500
5,000
철근상세도
W1 D16
210
7,308
F1 D16
4,845
100
446
W2 D25
465
7,300
F2 D19
3,030
F4 D13
1,000
W3 D25
465
5,500
F3 D19
4,830
F5 D16
1,000
W4 D25
465
3,500
W5 D16
1,000
K1 D22
1,628
K3 D16
1,000
K4 D13
1,000
S1 D13
356
100
S2 D13
445
282
100
K2 D16
286
1,651
100
H D16
100
2,036
100

【조 건】

- W1, W4, H, K1, K2, K3, K4, F1, F2, F3 철근은 각각 200mm 간격으로 배근한다.
- W2, W3 철근은 각각 400mm 간격으로 배근한다.
- S1, S2 철근은 도면의 표시와 같이 지그재그로 배근한다.
- 물량산출에서 할증률은 무시하며 철근길이 계산에서 이음길이는 계산하지 않는다.

가. 길이 1m에 대한 콘크리트량을 구하시오. (단, 소수점 이하 4째자리에서 반올림)

계산 과정) 답 : ____________

나. 길이 1m에 대한 거푸집량을 구하시오.
(단, 양측 마구리면은 계산하지 않으며, 소수점 이하 4째자리에서 반올림)

계산 과정) 답 : ____________

다. 길이 1m에 대한 철근량 산출을 위한 철근물량표를 완성하시오.

기호	직경	길이(mm)	수량	총길이(mm)	기호	직경	길이(mm)	수량	총길이(mm)
W1					F4				
W5					S1				
H					S2				

해답 가.

- A면$=\left(\dfrac{0.35+0.65}{2}\times 6.4\right)\times 1=3.2\text{m}^3$
- B면$=\left(\dfrac{0.3+0.5}{2}\times 1.2\right)\times 1=0.48\text{m}^3$
- C면$=\left(\dfrac{0.65+(0.5+0.65)}{2}\times 0.5\right)\times 1=0.45\text{m}^3$
- D면$=\{(0.5+0.65)\times 0.6\}\times 1=0.69\text{m}^3$
- E면$=\left(\dfrac{0.3+0.6}{2}\times 3.85\right)\times 1=1.733\text{m}^3$

$\sum V=3.2+0.48+0.45+0.69+1.733=6.553\text{m}^3$

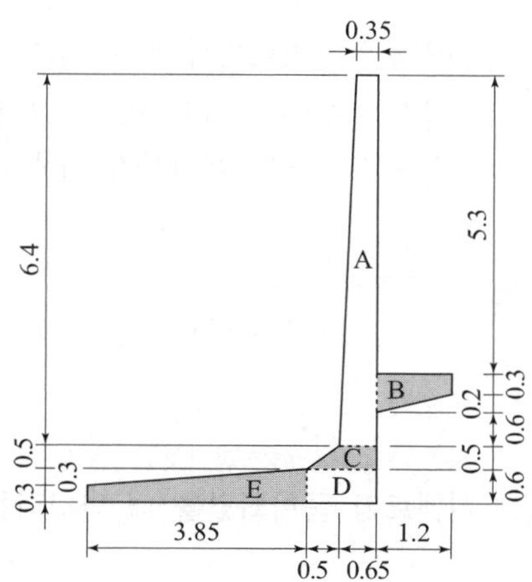

나.

- 저판 A면$=0.3\times1=0.3\text{m}^2$
- 저판 B면$=1.7\times1=1.7\text{m}^2$
- 헌치 C면$=\sqrt{0.5^2+0.5^2}\times1=0.707\text{m}^2$
- 선반 D면$=\sqrt{1.2^2+0.2^2}\times1=1.217\text{m}^2$
- 선반 E면$=0.3\times1=0.3\text{m}^2$
- 벽체 F면$=\sqrt{6.4^2+0.3008^2}\times1=6.407\text{m}^2$
  ($\because\ x=0.047\times6.4=0.3008\text{m}$)
- 벽체 G면$=5.3\times1=5.3\text{m}^2$

$\therefore$ 면적$=0.3+1.7+0.707+1.217+0.3+6.407+5.3$
$=15.931\text{m}^2$

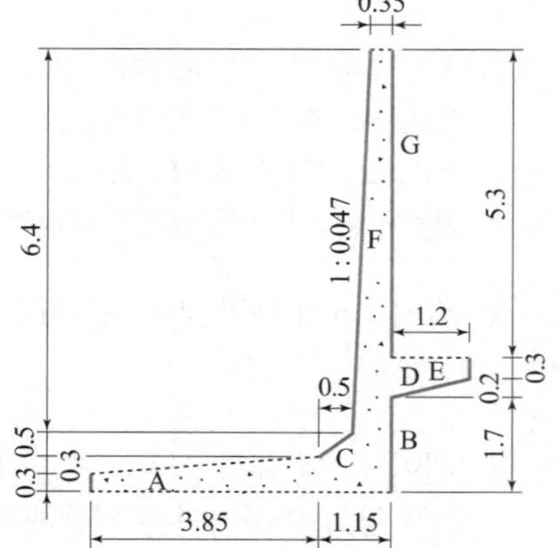

다.

기호	직경	길이(mm)	수량	총길이(mm)	기호	직경	길이(mm)	수량	총길이(mm)
W1	D16	7,518	5	37,590	F4	D13	1,000	24	24,000
W5	D16	1,000	68	68,000	S1	D13	556	12.5	6,950
H	D16	2,236	5	11,180	S2	D13	1,209	12.5	15,113

□□□ 17①, 23② 【3점】

21 매스 콘크리트에 대해서 아래의 물음에 답하시오.

가. 매스 콘크리트에서 온도균열을 제어하기 위해 (　　)시멘트를 사용한다.

나. 매스 콘크리트 시공에서 콘크리트의 내부 온도를 제어하기 위해 (①)냉각 방법과 콘크리트의 온도를 제어하기 위해 (②)냉각방법을 사용한다.

해답 가. 중용열 시멘트
나. ① 관로식(파이프 쿨링) ② 선행식(프리쿨링)

□□□ 89①, 01①, 04①, 05②, 08①, 23② 【3점】

22 시멘트가 풍화되었을 때 나타나는 현상을 3가지만 쓰시오.

① ______ ② ______ ③ ______

해답 ① 비중 저하
② 응결 지연
③ 강열감량 증가
④ 강도발현 저하

□□□ 23② 【3점】

23 **도로 평면선형은 자동차의 주행궤적에 알맞도록 직선, 원곡선, 완화곡선을 적절하게 구성해야 한다. 이 때 평면선형을 구성할 때 고려해야 할 요소 3가지를 쓰시오.**

① ② ③

해답 ① 평면 곡선반경 ② 평면 곡선길이 ③ 곡선부의 편구배
④ 곡선부의 확폭 ⑤ 완화구간

□□□ 23② 【3점】

24 **콘크리트교량 가설공법 중 연속압출공법(I.L.M)의 시공방법을 나열한 것이다. 연속압축공법의 시공순서로 번호를 쓰시오.**

【조 건】

① 교대후방에서 제작장 설치	② Segment 제작
③ Segment 압출	④ Launching nose제작 설치
⑤ 교좌장치 시공	⑥ PS강선 인장

○ 시공순서 :

해답 ① → ④ → ② → ③ → ⑥ → ⑤

국가기술자격 실기시험문제

2023년도 기사 제3회 필답형 실기시험(기사)

종 목	시험시간	형 별	성 명	수험번호
토목기사	**3시간**	B		

※ 수험자 인적사항 및 계산식을 포함한 답안 작성은 검은색 필기구만 사용하여야 하며, 그 외 연필류, 빨간색, 청색 등 필기구로 작성한 답안은 0점 처리됩니다.

□□□ 01①, 07④, 14④, 17④, 23③ 【3점】

01 **그림과 같은 지반조건에서 유효증가하중이 200kN/m²일 때, 점토층의 1차 압밀침하량을 계산하시오. (단, 정규압밀점토로 가정하며, 압축지수는 경험식을 사용하며, LL은 액성한계임.)**

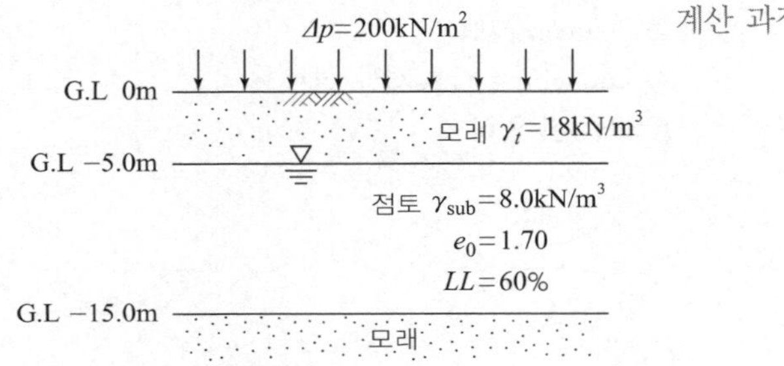

계산 과정)

답 : ____________

해답 압밀 침하량 $S=\dfrac{C_cH}{1+e_0}\log\dfrac{P_2}{P_1}=\dfrac{C_cH}{1+e_0}\log\dfrac{P_1+\Delta P}{P_1}$

- $P_1=\gamma_t H_1+\gamma_{sub}\dfrac{H_2}{2}=18.0\times 5+8.0\times\dfrac{(15-5)}{2}=130\,\text{kN/m}^2$
- $C_c=0.009(LL-10)=0.009(60-10)=0.45$

$\therefore\ S=\dfrac{0.45\times(15-5)}{1+1.70}\log\dfrac{130+200}{130}=0.6743\,\text{m}=67.43\,\text{cm}$

□□□ 97①, 01③, 05①, 14①, 15②, 23③ 【3점】

02 **마샬안정도시험(Marshall Stability Test)은 포장용 아스팔트 혼합물의 소성유동에 대한 저항성을 측정하여 설계아스팔트량 결정에 적용된다. 이 시험결과로부터 얻을 수 있는 3가지의 설계기준을 쓰시오.**

① ____________ ② ____________ ③ ____________

해답 ① 안정도 ② 흐름값 ③ 공시체의 밀도 ④ 공극률 ⑤ 포화도

□□□ 98③, 00③, 13④, 19①, 23③ 【10점】

03 다음의 작업리스트에서 Net Work(화살선도)를 작도하고, 공사기간을 6일 단축했을 때 추가로 소요되는 최소비용을 구하시오.

작업명	작업일수	선행작업	단축가능일수(일)	비용경사(원/일)
A	5일	없음	1	60,000
B	7일	A	1	40,000
C	10일	A	1	70,000
D	9일	B	2	60,000
E	12일	C	2	50,000
F	6일	D	2	80,000
G	4일	E, F	2	100,000

가. Net Work(화살선도)를 작도하시오.

나. 공사기간을 6일 단축했을 때 추가로 소요되는 최소비용을 구하시오.

계산 과정)

답 :

해답 가.

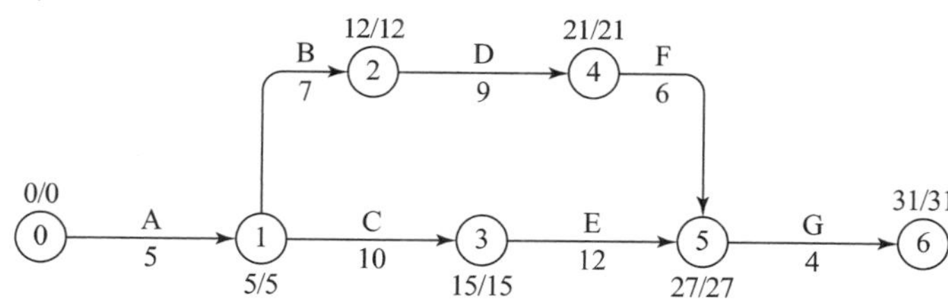

나.

작업명	단축가능 일수(일)	비용경사 (원/일)	31	30	29	28	27	26	25
A	1	60,000		1					
B	1	40,000			1				
C	1	70,000							1
D	2	60,000						1	1
E	2	50,000			1			1	
F	2	80,000							
G	2	100,000				1	1		
추가비용(만원)				6	9	10	10	11	13
추가비용 합계(만원)				6	15	25	35	46	59

∴ 최소비용 : 59만원

□□□ 00⑤, 04①, 05②, 11①, 15①, 20②, 23③ 【3점】

04 어느 암반지대에서 RQD의 평균값은 60%, 절리군의 수는 6, 절리 거칠기계수는 2, 절리면의 변질계수는 2, 지하수 보정계수 J_w는 1, 응력저감계수 SRF는 1일 경우 Q값을 계산하시오.

계산 과정) 답 : ______

해답 $Q=\dfrac{\text{RQD}}{J_n}\cdot\dfrac{J_r}{J_a}\cdot\dfrac{J_w}{\text{SRF}}=\dfrac{60}{6}\times\dfrac{2}{2}\times\dfrac{1}{1}=10$

□□□ 12④, 16②, 23③ 【6점】

05 콘크리트 배합강도를 구하기 위한 시험횟수 15회의 콘크리트 압축강도 측정결과가 아래표와 같고 품질기준강도가 40MPa일 때 아래 물음에 답하시오.

【압축강도 측정결과(MPa)】

36	40	42	36	44	43	36	38
44	42	44	46	42	40	42	

가. 배합설계에 적용할 표준편차를 구하시오. (단, 압축강도의 시험횟수가 15회일 때 표준편차의 보정계수는 1.16이다.)

계산 과정) 답 : ______

나. 배합강도를 구하시오

계산 과정) 답 : ______

해답 가. • 평균값$(\overline{\text{x}})=\dfrac{\sum X_i}{n}=\dfrac{615}{15}=41\text{MPa}$

• 편차의 제곱합 $S=\sum(X_i-\overline{\text{x}})^2$

$$S=(36-41)^2+(40-41)^2+(42-41)^2+(36-41)^2+(44-41)^2+(43-41)^2+(36-41)^2$$
$$+(38-41)^2+(44-41)^2+(42-41)^2+(44-41)^2+(46-41)^2+(42-41)^2+(40-41)^2$$
$$+(42-41)^2$$
$$=146$$

• 표준편차$s=\sqrt{\dfrac{S}{n-1}}=\sqrt{\dfrac{146}{15-1}}=3.23\text{MPa}$

$\therefore$ 수정 표준편차 $s=3.23\times1.16=3.75\text{MPa}$

나. $f_{cn}=40\text{MPa} > 35\text{MPa}$일 때

$f_{cr}=f_{cn}+1.34s=40+1.34\times3.75=45.03\text{MPa}$

$f_{cr}=0.9f_{cn}+2.33s=0.9\times40+2.33\times3.75=44.74\text{MPa}$

$\therefore f_{cr}=45.03\text{MPa}$ (두 값 중 큰 값)

□□□ 02①, 08①, 09③, 11②, 16②, 20③, 23③ 【3점】

06 다음과 같은 모양의 중력식 옹벽을 설치하려고 한다. 흙의 단위중량 $\gamma_t = 17.5\text{kN/m}^3$, 내부마찰각 $\phi = 31°$, 점착력 $c = 0$, 콘크리트의 단위중량 $\gamma_c = 24\text{kN/m}^3$일 때 옹벽의 전도(over turning)에 대한 안전율을 Rankine의 식을 이용하여 계산하시오.
(단, 옹벽 전면에 작용하는 수동토압은 무시한다.)

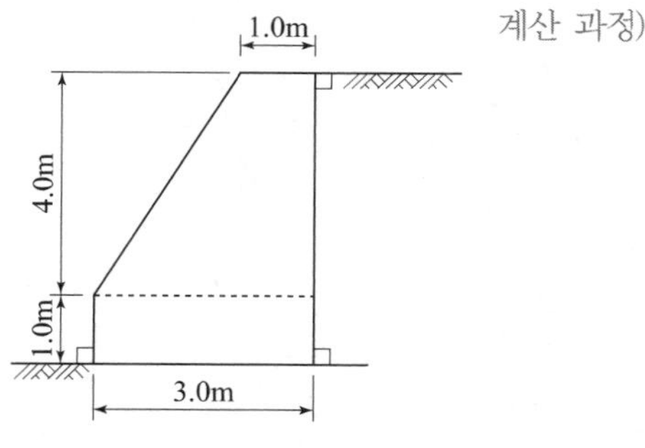

계산 과정)

답 :

해답 $F_s = \dfrac{M_r}{M_o} = \dfrac{W \cdot b + P_v \cdot B}{P_A \cdot \text{y}} = \dfrac{W \cdot b + 0}{P_A \cdot \text{y}}$ (∵ 수동토압 P_v는 무시)

- $P_A = \dfrac{1}{2}\gamma_t H^2 \tan^2\left(45 - \dfrac{\phi}{2}\right)$

  $= \dfrac{1}{2} \times 17.5 \times 5^2 \tan^2\left(45 - \dfrac{31°}{2}\right) = 70.02\text{kN/m}$

  $\therefore M_o = P_A \cdot y = (70.02 \times 1) \times \dfrac{5}{3} = 116.7\text{kN} \cdot \text{m}$

- $M_r = W \times b = W_1 \cdot y_1 + W_2 \cdot y_2 + W_3 \cdot y_3$

  $W_1 = \left(\dfrac{1}{2} \times 2 \times 4\right) \times 24 = 96\text{kN/m}$

  $W_2 = 1 \times 4 \times 24 = 96\text{kN/m}$

  $W_3 = (3 \times 1) \times 24 = 72\text{kN/m}$

  $\therefore M_r = \left[96 \times 2 \times \dfrac{2}{3} + 96 \times (2 + 0.5) + 72 \times 1.5\right] \times 1$

  $= 476\text{kN} \cdot \text{m}$

  ∴ 안전율 $F_s = \dfrac{M_r}{M_o} = \dfrac{476}{116.7} = 4.08$

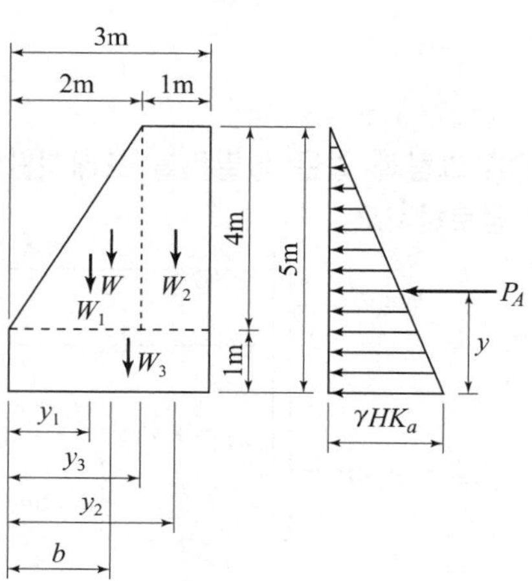

□□□ 88①②, 98⑤, 99⑤, 00④, 04②, 09①, 14①, 23③ 【3점】

07 다음 그림과 같은 말뚝의 하단을 통하는 활동면에 대한 히빙(heaving) 현상에 대한 안전율을 구하시오.

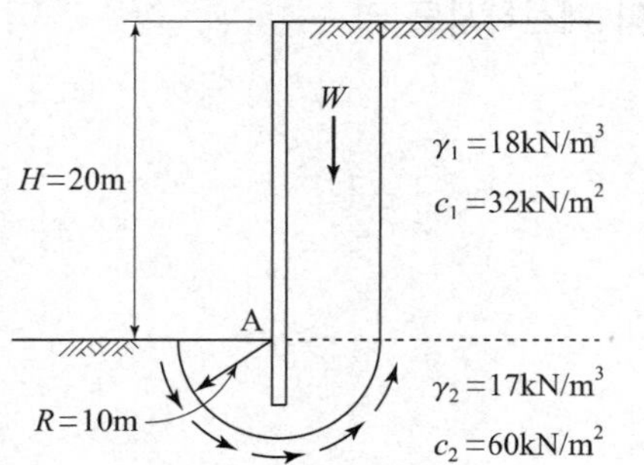

계산 과정)

답 :

해답 안전율 $F_s=\dfrac{M_r}{M_d}=\dfrac{c_1\cdot H\cdot R+c_2\cdot\pi\cdot R^2}{\dfrac{R^2}{2}(\gamma_1\cdot H+q)}$

- $M_d=\dfrac{10^2}{2}\times(18\times20+0)=18{,}000\text{kN}\cdot\text{m}$ (Heaving을 일으키려는 모멘트)
- $M_r=32\times20\times10+60\times\pi\times10^2=25{,}249.56\text{kN}\cdot\text{m}$ (Heaving에 저항하는 Moment)

$\therefore\ F_s=\dfrac{25{,}249.56}{18{,}000}=1.40$

□□□ 04④, 13④, 23③ 【3점】

08 그림과 같은 널말뚝을 모래지반에 타입하고 지하수위 이하를 굴착할 때의 Boiling 여부를 검토하시오.

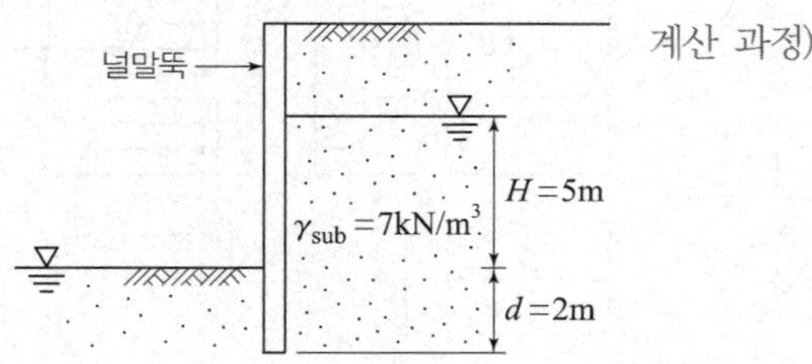

계산 과정)

답 :

해답 Boiling이 발생하는 조건

$$\frac{H}{H+2d}\geq\frac{G_s-1}{1+e}=\frac{\gamma_{sub}}{\gamma_w}$$

$$\frac{5}{5+2\times2}=0.56<\frac{\gamma_{sub}}{\gamma_w}=\frac{7}{9.81}=0.71$$

∴ Boiling의 우려가 없다.

□□□ 88②, 96②, 99④, 04②, 23③ 【3점】

09 댐 콘크리트 시료 5개의 압축강도를 측정하여 각각 19.5MPa, 20.5MPa, 21.5MPa, 21.0MPa 및 20.0MPa의 측정치를 얻었다. 이 콘크리트 시료의 변동계수를 구하여 이 댐의 품질관리는 어떠한지 판정하시오. (단, 계산 근거를 명시하고 소수점 둘째자리까지 구하시오.)

가. 변동계수 :

나. 품질관리 판정 :

해답 가. 변동계수 $C_v = \dfrac{\text{표준편차}}{\text{평균값}} \times 100 = \dfrac{\sigma}{\overline{x}} \times 100$

- 평균값 $\overline{x} = \dfrac{19.5+20.5+21.5+21.0+20.0}{5} = 20.5\text{MPa}$
- $S = \sum (X_i - \overline{x})^2$
  $= (19.5-20.5)^2 + (20.5-20.5)^2 + (21.5-20.5)^2 + (21.0-20.5)^2 + (20.0-20.5)^2$
  $= 2.50$
- 표준편차 $\sigma = \sqrt{\dfrac{S}{n-1}} = \sqrt{\dfrac{2.50}{5-1}} = 0.791$

$\therefore\ C_v = \dfrac{0.791}{20.5} \times 100 = 3.86\%$

나. $C_v = 3.86\% \le 10\%$ ∴ 매우 우수

□□□ 93②, 99⑤, 03①, 08①, 11①, 16②, 20②, 23③ 【3점】

10 계획된 저수량 이상으로 댐에 유입하는 홍수량을 조절하여 자연하천으로 방류하는 중요한 구조물인 여수로(Spill Way)의 종류를 3가지만 쓰시오.

① ______ ② ______ ③ ______

해답 ① 슈트식 여수로 ② 측수로 여수로 ③ 그롤리 홀 여수로
④ 사이펀 여수로 ⑤ 댐마루 월류식 여수로

□□□ 21③, 23③ 【3점】

11 PSC 박스거더 교량 가설공법으로 PSC 세그먼트를 이용한 장대 교량 가설공법 3가지를 쓰시오.

① ______ ② ______ ③ ______

해답 ① FCM(캔틸레버공법) ② MSS(이동식 지보공법) ③ ILM(연속압출공법)
④ FSM(프리캐스트 세그먼트공법)

□□□ 99⑤, 06②, 08④, 17④, 23③ 【3점】

12 암거의 배열방식을 3가지만 쓰시오.

① ______ ② ______ ③ ______

해답 ① 자연식 ② 빗식 ③ 차단식 ④ 집단식 ⑤ 어골식

□□□ 08④, 14①, 18①, 19①, 21①, 23③ 【3점】

13 측량성과가 아래와 같고 시공기준면을 10m로 할 경우 총 토공량을 구하시오. (단, 격자점의 숫자는 표고이며, m 단위이다.)

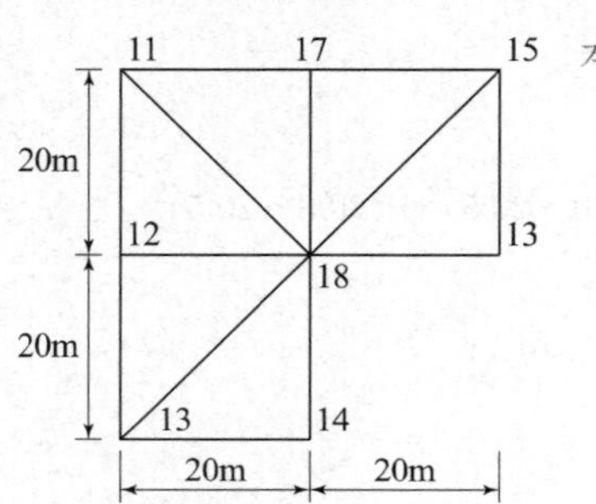

계산 과정)

답 : ______

해답 • 시공기준면과 각점 표고와의 차를 구하여 총토공량을 계산

$$V=\frac{a\cdot b}{6}(\Sigma h_1+2\Sigma h_2+6\Sigma h_6)$$

• $\Sigma h_1=\Sigma(h_1-10)=3+4=7\text{m}$

• $\Sigma h_2=\Sigma(h_2-10)=1+7+5+3+2=18\text{m}$

• $\Sigma h_6=\Sigma(h_6-10)=8\text{m}$

$$\therefore V=\frac{20\times 20}{6}\times(7+2\times 18+6\times 8)=6{,}066.67\text{m}^3$$

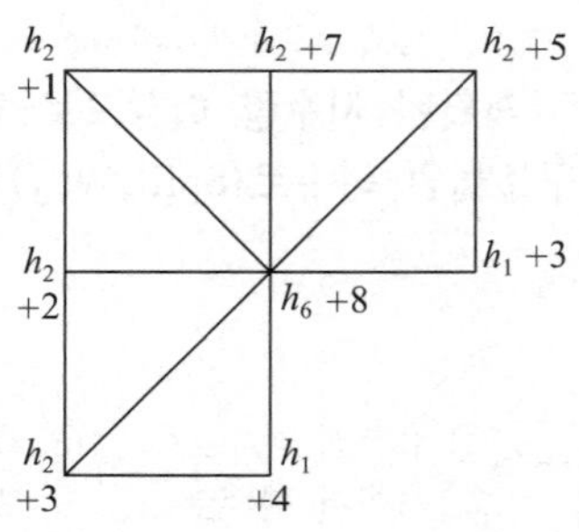

□□□ 05①, 06④, 14④, 23③ 【3점】

14 다음의 기초파일공법의 명칭을 각각 기입하시오.

A. 굴착 소요깊이까지 케이싱 관입 후 및 내부굴착 후, 케이싱 인발, 철근망 투입, 콘크리트 타설, 완성
B. 표층 케이싱 설치, 굴착공 내에 압력수를 순환시킴, 드릴 파이프 내의 굴착토사 배출
C. 얇은 철판의 내외관 동시 관입, 내관 인발, 외관 내부에 콘크리트 타설

【답】 A : ______, B : ______, C : ______

해답 A : 베노토(Benoto) 공법, B : RCD(역순환) 공법, C : 레이몬드(Raymond) 말뚝공법

□□□ 87③, 03④, 09④, 12①, 14④, 23③ 【3점】

15 지름 30cm인 나무말뚝 36본이 기초슬래브를 지지하고 있다. 이 말뚝의 배치는 6열 각열 6본이다. 말뚝의 중심간격은 1.3m이고, 말뚝 1본의 허용지지력이 150kN일 때 converse-Labarre 공식을 사용하여 말뚝기초의 허용지지력을 구하시오.

계산 과정) 답 : ______________

해답 $Q_{ag}=E\cdot N\cdot R_a$

- $\phi=\tan^{-1}\left(\dfrac{d}{S}\right)=\tan^{-1}\left(\dfrac{30}{130}\right)=13°$
- $E=1-\phi\left\{\dfrac{(n-1)m+(m-1)n}{90\cdot m\cdot n}\right\}=1-13°\left\{\dfrac{(6-1)\times 6+(6-1)\times 6}{90\times 6\times 6}\right\}=0.759$

$\therefore\ Q_{ag}=0.759\times 36\times 150=4{,}098.60\text{kN}$

□□□ 01①, 06④, 09②, 14④, 19③, 23③ 【3점】

16 도로 포장을 설계하기 위해 다음과 같이 CBR을 구하였다. 포장설계를 위한 설계 CBR을 구하시오. (단, CBR계수에 상관되는 계수(d_2)는 2.83을 적용한다.)

4.6	3.9	5.9	4.8	7.0	3.3	4.8

계산 과정) 답 : ______________

해답 설계 CBR = 평균 CBR $-\dfrac{\text{CBR}_{max}-\text{CBR}_{min}}{d_2}$

- 평균 CBR $=\dfrac{\Sigma\text{CBR값}}{n}=\dfrac{4.6+3.9+5.9+4.8+7.0+3.3+4.8}{7}=4.9$

$\therefore$ 설계 CBR $=4.9-\dfrac{7.0-3.3}{2.83}=3.59$ $\therefore$ 3

($\because$ 설계 CBR은 소수점 이하는 절삭한다.)

□□□ 96①, 98③, 08④, 11②, 12④, 16②, 23③ 【3점】

17 직경 30cm 평판재하시험에서 작용압력이 300kPa일 때 침하량이 20mm라면, 직경 1.5m의 실제 기초에 300kPa의 압력이 작용할 때 사질토지반에서의 침하량의 크기는 얼마인가?

계산 과정) 답 : ______________

해답 침하량 $S_F=S_P\left(\dfrac{2B_F}{B_F+B_P}\right)^2=20\times\left(\dfrac{2\times 1.5}{1.5+0.3}\right)^2=55.56\text{mm}$($\because$ 사질토지반)

□□□ 88③, 89②, 94②, 97①, 01②, 03①, 04②④, 07①, 12①, 13①②, 23③ 【6점】

18 **0.7m³ 용량의 백호와 15t 덤프트럭의 조합토공현장에서 현장의 조건이 아래와 같을 경우 다음 물음에 답하시오.**

【시공 조건】

- 백호의 버킷계수(K) : 1.1
- 토량환산계수(f) : 0.8
- 백호의 사이클타임 : 19초
- 백호의 작업효율(E) : 0.9
- 자연상태 흙의 단위중량 : 1.7t/m³
- 토량변화율(L) : 1.25
- 덤프의 운반거리 : 20km
- 덤프트럭의 사이클타임 : 60분
- 덤프트럭의 작업효율 : 0.9

가. 백호의 시간당 작업량을 구하시오.

계산 과정) 답 : ______

나. 덤프트럭의 시간당 작업량을 구하시오.

계산 과정) 답 : ______

다. 백호 1대당 덤프트럭의 소요대수는 몇 대인가?

계산 과정) 답 : ______

해답 가. 백호의 작업량

$$Q_B = \frac{3,600 \cdot q \cdot K \cdot f \cdot E}{C_m} = \frac{3,600 \times 0.7 \times 1.1 \times 0.8 \times 0.9}{19} = 105.04\,\text{m}^3/\text{hr}$$

나. $Q_t = \dfrac{60 \cdot q_t \cdot f \cdot E}{C_m} = \dfrac{60 \cdot q_t \cdot \dfrac{1}{L} \cdot E}{C_m}$

$$q_t = \frac{T}{\gamma_t} \cdot L = \frac{15}{1.7} \times 1.25 = 11.03\,\text{m}^3$$

$$\therefore\ Q_t = \frac{60 \times 11.03 \times \dfrac{1}{1.25} \times 0.9}{60} = 7.94\,\text{m}^3/\text{hr}$$

다. $N = \dfrac{Q_s}{Q_t} = \dfrac{105.04}{7.94} = 13.23 \qquad \therefore 14$대

□□□ 17①, 19③, 23③ 【3점】

19 **흙의 애터버그(Atterberg)한계의 종류 3가지를 쓰시오.**

① ______ ② ______ ③ ______

해답 ① 액성한계 ② 소성한계 ③ 수축한계

□□□ 01①, 02②, 04②, 06④, 09①, 10④, 13②, 15②, 20④, 22②, 23③ 【18점】

20 주어진 도면 및 조건에 따라 다음 물량을 산출하시오. (단, 주어진 도면의 치수는 축척에 맞지 않을 수 있으며, 주어진 치수로만 물량을 산출하며 도면의 단위는 mm이다.)

단 면 도 (단위 : mm)

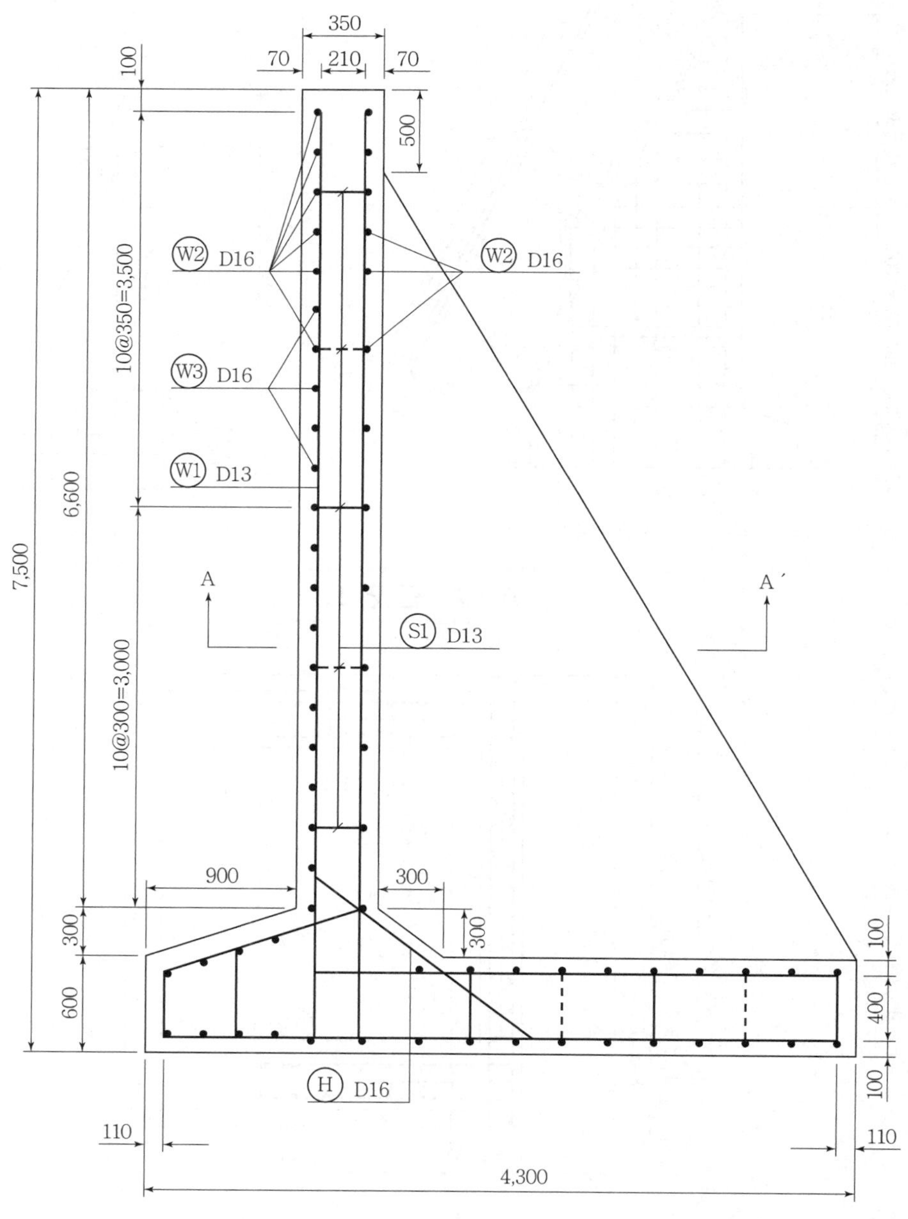

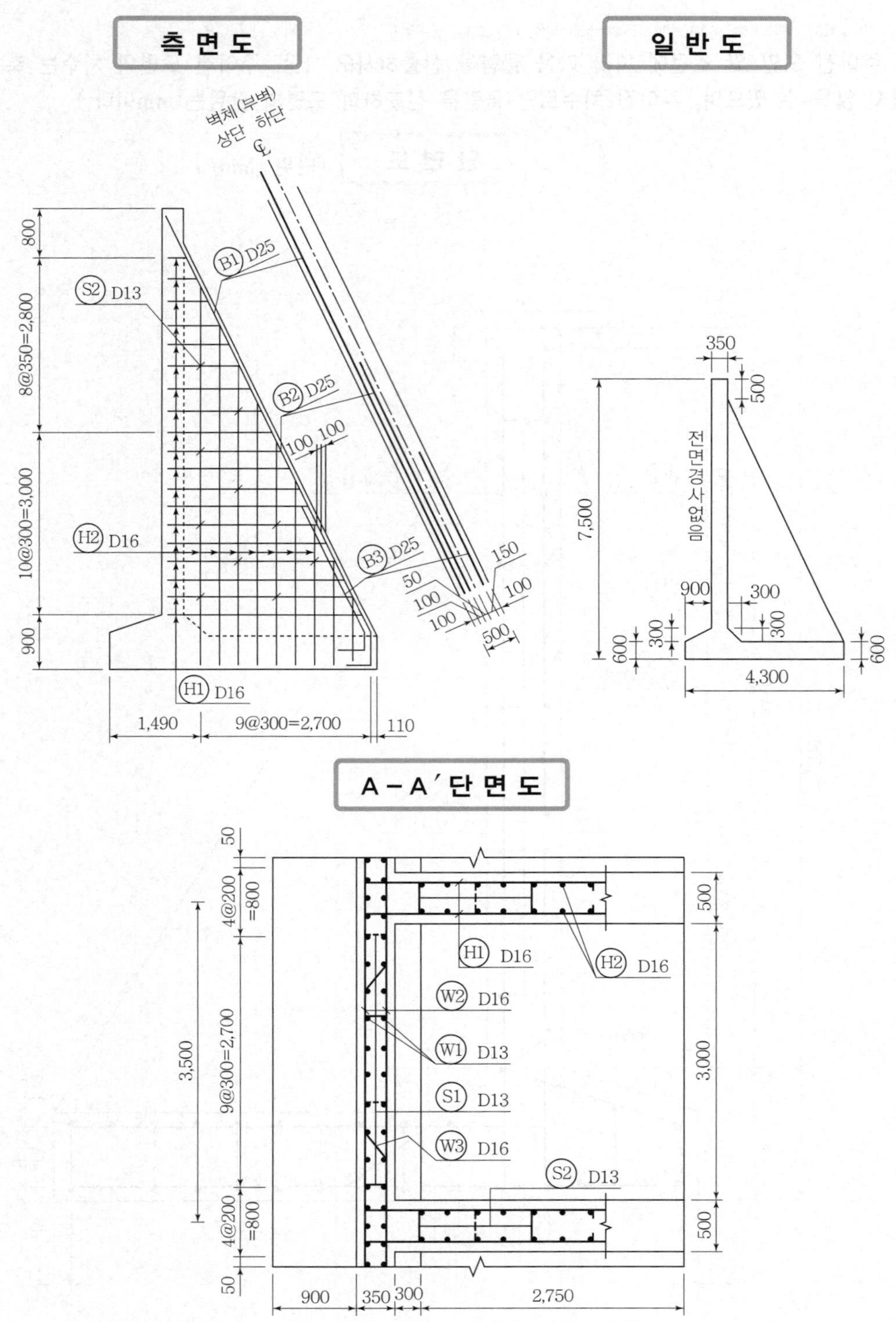

측 면 도
일 반 도
벽체(부벽) 상단 하단
800
8@350=2,800
10@300=3,000
900
B1 D25
S2 D13
B2 D25
100 100
H2 D16
B3 D25
150
50
100
100
100
500
H1 D16
1,490
9@300=2,700
110
350
500
7,500
전면경사없음
900
300
300
300
600
600
4,300
A－A′단면도
50
4@200 =800
3,500
9@300=2,700
4@200 =800
50
500
3,000
500
H1 D16
H2 D16
W2 D16
W1 D13
S1 D13
W3 D16
S2 D13
900
350
300
2,750

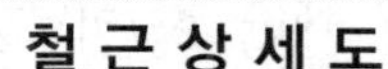

철근상세도

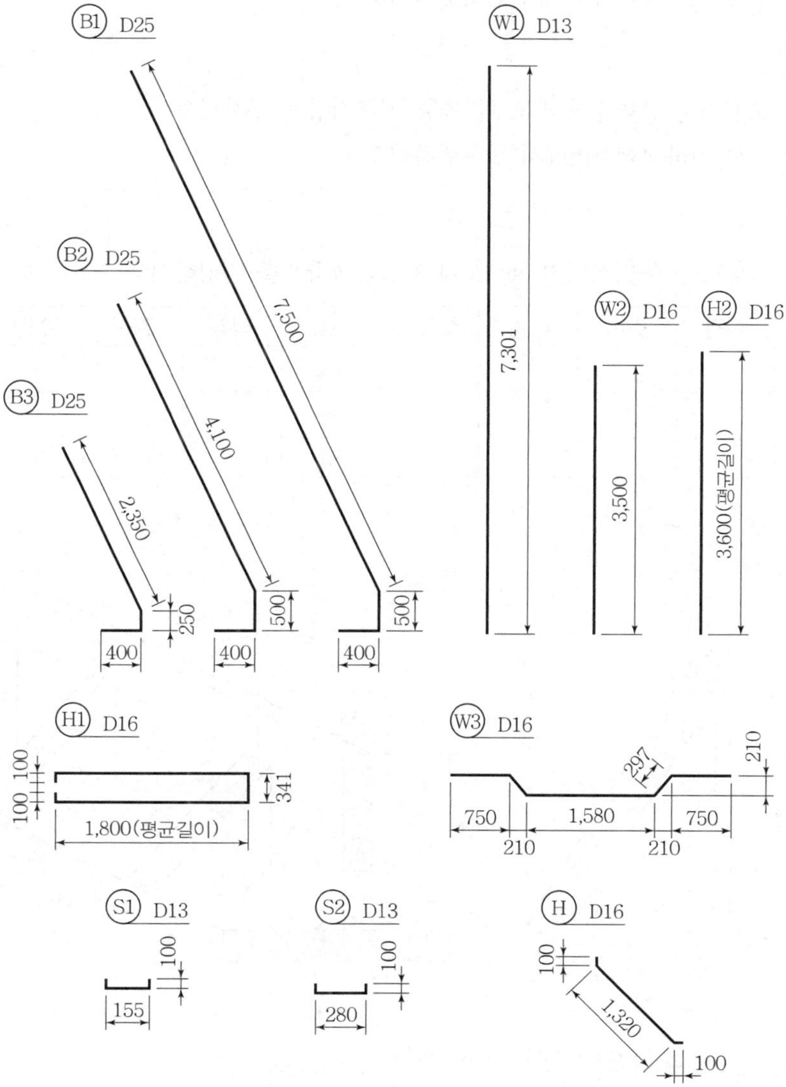

B1 D25: 7,500 / 500 / 400

B2 D25: 4,100 / 500 / 400

B3 D25: 2,350 / 250 / 400

W1 D13: 7,301

W2 D16: 3,500

H2 D16: 3,600(평균길이)

H1 D16: 100 / 100 / 341 / 1,800(평균길이)

W3 D16: 750 / 210 / 1,580 / 210 / 750 / 297 / 210

S1 D13: 155 / 100

S2 D13: 280 / 100

H D16: 100 / 1,320 / 100

【조 건】

- S1 철근은 지그재그(Zigzag)로 배치되어 있다.
- H 철근의 간격은 W1 철근과 같다.
- 물량산출에서의 할증률 및 마구리는 없는 것으로 한다.
- 철근길이 계산에서 이음길이는 계산하지 않는다.
- 저판의 철근량은 계산하지 않는다.

가. 부벽을 포함하는 옹벽길이 3.5m에 대한 콘크리트량을 구하시오.
(단, 소수점 이하 4째자리에서 반올림하시오.)

계산 과정) 답 :

나. 부벽을 포함하는 옹벽길이 3.5m에 대한 거푸집량을 구하시오.
(단, 소수점 이하 4째자리에서 반올림하시오.)

계산 과정) 답 :

다. 부벽을 포함하는 옹벽길이 3.5m에 대한 철근물량표를 완성하시오.

기호	직경	길이	수량	총길이	기호	직경	길이	수량	총길이
W1					H1				
W2					B1				
W3					S1				

해답 가.

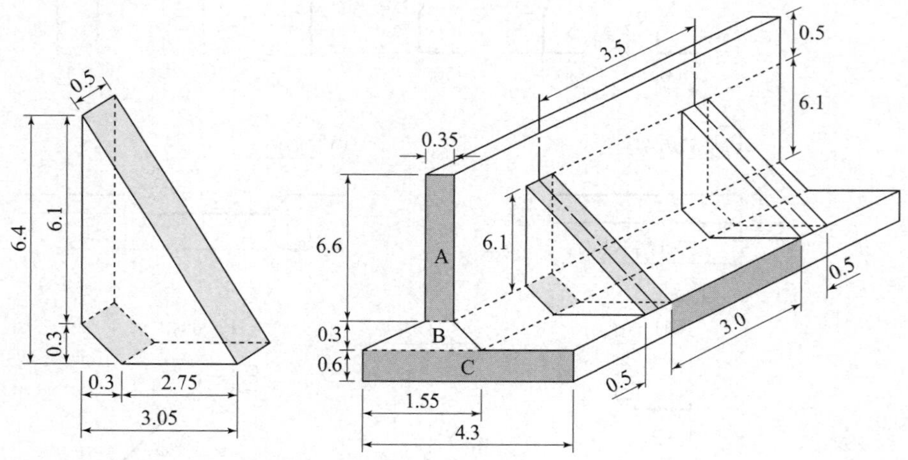

- 단면적×부벽두께$=\left(\dfrac{6.4\times3.05}{2}-\dfrac{0.3\times0.3}{2}\right)\times0.5=4.8575\text{m}^3$
- 벽체 A=단면적×옹벽길이$=(0.35\times6.6)\times3.5=8.085\text{m}^3$
- 헌치부분 B$=\dfrac{0.35+1.55}{2}\times0.3\times3.5=0.9975\text{m}^3$
- 저판 C$=(0.6\times4.30)\times3.5=9.03\text{m}^3$

∴ 총콘크리트량$=4.8575+8.085+0.9975+9.03=22.970\text{m}^3$

나.

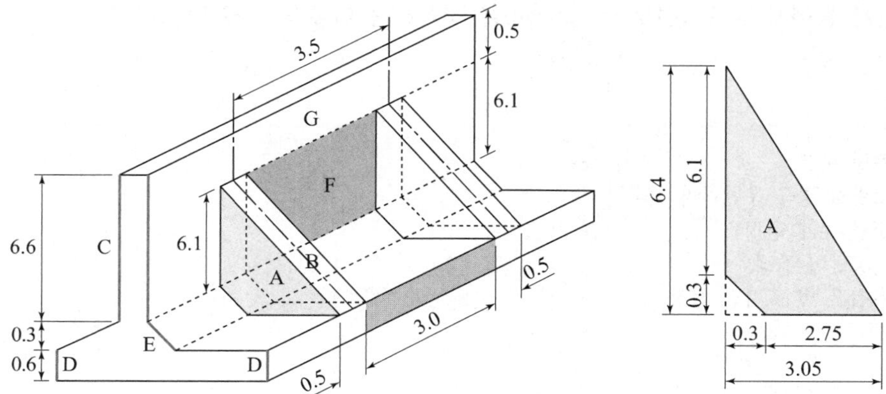

- A면 $=\left(\dfrac{6.4\times 3.05}{2}-\dfrac{0.3\times 0.3}{2}\right)\times 2$(양면) $=19.43\text{m}^2$
- B면 $=\sqrt{6.4^2+3.05^2}\times 0.5=3.545\text{m}^2$
- C면 $=6.6\times 3.5=23.10\text{m}^2$
- D면 $=(0.6\times 3.5)\times 2$(양면) $=4.20\text{m}^2$
- E면 $=\sqrt{0.3^2+0.3^2}\times 3.0=1.273\text{m}^2$
- F면 $=6.1\times 3.0=18.30\text{m}^2$
- G면 $=0.5\times 3.5=1.75\text{m}^2$

∴ 총거푸집량 $=19.43+3.545+23.10+4.20+1.273+18.30+1.75=71.598\text{m}^2$

다.

기호	직경	길이(mm)	수량	총길이(mm)	기호	직경	길이(mm)	수량	총길이(mm)
W1	D13	7,301	26	189,826	H1	D16	4,141	19	78,679
W2	D16	3,500	26	91,000	B1	D25	8,400	2	16,800
W3	D16	3,674	8	29,392	S1	D13	355	10	3,550

철근물량 산출근거

기호	직경	길이	수량	총길이	수량산출
W1	D13	7,301	26	189,826	• A-A'단면에서 • 철근 간격수×2(전후면) $=\{(9+1)+(2+1)\}\times 2$(전·후면) = 26본
W2	D16	3,500	26	91,000	• 철근 간격수×2(전후면) $=\{(4+3+5)+1)\}\times 2$(전·후면) = 26본
W3	D16	3,674	8	29,392	• 단면도에서 수계산
H1	D16	4,141	19	78,679	• 측면도 8@+10@ • 칸수 $+1=(8+10)+1=19$본
B1	D25	8,400	2	16,800	• 측면도 벽체(부벽)상단 좌우
S1	D13	355	10	3,550	• 단면도 실선 3, 점선 2 • A-A'단면도(실선 2, 점선 2) ∴ $3\times 2+2\times 2=10$본

□□□ 91③, 97④, 98⑤, 06④, 12④, 15①, 23③ 【3점】

21 철도공사 등에서 유토곡선(mass curve)을 작성하는 이유를 3가지만 쓰시오.

① ______ ② ______ ③ ______

해답 ① 토량 배분
② 토량의 평균 운반거리 산출
③ 토공 기계 결정
④ 시공방법 결정
⑤ 토취장 및 토사장 선정

□□□ 04②, 21②, 23③ 【3점】

22 우물통 케이슨 기초의 수직하중이 W, 주면마찰력이 F, 선단부지지력이 Q, 부력이 B일 때, 침하조건식을 작성하고, 적절한 침하촉진방법을 2가지만 쓰시오.

가. 침하조건식 :

나. 침하촉진방법

① ______ ② ______

해답 가. $W > F + Q + B$
나. ① 재하중에 의한 침하공법 ② 분사식 침하공법
③ 물하중식 침하공법 ④ 발파에 의한 침하공법
⑤ 감압에 의한 침하공법

□□□ 95③, 96①, 01③, 02②, 09④, 18②, 23③ 【3점】

23 보강토 옹벽의 구성은 크게 3요소로 이루어진다. 그 3가지는 무엇인지 쓰시오.

① ______ ② ______ ③ ______

해답 ① 전면판(skin plate) ② 보강재(strip bar) ③ 뒤채움 흙(back fill)

□□□ 17①, 18②, 23③ 【3점】

24 터널굴착시 여굴(over break)이 발생하는 원인을 3가지만 쓰시오.

① ______ ② ______ ③ ______

해답 ① 천공 및 발파의 잘못 ② 착암기 사용 잘못 ③ 전단력이 약한 토질 굴착시 발생

토목기사실기 (제3권)

저 자 김태선 · 박광진
홍성협 · 김창원
김상욱 · 이상도

발행인 이 종 권

2001年 3月 2日 초 판 발 행
2002年 1月 12日 개 정 판 발 행
2003年 1月 4日 2차개정발행
2004年 2月 15日 3차개정발행
2005年 1月 3日 4차개정발행
2006年 1月 9日 5차개정발행
2007年 1月 8日 6차개정발행
2008年 1月 21日 7차개정발행
2009年 1月 19日 9차개정발행
2010年 1月 20日 10차개정발행
2011年 1月 27日 11차개정발행
2012年 2月 13日 12차개정발행
2013年 2月 12日 13차개정발행
2014年 2月 17日 14차개정발행
2015年 2月 23日 15차개정발행
2017年 1月 23日 17차개정발행
2018年 1月 29日 18차개정발행
2019年 1月 18日 19차개정발행
2020年 2月 5日 20차개정발행
2021年 2月 8日 21차개정발행
2022年 2月 7日 22차개정발행
2023年 2月 16日 23차개정발행
2024年 2月 14日 24차개정발행

發行處 (주) 한솔아카데미

(우)06775 서울시 서초구 마방로10길 25 트윈타워 A동 2002호
TEL : (02)575-6144/5 FAX : (02)529-1130
〈1998. 2. 19 登錄 第16-1608號〉

※ 본 교재의 내용 중에서 오타, 오류 등은 발견되는 대로 한솔아카데미 인터넷 홈페이지를 통해 공지하여 드리며 보다 완벽한 교재를 위해 끊임없이 최선의 노력을 다하겠습니다.

※ 파본은 구입하신 서점에서 교환해 드립니다.

www.inup.co.kr / www.bestbook.co.kr

ISBN 979-11-6654-476-7 14530
ISBN 979-11-6654-473-6 (세트)